MATHS T^{le} EXPERTES

Auteurs

Delphine ARNAUD

Thibault FOURNET-FAYAS

Hélène GRINGOZ

Marie HASCOËT

Laura MAGANA

Paul MILAN

Les auteurs et les éditions MAGNARD r...

Les relectrices et relecteurs du manuel pour leurs r... ...s suggestions.

L'ensemble des enseignant•e•s pour leur participation aux études menées sur ce manuel.

MAGNARD

Sommaire

GRAPHES ET MATRICES
Partie 3

6

Introduction au calcul matriciel et aux graphes

7

Chaînes de Markov

Dicomaths

Corrigés 248

Les corrigés des exercices dont le numéro est sur fond blanc 1

Tous les pictos pour se repérer dans le manuel

Algo Pour tester un programme avec un ordinateur ou une calculatrice

Algo ✍ Pour compléter un programme ou se référer à son utilisation.

🐍 Pour la programmation en langage **Python**.

TICE Utilisation de logiciels (tableur, GeoGebra, géométrie dynamique…)

Calculatrice autorisée 🖩 Calculatrice non autorisée 🚫🖩

Pour faire le lien entre les maths et les autres disciplines

Histoire des sciences   **Histoire des maths**

SVT   **Physique**   **Chimie**   **SES**   **EPS**

Pour faire le lien entre les maths et les filières de l'enseignement supérieur :

MPSI   **Économie**   **Sciences**

PCSI   **Médical**   **Droit**

Programme

Nombres complexes

• Nombres complexes : point de vue algébrique	Dans le manuel
Contenus	1
– Ensemble $\mathbb{C}$ des nombres complexes. Partie réelle et partie imaginaire. Opérations.	
– Conjugaison. Propriétés algébriques.	
– Inverse d'un nombre complexe non nul.	
– Formule du binôme dans $\mathbb{C}$.	
Capacités attendues	1 3 4 5
– Effectuer des calculs algébriques avec des nombres complexes.	11
– Résoudre une équation linéaire $az = b$.	6
– Résoudre une équation simple faisant intervenir z et $\overline{z}$.	
Démonstrations	
– Conjugué d'un produit, d'un inverse, d'une puissance entière.	Cours 3
– Formule du binôme.	Cours 4

• Nombres complexes : point de vue géométrique	Dans le manuel
Contenus	2
– Image d'un nombre complexe. Image du conjugué. Affixe d'un point, d'un vecteur.	
– Module d'un nombre complexe. Interprétation géométrique.	
– Relation $|z|^2 = z\overline{z}$. Module d'un produit, d'un inverse.	
– Ensemble $\mathbb{U}$ des nombres complexes de module 1. Stabilité de $\mathbb{U}$ par produit et passage à l'inverse.	
– Arguments d'un nombre complexe non nul. Interprétation géométrique.	
– Forme trigonométrique.	
Capacités attendues	2 3
– Déterminer le module et les arguments d'un nombre complexe.	1
– Représenter un nombre complexe par un point. Déterminer l'affixe d'un point.	
Démonstrations	
– Formule $|z|^2 = z\overline{z}$. Module d'un produit. Module d'une puissance.	Apprendre à démontrer
Problèmes possibles	
– Suite de nombres complexes définie par $z_{n+1} = az_n + b$.	
– Inégalité triangulaire pour deux nombres complexes ; cas d'égalité.	
– Étude expérimentale de l'ensemble de Mandelbrot, d'ensembles de Julia.	

• Nombres complexes et trigonométrie	Dans le manuel
Contenus	2
– Formules d'addition et de duplication à partir du produit scalaire.	
– Exponentielle imaginaire, notation $e^{i\theta}$. Relation fonctionnelle. Forme exponentielle d'un nombre complexe.	
– Formules d'Euler : $\cos(\theta) = \dfrac{1}{2}(e^{i\theta} + e^{-e^{i\theta}})$, $\sin(\theta) = \dfrac{1}{2i}(e^{i\theta} - e^{-e^{i\theta}})$.	
– Formule de Moivre : $\cos(n\theta) + i\sin(n\theta) = (\cos(\theta) + i\sin(\theta))^n$	
Capacités attendues	3 6
– Passer de la forme algébrique d'un nombre complexe à sa forme trigonométrique ou exponentielle et inversement.	
– Effectuer des calculs sur des nombres complexes en choisissant une forme adaptée, en particulier dans le cadre de la résolution de problèmes.	9
– Utiliser les formules d'Euler et de Moivre pour transformer des expressions trigonométriques, dans des contextes divers (intégration, suites, etc.), calculer des puissances de nombres complexes.	6
Démonstration	
– Démonstration d'une des formules d'addition.	Cours 5

Nombres complexes

• Équations polynomiales	Dans le manuel
On utilise librement la notion de fonction polynôme à coefficients réels, plus simplement appelée polynôme. On admet que si une fonction polynôme est nulle, tous ses coefficients sont nuls.	1

Contenus
– Solutions complexes d'une équation du second degré à coefficients réels.
– Factorisation de $z^n - a^n$ par $z - a$.
– Si P est un polynôme et $P(a) = 0$, factorisation de P par $z - a$.
– Un polynôme de degré n admet au plus n racines.

Capacités attendues
– Résoudre une équation polynomiale de degré 2 à coefficients réels.
– Résoudre une équation de degré 3 à coefficients réels dont une racine est connue.
– Factoriser un polynôme dont une racine est connue.

Méthode 8
Méthode 10
Méthode 9

Démonstration
– Factorisation de $z^n - a^n$ par $z - a$. Factorisation de $P(z)$ par $z - a$ si $P(a) = 0$.
– Le nombre de solutions d'une équation polynomiale est inférieur ou égal à son degré.

Cours 5
Apprendre à démontrer

Problèmes possibles
– Racines carrées d'un nombre complexe, équation du second degré à coefficients complexes.
– Formules de Viète.
– Résolution par radicaux de l'équation de degré 3.

• Utilisation des nombres complexes en géométrie	Dans le manuel
	2

Contenus
– Interprétation géométrique du module et d'un argument de $\dfrac{c - a}{b - a}$

– Racines n-ièmes de l'unité. Description de l'ensemble $\mathbb{U}_n$ des racines n-ièmes de l'unité. Représentation géométrique. Cas particuliers : $n = 2, 3, 4$.

Capacités attendues
– Dans le cadre de la résolution de problème, utiliser les nombres complexes pour étudier des configurations du plan : démontrer un alignement, une orthogonalité, calculer des longueurs, des angles, déterminer des ensembles de points.
– Utiliser les racines de l'unité dans l'étude de configurations liées aux polygones réguliers.

Méthode 8 Méthode 10

Méthode 7

Démonstration
– Détermination de l'ensemble $\mathbb{U}_n$.

Cours 6

Problèmes possibles
– Lignes trigonométriques de $\dfrac{2\pi}{5}$, construction du pentagone régulier à la règle et au compas. 5π 2

– Somme des racines n-ièmes de l'unité.
– Racines n-ièmes d'un nombre complexe.
– Transformation de Fourier discrète.

Arithmétique

	Dans le manuel
Contenus	3
– Divisibilité dans $\mathbb{Z}$.	
– Division euclidienne d'un élément de $\mathbb{Z}$ par un élément de $\mathbb{N}^*$.	3
– Congruences dans $\mathbb{Z}$. Compatibilité des congruences avec les opérations.	3
– PGCD de deux entiers. Algorithme d'Euclide.	4
– Couples d'entiers premiers entre eux.	4
– Théorème de Bézout.	4
– Théorème de Gauss.	4
– Nombres premiers. Leur ensemble est infini.	5
– Existence et unicité de la décomposition d'un entier en produit de facteurs premiers.	5
– Petit théorème de Fermat.	5

Capacités attendues

– Déterminer les diviseurs d'un entier, le PGCD de deux entiers.

– Résoudre une congruence $ax \equiv b\ [n]$. Déterminer un inverse de a modulo n lorsque a et n sont premiers entre eux.

– Établir et utiliser des tests de divisibilité, étudier la primalité de certains nombres, étudier des problèmes de chiffrement.

– Résoudre des équations diophantiennes simples.

Démonstrations

– Écriture du PGCD de a et b sous la forme $ax + by$, $(x, y) \in \mathbb{Z}^2$.

Cours 3 et Apprendre à démontrer

– Théorème de Gauss.

Cours 4

– L'ensemble des nombres premiers est infini.

Cours 2 et Apprendre à démontrer

Exemples d'algorithmes

– Algorithme d'Euclide de calcul du PGCD de deux nombres et calcul d'un couple de Bézout.
– Crible d'Ératosthène.
– Décomposition en facteurs premiers.

Problèmes possibles

– Détermination des racines rationnelles d'un polynôme à coefficients entiers.
– Lemme chinois et applications à des situations concrètes.
– Démonstrations du petit théorème de Fermat.
– Problèmes de codage (codes barres, code ISBN, clé du Rib, code Insee).
– Étude de tests de primalité : notion de témoin, nombres de Carmichaël.
– Problèmes de chiffrement (affine, Vigenère, Hill, RSA).
– Recherche de nombres premiers particuliers (Mersenne, Fermat).
– Exemples simples de codes correcteurs.
– Étude du système cryptographique RSA.
– Détermination des triplets pythagoriciens.
– Étude des sommes de deux carrés par les entiers de Gauss.
– Étude de l'équation de Pell-Fermat.

Graphes et matrices

	Dans le manuel
Contenus	
– Graphe, sommets, arêtes. Exemple du graphe complet.	6
– Sommets adjacents, degré, ordre d'un graphe, chaîne, longueur d'une chaîne, graphe connexe.	6
– Notion de matrice (tableau de nombres réels). Matrice carrée, matrice colonne, matrice ligne. Opérations. Inverse, puissances d'une matrice carrée.	6
– Exemples de représentations matricielles : matrice d'adjacence d'un graphe ; transformations géométriques du plan ; systèmes linéaires ; suites récurrentes.	6
– Exemples de calcul de puissances de matrices carrées d'ordre 2 ou 3.	6
– Suite de matrices colonnes (U_n) vérifiant une relation de récurrence du type $U_{n+1} = AU_n + C$.	6
– Graphe orienté pondéré associé à une chaîne de Markov à deux ou trois états.	6
– Chaîne de Markov à deux ou trois états. Distribution initiale, représentée par une matrice ligne π_0. Matrice de transition, graphe pondéré associé.	7
– Pour une chaîne de Markov à deux ou trois états de matrice P, interprétation du coefficient (i, j) de P^n. Distribution après n transitions, représentée comme la matrice ligne $\pi_0 P^n$.	7
– Distributions invariantes d'une chaîne de Markov à deux ou trois états.	7
Capacités attendues	
– Modéliser une situation par un graphe.	6 · méthode 7
– Modéliser une situation par une matrice.	6 · méthode 8
– Associer un graphe orienté pondéré à une chaîne de Markov à deux ou trois états.	7 · méthode 4
– Calculer l'inverse, les puissances d'une matrice carrée.	6 · méthode 4
– Dans le cadre de la résolution de problèmes, utiliser le calcul matriciel, notamment l'inverse et les puissances d'une matrice carrée, pour résoudre un système linéaire, étudier une suite récurrente linéaire, calculer le nombre de chemins de longueur donnée entre deux sommets d'un graphe, étudier une chaîne de Markov à deux ou trois états (calculer des probabilités, déterminer une probabilité invariante).	6 · méthode 6 · méthode 8 · méthode 10 · 7 · méthode 3 · méthode 5 · méthode 8 · méthode 9
Démonstrations	
– Expression du nombre de chemins de longueur n reliant deux sommets d'un graphe à l'aide de la puissance n-ième de la matrice d'adjacence.	6 · Cours 6 · et **Apprendre à démontrer**
– Pour une chaîne de Markov, expression de la probabilité de passer de l'état i à l'état j en n transitions, de la matrice ligne représentant la distribution après n transitions.	7 · Cours 5 · et **Apprendre à démontrer**
Problèmes possibles	
– Étude de graphes eulériens.	
– Interpolation polynomiale.	
– Marche aléatoire sur un graphe. Étude asymptotique.	
– Modèle de diffusion d'Ehrenfest.	
– Modèle « proie-prédateur » discrétisé : évolution couplée de deux suites récurrentes.	
– Algorithme PageRank.	

Nombres complexes

Niccolò Fontana Tartaglia (1499-1557)

Jérôme Cardan (1501-1576)

Raphaël Bombelli (1526-1572)

Leonhard Euler (1707-1783)

En 1572, Bombelli dans son *Algebra* donne une méthode pour résoudre les équations algébriques de degrés 3 et 4 en introduisant la notation $\sqrt{-3}$.

↳ **Dicomaths** p. 237

À la Renaissance, une querelle oppose Tartaglia et Cardan concernant la résolution générale des équations du 3e degré, publiée par Cardan dans son *Ars Magna* (1545).

↳ **Dicomaths** p. 237 et 241

En 1748, Euler énonce la formule de Moivre, les formules d'Euler et l'identité d'Euler. Il introduit le symbole i.

↳ **Dicomaths** p. 238

Mon parcours au lycée

Dans les classes précédentes…
• J'ai étudié certains ensembles de nombres et leurs propriétés : $\mathbb{N}, \mathbb{Z}, \mathbb{D}, \mathbb{Q}, \mathbb{R}$.
• J'ai résolu des équations du 2nd degré dans l'ensemble des réels $\mathbb{R}$.

En Terminale…
Je vais découvrir de nouveaux nombres (ensemble des nombres complexes $\mathbb{C}$), étudier leurs propriétés algébriques et leurs applications géométriques.

**Carl Friedrich Gauss
(1707-1783)**

**Jean-Robert Argand
(1768-1822)**

**Félix Klein
(1849-1925)**

**Benoît Mandelbrot
(1924-2010)**

En 1799, Gauss soutient sa thèse de doctorat : « Tout polynôme non constant, à coefficients complexes, admet au moins une racine complexe ». Par la suite, il s'intéressera aux polygônes réguliers.
↪ Dicomaths **p. 239**

En 1806, Argand publie son *Essai sur une manière de représenter les quantités imaginaires dans les constructions géométriques* et introduit la forme algébrique.
↪ Dicomaths **p. 237**

En 1872, Klein énonce une manière d'étudier la géométrie à travers des similitudes directes du plan complexe.
↪ Dicomaths **p. 239**

Au XXᵉ siècle, les nombres complexes sont très présents en physique (phénomènes ondulatoires), en économie (phénomènes cycliques, fractales de Mandelbrot) ou encore en art .
↪ Dicomaths **p. 239**

Domaines professionnels

✓ Un·e **ingénieur·e** en physique utilise les nombres complexes pour représenter un phénomène ondulatoire : mécanique (oscillations), électrique (impédances, filtres passe-haut etc.) ou optique. De manière générale ces calculs servent pour la modulation et la démodulation dans les télécommunications.

✓ Un·e **acousticien·ne** étudie les phénomènes acoustiques d'une salle en utilisant des calculs avec des nombres complexes.

✓ Un·e **ingénieur·e** dans le domaine de l'audioprothèse fait de même en optimisant les prothèses auditives.

✓ Un·e **économiste** peut modéliser un cycle de croissance ou un cycle de prix grâce aux nombres complexes.

Nombres complexes : point de vue algébrique et polynômes

▶ VIDÉO

Histoire des nombres complexes
lienmini.fr/maths-e01-01

Les premiers nombres, utilisés pour compter, étaient les entiers naturels. Ces nombres ne permettent pas de résoudre toutes les équations. Jusqu'en classe de Première, le plus grand ensemble de nombres étudié est l'ensemble des réels. Au XVIe siècle, un nouvel ensemble de nombres, qui n'est pas inclus dans $\mathbb{R}$, est créé : l'ensemble des nombres complexes.

Aujourd'hui, les nombres complexes sont largement utilisés, notamment par les physiciens pour étudier des phénomènes accoustiques.

Peut-on trouver deux nombres tels que leur somme soit égale à 10 et leur produit soit égal à 40 ?

↪ Activité 2 p. 12

Pour prendre un bon départ

 EXO
Prérequis
lienmini.fr/maths-e01-02

 **Les rendez-vous**
Sésamath

1 Réduire une expression

Développer et réduire les expressions suivantes.

a) $A = (2 + 3x) + (1 - x)$

b) $B = (2 + 3x) - (1 - x)$

2 Utiliser la distributivité

Développer et réduire les expressions suivantes.

a) $A = 2 \times (1 - 2x)$

b) $B = (4 + 2x) \times (3 - 3x)$

3 Calculer avec des racines carrées

1. Écrire les expressions suivantes sans racine carrée au dénominateur.

a) $A = \dfrac{1}{\sqrt{3}}$

b) $B = \dfrac{\sqrt{2}}{\sqrt{3}}$

2. En multipliant le numérateur et le dénominateur par $1 - \sqrt{2}$ écrire l'expression suivante sans racine carrée au dénominateur : $C = \dfrac{1}{1 + \sqrt{2}}$.

3. En utilisant une méthode similaire à celle de la question **2.**, écrire l'expression suivante sans racine carrée au dénominateur : $D = \dfrac{1}{1 - \sqrt{3}}$.

4 Calculer un discriminant

Calculer le discriminant de chaque trinôme ci-dessous.

a) $2x^2 + 3x + 5$

b) $4x^2 - 20x + 25$

c) $2x^2 - 4x - 2$

d) $-2x^2 - 4x - 2$

5 Déterminer la forme canonique d'un trinôme

Déterminer la forme canonique des fonctions suivantes.

a) $f(x) = x^2 - 6x + 5$

b) $g(x) = 3x^2 + 9x + 18$

6 Résoudre une équation du second degré

Résoudre dans $\mathbb{R}$ les équations suivantes.

a) $3x^2 - 9x - 12 = 0$

b) $2x^2 + 5x + 7 = 0$

c) $2x^2 - 2x + \dfrac{1}{2} = 0$

d) $-x^2 - x + 2 = 0$

Activités

1 Faire le point sur les ensembles de nombres

1. Recopier et compléter le schéma ci-dessous, en déterminant l'ensemble de nombres correspondant (par exemple on notera $\mathbb{R}$ pour l'ensemble des réels).

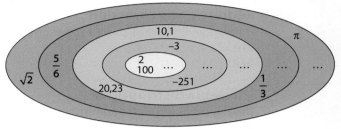

2. On considère l'équation suivante : $x + 3 = 2$.
a) Déterminer les solutions de cette équation dans l'ensemble des entiers naturels.
b) Déterminer les solutions de cette équation dans l'ensemble des entiers relatifs.

3. On considère l'équation suivante : $2x + 1 = 0$.
a) Déterminer les solutions de cette équation dans l'ensemble des entiers naturels.
b) Déterminer les solutions de cette équation dans l'ensemble des entiers relatifs.
c) Déterminer les solutions de cette équation dans l'ensemble des réels.

4. On considère l'équation $x^2 + 1 = 0$.
Déterminer les solutions de cette équation dans l'ensemble des réels.

↪ Cours 1 p. 14

2 Découvrir une approche historique

On veut trouver deux nombres tels que leur somme soit égale à 10 et leur produit soit égal à 40.

Au milieu du XVIᵉ siècle, Cardan donne des solutions de l'équation correspondant à ce problème : $5 + \sqrt{-15}$ et $5 - \sqrt{-15}$.
Il nomme ces quantités « quantités sophistiquées ».
Plus tard, au XVIIᵉ siècle, Descartes les nommera « quantités imaginaires ».
Au XVIIIᵉ siècle, Euler introduit une nouvelle notation : il pose i le nombre tel que $i^2 = -1$.

Cardan

1. Montrer que le problème peut se traduire par l'équation $x \times (10 - x) = 40$.

2. Résoudre cette équation dans $\mathbb{R}$.

3. En admettant que les quantités $5 + \sqrt{-15}$ et $5 - \sqrt{-15}$ de Cardan existent, montrer qu'elles vérifient bien l'équation. Pour cette question, on généralise la règle suivante à tous les nombres réels : $\sqrt{a} \times \sqrt{a} = a$.

4. On pose i le nombre tel que $i^2 = -1$.
a) En déduire que i est solution de l'équation $x^2 + 1 = 0$.
b) Déterminer la valeur de i^4.

5. En utilisant le nombre i, déterminer un nombre qui :
a) élevé au carré est égal à –4.   **b)** élevé au carré est égal à –2.   **c)** élevé au carré est égal à –15.

6. En utilisant le résultat de la question **5. c)**, réécrire les solutions proposées par Cardan en utilisant le nombre i.

↪ Cours 1 p. 14

3 Calculer avec des nombres complexes

 25 min

A ▶ Addition et multiplication

1. Développer et simplifier les expressions suivantes : $A = (3 - 2x) + (-2 + x)$ et $B = (3 - 2x) \times (-2 + x)$.

2. En utilisant $i^2 = -1$, développer et écrire les expressions suivantes sous la forme $a + ib$ avec a et b deux réels.
$C = (3 - 2i) + (-2 + i)$ et $D = (3 - 2i) \times (-2 + i)$.

3. Soit z et z' deux nombres complexes tels que $z = a + ib$ et $z' = a' + ib'$ avec a, b, a' et b' des réels.
Ces écritures sont la **forme algébrique** des nombres complexes z et z'.
Développer et écrire les expressions suivantes sous la forme $A + iB$ avec A et B deux réels.
$E = z + z'$; $F = z - z'$ et $G = z \times z'$.

B ▶ Inverse

1. a) Déterminer la forme algébrique de $(2 - i)(2 + i)$.

b) En multipliant le dénominateur et le numérateur par $2 - i$, déterminer la forme algébrique de $H = \dfrac{1}{2 + i}$.

2. Soit a et b deux réels.

a) Déterminer la forme algébrique de $(a + ib)(a - ib)$.

b) En multipliant le numérateur et le dénominateur par $a - ib$, déterminer la forme algébrique de $H = \dfrac{1}{a + ib}$.

↪ **Cours 2 p. 16**

4 Découvrir le conjugué d'un nombre complexe

 10 min

Soit z un nombre complexe tel que $z = a + ib$ avec a et b deux réels.
On appelle conjugué de z, le nombre complexe noté $\bar{z}$ défini par $\bar{z} = a - ib$.

1. Déterminer la forme algébrique de $z + \bar{z}$, $z - \bar{z}$ et $z \times \bar{z}$.

2. Déterminer une condition sur z et $\bar{z}$ pour que :

a) z soit un nombre réel.

b) z soit un nombre imaginaire pur.

↪ **Cours 3 p. 18**

5 Résoudre des équations du second degré

20 min

1. On veut résoudre l'équation suivante : $x^2 + 4 = 0$.

a) Résoudre cette équation dans $\mathbb{R}$.

b) Écrire $x^2 + 4$ sous la forme $x^2 - c^2$ avec c un nombre complexe.

c) En utilisant une identité remarquable, factoriser $x^2 + 4$.

d) En reconnaissant un produit nul, résoudre dans $\mathbb{C}$ l'équation $x^2 + 4 = 0$.

2. On veut résoudre dans $\mathbb{C}$ l'équation suivante : $x^2 + 2x + 10 = 0$.

a) Soit f la fonction définie sur $\mathbb{C}$ par $f(x) = x^2 + 2x + 10$. Déterminer la forme canonique de f.

b) Écrire $f(x)$ sous la forme $(x + c)^2 - d^2$ avec c et d deux nombres complexes.

c) En utilisant une identité remarquable, factoriser $f(x)$, puis résoudre $f(x) = 0$ dans $\mathbb{C}$.

↪ **Cours 4 p. 20**

Ensemble des nombres complexes

Théorème Ensemble des nombres complexes

Il existe un ensemble, noté $\mathbb{C}$, appelé ensemble des nombres complexes ayant les propriétés suivantes.

- **$\mathbb{C}$ contient l'ensemble $\mathbb{R}$ des nombres réels.**
- **Il existe un élément de $\mathbb{C}$, noté i, tel que $i^2 = -1$.**
- **$\mathbb{C}$ est muni d'une addition et d'une multiplication qui ont les mêmes propriétés que l'addition et la multiplication dans $\mathbb{R}$.**

Exemples

Les nombres 3 ; 5 et i appartiennent à $\mathbb{C}$. Les nombres $3 + i$ et $5i$ appartiennent à $\mathbb{C}$.

Propriété Écriture algébrique

Tout élément z de $\mathbb{C}$ s'écrit de manière unique sous la forme $a + ib$ avec a et b deux réels.

Cette écriture s'appelle la forme algébrique de z.

- **a est la partie réelle de z. On note $a = \text{Re}(z)$.**
- **b est la partie imaginaire de z. On note $b = \text{Im}(z)$.**

▶ **Remarque**

Si $a = 0$ (soit $\text{Re}(z) = 0$), on a $z = ib$. On dit que z est imaginaire pur.
L'ensemble des nombres imaginaires purs est noté $i\mathbb{R}$.
Si $b = 0$ (soit $\text{Im}(z) = 0$), on a $z = a$. Alors z est réel.

Exemples

① Soit z le nombre complexe tel que $z = 4 - 2i$. Alors $\text{Re}(z) = 4$ et $\text{Im}(z) = -2$.

② Soit z' le nombre complexe tel que $z' = 3i$. Alors $\text{Re}(z') = 0$ et $\text{Im}(z') = 3$. z' est imaginaire pur.

Théorème Égalité dans $\mathbb{C}$

Soit z et z' deux nombres complexes tels que $z = a + ib$ et $z' = a' + ib'$ avec a, b, a' et b' des réels. Alors

$$z = z' \Leftrightarrow \begin{cases} a = a' \\ b = b' \end{cases}$$

▶ **Remarque** Ce théorème assure l'unicité de l'écriture d'un nombre complexe sous forme algébrique.

Démonstration

Si $a = a'$ et $b = b'$ alors $z = a + ib = a' + ib' = z'$.

Réciproquement, si $z = z'$, alors $a + ib = a' + ib'$. Donc $a - a' = i(b' - b)$.

Supposons par l'absurde que $b \neq b'$.

Alors on a $\dfrac{a - a'}{b' - b} = i$.

Or a, a', b, b' sont des réels, donc $\dfrac{a - a'}{b' - b} \in \mathbb{R}$. Donc $i \in \mathbb{R}$. Cela est absurde. Donc $b = b'$.

Par conséquent $a - a' = 0$, soit $a = a'$.

Corollaire Conséquences de l'égalité dans $\mathbb{C}$

Soit z et z' deux nombres complexes tels que $z = a + ib$ et $z' = a' + ib'$ avec a, b, a' et b' des réels.

- **$z \neq z' \Leftrightarrow a \neq a'$ ou $b \neq b'$**
- **$z = 0 \Leftrightarrow a = 0$ et $b = 0$**
- **$z \neq 0 \Leftrightarrow a \neq 0$ ou $b \neq 0$**

● EXOS
Méthodes
lienmini.fr/maths-e01-03

Les rendez-vous
Sésamath

Exercices (résolus)

Méthode 1 — Déterminer la forme algébrique d'un nombre complexe

Énoncé

Pour chaque nombre complexe ci-dessous, déterminer sa forme algébrique, sa partie réelle et sa partie imaginaire.

a) $z = 3i - 4 + 2i - 1$ **b)** $z' = 3i - 5i + 0,5i$

Solution

a) $z = -4 - 1 + 3i + 2i = -5 + 5i$

Donc $\text{Re}(z) = -5$ et $\text{Im}(z) = 5$.

b) $z' = 3i - 5i + 0,5i = (3 - 5 + 0,5)i = -1,5i$

Donc $\text{Re}(z) = 0$ et $\text{Im}(z) = -1,5$.

Conseils & Méthodes

1 Déterminer la forme algébrique d'un nombre complexe, c'est l'écrire sous la forme $a + ib$.
a est la partie réelle et b est la partie imaginaire.

2 Si z et z' sont deux nombres complexes, alors $z + z' = z' + z$.

3 Attention, si $z = a + ib$ avec a et b deux réels, alors $\text{Im}(z)$ est égal à b et non ib.

À vous de jouer !

1 Pour chaque nombre complexe ci-dessous, déterminer sa forme algébrique.

a) $z = -4 + i + 2 - i$ **b)** $z = 5 + i \times i - 4$

2 Pour chaque nombre complexe ci-dessous, déterminer sa partie réelle et sa partie imaginaire.

a) $z = 5i - 4 + i$ **b)** $z = 2 - i^2$

↳ Exercices 37 à 41 p. 28

Méthode 2 — Utiliser l'égalité de deux nombres complexes

Énoncé

1. Déterminer les valeurs des réels x et y tels que $(-1 + 2x) + i(1 + y) = 2 + 3i$.

2. Déterminer les valeurs des réels x et y tels que $(x + y) + i(2x - y + 4) = 0$.

Conseils & Méthodes

1 $z = z' \Leftrightarrow \begin{cases} \text{Re}(z) = \text{Re}(z') \\ \text{Im}(z) = \text{Im}(z') \end{cases}$

Et si on a $z = a + ib$ avec a et b deux réels, alors $a = \text{Re}(z)$ et $b = \text{Im}(z)$.

2 Résoudre ensuite le système de deux équations à deux inconnues.

3 $0 = 0 + 0i$, donc $\text{Re}(0) = 0$ et $\text{Im}(0) = 0$.

Solution

1. $(-1 + 2x) + i(1 + y) = 2 + 3i \Leftrightarrow \begin{cases} -1 + 2x = 2 \\ 1 + y = 3 \end{cases}$ **1**

$\Leftrightarrow \begin{cases} x = \dfrac{3}{2} \\ y = 2 \end{cases}$ **2**

Donc $x = \dfrac{3}{2}$ et $y = 2$.

2. $(x + y) + i(2x - y + 4) = 0 \Leftrightarrow \begin{cases} x + y = 0 \\ 2x - y + 4 = 0 \end{cases}$ **3** $\Leftrightarrow \begin{cases} y = -x \\ 2x - (-x) + 4 = 0 \end{cases} \Leftrightarrow \begin{cases} y = -x \\ 3x + 4 = 0 \end{cases} \Leftrightarrow \begin{cases} y = \dfrac{4}{3} \\ x = -\dfrac{4}{3} \end{cases}$

Donc $x = -\dfrac{4}{3}$ et $y = \dfrac{4}{3}$.

À vous de jouer !

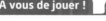

3 Déterminer les valeurs des réels x et y tels que :
$$(x + 2) + i(x + y - 1) = 5 - 2i.$$

4 Déterminer les valeurs des réels x et y tels que :
$$(2x + y) + i(x + y - 1) = 0.$$

↳ Exercices 42 à 44 p. 28

2 Opérations dans $\mathbb{C}$

Propriétés Addition et multiplication

Soit z et z' deux nombres complexes tels que $z = a + ib$ et $z' = a' + ib'$ avec a, b, a' et b' des nombres réels.

① $z + z' = (a + a') + i(b + b')$ ② $z \times z' = (aa' - bb') + i(ab' + a'b)$

• **Démonstration**

L'addition et la multiplication suivent les mêmes règles de calculs que dans $\mathbb{R}$.

① $z + z' = (a + ib) + (a' + ib')$
$= a + ib + a' + ib'$
$= a + a' + ib + ib'$
$= (a + a') + i(b + b')$

② $z \times z' = (a + ib) \times (a' + ib')$
$= a \times a' + a \times ib' + ib \times a' + ib \times ib'$
$= aa' + iab' + ia'b + i^2 bb'$
$= aa' + iab' + ia'b - bb'$ car $i^2 = -1$
$= (aa' - bb') + i(ab' + a'b)$

Définition Opposé

Pour tout nombre complexe z, il existe un unique nombre complexe z' tel que $z + z' = 0$.

z' est appelé **opposé** de z et on le note $-z$.

Si $z = a + ib$ avec a et b deux nombres réels, alors $-z = (-a) + i(-b)$.

• **Exemple**

Si $z = 2 - 7i$, alors $-z = -2 + 7i$.

Définition Soustraction

Soit z et z' deux nombres complexes tels que $z = a + ib$ et $z' = a' + ib'$ avec a, b, a' et b' des nombres réels. Alors $z - z'$ est défini par $z + (-z')$ et on a a $z - z' = (a - a') + i(b - b')$.

• **Exemple**

Si $z = 2 + 3i$ et $z' = -4 + 2i$, alors $z - z' = (2 - (-4)) + (3 - 2)i = 6 + i$.

Définition Inverse

Pour tout nombre complexe z non nul, il existe un unique nombre complexe z' tel que $z \times z' = 1$.

z' est appelé **inverse** de z et on le note $\dfrac{1}{z}$.

Si $z = a + ib$ avec a et b deux nombres réels et $z \neq 0$, alors $\dfrac{1}{z} = \dfrac{a}{a^2 + b^2} - i \times \dfrac{b}{a^2 + b^2}$.

• **Démonstration**

Soit z un nombre complexe non nul tel que $z = a + ib$, avec a et b deux réels.

Alors $\dfrac{1}{z} = \dfrac{1}{a + ib} = \dfrac{a - ib}{(a + ib) \times (a - ib)} = \dfrac{a - ib}{a^2 - (ib)^2} = \dfrac{a - ib}{a^2 + b^2} = \dfrac{a}{a^2 + b^2} - i \times \dfrac{b}{a^2 + b^2}$.

• **Exemple**

Si $z = 2 + 3i$, alors $\dfrac{1}{z} = \dfrac{1}{2 + 3i} = \dfrac{2 - 3i}{(2 + 3i)(2 - 3i)} = \dfrac{2 - 3i}{2^2 - 9i^2} = \dfrac{2 - 3i}{13} = \dfrac{2}{13} - \dfrac{3}{13}i$.

Définition Quotient

Soit z et z' deux nombres complexes tels que $z' \neq 0$. Alors $\dfrac{z}{z'}$ est défini par $z \times \dfrac{1}{z'}$.

EXOS
Méthodes
lienmini.fr/maths-e01-03

Les rendez-vous
Sésamath

Exercices (résolus)

Méthode 3 — Calculer la somme et le produit de deux nombres complexes

Énoncé

On considère les deux nombres complexes : $z_1 = 5 - 2i$ et $z_2 = -2 + 4i$.
Déterminer la forme algébrique des nombres complexes suivants.

a) $z_1 + z_2$ **b)** $4z_1$ **c)** $z_1 \times z_2$ **d)** z_1^2

Solution

a) $z_1 + z_2 = 5 - 2i + (-2 + 4i)$
$= 3 + 2i$

c) $z_1 \times z_2 = (5 - 2i) \times (-2 + 4i)$
$= -10 + 20i + 4i - 8i^2$
$= -10 + 20i + 4i + 8$
$= -2 + 24i$

b) $4z_1 = 4 \times (5 - 2i)$
$= 20 - 8i$

d) $z_1^2 = (5 - 2i) \times (5 - 2i)$
$= 25 - 10i - 10i + 4i^2$
$= 25 - 10i - 10i - 4$
$= 21 - 20i$

Conseils & Méthodes

1 La forme algébrique est $a + ib$ avec a et b deux réels.
2 On développe comme dans $\mathbb{R}$.
3 $i^2 = -1$
4 $z^2 = z \times z$

À vous de jouer !

5 Soit $z_1 = -2 + 3i$ et $z_2 = -3 + 2i$. Déterminer la forme algébrique des nombres complexes suivants.
a) $z_1 - z_2$ **b)** $-3z_1$ **c)** $2z_1^2$

6 Déterminer la forme algébrique des nombres complexes suivants.
a) $(3 - i) \times (4 + 2i)$ **b)** $(5 - i) \times (5 + i)$

➜ Exercices 45 à 53 p. 28

Méthode 4 — Calculer l'inverse et le quotient de nombres complexes

Énoncé

1. Écrire le nombre complexe suivant sous forme algébrique : $z_1 = \dfrac{1}{2i}$.

2. Résoudre dans $\mathbb{C}$ l'équation suivante : $(5 - i) \times z - i = i$. On donnera la ou les solution(s) sous forme algébrique.

Solution

1. $\dfrac{1}{z_1} = \dfrac{1}{2i} = \dfrac{-2i}{2i \times (-2i)} = \dfrac{-2i}{-4i^2} = \dfrac{-2i}{4} = -\dfrac{1}{2}i$

2. $(5 - i) \times z - i = i \Leftrightarrow (5 - i) \times z = 2i \Leftrightarrow z = \dfrac{2i}{5 - i}$

$\Leftrightarrow z = \dfrac{2i \times (5 + i)}{(5 - i)(5 + i)} \Leftrightarrow z = \dfrac{10i + 2i^2}{25 - i^2}$

$\Leftrightarrow z = \dfrac{10i - 2}{25 + 1} \Leftrightarrow z = \dfrac{-2 + 10i}{26} \Leftrightarrow z = -\dfrac{1}{13} + \dfrac{5}{13}i$.

Donc $S = \left\{ -\dfrac{1}{13} + \dfrac{5}{13}i \right\}$.

Conseils & Méthodes

1 Si $z = a + ib$, pour écrire l'inverse de z sous forme algébrique, il faut multiplier le numérateur et le dénominateur par $a - ib$.
2 Pour résoudre l'équation, chercher à isoler l'inconnue (z).
3 Le dénominateur est $5 - i$. Pour écrire le nombre complexe sous forme algébrique, multiplier le numérateur et le dénominateur par $5 + i$.
4 $(a - b)(a + b) = a^2 - b^2$

À vous de jouer !

7 Écrire sous forme algébrique les nombres complexes suivants.
a) $z_1 = \dfrac{1}{3 + i}$ **b)** $z_2 = \dfrac{1}{i}$

8 Résoudre dans $\mathbb{C}$ les équations suivantes. On donnera la solution sous forme algébrique.
a) $(1 - i)z = 1 + i$ **b)** $(5 + 3i)z - 2 = i$

➜ Exercices 54 à 61 p. 29

Cours

3 Conjugué d'un nombre complexe

Définition Conjugué d'un nombre complexe

Soit z un nombre complexe tel que $z = a + ib$, avec a et b deux nombres réels.

Alors le **conjugué** de z, noté $\overline{z}$, est le nombre complexe défini par $\overline{z} = a - ib$.

Exemple Le conjugué de $z = 3 + 1{,}5i$ est $\overline{z} = 3 - 1{,}5i$.

Propriétés Propriétés du conjugué

Pour tout nombre complexe z, on a :

① $z + \overline{z} = 2\,\text{Re}(z)$ ③ $z \in \mathbb{R} \Leftrightarrow z = \overline{z}$ ⑤ $\overline{\overline{z}} = z$

② $z - \overline{z} = 2i\,\text{Im}(z)$ ④ $z \in i\mathbb{R} \Leftrightarrow z = -\overline{z}$

Démonstration

Soit $z = a + ib$ avec a et b deux réels.

① $z + \overline{z} = a + ib + a - ib = 2a = 2\text{Re}(z)$

② $z - \overline{z} = a + ib - (a - ib) = a + ib - a + ib = 2ib = 2i\,\text{Im}(z)$

③ $z \in \mathbb{R} \Leftrightarrow \text{Im}(z) = 0 \Leftrightarrow 2i\text{Im}(z) = 0 \Leftrightarrow z - \overline{z} = 0 \Leftrightarrow z = \overline{z}$

④ $z \in i\mathbb{R} \Leftrightarrow \text{Re}(z) = 0 \Leftrightarrow 2\text{Re}(z) = 0 \Leftrightarrow z + \overline{z} = 0 \Leftrightarrow z = -\overline{z}$

⑤ $\overline{z} = a - ib$. Donc $\overline{\overline{z}} = a + ib = z$

Propriétés Opérations avec les conjugués

Pour tous nombres complexes z et z', on a :

① $\overline{-z} = -\overline{z}$ ② $\overline{z + z'} = \overline{z} + \overline{z'}$ ③ $\overline{z \times z'} = \overline{z} \times \overline{z'}$

④ pour tout entier naturel n, $\overline{z^n} = (\overline{z})^n$ ⑤ Si $z \neq 0$, $\overline{\left(\dfrac{1}{z}\right)} = \dfrac{1}{\overline{z}}$ ⑥ Si $z \neq 0$, $\overline{\left(\dfrac{z'}{z}\right)} = \dfrac{\overline{z'}}{\overline{z}}$

Démonstration

▶ VIDÉO
Démonstration
lienmini.fr/maths-e01-04

Soit $z = a + ib$ et $z' = a' + ib'$ avec a, b, a' et b' des réels.

② D'une part, $z + z' = a + a' + i(b + b')$, donc $\overline{z + z'} = a + a' - i(b + b')$.

D'autre part, $\overline{z} + \overline{z'} = a - ib + a' - ib' = a + a' - i(b + b')$.

Donc $\overline{z + z'} = \overline{z} + \overline{z'}$.

③ D'une part, $z \times z' = (aa' - bb') + i(ab' + a'b)$, donc $\overline{z \times z'} = (aa' - bb') - i(ab' + a'b)$.

D'autre part, $\overline{z} \times \overline{z'} = (a - ib)(a' - ib') = aa' - iab' - ia'b + i^2 bb' = aa' - bb' - i(ab' + a'b)$.

Donc $\overline{z \times z'} = \overline{z} \times \overline{z'}$.

④ Pour tout $n \in \mathbb{N}$, on considère la propriété $P(n)$: « $\overline{z^n} = (\overline{z})^n$ ».

Initialisation : pour $n = 0$, $\overline{z^0} = \overline{1} = 1$ et $(\overline{z})^0 = 1$. Donc $\overline{z^0} = (\overline{z})^0$. Donc la propriété est vraie pour $n = 0$.

Hérédité : soit $n \in \mathbb{N}$. Supposons que $P(n)$ est vraie, c'est-à-dire $\overline{z^n} = (\overline{z})^n$.

Montrons que $P(n + 1)$ est vraie, c'est-à-dire $\overline{z^{n+1}} = (\overline{z})^{n+1}$.

$\overline{z^{n+1}} = \overline{z^n \times z} = \overline{z^n} \times \overline{z} = (\overline{z})^n \times \overline{z} = (\overline{z})^{n+1}$. Donc $P(n + 1)$ est vraie.

Conclusion : on conclut que pour tout $n \in \mathbb{N}$, $P(n)$ est vraie. Donc pour tout $n \in \mathbb{N}$, $\overline{z^n} = (\overline{z})^n$.

⑤ Si $z \neq 0$, $z \times \dfrac{1}{z} = 1$, donc $\overline{z \times \dfrac{1}{z}} = \overline{1}$. Donc $\overline{z} \times \overline{\left(\dfrac{1}{z}\right)} = 1$, soit $\overline{\left(\dfrac{1}{z}\right)} = \dfrac{1}{\overline{z}}$.

⑥ Si $z \neq 0$, $\overline{\left(\dfrac{z'}{z}\right)} = \overline{\left(z' \times \dfrac{1}{z}\right)} = \overline{z'} \times \overline{\left(\dfrac{1}{z}\right)} = \overline{z'} \times \dfrac{1}{\overline{z}} = \dfrac{\overline{z'}}{\overline{z}}$.

EXOS
Méthodes
lienmini.fr/maths-e01-03

Les rendez-vous
Sésamath

Exercices résolus

Méthode 5 — Déterminer et utiliser le conjugué d'un nombre complexe

Énoncé

1. Pour tout $z \in \mathbb{C}$, on pose $Z_1 = z - \overline{z}$.

a) Déterminer le conjugué de Z_1 en fonction de z et $\overline{z}$.

b) Z_1 est-il un nombre réel, imaginaire pur ou aucun des deux ?

2. Reprendre les questions précédentes avec $Z_2 = z \times \overline{z}$.

Solution

1. a) $\overline{Z_1} = \overline{z - \overline{z}} = \overline{z} - \overline{\overline{z}}$ **1** $= \overline{z} - z$ **2**

b) $\overline{Z_1} = -(z - \overline{z}) = -Z_1$ **3** Donc Z_1 est un nombre imaginaire pur.

2. a) $\overline{Z_2} = \overline{z \times \overline{z}} = \overline{z} \times \overline{\overline{z}}$ **4** $= \overline{z} \times z$

b) $\overline{Z_2} = \overline{z} \times z = z \times \overline{z} = Z_2$. Donc Z_2 est un nombre réel.

Conseils & Méthodes

1 $\overline{z + z'} = \overline{z} + \overline{z'}$ et $\overline{-z} = -\overline{z}$
Donc $\overline{z - z'} = \overline{z} + \overline{(-z')} = \overline{z} - \overline{z'}$.

2 $\overline{\overline{z}} = z$

3 Soit z un nombre complexe.
Pour montrer que z est un nombre réel, on peut montrer que $z = \overline{z}$.
Pour montrer que z est un nombre imaginaire pur on peut montrer que $z = -\overline{z}$ ou $\overline{z} = -z$.

4 $\overline{z \times z'} = \overline{z} \times \overline{z'}$

À vous de jouer !

9 Montrer que pour tout nombre complexe z non nul, $\dfrac{1}{z} - \dfrac{1}{\overline{z}}$ est un nombre imaginaire pur.

10 Montrer que pour tout nombre complexe z non nul, $\dfrac{1}{z} + \dfrac{1}{\overline{z}}$ est un nombre réel.

➜ Exercices 62 à 69 p. 29

Méthode 6 — Résoudre une équation faisant intervenir z et $\overline{z}$

Énoncé

Résoudre dans $\mathbb{C}$ les équations suivantes. On donnera les solutions sous forme algébrique.

a) $-\overline{z} = 5 - i$ **b)** $2z + \overline{z} = 3 - 2i$

Solution

a) $-\overline{z} = 5 - i \Leftrightarrow \overline{z} = -5 + i$ **1** $\Leftrightarrow \overline{\overline{z}} = \overline{-5 + i}$ **2** $\Leftrightarrow z = -5 - i$

Donc $S = \{-5 - i\}$.

b) $2z + \overline{z} = 3 - 2i$ **3**

Posons $z = a + ib$ avec a et b deux réels.

$2z + \overline{z} = 3 - 2i \Leftrightarrow 2(a + ib) + (a - ib) = 3 - 2i$ **4**

$\Leftrightarrow 2a + 2ib + a - ib = 3 - 2i$

$\Leftrightarrow 3a + ib = 3 - 2i$

$\Leftrightarrow \begin{cases} 3a = 3 \\ b = -2 \end{cases}$ **5** $\Leftrightarrow \begin{cases} a = 1 \\ b = -2 \end{cases}$

Donc $S = \{1 - 2i\}$.

Conseils & Méthodes

1 Isoler l'inconnue.

2 Pour obtenir z dans le membre de gauche de l'égalité, on prend le conjugué de chaque membre. En effet, $\overline{\overline{z}} = z$.

3 Dans cette équation, on retrouve z et $\overline{z}$. On ne peut donc pas utiliser la même méthode que la question **a)** et isoler l'inconnue.

4 Si $z = a + ib$, alors $\overline{z} = a - ib$.

5 $z = z' \Leftrightarrow \begin{cases} \text{Re}(z) = \text{Re}(z') \\ \text{Im}(z) = \text{Im}(z') \end{cases}$.

À vous de jouer !

11 Résoudre dans $\mathbb{C}$ les équations suivantes. On donnera les solutions sous forme algébrique.

a) $2\overline{z} = 4 + i$ **b)** $-3\overline{z} = -2 - i$

12 Résoudre dans $\mathbb{C}$ les équations suivantes. On donnera les solutions sous forme algébrique.

a) $z - 3\overline{z} = 6 - 2i$ **b)** $-z + 4\overline{z} = 5 - 7i$

➜ Exercices 70 à 73 p. 29

4 Formule du binôme et équations du second degré

Propriété Formule du binôme de Newton

Soit a et b deux nombres complexes. Pour tout entier naturel n, on a $(a+b)^n = \displaystyle\sum_{k=0}^{n} \binom{n}{k} a^k b^{n-k}$.

● **Démonstration**

Pour tout $n \in \mathbb{N}$, on considère la propriété $P(n)$: « $(a+b)^n = \displaystyle\sum_{k=0}^{n} \binom{n}{k} a^k b^{n-k}$ ».

▶ **VIDÉO**

Démonstration
lienmini.fr/maths-e01-05

Initialisation : pour $n = 0$, $(a+b)^0 = 1$ et $\displaystyle\sum_{k=0}^{0} \binom{0}{k} a^k b^{0-k} = \binom{0}{0} a^0 b^0 = 1$. Donc la propriété est vraie pour $n = 0$.

Hérédité : soit $n \in \mathbb{N}$. Supposons que $P(n)$ est vraie, c'est-à-dire $(a+b)^n = \displaystyle\sum_{k=0}^{n} \binom{n}{k} a^k b^{n-k}$.

Montrons que $P(n+1)$ est vraie, c'est-à-dire $(a+b)^{n+1} = \displaystyle\sum_{k=0}^{n+1} \binom{n+1}{k} a^k b^{n+1-k}$.

$(a+b)^{n+1} = (a+b)^n \times (a+b) = \left(\displaystyle\sum_{k=0}^{n} \binom{n}{k} a^k b^{n-k} \right) \times (a+b) = a \times \displaystyle\sum_{k=0}^{n} \binom{n}{k} a^k b^{n-k} + b \times \displaystyle\sum_{k=0}^{n} \binom{n}{k} a^k b^{n-k}$

$= \displaystyle\sum_{k=0}^{n} \binom{n}{k} a^{k+1} b^{n-k} + \displaystyle\sum_{k=0}^{n} \binom{n}{k} a^k b^{n-k+1}$

$= \binom{n}{n} a^{n+1} b^{n-n} + \displaystyle\sum_{k=0}^{n-1} \binom{n}{k} a^{k+1} b^{n-k} + \binom{n}{0} a^0 b^{n-0+1} + \displaystyle\sum_{k=1}^{n} \binom{n}{k} a^k b^{n-k+1}$

$= a^{n+1} + \displaystyle\sum_{k=1}^{n} \binom{n}{k-1} a^k b^{n-k+1} + b^{n+1} + \displaystyle\sum_{k=1}^{n} \binom{n}{k} a^k b^{n-k+1} = a^{n+1} + b^{n+1} + \displaystyle\sum_{k=1}^{n} \left[\binom{n}{k-1} + \binom{n}{k} \right] a^k b^{n-k+1}$

$= a^{n+1} + b^{n+1} + \displaystyle\sum_{k=1}^{n} \binom{n+1}{k} a^k b^{n-k+1}$ (d'après la relation de Pascal)

$= \binom{n+1}{n+1} a^{n+1} b^0 + \binom{n+1}{0} a^0 b^{n+1} + \displaystyle\sum_{k=1}^{n} \binom{n+1}{k} a^k b^{n+1-k} = \displaystyle\sum_{k=0}^{n+1} \binom{n+1}{k} a^k b^{n+1-k}$. Donc $P(n+1)$ est vraie.

Conclusion : on conclut que pour tout $n \in \mathbb{N}$, $P(n)$ est vraie. Donc pour tout $n \in \mathbb{N}$, $(a+b)^n = \displaystyle\sum_{k=0}^{n} \binom{n}{k} a^k b^{n-k}$.

Propriété Résolution d'une équation de la forme $z^2 = a$

On considère l'équation $z^2 = a$ avec a un réel.

Si $a > 0$, alors l'équation admet deux solutions réelles : $\sqrt{a}$ et $-\sqrt{a}$.

Si $a < 0$, alors l'équation admet deux solutions complexes : $i\sqrt{|a|}$ et $-i\sqrt{|a|}$.

Propriété Résolution dans $\mathbb{C}$ d'une équation du second degré à coefficients réels

On considère l'équation $az^2 + bz + c = 0$, avec a, b et c trois réels.

Soit $\Delta = b^2 - 4ac$ le discriminant de cette équation.

• Si $\Delta > 0$, alors l'équation admet deux solutions réelles distinctes : $z_1 = \dfrac{-b-\sqrt{\Delta}}{2a}$ et $z_2 = \dfrac{-b+\sqrt{\Delta}}{2a}$.

• Si $\Delta = 0$, alors l'équation admet une unique solution réelle : $z_0 = \dfrac{-b}{2a}$.

• Si $\Delta < 0$, alors l'équation admet deux solutions complexes conjuguées : $z_1 = \dfrac{-b-i\sqrt{-\Delta}}{2a}$ et $z_2 = \dfrac{-b+i\sqrt{-\Delta}}{2a}$.

• Si $\Delta \neq 0$, alors $az^2 + bz + c = a(z - z_1)(z - z_2)$.

● EXOS
Méthodes
lienmini.fr/maths-e01-03

Les rendez-vous
Sésamath

Exercices (résolus)

Méthode
7 Utiliser la formule du binôme de Newton

Énoncé

1. En utilisant la formule du binôme de Newton, déterminer la forme algébrique de $(1 + i)^4$.

2. Soit $a \in \mathbb{R}$. Pour quelle(s) valeur(s) de a le nombre complexe $z = (a + i)^3$ est-il un nombre imaginaire pur ?

Solution

1. $(1+i)^4 = \sum_{k=0}^{4}\binom{4}{k}1^k i^{n-k}$ **1**

$= \binom{4}{0}1^0 i^4 + \binom{4}{1}1^1 i^3 + \binom{4}{2}1^2 i^2 + \binom{4}{3}1^3 i^1 + \binom{4}{4}1^4 i^0$

$= 1 \times 1 \times 1 + 4 \times 1 \times (-i) + 6 \times 1 \times (-1) + 4 \times 1 \times i + 1 \times 1 \times 1$ **2**

$= 1 - 4i - 6 + 4i + 1 = -4$

2. $z = (a+i)^3 = \sum_{k=0}^{3}\binom{3}{k}a^k i^{n-k}$ **3** $= \binom{3}{0}a^0 i^3 + \binom{3}{1}a^1 i^2 + \binom{3}{2}a^2 i^1 + \binom{3}{3}a^3 i^0$

$= 1 \times 1 \times (-i) + 3 \times a \times (-1) + 3 \times a^2 \times i + 1 \times a^3 \times 1$ **2**

$= (-3a + a^3) + i(-1 + 3a^2)$

z est imaginaire pur $\Leftrightarrow -3a + a^3 = 0$ **4** $\Leftrightarrow a \times (-3 + a^2) = 0$

$\Leftrightarrow a = 0$ ou $-3 + a^2 = 0 \Leftrightarrow a = 0$ ou $a^2 = 3 \Leftrightarrow a = 0$ ou $a = -\sqrt{3}$ ou $a = \sqrt{3}$

Donc z est un nombre imaginaire pur si, et seulement si, $a = 0$ ou $a = -\sqrt{3}$ ou $a = \sqrt{3}$.

Conseils & Méthodes

1 Appliquer la formule du binôme de Newton avec $a = 1$ et $b = i$.

2 $\binom{n}{0} = \binom{n}{n} = 1 \qquad \binom{n}{1} = \binom{n}{n-1} = n$

$\binom{n}{k} = \dfrac{n!}{k! \times (n-k)!}$. Et $i^2 = -1$.

Donc $i^3 = i^2 \times i = -i$ et $i^4 = i^2 \times i^2 = 1$.

3 Appliquer la formule du binôme de Newton avec a et $b = i$.

4 z est un nombre imaginaire pur si et seulement si $Re(z) = 0$.

À vous de jouer !

13 En utilisant la formule du binôme de Newton, déterminer la forme algébrique de $(1 - i)^5$.

14 Soit $z \in \mathbb{C}$ tel que $z = (a - i)^3$, avec $a \in \mathbb{R}$. Déterminer la(les) valeur(s) de a pour lesquels z est un nombre réel.

↪ **Exercices 74 à 78 p. 30**

Méthode
8 Résoudre des équations du second degré dans $\mathbb{C}$

Énoncé

Résoudre dans $\mathbb{R}$ puis dans $\mathbb{C}$ les équations suivantes.   **a)** $z^2 + 10 = 0$ **b)** $z^2 - 4z + 5 = 0$

Solution

a) $z^2 + 10 = 0 \Leftrightarrow z^2 = -10$. Dans $\mathbb{R}$, $S = \varnothing$.

Dans $\mathbb{C}$, $S = \left\{-i\sqrt{10}\,;\, i\sqrt{10}\right\}$. **1**

b) $\Delta = b^2 - 4ac = (-4)^2 - 4 \times 1 \times 5 = -4 < 0$ **2**

Dans $\mathbb{R}$, $S = \varnothing$. Dans $\mathbb{C}$, $z_1 = \dfrac{-(-4) - i\sqrt{4}}{2 \times 1} = 2 - i$

et $z_2 = \dfrac{-(-4) + i\sqrt{4}}{2 \times 1} = 2 + i$. **3** Donc dans $\mathbb{C}$, $S = \{2 - i\,;\, 2 + i\}$.

Conseils & Méthodes

1 On a une équation de la forme $z^2 = a$ avec $a < 0$. Donc les solutions dans $\mathbb{C}$ sont $-i\sqrt{|a|}$ et $i\sqrt{|a|}$.

2 On a une équation du second degré à coefficients réels. Ici $a = 1$; $b = -4$ et $c = 5$. On commence par calculer Δ.

3 $\Delta < 0$, donc l'équation admet deux solutions complexes conjuguées : $\dfrac{-b - i\sqrt{-\Delta}}{2a}$ et $\dfrac{-b + i\sqrt{-\Delta}}{2a}$.

À vous de jouer !

15 Résoudre dans $\mathbb{R}$, puis dans $\mathbb{C}$ les équations suivantes.
a) $z^2 - 5 = 0$ **b)** $z^2 + 5 = 0$ **c)** $z^2 = -9$

16 Résoudre dans $\mathbb{R}$, puis dans $\mathbb{C}$ les équations suivantes.
a) $4z^2 - 20z + 25 = 0$ **b)** $2z^2 - 4z + 4 = 0$

↪ **Exercices 79 à 82 p. 30**

5 Factorisation et racines d'un polynôme

Définition Polynôme de degré n à coefficients réels et racine

• Soit $n \in \mathbb{N}$. Un **polynôme** P de degré n à coefficients réels est une expression s'écrivant sous la forme :
$P(z) = c_n z^n + c_{n-1} z^{n-1} + \ldots + c_2 z^2 + c_1 z + c_0$, avec $c_0, c_1, c_2, \ldots, c_{n-1}, c_n$ des réels tels que $c_n \neq 0$.
• a est une **racine** de P si et seulement si $P(a) = 0$.

Propriété Factorisation de $z^n - a^n$ par $z - a$

Soit n un nombre entier naturel non nul. Soit a un nombre complexe.
Pour tout nombre complexe z, on a : $z^n - a^n = (z - a) \times Q(z)$ avec Q un polynôme de degré au plus $n - 1$.

● **Démonstration**

Pour tout $n \in \mathbb{N}^*$, on considère la propriété $P(n)$:

« $z^n - a^n = (z - a) \times Q(z)$ avec Q un polynôme de degré au plus $n - 1$. ».

Initialisation : pour $n = 1$, $z^1 - a^1 = z - a = (z - a) \times Q(z)$, avec $Q(z) = 1$.

Q est un polynôme de degré 0. Donc la propriété est vraie pour $n = 1$.

Hérédité : soit $n \in \mathbb{N}^*$. Supposons que $P(n)$ est vraie. Montrons que $P(n + 1)$ est vraie, c'est-à-dire :

« $z^{n+1} - a^{n+1} = (z - a) \times R(z)$ avec R un polynôme de degré au plus n. ».

$z^{n+1} - a^{n+1} = z \times z^n - a^{n+1} = z \times [a^n + (z - a) \times Q(z)] - a^{n+1}$ avec Q un polynôme de degré au plus $n - 1$

$= z \times a^n + z(z - a) \times Q(z) - a^{n+1} = a^n (z - a) + z(z - a) \times Q(z) = (z - a) \times [a^n + z \times Q(z)]$

$= (z - a) \times R(z)$ en posant $R(z) = a^n + z \times Q(z)$.

Q est un polynôme de degré au plus $n - 1$, donc R est un polynôme de degré au plus n.

Donc $P(n + 1)$ est vraie.

Conclusion : on conclut que pour tout $n \in \mathbb{N}^*$, $P(n)$ est vraie.

▶ **VIDÉO**
Démonstration
lienmini.fr/maths-e01-06

Propriété Factorisation d'un polynôme par $z - a$

Soit P un polynôme de degré n et a un nombre complexe tel que $P(a) = 0$.
Alors pour tout nombre complexe z : $P(z) = (z - a) \times Q(z)$ avec Q un polynôme de degré au plus $n - 1$.

● **Démonstration**

Soit P un polynôme tel que $P(z) = c_n z^n + c_{n-1} z^{n-1} + \ldots + c_1 z + c_0$.

$P(z) = P(z) - P(a)$ car $P(a) = 0$.

$P(z) = c_n z^n + c_{n-1} z^{n-1} + \ldots + c_2 z^2 + c_1 z + c_0 - (c_n a^n + c_{n-1} a^{n-1} + \ldots + c_2 a^2 + c_1 a + c_0)$.

$P(z) = c_n(z^n - a^n) + c_{n-1}(z^{n-1} - a^{n-1}) + \ldots + c_2(z^2 - a^2) + c_1(z - a)$

$P(z) = c_n(z - a)Q_n(z) + c_{n-1}(z - a)Q_{n-1}(z) + \ldots + c_2(z - a)Q_2(z) + c_1(z - a)$ d'après la propriété précédente, avec $Q_2, \ldots, Q_n$ des polynômes de degré au plus $n - 1$.

$P(z) = (z - a)[c_n Q_n(z) + c_{n-1} Q_{n-1}(z) + \ldots + c_2 Q_2(z) + c_1] = (z - a)Q(z)$

en posant $Q(z) = c_n Q_n(z) + c_{n-1} Q_{n-1}(z) + \ldots + c_2 Q_2(z) + c_1$. Q est un polynôme de degré au plus $n - 1$.

▶ **VIDÉO**
Démonstration
lienmini.fr/maths-e01-06

Propriété Nombre de racines d'un polynôme

Un polynôme non nul de degré n admet au plus n racines.

📍 Démonstration ↪ Apprendre à démontrer p. 26

▶ **VIDÉO**
Démonstration
lienmini.fr/maths-e01-07

Corollaire Nombre de solutions d'une équation polynomiale

Le nombre de solutions d'une équation polynômiale est inférieur ou égal à son degré.

● EXOS
Méthodes
lienmini.fr/maths-e01-03

Les rendez-vous
Sésamath

Exercices (résolus)

Méthode 9 Factoriser un polynôme de la forme $z^n - a^n$

Énoncé

Factoriser $z^3 - i^3$ par $(z - i)$.

Solution

$z^3 - i^3 = (z - i)(az^2 + bz + c)$ **1**

Or $(z - i)(az^2 + bz + c) = az^3 + bz^2 + cz - iaz^2 - ibz - ic$ **2**

$\qquad\qquad\qquad\qquad = az^3 + (b - ia)z^2 + (c - ib)z - ic$

Par identification : $\begin{cases} a = 1 \\ b - ia = 0 \\ c - ib = 0 \\ -ic = -i^3 \end{cases} \Leftrightarrow \begin{cases} a = 1 \\ b = ia \\ c = ib \\ c = i^2 \end{cases} \Leftrightarrow \begin{cases} a = 1 \\ b = i \\ c = i \times i \\ c = -1 \end{cases} \Leftrightarrow \begin{cases} a = 1 \\ b = i \\ c = -1 \\ c = -1 \end{cases}$ Donc $z^3 - i^3 = (z - i)(z^2 + iz - 1)$.

Conseils & Méthodes

1 $z^n - a^n = (z - a) \times Q(z)$ avec Q un polynôme de degré au plus $n - 1 = 2$ car $n = 3$.

2 Développer l'expression, puis identifier les coefficients.

À vous de jouer !

17 Factoriser $z^3 - 2^3$ par $(z - 2)$.

18 Factoriser $z^3 - (3i)^3$ par $(z - 3i)$.

➥ **Exercices 83 à 88** p. 30

Méthode 10 Résoudre une équation de degré 3 à coefficients réels

Énoncé

On considère l'équation $z^3 - 2z^2 + z - 2 = 0$.
1. Vérifier que 2 est une solution de l'équation.
2. Déterminer toutes les solutions de l'équation dans $\mathbb{C}$.

Solution

1. $2^3 - 2 \times 2^2 + 2 - 2 = 0$. Donc 2 est une solution de l'équation.

2. $z^3 - 2z^2 + z - 2$ est un polynôme de degré 3. **1**

Pour tout $z \in \mathbb{C}$, $z^3 - 2z^2 + z - 2 = (z - 2)(az^2 + bz + c)$ **2**

$(z - 2)(az^2 + bz + c) = az^3 + bz^2 + cz - 2az^2 - 2bz - 2c$ **3**

$\qquad\qquad\qquad\qquad = az^3 + (b - 2a)z^2 + (c - 2b)z - 2c$

Par identification : $\begin{cases} a = 1 \\ b - 2a = -2 \\ c - 2b = 1 \\ -2c = -2 \end{cases} \Leftrightarrow \begin{cases} a = 1 \\ b = -2 + 2a \\ c = 1 + 2b \\ c = 1 \end{cases} \Leftrightarrow \begin{cases} a = 1 \\ b = 0 \\ c = 1 \\ c = 1 \end{cases}$

Donc $z^3 - 2z^2 + z - 2 = 0 \Leftrightarrow (z - 2)(z^2 + 1) = 0$

$\qquad\qquad\qquad \Leftrightarrow z - 2 = 0$ ou $z^2 + 1 = 0$ **4**

$\qquad\qquad\qquad \Leftrightarrow z = 2$ ou $z^2 = -1$ **5**

$\qquad\qquad\qquad \Leftrightarrow z = 2$ ou $z = -i$ ou $z = i$. Donc $S = \{2 ; -i ; i\}$.

Conseils & Méthodes

1 Pour résoudre une équation de degré 3 dont on connaît déjà une solution, factoriser afin de se ramener à un produit nul.

2 $z^3 - 2z^2 + z - 2$ un polynôme de degré 3 et 2 est une racine. D'après la propriété du cours, on a $z^3 - 2z^2 + z - 2 = (z - 2) \times Q(z)$ avec Q un polynôme de degré au plus 2 soit $Q(z) = az^2 + bz + c$.

3 Développer l'expression, puis identifier les coefficients.

4 Un produit est nul si, et seulement si, au moins un de ses facteurs est nul.

5 On a une équation de la forme $z^2 = a$ avec $a < 0$. Donc les solutions sont $-i\sqrt{|a|}$ et $i\sqrt{|a|}$.

À vous de jouer !

19 On considère l'équation $z^3 + 3z^2 + z + 3 = 0$.
1. Vérifier que -3 est une solution de l'équation.
2. Déterminer toutes les solutions complexes de l'équation.

20 On considère l'équation $z^3 - 6z^2 + 11z - 6 = 0$.
1. Vérifier que 1 est une solution de l'équation.
2. Déterminer toutes les solutions complexes de l'équation.

➥ **Exercices 89 à 92** p. 30

Exercices résolus

Méthode 11 Résolution d'équations dans $\mathbb{C}$

→ Cours 4 p. 20 et Cours 5 p. 22

Énoncé

Résoudre dans $\mathbb{C}$ les équations suivantes. On donnera les solutions sous forme algébrique.

a) $5 - 2i + 2iz = 3z + 4$　　　　**b)** $z^2 + 1 = z$

c) $z = 2 \times \overline{iz} + 5i - 2$　　　**d)** $z^4 - 16 = 0$

Solution

a) $5 - 2i + 2iz = 3z + 4 \Leftrightarrow 2iz - 3z = 4 - 5 + 2i$ **1**

$\Leftrightarrow (-3 + 2i)z = -1 + 2i$

$\Leftrightarrow z = \dfrac{-1 + 2i}{-3 + 2i}$

$\Leftrightarrow z = \dfrac{(-1 + 2i)(-3 - 2i)}{(-3 + 2i)(-3 - 2i)}$

$\Leftrightarrow z = \dfrac{3 + 2i - 6i - 4i^2}{(-3)^2 - (2i)^2}$

$\Leftrightarrow z = \dfrac{3 + 2i - 6i + 4}{9 + 4}$

$\Leftrightarrow z = \dfrac{7}{13} - \dfrac{4}{13}i$

Donc $S = \left\{ \dfrac{7}{13} - \dfrac{4}{13}i \right\}$.

b) $z^2 + 1 = z \Leftrightarrow z^2 - z + 1 = 0$ **2**

$\Delta = (-1)^2 - 4 \times 1 \times 1 = -3$. $\Delta < 0$, donc l'équation admet deux solutions complexes conjuguées.

$z_1 = \dfrac{-(-1) - i\sqrt{3}}{2 \times 1} = \dfrac{1}{2} - \dfrac{\sqrt{3}}{2}i$ et $z_2 = \dfrac{-(-1) + i\sqrt{3}}{2 \times 1} = \dfrac{1}{2} + \dfrac{\sqrt{3}}{2}i$. Donc $S = \left\{ \dfrac{1}{2} - \dfrac{\sqrt{3}}{2}i \; ; \dfrac{1}{2} + \dfrac{\sqrt{3}}{2}i \right\}$.

c) Posons $z = a + ib$ avec a et b deux réels. **3** On a alors $iz = ia + i^2b = -b + ia$. Donc $\overline{iz} = -b - ia$

$z = 2 \times \overline{iz} + 5i - 2 \Leftrightarrow a + ib = 2(-b - ia) + 5i - 2$

$\Leftrightarrow a + ib = -2b - i2a + 5i - 2$

$\Leftrightarrow a + ib = -2b - 2 + i \times (5 - 2a)$

$\Leftrightarrow \begin{cases} a = -2b - 2 \\ b = 5 - 2a \end{cases}$

$\Leftrightarrow \begin{cases} a = -2(5 - 2a) - 2 \\ b = 5 - 2a \end{cases}$

$\Leftrightarrow \begin{cases} a = -10 + 4a - 2 \\ b = 5 - 2a \end{cases}$

$\Leftrightarrow \begin{cases} -3a = -12 \\ b = 5 - 2a \end{cases} \Leftrightarrow \begin{cases} a = 4 \\ b = -3 \end{cases}$

Donc $S = \{4 - 3i\}$.

d) $z^4 - 16 = 0 \Leftrightarrow (z^2 - 4)(z^2 + 4) = 0$ **4**

$\Leftrightarrow z^2 - 4 = 0$ ou $z^2 + 4 = 0$

$\Leftrightarrow z^2 = 4$ ou $z^2 = -4$

Donc $S = \{-2 \; ; 2 \; ; 2i \; ; -2i\}$.

Conseils & Méthodes

On a plusieurs méthodes pour résoudre une équation.

1 On peut chercher à isoler l'inconnue lorsque cela est possible.

2 Lorsqu'on a une équation du second degré, on calcule le discriminant et on utilise les formules du cours.

3 On peut utiliser la forme algébrique et poser $z = a + ib$ avec a et b deux réels, puis identifier les parties réelles et les parties imaginaires.

4 On peut chercher à factoriser pour se ramener à un produit nul.

À vous de jouer !

21 En utilisant la méthode de son choix, résoudre les équations suivantes.

a) $3z - 4 = iz + 5i - 1$　　　**b)** $z = -\dfrac{2}{z} + 1$

22 En utilisant la méthode de son choix, résoudre les équations suivantes.

a) $z = 4 \times \overline{z} + 4 - 2i$　　　**b)** $(z + i) \times z^2 + (z + i) \times 5 = 0$

→ Exercices 107 à 125 p. 32

● EXOS
Méthodes
lienmini.fr/maths-e01-03

Les rendez-vous
Sésamath

Exercices résolus

Méthode 12 Étudier une suite de nombres complexes

→ **Cours 1** p. 14 et **Cours 2** p. 16

Énoncé

On considère la suite (z_n) définie par $z_0 = 0$ et pour tout $n \in \mathbb{N}$, $z_{n+1} = i \times z_n + 2$.

1. Déterminer la forme algébrique de z_1 et z_2.

2. On considère le nombre complexe $z_A = 1 + i$ et la suite (u_n) définie pour tout $n \in \mathbb{N}$ par $u_n = z_n - z_A$.

a) Montrer que pour tout $n \in \mathbb{N}$, $u_{n+1} = i \times u_n$.

b) Montrer que pour tout $n \in \mathbb{N}$, $u_n = (-1 - i) \times i^n$ à l'aide d'un raisonnement par récurrence.

c) En déduire l'expression de z_n en fonction de n.

d) Déterminer la forme algébrique de z_{100}.

Solution

1. $z_1 = i \times z_0 + 2 = i \times 0 + 2 = 2$ **1**

$z_2 = i \times z_1 + 2 = i \times 2 + 2 = 2 + 2i$.

2. a) Pour tout $n \in \mathbb{N}$, $u_{n+1} = z_{n+1} - z_A$ **2**

$\qquad = i \times z_n + 2 - (1 + i)$

$\qquad = i \times z_n + 2 - 1 - i$

$\qquad = i \times z_n + 1 - i$

Or $u_n = z_n - z_A$ donc $z_n = u_n + z_A = u_n + 1 + i$. **3**

Donc $u_{n+1} = i \times (u_n + 1 + i) + 1 - i$

$\qquad = i \times u_n + i + i^2 + 1 - i$

$\qquad = i \times u_n$ car $i^2 = -1$

Conseils & Méthodes

1 On a $z_{n+1} = i \times z_n + 2$. Remplacer n par la valeur que l'on veut. Ici $n = 0$, puis $n = 1$.

2 Pour tout $n \in \mathbb{N}$, $u_n = z_n - z_A$. On peut donc remplacer n par l'entier naturel que l'on veut. Ici on choisit $n + 1$.

3 On exprime z_n en fonction de u_n puis on remplace dans l'expression de u_{n+1}.

4 Le résultat ressemble à celui des suites géométriques. Mais nous ne l'avons pas démontré avec les nombres complexes. Nous allons donc le démontrer par récurrence.

5 $a^{m \times n} = (a^m)^n$.

b) Pour tout $n \in \mathbb{N}$, on considère la propriété $P(n)$: « $u_n = (-1 - i) \times i^n$ ». **4**

Initialisation : pour $n = 0$, $u_0 = z_0 - z_A = 0 - (1 + i) = -1 - i$ et $(-1 - i) \times i^0 = -1 - i$.

Donc $u_0 = (-1 - i) \times i^0$ donc la propriété est vraie pour $n = 0$.

Hérédité : soit $n \in \mathbb{N}$. Supposons que $P(n)$ est vraie et montrons que $P(n + 1)$ est vraie.

On a $u_{n+1} = i \times u_n$

$\qquad = i \times (-1 - i) \times i^n$ d'après l'hypothèse de récurrence.

$\qquad = (-1 - i) \times i^{n+1}$

Donc $P(n + 1)$ est vraie.

Conclusion : on conclut que pour tout $n \in \mathbb{N}$, $P(n)$ est vraie, c'est-à-dire $u_n = (-1 - i) \times i^n$.

c) Pour tout $n \in \mathbb{N}$, $u_n = z_n - z_A$. Donc $z_n = u_n + z_A$. Donc $z_n = (-1 - i) \times i^n + 1 + i$.

d) $z_{100} = (-1 - i) \times i^{100} + (1 + i)$. Or $i^2 = -1$. Donc $i^{100} = (i^2)^{50} = (-1)^{50} = 1$. **5** Donc $z_{100} = (-1 - i) \times 1 + 1 + i = 0$.

À vous de jouer !

23 On considère la suite (z_n) définie par $z_0 = 0$ et pour tout $n \in \mathbb{N}$, $z_{n+1} = i \times z_n + 2i$.

1. Déterminer la forme algébrique de z_1 et z_2.

2. On considère le nombre complexe $z_A = -1 + i$ et la suite (u_n) définie pour tout $n \in \mathbb{N}$ par $u_n = z_n - z_A$.

a) Montrer que pour tout $n \in \mathbb{N}$, $u_{n+1} = i \times u_n$.

b) Montrer que pour tout $n \in \mathbb{N}$, $u_n = (1 - i) \times i^n$.

c) En déduire l'expression de z_n en fonction de n.

d) Déterminer la forme algébrique de z_{62}.

24 On considère la suite (z_n) définie par $z_0 = i$ et pour tout $n \in \mathbb{N}$, $z_{n+1} = 1 - \dfrac{1}{z_n}$.

1. Déterminer la forme algébrique de z_1, z_2 et z_3.

2. Démontrer par récurrence que pour tout $n \in \mathbb{N}$, $z_{3n} = z_0$.

3. En déduire la valeur de z_{99}.

→ **Exercices 126 à 129** p. 33

Exercices apprendre à démontrer

● DÉMO
Démonstration
lienmini.fr/maths-e01-07

La propriété à démontrer   Nombre de racines d'un polynôme

Un polynôme non nul de degré n admet au plus n racines.

● On utilisera un raisonnement par récurrence. On admettra que si a est une racine d'un polynôme Q de degré n, alors $Q(z) = (z - a) \times R(z)$ avec R un polynôme de degré au plus $n - 1$.

▶ Comprendre avant de rédiger

Testons la propriété pour $n = 2$. Un polynôme de degré 2 est un polynôme de la forme $Q(z) = az^2 + bz + c$, avec a, b et c trois réels, tels que $a \neq 0$. Selon le signe de $\Delta = b^2 - 4ac$, Q admet deux racines réelles (si $\Delta > 0$), une racine réelle (si $\Delta = 0$) ou deux racines complexes conjuguées (si $\Delta < 0$). Donc Q admet au plus deux racines.

▶ Rédiger

Étape / La démonstration rédigée

Étape ❶

On identifie la propriété à démontrer par récurrence.

→ Pour tout $n \in \mathbb{N}$, on considère la propriété $P(n)$: « Un polynôme non nul de degré n admet au plus n racines. »

Étape ❷

Pour l'initialisation, on montre que $P(0)$ est vraie.

> Une fonction polynôme de degré n est une fonction de la forme $Q(z) = c_n z^n + c_{n-1} z^{n-1} + ... + c_2 z^2 + c_1 z + c_0$, avec $c_0, c_1, c_2, ..., c_{n-1}, c_n$ des réels tels que $c_n \neq 0$.

→ **Initialisation** : pour $n = 0$, Un polynôme de degré nul est un polynôme constant. Un polynôme constant non nul n'admet aucune racine. Donc la propriété est vraie pour $n = 0$.

Étape ❸

Pour l'hérédité, on considère un entier naturel n et on suppose que $P(n)$ est vraie. Il faut alors démontrer que $P(n + 1)$ est vraie.

→ **Hérédité :** soit $n \in \mathbb{N}$. Supposons que $P(n)$ est vraie et montrons que $P(n + 1)$ est vraie, c'est-à-dire : « Un polynôme non nul de degré $n + 1$ admet au plus $n + 1$ racines. »

Étape ❹

On fait une disjonction de cas : soit Q n'admet aucune racine, soit il admet une racine.

Si a est une racine de Q, alors on factorise Q par $z - a$.

> Au plus n racines signifie $0 ; 1 ; 2 ; ... n - 1$ ou n racines

→ Soit Q un polynôme de degré $n + 1$.
Si Q n'admet aucune racine, alors $P(n + 1)$ est vraie.
Si Q admet une racine a, alors $Q(z) = (z - a) \times R(z)$ avec R un polynôme de degré au plus n.

Étape ❺

b est une racine de Q si, et seulement si, $Q(b) = 0$.

On reconnaît un produit nul, puis on utilise l'hypothèse de récurrence.

$$a \times b = 0 \Leftrightarrow a = 0 \text{ ou } b = 0.$$

→ b racine de $Q \Leftrightarrow (b - a) \times R(b) = 0$
$$\Leftrightarrow b - a = 0 \text{ ou } R(b) = 0$$
$$\Leftrightarrow b = a \text{ ou } R(b) = 0$$
Or R admet au plus n racines. Donc Q admet au plus $n + 1$ racines. Donc $P(n + 1)$ est vraie.

Étape ❻

On conclut pour tout entier naturel n

→ **Conclusion :** on conclut que pour tout $n \in \mathbb{N}$, $P(n)$ est vraie, c'est-à-dire un polynôme non nul de degré n admet au plus n racines.

▶ Pour s'entraîner

Soit (z_n) la suite définie par $z_0 = 1 + i$ et pour tout $n \in \mathbb{N}$, $z_{n+1} = \overline{z_n}$.
Démontrer par récurrence que pour tout entier naturel n, $z_{2n} = z_0$.

◎ DIAPORAMA
Calculs et automatismes
lienmini.fr/maths-e01-08

Exercices — calculs et automatismes

25 Partie réelle, partie imaginaire

Choisir la(les) bonne(s) réponse(s).

1. Si $z_1 = 2$, alors :
a $Re(z_1) = 2$ **b** $Im(z_1) = 2$
c $Re(z_1) = 0$ **d** $Im(z_1) = 0$

2. Si $z_2 = 5i$, alors :
a $Re(z_2) = 5$ **b** $Im(z_2) = 5$
c $Re(z_2) = 0$ **d** $Im(z_2) = 5i$

3. Si $z_3 = 3 - 7i$, alors :
a $Re(z_3) = 3$ **b** $Im(z_3) = 7$
c $Im(z_3) = -7$ **d** $Im(z_3) = -7i$

4. Si $z_4 = 1 + \sqrt{2} - i$, alors :
a $Re(z_4) = 1$ **b** $Im(z_4) = -1$
c $Re(z_4) = 1 + \sqrt{2}$ **d** $Im(z_4) = \sqrt{2} - i$

26 Réel ou imaginaire pur

Les affirmations suivantes sont-elles vraies ou fausses ?

	V	F
a) $z_1 = 1 + 2i$ est un nombre imaginaire pur.	☐	☐
b) $z_2 = \sqrt{2}$ est un nombre réel.	☐	☐
c) $z_3 = -\dfrac{1}{7}i$ est un nombre imaginaire pur.	☐	☐
d) $z_4 = 2 + i - 2$ n'est ni un nombre réel, ni un nombre imaginaire pur.	☐	☐

27 Forme algébrique (somme)

Déterminer la forme algébrique des nombres complexes suivants.

a) $z_1 = i + i - 1$ **b)** $z_2 = 4 - (1 - i)$

c) $z_3 = (1 + 3i) + (2 - i)$ **d)** $z_4 = \dfrac{2 + 4i}{2}$

28 Forme algébrique (produit)

Déterminer la forme algébrique des nombres complexes suivants.

a) $z_1 = i(1 + i)$ **b)** $z_2 = (1 + i)^2$
c) $z_3 = (1 + i)(1 - i)$ **d)** $z_4 = (1 - i)^2$

29 Inverse d'un complexe

Méthode. Comment faire pour déterminer la forme algébrique de l'inverse d'un complexe ?

30 Forme algébrique (inverse)

Déterminer la forme algébrique des nombres complexes suivants.

a) $z_1 = \dfrac{1}{i}$ **b)** $z_2 = \dfrac{1}{1 + i}$

31 Conjugué (1)

On considère le nombre complexe $z = 4 + 5i$.
Choisir la(les) bonne(s) réponse(s).

1. La forme algébrique de $\overline{z}$ est :
a $4 + 5i$ **b** $4 - 5i$ **c** $-4 + 5i$ **d** $-4 - 5i$

2. $z + \overline{z}$ est égal à :
a 4 **b** 8 **c** 10 **d** $10i$

3. $z - \overline{z}$ est égal à :
a 8 **b** $-10i$ **c** 10 **d** $10i$

4. $z \times \overline{z}$ est égal à :
a 9 **b** -9 **c** 41 **d** -1

32 Conjugué (2)

Les affirmations suivantes sont-elles vraies ou fausses ?

	V	F
a) Si $z + \overline{z} = 0$ alors z est réel.	☐	☐
b) Si $z - \overline{z} = 0$ alors z est réel.	☐	☐
c) Pour tout nombre complexe z, $z \times \overline{z}$ est réel.	☐	☐

33 Équations de la forme $x^2 = a$

Choisir la(les) bonne(s) réponse(s).

1. Dans $\mathbb{C}$, les solutions de l'équation $z^2 = 16$ sont :
a $S = \{-8 ; 8\}$ **b** $S = \{-4 ; 4\}$
c $S = \{-16 ; 16\}$ **d** $S = \{-4i ; 4i\}$

2. Dans $\mathbb{C}$, les solutions de l'équation $z^2 = -16$ sont :
a $S = \{-8 ; 8\}$ **b** $S = \{-4 ; 4\}$
c $S = \varnothing$ **d** $S = \{-4i ; 4i\}$

34 Calcul d'un discriminant

Choisir la(les) bonne(s) réponse(s).
On considère l'équation $z^2 + 4z + 2 = 0$. Le discriminant Δ est égal à :
a $\Delta = 8$ **b** $\Delta = -4$
c $\Delta = 12$ **d** $\Delta = -24$

35 Équations du second degré

Choisir la(les) bonne(s) réponse(s).
Dans $\mathbb{C}$, les solutions de l'équation $x^2 - x + 1 = 0$ sont :

a $\dfrac{1 - \sqrt{3}}{2}$ et $\dfrac{1 + \sqrt{3}}{2}$ **b** $\dfrac{-1 - \sqrt{3}}{2}$ et $\dfrac{-1 + \sqrt{3}}{2}$

c $\dfrac{-1 - i\sqrt{3}}{2}$ et $\dfrac{-1 + i\sqrt{3}}{2}$ **d** $\dfrac{1 - i\sqrt{3}}{2}$ et $\dfrac{1 + i\sqrt{3}}{2}$

36 Factorisation

Méthode. Comment faire pour factoriser un polynôme de degré 3 lorsque l'on connaît une racine ?

Exercices d'application

Déterminer et utiliser la forme algébrique

 p. 15

37 Déterminer la partie réelle et la partie imaginaire de chaque nombre ci-dessous.
a) $z_1 = 5 - 2i$
b) $z_2 = i\sqrt{3}$
c) $z_3 = 4 + \sqrt{2}$
d) $z_4 = 2i - 3$

38 Déterminer la partie réelle et la partie imaginaire de chaque nombre ci-dessous.
a) $z_1 = -i + 2$
b) $z_2 = 1 + \sqrt{2} + i$
c) $z_3 = \sqrt{2} + 6$
d) $z_4 = e^2 \times i$

39 Déterminer si les nombres suivants sont des nombres réels, des nombres imaginaires purs ou des nombres complexes quelconques.
a) $z_1 = \dfrac{i}{2}$
b) $z_2 = 2 + i - 4 - i$
c) $z_3 = 3 + \sqrt{5}$
d) $z_4 = \dfrac{4 - 2i}{2}$

40 **1.** Donner la valeur de i^2 ; i^3 ; i^4 en fonction de i.
2. Déterminer la valeur de i^{50}.
3. Déterminer la valeur de $i^{2\,000}$.

41 Écrire les nombres complexes suivants sous forme algébrique.
a) $z_1 = \dfrac{15 + 2i}{3}$
b) $z_2 = 2 + i + i - 1$

42 Déterminer les valeurs des réels x et y tels que :
$$(1 + 2x) + i(1 - 2y) = 5 + 4i.$$

43 Déterminer les valeurs des réels x et y tels que :
$$(-2 + 3x) + i\left(\frac{3}{2}y + 4\right) = 2.$$

44 **1.** Déterminer les valeurs des réels x et y tels que :
$$(1 + 3x) + i(2 - y) = 0.$$
2. Déterminer les valeurs des réels x et y tels que :
$$(3x + y - 5) + i(x - y + 7) = 0.$$
3. Déterminer les valeurs des réels x et y tels que :
$$(x + y) + i(2x - 3y) = 2 + i.$$

Calculer la somme et le produit de deux nombres complexes

 p. 17

45 Calculer les sommes suivantes et donner le résultat sous forme algébrique.
a) $(2 - 4i) + (2 - 3i)$
b) $(1 - 5i) + (2 + i)$
c) $(3 + 3i) + (1 - i)$
d) $\left(2 + \dfrac{1}{3}i\right) + \left(-3 + \dfrac{4}{3}i\right)$

46 Déterminer la partie réelle et la partie imaginaire des nombres complexes suivants.
a) $z_1 = \left(1 + \dfrac{1}{4}i\right) + (5 - i)$
b) $z_2 = (4 + 5i) - (3 + 2i)$
c) $z_3 = \left(\dfrac{1}{2} - i\right) + \left(-\dfrac{1}{4} + \dfrac{1}{3}i\right)$
d) $z_4 = \left(\dfrac{1}{2} - i\right) - \left(-\dfrac{1}{4} + \dfrac{1}{3}i\right)$

47 Calculer les produits suivants et donner le résultat sous forme algébrique.
a) $3(2 + 4i)$
b) $i(3 + i)$
c) $-i(3 - 2i)$
d) $(1 + i)(3 - 2i)$

48 Calculer les produits suivants et donner le résultat sous forme algébrique.
a) $(\sqrt{2} + i) \times (1 + i\sqrt{3})$
b) $\left(\dfrac{3}{2} + 4i\right)\left(2 + \dfrac{1}{5}i\right)$

49 Déterminer la forme algébrique des nombres complexes suivants.
a) $z_1 = (2 + i)^2$
b) $z_2 = (2 - i)^2$
c) $z_3 = (2 + i)(2 - i)$
d) $z_4 = (2 + i)(i - 2)$

50 Déterminer la partie réelle et la partie imaginaire des nombres complexes suivants.
a) $(2i - 3)(3 - 2i)$
b) $i(3 + i)$
c) $(2 + i)(1 - 2i) + 1 - 5i$
d) $(1 + i)(1 - i)(2 - 3i)$

51 Soit a et b deux réels.
Déterminer la forme algébrique de :
a) $(a + ib)^2$
b) $(a - ib)^2$
c) $(a + ib)(a - ib)$
d) $(a + ib)(2a - ib)$

52 En posant $z = a + ib$, avec a et b deux réels, résoudre les équations suivantes.
a) $z \times i = 3 + i$
b) $z \times (1 + i) = 7 + 3i$

53 En posant $z = a + ib$, avec a et b deux réels, résoudre les équations suivantes.
a) $(4 + i) \times z = i$
b) $(i - 2) \times z = 3$

Calculer l'inverse et le quotient de nombres complexes · Méthode 4 p. 17

54 Déterminer la forme algébrique des nombres complexes suivants.

a) $z_1 = \dfrac{1}{2i}$ 　　　　 **b)** $z_2 = \dfrac{1}{2 + 3i}$

c) $z_3 = \dfrac{1}{5 - 2i}$ 　　　 **d)** $z_4 = \dfrac{1}{2i - 5}$

55 Déterminer la partie réelle et la partie imaginaire des nombres complexes suivants.

a) $z_1 = \dfrac{1}{-i}$ 　　　　 **b)** $z_2 = \dfrac{1}{4 + 7i}$

c) $z_3 = \dfrac{1}{10 - 3i}$ 　　 **d)** $z_4 = \dfrac{1}{\sqrt{2} + i}$

56 Déterminer la forme algébrique des nombres complexes suivants.

a) $z_1 = \dfrac{5}{2i}$ 　　　　 **b)** $z_2 = \dfrac{1 - i}{2 + 3i}$

c) $z_3 = \dfrac{1 + i}{5 - 2i}$ 　　 **d)** $z_4 = \dfrac{3 + 2i}{2i - 5}$

57 Déterminer la forme algébrique des nombres complexes suivants.

a) $z_1 = \dfrac{7}{i}$ 　　　　 **b)** $z_2 = \dfrac{7 - 2i}{3 + 4i}$

c) $z_3 = \dfrac{1 + i\sqrt{2}}{1 - i\sqrt{2}}$ 　　 **d)** $z_4 = \dfrac{i + 2}{i - 3}$

58 On considère les deux nombres complexes $z_1 = 15 - 8i$ et $z_2 = 23 + 14i$. Déterminer la forme algébrique des complexes suivants.

a) $\dfrac{1}{z_1}$ 　 **b)** $\dfrac{1}{z_2}$ 　 **c)** $\dfrac{z_1}{z_2}$ 　 **d)** $\dfrac{z_2}{z_1}$

59 Déterminer la partie réelle et la partie imaginaire des nombres complexes suivants.

a) $z_1 = \dfrac{(2 + 3i)(3 + 2i)}{(2 + 3i) + (3 + 2i)}$

b) $z_2 = \dfrac{(2 + 3i)(3 + 2i)}{(2 + 3i) - (3 + 2i)}$

60 Résoudre dans $\mathbb{C}$ les équations suivantes. On donnera les solutions sous forme algébrique.
a) $(3 - 5i)z = 1$
b) $(-2i)z = 1$

61 Résoudre dans $\mathbb{C}$ les équations suivantes . On donnera les solutions sous forme algébrique.
a) $iz = 1 - i$
b) $(2 + i)z = 1 + 3i$

Déterminer et utiliser le conjugué d'un nombre complexe · Méthode 5 Méthode 6 p. 19

62 Déterminer les conjugués des nombres complexes suivants.
a) $9 + i$ 　　　　 **b)** $13 - 24i$

c) $5i - 2$ 　　　 **d)** $\dfrac{3 - i\sqrt{7}}{7}$

63 Déterminer les conjugués des nombres complexes suivants.
a) $\sqrt{7} + i\pi$ 　　　 **b)** $3 + 5i + \sqrt{2}$

c) $\dfrac{4}{3} + 2$ 　　　 **d)** $-i\sqrt{2}$

64 Soit z un nombre complexe. Déterminer les conjugués des nombres complexes suivants en fonction de $\bar{z}$.
a) $3z$ 　　　 **b)** $z + 5 - i$ 　　　 **c)** $z^2 + 2z$
d) $\dfrac{z + 1}{3}$ 　　 **e)** $iz + 2$ 　　 **f)** $\dfrac{i - z}{z + 1}$

65 Soit z un nombre complexe. Déterminer les conjugués des nombres complexes suivants en fonction de z et $\bar{z}$.
a) $2z - \bar{z}$ 　　 **b)** $z + \dfrac{1}{\bar{z}}$ 　　 **c)** $z^2 + \bar{z}^2$
d) $i\bar{z}$ 　　 **e)** $z + i\bar{z}$ 　　 **f)** $-2\bar{z}$

66 **Démo** Démontrer que pour tous nombres complexes z et z', $\overline{z \times z'} = \bar{z} \times \overline{z'}$.

67 **1.** Démontrer qu'un nombre complexe z est imaginaire pur si et seulement si $\bar{z} = -z$.
2. Démontrer qu'un nombre complexe z est réel si, et seulement si, $\bar{z} = z$.

68 Soit z un nombre complexe. Déterminer si les nombres suivants sont des nombres réels, des nombres imaginaires purs ou des nombres complexes quelconques.
a) $z^2 + \bar{z}^2$ 　　　　　 **b)** $z^2 - \bar{z}^2$

69 **Démo** Montrer que pour tout nombre complexe z non nul, $\dfrac{z - \bar{z}}{z \times \bar{z}}$ est un nombre imaginaire pur.

70 Résoudre les équations suivantes.
a) $\bar{z} = 2\bar{z} + 1$ 　　　 **b)** $-\bar{z} = 1 + i$
c) $z + 5\bar{z} = 7 - 8i$ 　　 **d)** $z = 3\bar{z} + 5 - i$

Coup de pouce c) et **d)** Poser $z = a + ib$ avec a et b deux réels.

71 Résoudre les équations suivantes.
a) $z + \bar{z} = 3i$ 　　　 **b)** $(3 + i)\bar{z} + 2z = 0$
c) $-2\bar{z} + (2 + i)\bar{z} = 1$ 　 **d)** $2i\bar{z} = 3i + 2iz$

Exercices d'application

72 Pour tout nombre complexe $z = a + ib$ avec a et b des réels, on pose $f(z) = 3\overline{z} + i - 2$.

1. Exprimer $\text{Re}(f(z))$ et $\text{Im}(f(z))$ en fonction de a et b.
2. L'équation $f(z) = z$ admet-elle des solutions ? Si oui, laquelle (lesquelles) ?

73 Pour tout nombre complexe $z = a + ib$ avec a et b des réels, on pose $f(z) = 3\overline{z} + z - 5$.

1. Exprimer la partie réelle et la partie imaginaire de $f(z)$ en fonction de a et b.
2. Résoudre dans $\mathbb{C}$ les équations suivantes.
a) $f(z) = 2$
b) $f(z) = 4i$
c) $f(z) = z$

Utiliser la formule du binôme de Newton
 p. 21

74 **1.** En utilisant la formule du binôme de Newton, développer les expressions suivantes.

a) $(2 + i)^4$ **b)** $(1 - 2i)^5$
2. Quel est le coefficient de x^6 dans le développement de $(x + 3)^8$?

75 En utilisant la formule du binôme de Newton, montrer que $\displaystyle\sum_{k=0}^{n} \binom{n}{k} = 2^n$.

76 **1.** Développer $(x - 1)^3$.
2. En déduire la valeur exacte de 999^3 sans calculatrice.

77 **1.** Développer et simplifier $(x + 1)^4 - (x - 1)^4$.
2. En déduire la valeur exacte de $1\,001^4 - 999^4$ sans calculatrice.

78 Soit z le nombre complexe tel que $z = (1 + ib)^3$.
1. Pour quelle(s) valeur(s) de b le nombre z est-il réel ?
2. Pour quelle(s) valeur(s) de b le nombre z est-il imaginaire pur ?

Résoudre des équations du second degré dans $\mathbb{C}$
 p. 21

79 Résoudre dans $\mathbb{R}$ puis dans $\mathbb{C}$ les équations suivantes.
a) $z^2 + 64 = 0$ **b)** $z^2 - 3 = 0$
c) $z^2 - 4 = 2$ **d)** $z^2 + 21 = 8$

80 Résoudre dans $\mathbb{C}$ les équations suivantes.
a) $z^2 - 3z = 0$ **b)** $z^2 + z + 1 = 0$
c) $4z^2 - 4z + 5 = 0$ **d)** $-2z^2 + 6z + 5 = 0$

81 Résoudre dans $\mathbb{C}$ les équations suivantes.
a) $z^2 = -7z$ **b)** $2z^2 = 3z - 2$
c) $-2z + z^2 + 2 = 0$ **d)** $-8 = 3z^2$

82 Résoudre dans $\mathbb{R}$ puis dans $\mathbb{C}$ les équations suivantes.
a) $3z^2 - 2z = 1$ **b)** $2z^2 = z + 3$
c) $\dfrac{z^2 + 9}{3} = 0$ **d)** $\dfrac{3 - z^2}{3} = 3$

Factoriser un polynôme
 p. 23

83 Factoriser :
a) $z^2 - 2^2$ par $(z - 2)$.
b) $z^3 - 3^3$ par $(z - 3)$.

84 **1.** Exprimer $z^3 + 3^3$ sous la forme $z^3 - a^3$ avec a un réel.
2. En déduire une factorisation de $z^3 + 3^3$.

85 **1.** Exprimer i^3 en fonction de i.
2. En déduire une factorisation de $z^3 + i$.

86 Pour tout $z \in \mathbb{C}$, on pose :
$$P(z) = z^3 - z^2 + 2z - 2.$$
1. Vérifier que 1 est une racine de P.
2. Factoriser $P(z)$ par $(z - 1)$.

87 Pour tout $z \in \mathbb{C}$, on pose :
$$P(z) = z^4 + 2z^3 + 3z + 4.$$
1. Vérifier que -1 est une racine de P.
2. Factoriser $P(z)$ par $(z + 1)$.

88 Pour tout $z \in \mathbb{C}$, on pose :
$$P(z) = -2z^3 + 2z^2 + 20z + 16.$$
1. Vérifier que -2 est une racine de P.
2. En déduire une factorisation de $P(z)$.

Résoudre une équation de degré 3 à coefficients réels
 p. 23

89 Pour tout $z \in \mathbb{C}$, on pose :
$$P(z) = z^3 - 5z^2 + 9z - 9.$$
1. Montrer que 3 est une racine de P.
2. Déterminer toutes les racines de P.
3. Écrire $P(z)$ comme produit de facteurs du premier degré.

90 On considère l'équation
$$(E) : z^3 - 3z^2 + 4z - 12 = 0.$$
1. Montrer que 3 est solution de l'équation (E).
2. Déterminer toutes les solutions de l'équation (E).

91 On considère l'équation
$$(E') : z^3 - 1 = 0.$$
1. Déterminer une solution évidente de (E').
2. Déterminer toutes les solutions de l'équation (E').

92 On considère l'équation
$$(E'') : z^3 + z^2 + z + 1 = 0.$$
1. Déterminer une solution entière de (E'').
2. Déterminer toutes les solutions de l'équation (E'').

Calcul algébrique dans $\mathbb{C}$

93 **1.** Conjecturer une règle donnant i^n en fonction de i, suivant les valeurs de n.
2. Démontrer la conjecture par récurrence.
3. Donner la valeur de $i^{2\,021}$.

94 Déterminer si les propositions suivantes sont vraies ou fausses et justifier.
Proposition 1 Le quotient de deux nombres imaginaires purs est un nombre réel.
Proposition 2 Le quotient de deux nombres réels est un nombre imaginaire pur.

95 On considère un nombre complexe $z = a + ib$ avec a et b deux réels.
À quelle(s) condition(s) sur a et b le nombre $(1 - i)z$ est-il réel ?

Coup de pouce Pour les exercices **96** à **98** : par défaut, un programme **Python** ne fait pas de calcul formel ; il renverra donc une valeur approchée des parties réelles et imaginaires.

96 Soit deux nombres complexes $z_1 = a_1 + ib_1$ et $z_2 = a_2 + ib_2$ avec a_1, b_1, a_2 et b_2 des nombres réels.
1. Déterminer la forme algébrique de $z_1 \times z_2$.

2. Écrire une fonction en **Python** ayant pour paramètres les parties réelles et imaginaires de z_1 et z_2 et qui renvoie les parties réelles et imaginaires de $z_1 \times z_2$.

97 Soit z_1 un nombre complexe non nul tel que $z_1 = a_1 + ib_1$ avec a_1 et b_1 des réels.

1. Déterminer la forme algébrique de $\dfrac{1}{z_1}$.

2. Écrire une fonction en **Python** ayant pour paramètres les parties réelles et imaginaires de z_1 et qui renvoie les parties réelles et imaginaires de $\dfrac{1}{z_1}$.

98 Soit deux nombres complexes $z_1 = a_1 + ib_1$ et $z_2 = a_2 + ib_2$ avec a_1, b_1, a_2 et b_2 des réels.
On suppose z_2 différent de 0.
1. Déterminer la forme algébrique de $\dfrac{z_1}{z_2}$.

2. Écrire une fonction en **Python** ayant pour paramètres les parties réelles et imaginaires de z_1 et z_2 et qui renvoie les parties réelles et imaginaires de $\dfrac{z_1}{z_2}$.

99 Écrire les nombres complexes suivants sous forme algébrique.
a) $\left(\dfrac{1}{1-i}\right)^2$
b) $7 + \dfrac{3+10i}{5-5i}$
c) $\dfrac{1}{3-2i} + \dfrac{2i}{2-i}$
d) $\dfrac{2-i}{3+i} - \dfrac{2}{1-i}$

Conjugué

100 Déterminer la forme algébrique des conjugués des nombres complexes suivants.
a) $z_1 = 7 - \left(3 + \dfrac{5}{3}i\right)$
b) $z_2 = (3 - 5i) + \sqrt{2}$
c) $z_3 = \dfrac{3}{2} + 3i + (1 - i)$
d) $z_4 = (5 - i)(\sqrt{2} + 3i)$

101 On considère le nombre complexe :
$$z = \dfrac{2 + 3i}{7 - i}.$$
1. Déterminer la forme algébrique de z.
2. En utilisant les propriétés des conjugués, en déduire la valeur de $z + \overline{z}$ et de $z - \overline{z}$.

102 **Démo** Sans utiliser la forme algébrique, montrer que pour tout nombre complexe z, $z - \overline{z} + \dfrac{3}{2}i$ est un nombre imaginaire pur.

103 Pour tout nombre complexe z, on pose :
$$Z = (z \times \overline{z} \times i)^3.$$
Déterminer si pour tout $z \in \mathbb{C}$, Z est un nombre réel, un nombre imaginaire pur, ou un nombre complexe quelconque.

104 Pour tout nombre complexe z, on pose :
$$Z = z + 2\overline{z}.$$
Déterminer l'ensemble des nombres complexes z tels que le nombre Z soit :
a) réel.
b) imaginaire pur.

105 Pour tout nombre complexe z, on pose :
$$Z = \dfrac{z + 1}{\overline{z} + 1}.$$
Déterminer l'ensemble des nombres complexes z tel que le nombre Z soit :
a) réel.
b) imaginaire pur.

106 **Démo** On pourra utiliser comme prérequis que pour tous nombres complexes z_1 et z_2, on a $\overline{z_1 \times z_2} = \overline{z_1} \times \overline{z_2}$.
1. Montrer par récurrence que pour tout entier naturel n on a $\overline{z^n} = \overline{z}^n$.
2. En déduire que pour tout entier naturel n et pour tout nombre complexe z, $z^n + \overline{z}^n$ est un nombre réel.
3. Démontrer que pour tout entier naturel n, le nombre complexe $(2 - i)^{2n} + (3 + 4i)^n$ est un nombre réel.

Exercices d'entraînement

Équations dans $\mathbb{C}$

 Méthode 11 p. 24

107 1. Factoriser $z^3 - 1$ par $z - 1$.

2. En déduire les solutions dans $\mathbb{C}$ de l'équation
(E) : $z^3 - 1 = 0$.

3. On note j la solution de (E) dont la partie imaginaire est strictement positive.
Donner la forme algébrique de j.

4. Démontrer les égalités suivantes.

a) $j^3 = 1$ **b)** $j^2 + j + 1 = 0$

c) $j^2 = \overline{j}$ **d)** $\dfrac{1}{j} = \overline{j}$

108 Résoudre les équations suivantes dans $\mathbb{C}$. On donnera les résultats sous forme algébrique.

a) $(1 + i)z = 1 - i$ **b)** $\dfrac{z + 1}{z - 1} = 2i$

c) $(2z + 1 - i) \times (iz + 3) = 0$ **d)** $\dfrac{iz + 1}{z - 3i} = 2 + i$

109 Résoudre les équations suivantes dans $\mathbb{C}$. On donnera les résultats sous forme algébrique.

a) $-2iz = 3z + 1$ **b)** $\dfrac{2i\overline{z} + i}{z - 1 - i} = 3$

c) $(z - i)^2 = (z + 1 + i)^2$ **d)** $\dfrac{2}{z} + 3i = -2 - 5i$

110 Résoudre dans $\mathbb{C}$ l'équation $\dfrac{z - i}{z - (2 - i)} = 3$.

111 Déterminer deux nombres complexes z_1 et z_2 dont la somme et le produit valent 2.

112 Résoudre les équations suivantes dans $\mathbb{C}$. Écrire les solutions sous la forme la plus simplifiée possible.

a) $\dfrac{3 + z}{3 - z} = z$ **b)** $(z - 2)^2 = -4$

c) $(z - 2)^2 = (3 + iz)^2$ **d)** $z^2 = 3iz$

Démo

113 On considère l'équation
$az^2 + bz + c = 0$. On note Δ son discriminant.
On veut démontrer que si $\Delta < 0$ alors l'équation admet deux solutions complexes conjuguées : $z_1 = \dfrac{-b - i\sqrt{-\Delta}}{2a}$ et $z_2 = \dfrac{-b + i\sqrt{-\Delta}}{2a}$.

On rappelle qu'en classe de Première, nous avons démontré que $az^2 + bz + c = a\left[\left(z + \dfrac{b}{2a}\right)^2 - \dfrac{\Delta}{4a^2}\right]$.

On suppose que $\Delta < 0$.

1. Écrire $\dfrac{\Delta}{4a^2}$ comme le carré d'un nombre complexe.

2. En déduire une factorisation de $az^2 + bz + c$.

3. En reconnaissant un produit nul, résoudre $az^2 + bz + c = 0$.

114 En utilisant le résultat du logiciel de calcul formel suivant, résoudre dans $\mathbb{C}$ l'équation :
$$z^4 - 6z^3 + 23z^2 - 34z + 26 = 0.$$

```
1   factoriser(z^4-6z^3+23z^2-34z+26)
        (z^2-4*z+13)*(z^2-2*z+2)
```

115 Déterminer deux nombres complexes z_1 et z_2 tels que $\begin{cases} z_1 + z_2 = 3 \\ z_1 \times z_2 = 5 \end{cases}$

116 On veut résoudre l'équation
(E) : $z^2 + 2iz - 2 = 0$.

1. Développer $(z + i)^2$.

2. En déduire que l'équation (E) est équivalente à $(z + i)^2 - 1 = 0$.

3. En déduire les solutions de (E).

117 On veut résoudre l'équation
(E') : $z^2 + iz + c = 0$ où c est un réel.

1. Développer $\left(z + \dfrac{i}{2}\right)^2$.

2. En déduire que l'équation (E') est équivalente à
$$\left(z + \dfrac{i}{2}\right)^2 + \dfrac{1}{4} + c = 0.$$

3. Quelle condition sur c faut-il imposer pour que les solutions de (E') soient imaginaires purs ?

4. Déterminer dans ce cas les solutions de (E').

118 Résoudre dans $\mathbb{C}$ les systèmes d'équations suivants.

a) $\begin{cases} z + z' = 2 - 5i \\ z + 3z' = i - 1 \end{cases}$ **b)** $\begin{cases} 2z + 3z' = 1 \\ z - z' = i \end{cases}$

c) $\begin{cases} -2z + 2z' = 1 + i \\ z + 3z' = 5 \end{cases}$ **d)** $\begin{cases} z + iz' = 2 \\ 2z + 2z' = 2 + 3i \end{cases}$

119 On considère la fonction f qui à tout nombre complexe z associe $f(z) = z^2 + 2z + 9$.

1. Calculer l'image de $-1 + i\sqrt{3}$ par la fonction f.

2. Résoudre dans $\mathbb{C}$ l'équation $f(z) = 5$.

3. Soit λ un nombre réel. On considère l'équation $f(z) = \lambda$ d'inconnue z.
Déterminer l'ensemble des valeurs λ pour lesquelles l'équation $f(z) = \lambda$ admet deux solutions complexes conjuguées.

D'après Bac S 2014

120 On considère l'équation
(E) : $z^4 + 2z^3 - z - 2 = 0$,
ayant pour inconnue le nombre complexe z.

1. Donner une solution entière de (E).

2. Démontrer que, pour tout nombre complexe z,
$z^4 + 2z^3 - z - 2 = (z^2 + z - 2)(z^2 + z + 1)$.

3. Résoudre l'équation (E) dans l'ensemble des nombres complexes.

D'après Bac S 2017

121 On considère l'équation (E) : $z^4 = -4$ où z est un nombre complexe.

1. Montrer que si le nombre complexe z est solution de l'équation (E) alors les nombres complexes $-z$ et $\overline{z}$ sont aussi solutions de l'équation (E).

2. On considère le nombre complexe $z_0 = 1 + i$.
Vérifier que z_0 est solution de l'équation (E).

3. Déduire des deux questions précédentes trois autres solutions de l'équation (E).

4. L'équation (E) admet-elle d'autres solutions que celles citées dans les questions **2.** et **3.** ?

D'après Bac S 2010

122 Déterminer si la proposition suivante est vraie ou fausse en justifiant.
« $z^{10} + z^2 + 1 - i = 0$ admet une solution réelle. »

123 On considère le polynôme P défini sur $\mathbb{C}$ par :
$$P(z) = z^3 - (2 + i\sqrt{2})z^2 + 2(1 + i\sqrt{2})z - 2i\sqrt{2}.$$

1. Montrer que le nombre complexe $z_0 = i\sqrt{2}$ est une racine de P.

2. a) Déterminer les réels a et b tels que :
$$P(z) = (z - i\sqrt{2})(z^2 + az + b).$$
b) En déduire les solutions dans $\mathbb{C}$ de $P(z) = 0$.

D'après Bac S 2012

124 On considère la fonction f définie pour tout $z \in \mathbb{C}$ par :
$$f(z) = z + i.$$

1. Déterminer la forme algébrique de l'image de $\sqrt{2} + 5i$ par la fonction f.

2. Déterminer la forme algébrique du ou des antécédents de $\sqrt{2} + 5i$ par la fonction f.

125 **1.** En posant $z = a + ib$ avec a et b deux réels, résoudre $z^2 = \overline{z}$.

Pour la suite de l'exercice, on notera z_0 la solution dont la partie imaginaire est strictement positive

2. Montrer que $z_0 \times \overline{z_0} = 1$.

3. Donner la forme algébrique de z_0, z_0^2 et z_0^3.

4. Démontrer que pour tout entier naturel n, $z_0^{3n} = 1$.

5. En déduire la valeur de z_0^{3n+1} et z_0^{3n+2} pour tout entier naturel n.

6. En déduire la valeur de z_0^{999} et z_0^{1000}.

Suites de nombres complexes 〔12〕 p. 25

126 On définit la suite de nombres complexes (z_n) par $z_0 = 1$ et pour tout $n \in \mathbb{N}$, $z_{n+1} = \dfrac{1}{3}z_n + \dfrac{2}{3}i$.

Soit (u_n) la suite définie pour tout $n \in \mathbb{N}$ par $u_n = z_n - i$.

1. Exprimer u_{n+1} en fonction de u_n pour tout entier naturel n.

2. Démontrer que pour tout entier naturel n, $u_n = \left(\dfrac{1}{3}\right)^n (1 - i)$.

3. En déduire l'expression de z_n en fonction de n.

127 On définit la suite de nombres complexes (z_n) par $z_0 = 1 + 2i$ et pour tout $n \in \mathbb{N}$, $z_{n+1} = 2iz_n + 5$.
1. Déterminer la forme algébrique de z_1 et z_2.
2. Conjecturer l'expression de z_n en fonction de n.
3. Démontrer par récurrence la conjecture faite en **2.**
4. En déduire la valeur de $z_{2\,020}$.

128 On considère la suite (z_n) définie par $z_0 = 1 - i$ et pour tout $n \in \mathbb{N}$, $z_{n+1} = \dfrac{1}{z_n}$.

1. Déterminer la forme algébrique de z_1 et z_2.
2. Conjecturer l'expression de z_n en fonction de n.
3. Démontrer par récurrence la conjecture faite en **2.**

129 Soit λ un nombre complexe non nul et différent de 1. On définit, pour tout entier naturel n, la suite (z_n) de nombres complexes par $\begin{cases} z_0 = 0 \\ z_{n+1} = \lambda z_n + i \end{cases}$

1. a) Vérifier les égalités $z_1 = i$; $z_2 = (\lambda + 1)i$; $z_3 = (\lambda^2 + \lambda + 1)i$.
b) Démontrer que, pour tout entier naturel n positif ou nul,
$$z_n = \dfrac{\lambda^n - 1}{\lambda - 1} \times i.$$

2. Étude du cas $\lambda = i$.
a) Montrer que $z_4 = 0$.
b) Pour tout entier naturel n, exprimer z_{n+4} en fonction de z_n.
3. a) On suppose maintenant qu'il existe un entier naturel k tel que $\lambda^k = 1$. Démontrer que, pour tout entier naturel n, on a l'égalité $z_{n+k} = z_n$.
b) Réciproquement, montrer que s'il existe un entier naturel k tel que, pour tout entier naturel n, on ait l'égalité $z_{n+k} = z_n$, alors $\lambda^k = 1$.

Travailler l'oral

130 Préparer un exposé sur l'introduction historique des nombres complexes.

Indication : on pourra par exemple parler de Tartaglia, Cardan, Bombelli, ou encore Descartes ou Girard.

131 Proposer une équation du second degré à coefficient réels, puis la résoudre, en expliquant la méthode.

132 Proposer une équation du 3e degré à coefficient réels admettant une racine évidente, puis la résoudre, en expliquant la méthode.

Exercices bilan

133 Calcul algébrique dans $\mathbb{C}$

Les trois questions sont indépendantes.

1. On considère les deux nombres complexes :
$$z = 7 + 2i \text{ et } z' = i - 3.$$
Déterminer la forme algébrique de :

a) $z + z'$

b) $z - z'$

c) $z \times z'$

d) z^2

e) $\dfrac{1}{z}$

2. Pour tout nombre complexe z, on considère le nombre complexe :
$$Z = z^2 + 3 + \overline{z}^2 + z \times \overline{z}.$$
Montrer que pour tout nombre complexe z, Z est un nombre réel.

3. On considère le nombre complexe $z'' = \dfrac{8 + i}{9 - 2i}$.

a) Déterminer la forme algébrique de z''.

b) En déduire sans calcul la valeur de
$$\frac{8 + i}{9 - 2i} + \frac{8 - i}{9 + 2i} \qquad \text{et de} \qquad \frac{8 + i}{9 - 2i} - \frac{8 - i}{9 + 2i}.$$

134 Équations dans $\mathbb{C}$

1. Résoudre dans $\mathbb{C}$ les équations suivantes.

a) $(2i - 5)z + 2 = i$

b) $2z + 3\overline{z} + i - 2 = 0$

c) $x^2 + x + 1 = 0$

d) $x^4 - 25 = 0$

2. On considère l'équation suivante
$$(E) : x^3 - 3x^2 + x - 3 = 0.$$

a) Montrer que si z est solution de (E), alors $\overline{z}$ est solution de (E).

b) Vérifier que 3 et i sont solutions de (E).

c) Quel est le nombre maximum de solutions que peut avoir l'équation (E) ?

d) Sans calcul, en déduire toutes les solutions de (E) dans $\mathbb{C}$.

3. On considère l'équation
$$(E') : 2x^3 - 8x^2 + 28x - 40 = 0.$$

a) Vérifier que 2 est solution de l'équation (E').

b) En déduire une factorisation de $2x^3 - 8x^2 + 28x - 40$.

c) Résoudre dans $\mathbb{R}$, puis dans $\mathbb{C}$, l'équation (E').

135 Binôme de Newton

1. Rappeler la formule du binôme de Newton.

2. Démontrer la formule du binôme de Newton.

 **Coup de pouce** La démonstration se fait par récurrence.

3. Développer pour tout réel x, $(x - 2i)^4$.

4. Déterminer pour quelle(s) valeur(s) de x le nombre complexe $(x - 2i)^4$ est réel.

5. Calculer la somme $\displaystyle\sum_{k=0}^{n} (-1)^k \binom{n}{k}$.

136 Suites de nombres complexes

On considère la suite (z_n) définie par $z_0 = 0$ et pour tout $n \in \mathbb{N}$, $z_{n+1} = iz_n - 4$.

A ▶ 1. Déterminer la forme algébrique de z_1, z_2 et z_3.

2. Pour tout entier naturel n, on pose $z_n = a_n + ib_n$ où a_n est la partie réelle de z_n et b_n est la partie imaginaire de z_n.

a) Donner la valeur de a_0 et b_0.

b) Exprimer a_{n+1} et b_{n+1} en fonction de a_n et b_n.

c) Compléter le programme en **Python** suivant afin qu'il renvoie la partie réelle et la partie imaginaire de z_n.

```
def f(n):
    a=….
    b=….
    for i in range(1,n+1):
        c=……………….
        a=……………….
        b=……………….
    return([a,b])
```

B ▶ On considère le nombre complexe $w = -2 - 2i$.

Soit (u_n) la suite définie pour tout $n \in \mathbb{N}$ par $u_n = z_n - w$.

1. Montrer que pour tout $n \in \mathbb{N}$, $u_{n+1} = i \times u_n$.

2. En déduire que pour tout $n \in \mathbb{N}$, $u_n = (2 + 2i) \times i^n$.

3. En déduire l'expression de z_n en fonction de n.

4. a) Donner la valeur de i^2 et en déduire la valeur de i^{50} et i^{100}.

b) En déduire la forme algébrique de z_{50} et z_{100} sans calculatrice.

137 Fonctions dans $\mathbb{C}$

On considère la fonction f définie pour tout nombre complexe z différent de -1 par $f(z) = \dfrac{z - 1}{z + 1}$.

1. Déterminer la forme algébrique des images par f de

a) 1

b) 2i

2. Déterminer la forme algébrique du ou des antécédents de $1 + i$ par f.

3. Déterminer l'ensemble des nombres complexes z tels que $f(z) = z$.

138 Conjugués

Démo

1. Soit z un nombre complexe tel que $z = a + ib$ avec a et b deux réels.

a) Démontrer que z est un nombre réel si, et seulement si, $\overline{z} = z$.

b) Démontrer que z est un nombre imaginaire pur si, et seulement si, $\overline{z} = -z$.

2. Démontrer que, pour tous nombres complexes z et z', $\overline{z \times z'} = \overline{z} \times \overline{z'}$.

3. Démontrer que, pour tout entier naturel n, et tout nombre complexe z, $\overline{z^n} = (\overline{z})^n$.

Ensemble des nombres complexes

- **Définition de $\mathbb{C}$**
- $\mathbb{R} \subset \mathbb{C}$
- $i^2 = -1$
- L'addition et la multiplication ont les mêmes propriétés que dans $\mathbb{R}$.
- **Forme algébrique**

$z = a + ib$ avec a et b deux réels.

$a = \text{Re}(z)$ (partie réelle de z)

$b = \text{Im}(z)$ (partie imaginaire de z)

- **Égalité dans $\mathbb{C}$**

$z = z' \Leftrightarrow \begin{cases} \text{Re}(z) = \text{Re}(z') \\ \text{Im}(z) = \text{Im}(z') \end{cases}$

Opérations dans $\mathbb{C}$

Soit $z = a + ib$ et $z' = a' + ib'$ avec a, b, a' et b' des réels tel que $z \neq 0$.

- **Addition**

$\begin{aligned} z + z' &= (a + ib) + (a' + ib') \\ &= (a + a') + i(b + b') \end{aligned}$

- **Multiplication**

$\begin{aligned} z \times z' &= (a + ib) \times (a' + ib') \\ &= aa' + iab' + iba' + i^2bb' \\ &= (aa' - bb') + i(ab' + a'b) \end{aligned}$

- **Opposé**

$\begin{aligned} -z &= -(a + ib) \\ &= -a - ib \end{aligned}$

- **Inverse**

$\begin{aligned} \dfrac{1}{z} &= \dfrac{1}{a + ib} = \dfrac{1 \times (a - ib)}{(a + ib)(a - ib)} \\ &= \dfrac{a - ib}{a^2 - (ib)^2} = \dfrac{a}{a^2 + b^2} - i\dfrac{b}{a^2 + b^2} \end{aligned}$

- **Quotient**

$\begin{aligned} \dfrac{z'}{z} &= \dfrac{a' + ib'}{a + ib} = \dfrac{(a' + ib')(a - ib)}{(a + ib)(a - ib)} \\ &= \dfrac{a'a - iba' + ib'a + bb'}{a^2 + b^2} \\ &= \dfrac{aa' + bb'}{a^2 + b^2} + i\dfrac{ab' - a'b}{a^2 + b^2} \end{aligned}$

Conjugué

Soit $z = a + ib$ avec a et b deux réels.

- **Définition**

Le conjugué de z, noté $\overline{z}$ est défini par $\overline{z} = a - ib$.

- **Propriétés**

- $z + \overline{z} = 2\text{Re}(z)$
- $z - \overline{z} = 2i\text{Im}(z)$
- $z \in \mathbb{R} \Leftrightarrow z = \overline{z}$
- $z \in i\mathbb{R} \Leftrightarrow z = -\overline{z}$
- $\overline{\overline{z}} = z$

- $\overline{-z} = -\overline{z}$
- $\overline{z + z'} = \overline{z} + \overline{z'}$
- $\overline{z \times z'} = \overline{z} \times \overline{z'}$
- pour tout $n \in \mathbb{N}$, $\overline{z^n} = (\overline{z})^n$
- Si $z \neq 0$, $\overline{\left(\dfrac{1}{z}\right)} = \dfrac{1}{\overline{z}}$
- Si $z \neq 0$, $\overline{\left(\dfrac{z'}{z}\right)} = \dfrac{\overline{z'}}{\overline{z}}$

Formule du binôme de Newton

Soit $a \in \mathbb{C}$ et $b \in \mathbb{C}$. Pour: tout $n \in \mathbb{N}$:

$$(a + b)^n = \sum_{k=0}^{n} \binom{n}{k} a^k b^{n-k}$$

Équations du second degré

- $z^2 = a$
- Si $a > 0$, alors $S = \{-\sqrt{a}\ ;\ \sqrt{a}\}$
- Si $a < 0$, alors $S = \{-i\sqrt{|a|}\ ;\ i\sqrt{|a|}\}$
- $az^2 + bz + c = 0$ avec $a \neq 0$

On pose $\Delta = b^2 - 4ac$.

- Si $\Delta > 0$, alors $S = \left\{\dfrac{-b - \sqrt{\Delta}}{2a}\ ;\ \dfrac{-b + \sqrt{\Delta}}{2a}\right\}$
- Si $\Delta = 0$, alors $S = \left\{-\dfrac{b}{2a}\right\}$
- Si $\Delta < 0$, alors $S = \left\{\dfrac{-b - i\sqrt{-\Delta}}{2a}\ ;\ \dfrac{-b + i\sqrt{-\Delta}}{2a}\right\}$

Factorisation de polynômes

- **Factorisation de $z^n - a^n$**

Soit $a \in \mathbb{C}$ et $n \in \mathbb{N}^*$.

Pour tout $z \in \mathbb{C}$, $z^n - a^n = (z - a) \times Q(z)$ avec Q un polynôme de degré au plus $n - 1$.

- **Factorisation d'un polynôme**

Soit P un polynôme de degré n et $a \in \mathbb{C}$ tel que $P(a) = 0$.

Pour tout $z \in \mathbb{C}$, $P(z) = (z - a) \times Q(z)$ avec Q un polynôme de degré au plus $n - 1$.

Racines de polynômes

- Un polynôme non nul de degré n admet au plus n racines.
- Le nombre de solutions d'une équation polynômiale est inférieur ou égal à son degré.

Je dois être capable de...

▶ Déterminer et utiliser la forme algébrique
d'un nombre complexe

▶ Effectuer des calculs algébriques avec des nombres
complexes et résoudre une équation linéaire $az = b$

▶ Déterminer le conjugué d'un nombre complexe
et résoudre une équation simple faisant intervenir z et $\overline{z}$

▶ Utiliser la formule du binôme de Newton

▶ Résoudre une équation polynomiale de degré 2
à coefficients réels

▶ Factoriser un polynôme dont une racine est connue

▶ Résoudre une équation de degré 3 à coefficients
réels dont une racine est connue

Parcours d'exercices

1, 2, 37, 38, 3, 4, 42, 43

5, 6, 45, 46, 7, 8, 54, 55

9, 10, 62, 63, 11, 12, 70, 71

13, 14, 74, 75

15, 16, 79, 80

17, 18, 83, 84

19, 20, 89, 90

● **EXOS**
QCM interactifs
lienmini.fr/maths-e01-09

QCM Pour les exercices suivants, choisir la (les) bonnes réponse(s).

		A	B	C	D
139	i^3 est égal à :	1	i	– i	– 1
140	La partie réelle de $(11 + 2i)(5 - i)$ est :	53	55	57	– 1
141	La partie imaginaire de $\dfrac{11 + 2i}{2 - i}$ est :	2	3	4	– 1
142	Pour tout $z \in \mathbb{C}$, on pose $Z = z \times \overline{z} + 2 - i$. Alors le conjugué de Z est :	$\overline{z} \times \overline{z} + 2 - i$	$z \times \overline{z} - 2 + i$	$\overline{z} \times \overline{z} + 2 + i$	$z \times \overline{z} + 2 + i$
143	La solution de $(i + 1)z + 1 = i$ est :	$\dfrac{i - 1}{i + 1}$	$i + 1$	i	$i - 1$
144	L'équation $z^2 - 4z + 5 = 0$ a pour solution dans $\mathbb{C}$:	pas de solution	$\{-2 - i \, ; \, 2 + i\}$	$\{2 - i \, ; \, 2 + i\}$	$\{2 - 3i \, ; \, 2 + 3i\}$
145	L'équation $z + 2i\overline{z} = 2 - 5i$ a pour solution dans $\mathbb{C}$:	1	$\dfrac{8}{3} - \dfrac{1}{3}i$	$2 - \dfrac{5}{2}i$	$-4 + 3i$
146	$(1 + i)^5$ est égal à :	$1 + i$	$-4 - 4i$	$4 + 4i$	$-1 - i$
147	Une factorisation de $x^3 - 1$ est $(x - 1) \times Q(x)$ avec $Q(x)$ égal à :	$(x^2 + x + 1)$	$(x^2 - x + 1)$	$(x^2 + x - 1)$	$(x^2 - x - 1)$

148 Utiliser la forme algébrique

1. Déterminer la partie réelle et la partie imaginaire du nombre complexe $z = 2i - 5$.

2. Soit x et y deux réels.

Pour quelles valeurs de x et de y a-t-on $(x + 2y) + i(x - 2y + 3) = 2 + i$? **Méthode 1** **Méthode 2** p. 15

149 Calculer dans $\mathbb{C}$

On considère les deux nombres complexes $z = 4 + 7i$ et $z' = -2 + 5i$.

Déterminer la forme algébrique de :

a) $z + z'$

b) $z - z'$

c) $z \times z'$

d) z^2

e) $\dfrac{1}{z'}$

f) $\dfrac{z}{z'}$ **Méthode 3** **Méthode 4** p. 17

150 Utiliser le conjugué d'un nombre complexe

1. On considère le nombre complexe $z_1 = i - 2$. Déterminer la forme algébrique du conjugué de z.

2. Pour tout nombre complexe z, on pose $Z = z - \overline{z} + i$. Démontrer que Z est un nombre imaginaire pur.

3. On considère le nombre complexe $z' = \dfrac{11 + i}{1 - 2i}$.

a) Déterminer la forme algébrique de z'.

b) En déduire sans calcul la valeur de $\dfrac{11 + i}{1 - 2i} + \dfrac{11 - i}{1 + 2i}$ et celle de $\dfrac{11 + i}{1 - 2i} - \dfrac{11 - i}{1 + 2i}$. **Méthode 4** p. 17 **Méthode 5** p. 19

151 Résoudre des équations dans $\mathbb{C}$

Résoudre dans $\mathbb{C}$ les équations suivantes.

a) $(1 - 2i)z = 3 + i$

b) $-5\overline{z} + i = 7$

c) $z + 2\overline{z} - 4 = i$ **Méthode 4** p. 17 **Méthode 6** p. 19

d) $2z^2 - 3z + 10 = 0$

e) $z^4 = 121$ **Méthode 8** p. 21 **Méthode 11** p. 24

152 Utiliser le binôme de Newton

1. En utilisant la formule du binôme de Newton, développer $(2 + 3i)^4$.

2. Calculer la somme $\displaystyle\sum_{k=0}^{n} 2^k \binom{n}{k}$.

3. Quel est le coefficient de x^7 dans le développement de $(x + 2)^{10}$? **Méthode 7** p. 21

153 Factorisation de polynômes

Factoriser les polynômes suivants.

a) $x^4 - 1$ **b)** $x^3 - 8$ **Méthode 9** p. 23

154 Équation de degré 3

1. On considère l'équation suivante :
$$2x^3 - 2x^2 - 24x = 0.$$

a) Déterminer une solution évidente de l'équation.

b) Résoudre l'équation dans $\mathbb{C}$.

2. On considère l'équation suivante :
$$x^3 - 3x^2 + 25x + 29 = 0.$$

a) Vérifier que -1 est solution de l'équation.

b) Déterminer une factorisation de $x^3 - 3x^2 + 25x + 29$.

c) En déduire toutes les solutions complexes de l'équation. **Méthode 10** p. 23

155 Suites de nombres complexes Algo

On considère la suite de nombres complexes (z_n) définie par $z_0 = 1 - i$ et pour tout entier naturel, $z_{n+1} = (1 + i)z_n$.

1. Déterminer la forme algébrique de z_1 et de z_2.

2. Démontrer que pour tout nombre complexe z, $z \times \overline{z}$ est un nombre réel.

3. On considère la suite (u_n) définie par $u_n = z_n \times \overline{z_n}$.

a) Calculer u_0, u_1 et u_2.

b) Justifier que pour tout $n \in \mathbb{N}$, $u_n \in \mathbb{R}$.

c) Démontrer que la suite (u_n) est une suite géométrique de raison 2.

d) En déduire l'expression de u_n en fonction de n.

e) Déterminer la limite de la suite (u_n).

4. On souhaite déterminer la plus petite valeur de n tel que $u_n > 1\,000$.

a) Compléter le programme en **Python** suivant.

```
u = …
n = 0
while … :
    n = …
    u = …
print (… . )
```

b) Déterminer la valeur de cet entier à l'aide de la calculatrice. **Méthode 12** p. 25

156 Fonction et nombre complexe

Soit f la fonction définie pour tout nombre complexe z différent de -2 par $f(z) = \dfrac{z - 4}{z + 2}$.

1. Déterminer la forme algébrique de l'image par f de :

a) 3 **b)** i

2. Déterminer la forme algébrique du ou des antécédents par f de :

a) 3 **b)** i

3. Déterminer le ou les nombres complexes z tels que $f(z) = -z$. **Méthode 1** p. 15 **Méthode 4** p. 17 **Méthode 8** p. 21 **Méthode 11** p. 24

Exercices (vers le supérieur)

157 Résolution d'équation `PCSI` `MPSI`

L'ensemble S des solutions dans $\mathbb{C}$ de l'équation $\dfrac{z-8}{z-3} = z$ est :

a) $S = \{2 + 2i\}$ 　　　　　 **b)** $S = \{2 + 2i \; ; \; 2 - 2i\}$

c) $S = \{2 + 2i \; ; \; -2 + 2i\}$ 　　 **d)** $S = \varnothing$

D'après concours Techniciens supérieurs de l'aviation (2016)

158 Résolution d'équation de degré 3 `PCSI` `MPSI`

On considère le polynôme P défini sur $\mathbb{C}$ par :
$$P(z) = z^3 + (2 - 2i)z^2 + (4 - 4i)z - 8i.$$
1. Démontrer que $2i$ est une solution de l'équation $P(z) = 0$.
2. Démontrer que $P(z) = (z - 2i)(z^2 + 2z + 4)$.
3. En déduire toutes les solutions dans $\mathbb{C}$ de l'équation $P(z) = 0$.

D'après concours d'entrée ENSM (2017)

159 Les entiers de Gauss

Un entier de Gauss est un nombre complexe qui peut s'écrire sous la forme $a + ib$ avec $a \in \mathbb{Z}$ et $b \in \mathbb{Z}$.

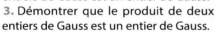

1. Donner un exemple d'entier de Gauss.
2. Démontrer que la somme de deux entiers de Gauss est un entier de Gauss.
3. Démontrer que le produit de deux entiers de Gauss est un entier de Gauss.
4. Le quotient de deux entiers de Gauss est-il un entier de Gauss ?

160 Forme algébrique d'un nombre complexe `PCSI` `MPSI`

Soit a un nombre réel. On considère les nombres complexes :
$$z_1 = (-4a + i)(a - i) - (1 + 2ai)^2 \text{ et } z_2 = \frac{2 + 2ai}{1 - i}.$$

1. Déterminer la forme algébrique de z_1. Détailler le calcul.
2. Déterminer la forme algébrique de z_2. Détailler le calcul.

D'après concours ENI-GEIPI (2018)

161 Équation bi-carrée

On considère l'équation (E) : $z^4 - z^2 - 2 = 0$.
1. On pose $Z = z^2$. Écrire (E) comme une équation en Z.
2. Résoudre cette nouvelle équation.
3. En déduire toutes les solutions de (E).

162 Calculer avec les nombres complexes (1) `PCSI` `MPSI`

1. On considère le nombre complexe $z = 3i$, alors z^4 est égal à :

a) $81i$ 　　　　　 **b)** -81

c) $-81i$ 　　　　　 **d)** 81

2. Les nombres réels a et b tels que pour tout $z \in \mathbb{C}$,
$z^3 + (2 - i)\,z^2 + (1 - 2i)z - i = (z - i)(z^2 + az + b)$ sont :

a) $a = -2$ et $b = 1$ 　　 **b)** $a = -2$ et $b = -1$

c) $a = 2$ et $b = 1$ 　　　 **d)** $a = 2$ et $b = -1$

D'après concours AVENIR (2017)

163 Calculer avec les nombres complexes (2) `PCSI` `MPSI`

1. On note j un nombre complexe, solution de l'équation :
$$1 + z + z^2 = 0.$$
On peut affirmer que $(j + j^2 + j^3)^3$ est égal à :

a) 0 　 **b)** 1 　 **c)** j 　 **d)** j^2

2. On note $\mathrm{Re}(z)$ la partie réelle et $\mathrm{Im}(z)$ la partie imaginaire d'un nombre complexe z. Si z_1 et z_2 désignent deux nombres complexes non nuls, alors $\mathrm{Re}((z_1 + iz_2)(1 + i))$ est égale à :

a) $\mathrm{Re}(z_1 - z_2) - \mathrm{Im}(z_1 + z_2)$
b) $\mathrm{Re}(z_1) - \mathrm{Im}(z_2)$
c) $\mathrm{Re}(z_1 - z_2)$
d) $\mathrm{Im}(z_1) - \mathrm{Re}(z_2)$

3. Soit p un nombre réel et (E) l'équation suivante :
$$2pz^2 + (1 - p)z + 2p = 0$$
À quel ensemble doit appartenir p pour que (E) ait deux racines complexes conjuguées distinctes ?

a) $\left[-\dfrac{1}{3} \; ; \dfrac{1}{5} \right]$ 　　　 **b)** $\left] -\dfrac{1}{3} \; ; \dfrac{1}{5} \right[$

c) $\left] -\infty \; ; -\dfrac{1}{3} \right] \cup \left[\dfrac{1}{5} \; ; +\infty \right[$ 　 **d)** $\left] -\infty \; ; -\dfrac{1}{3} \right[\cup \left[\dfrac{1}{5} \; ; +\infty \right[$

D'après concours AVENIR (2019)

164 Somme et produit de complexes

1. Calculer i^n en distinguant plusieurs cas selon les valeurs de l'entier naturel n.
2. En déduire selon les valeurs de n, la valeur de :
a) la somme $1 + i + i^2 + \dots + i^n$.
b) le produit $1 \times i \times i^2 \times \dots \times i^n$.

165 Équation avec des complexes

Résoudre dans $\mathbb{C}$ l'équation suivante $z^2 + 2\overline{z} + 1 = 0$.

166 Nombre imaginaire pur et nombre réel `PCSI` `MPSI`

Pour tout $z \in \mathbb{C}$ convenablement choisi, on note $z' = \dfrac{2\overline{z}}{\overline{z} + i}$.
z' est un nombre réel si, et seulement si :

a) z est imaginaire pur différent de i.
b) z est imaginaire pur.
c) z est réel différent de 1.
d) z est réel.

D'après concours d'entrée à l'ENAC (2018)

167 Résolution d'équation de degré 3 `PCSI` `MPSI`

Soit a un nombre réel strictement supérieur à 1.
Soit (E) et (E') les équations d'inconnue complexe z :
$$(E) : z^2 - 4z + 4a^2 = 0 \text{ et } (E') : z^3 - 4z^2 + 4a^2 z = 0.$$
1. Justifier que l'équation (E) admet deux racines complexes non réelles.
2. On note z_1 et z_2 les deux solutions de l'équation (E). Donner les expressions de z_1 et z_2 en fonction de a.
3. En déduire l'ensemble S' des solutions de l'équation (E').

D'après concours ENI-GEIPI (2019)

168 Équation et trigonométrie

Pour tout nombre réel $\theta \in [0 ; \pi]$, on considère l'équation :
$$z^2 - 2\cos(\theta)z + 1 = 0.$$
1. Déterminer les valeurs de θ pour lesquelles l'équation admet une solution réelle.
2. Dans les autres cas, exprimer les solutions complexes en fonction de θ.

169 Racines carrées d'un nombre complexe

Dans cet exercice, nous allons nous intéresser à la notion de racine carrée d'un nombre complexe.
1. Déterminer un nombre complexe dont le carré est égal à :
a) 25   **b)** –1   **c)** –4
2. On veut déterminer un nombre complexe z dont le carré est égal à $5 + 12i$.
Poser $z = a + ib$ avec a et b deux réels, et résoudre l'équation $z^2 = 5 + 12i$.

> **Coup de pouce** Pour résoudre une équation de la forme $ax^4 + bx^2 + c = 0$, on peut poser $X = x^2$.

170 Équation du second degré à coefficients complexes

1. Soit a, b et c trois nombres complexes.
Démontrer que pour tout $z \in \mathbb{C}$, $az^2 + bz + c = a(z + d)^2 + e$ avec d et e deux nombres complexes à déterminer.
2. Application : on considère l'équation :
$$2z^2 + (2 + 6i)z - 2 + 3i = 0.$$
a) Écrire $2z^2 + (2 + 6i)z - 2 + 3i$ sous la forme $a(z + d)^2 + e$ avec d et e deux nombres complexes à déterminer.
b) En déduire les solutions de l'équation.

Démo

171 Formules de Viète pour un polynôme de degré 3

Soit P un polynôme de degré 3 admettant 3 racines complexes : r_1, r_2 et r_3.
Pour tout $z \in \mathbb{C}$, on note $P(z) = a_3 z^3 + a_2 z^2 + a_1 z + a_0$.
1. Montrer que la somme des racines complexes de P est égale à $-\dfrac{a_2}{a_3}$.
2. Montrer que le produit des racines complexes de P est égal à $-\dfrac{a_0}{a_3}$.

172 Calcul de sommes

Calculer la somme $\displaystyle\sum_{k=0}^{n} k\binom{n}{k}$.

> **Coup de pouce** On pourra dériver de deux manières différentes la fonction f définie par $f(x) = (x + 1)^n$.

173 Équation de degré 3   Problème ouvert

Existe-t-il des équations de degré 3 à coefficients réels admettant exactement trois solutions complexes distinctes et non réelles ?

174 Résolution par radicaux de l'équation de degré 3

Dans cet exercice, on cherche à résoudre une équation (E) :
$$x^3 + ax^2 + bx + c = 0, \text{ avec } a, b, c \text{ trois réels.}$$

1. En posant $X = x + \dfrac{a}{3}$, montrer que résoudre (E) revient à résoudre (E') : $X^3 + pX + q = 0$. On donnera l'expression de p et q en fonction de a, b, c.

2. On pose $\Delta = \dfrac{27q^2 + 4p^3}{27}$. On veut montrer que si $\Delta > 0$, alors une solution réelle de (E') est
$$x_0 = \sqrt[3]{\dfrac{-q + \sqrt{\Delta}}{2}} + \sqrt[3]{\dfrac{-q - \sqrt{\Delta}}{2}}.$$

a) On pose $X = u + v$.
Montrer que si $\begin{cases} u^3 + v^3 = -q \\ u \times v = -\dfrac{p}{3} \end{cases}$, alors X est solution de (E').

b) Posons $U = u^3$ et $V = v^3$.
Montrer que résoudre le système $\begin{cases} u^3 + v^3 = -q \\ u \times v = -\dfrac{p}{3} \end{cases}$ revient à résoudre :
$$\begin{cases} U + V = -q \\ U \times V = -\dfrac{p^3}{27} \end{cases}$$

c) En posant $\Delta = \dfrac{27q^2 + 4p^3}{27}$ et en supposant $\Delta > 0$, déterminer un couple $(U ; V)$ solution du système (on exprimera U et V en fonction de p et q).
d) En déduire que si $\Delta > 0$, alors une solution réelle de (E') est
$$x_0 = \sqrt[3]{\dfrac{-q + \sqrt{\Delta}}{2}} + \sqrt[3]{\dfrac{-q - \sqrt{\Delta}}{2}}.$$

175 Électronique   Sciences

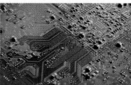

En électronique, on représente parfois les « résistances » de certains composants par des nombres complexes. Par exemple, une résistance pure est représentée par le réel $Z_r = R$, tandis qu'une bobine est représentée par le complexe $Z_b = iL\omega$, où L dépend de la bobine et ω du courant qu'on met dans le circuit. Lorsqu'une résistance et une bobine sont montées en parallèle, on peut les remplacer par un composant unique associé au complexe Z_e tel que :
$$\frac{1}{Z_e} = \frac{1}{Z_b} + \frac{1}{Z_r}.$$
Démontrer que $Z_e = \dfrac{R \times \left(1 + \dfrac{R}{L\omega}i\right)}{1 + \left(\dfrac{R}{L\omega}\right)^2}$.

Travaux pratiques

1 Utilisation d'un logiciel de calcul formel

L'objectif de ce TP est d'apprendre à utiliser un logiciel de calcul formel afin de réaliser des calculs utilisant des nombres complexes.

A ▶ Calculs algébriques dans $\mathbb{C}$

1. Ouvrir le logiciel de calcul formel Xcas sur l'ordinateur. Dans toute la suite du TP, pour obtenir la syntaxe ou un exemple d'utilisation d'une fonction sur Xcas, on peut taper le nom de la fonction, puis appuyer sur F1.

2. On considère le nombre complexe $z = 5 + 3i$.

a) Donner la partie réelle et la partie imaginaire de z.

b) En utilisant les fonctions « re » et « im » retrouver les résultats de la question **a)** sur Xcas.

3. a) Déterminer la forme algébrique de $(5 + 3i) \times (2 + i)$ et $\dfrac{5 + 3i}{2 + i}$.

b) En utilisant la fonction « simplifier » retrouver les résultats de la question **a)** sur Xcas.

4. a) Déterminer la forme algébrique de $(5 + 3i)^2$.

b) En utilisant la fonction « developper » retrouver les résultats de la question **a)** sur Xcas.

5. a) Déterminer le nombre complexe conjugué de $z = 5 + 3i$.

b) En utilisant la fonction « conj » retrouver les résultats de la question **a)** sur Xcas.

1	`re(3+2i)`
	3
2	`im(3+2i)`
	2
3	`simplifier((3+2i)/(4+3i))`
	$\dfrac{18}{25} + \dfrac{-i}{25}$
4	`developper((3+2i)^2)`
	`5+12*i`
5	`conj(3+2i)`
	`3-2*i`
6	`resoudre_dans_C(z*i=2+i,z)`
	`1-2*i`
7	`factoriser(z^3-6x^2+11z-6)`
	`(z-3)*(z-2)*(z-i)`

Exemples d'utilisations de fonctions sur Xcas

B ▶ Résolution d'équations

Pour résoudre des équations avec Xcas, il existe deux fonctions :

– resoudre : cette fonction permet de résoudre des équations dans $\mathbb{R}$;

– resoudre_dans_C : cette fonction permet de résoudre des équations dans $\mathbb{C}$.

1. Résoudre dans $\mathbb{C}$ les équations suivantes. On donnera le résultat sous forme algébrique.

a) $z + 2i = 3 - i$

b) $z + 2\overline{z} = 3 - i$

2. Vérifier les solutions trouvées dans la question **1.** en utilisant le logiciel Xcas.

3. En utilisant Xcas, résoudre dans $\mathbb{R}$, puis dans $\mathbb{C}$ les équations suivantes.

a) $z^2 + 2z + 4 = 0$

b) $z^2 + 4z + 2 = 0$

C ▶ Factorisations et équations

1. Pour tout $z \in \mathbb{C}$, on pose $P(z) = z^4 + \dfrac{17}{2}z^3 + \dfrac{9}{2}z^2 + \dfrac{7}{2}z - 4$.

On cherche à résoudre l'équation $P(z) = 0$.

a) En utilisant la fonction « factoriser » dans Xcas, déterminer une factorisation dans $\mathbb{R}$ de $P(z)$.

b) En déduire les solutions dans $\mathbb{R}$ de l'équation $P(z) = 0$.

c) En déduire les solutions dans $\mathbb{C}$ de l'équation $P(z) = 0$.

2. a) En utilisant la fonction « factoriser » dans Xcas, déterminer une factorisation dans $\mathbb{R}$ de $z^6 - 1$.

b) En déduire les solutions dans $\mathbb{R}$, puis dans $\mathbb{C}$ de l'équation $z^6 - 1 = 0$.

2 Algorithmes et équations du second degré

Soit f une fonction polynôme de degré 2 de la forme $f(x) = ax^2 + bx + c$, avec $a \neq 0$.

1. Compléter le programme suivant en **Python** 🐍, afin qu'il détermine les racines réelles éventuelles de f.

PYTHON 🐍
Programme
lienmini.fr/maths-e01-10

```python
def f(a,b,c):
    d=…
    if … :
        print(" pas de solution réelle ")
    else :
        if … :
            x=…
            print(" La racine est ", x)
        else :
            x1=…
            x2=…
            print(" Les deux racines sont ", x1, x2)
```

2. Écrire ce programme dans votre calculatrice ou dans un logiciel et le tester avec les fonctions suivantes.
a) $f(x) = x^2 - 2x + 10$ **b)** $f(x) = x^2 + 2x + 1$
c) $f(x) = x^2 + x - 2$
3. Vérifier par le calcul.
4. Modifier ce programme, afin qu'il détermine également les racines complexes éventuelles de f.

▶ **Remarque** Pour utiliser les nombres complexes sur **Python** 🐍, il faut utiliser la bibliothèque `cmath`.

De plus, pour exprimer i en **Python** 🐍, il faut utiliser 1j. Par exemple : $5 + 2i$ s'écrira $5+2*1j$.
5. Reprendre les questions **2.** et **3.**.

---

3 Suites croisées de nombres complexes

On considère les suites (u_n) et (v_n) de nombres complexes définies par $u_0 = 1 + 2i$; $v_0 = 2 + i$ et pour tout $n \in \mathbb{N}$:
$$\begin{cases} u_{n+1} = u_n + iv_n \\ v_{n+1} = v_n + iu_n \end{cases}$$

1. Déterminer la forme algébrique de u_1 et v_1.
2. On note $u_n = a_n + ib_n$ et $v_n = c_n + id_n$ avec a_n, b_n, c_n et d_n des nombres réels.

a) Donner les valeurs de a_0 ; b_0 ; c_0 et d_0.
b) Déterminer l'expression de a_{n+1}, de b_{n+1}, de c_{n+1} et de d_{n+1} en fonction a_n, b_n, c_n et d_n.
3. On souhaite déterminer la forme algébrique de u_{100} et de v_{100}.
a) Recopier le tableau ci-dessous dans un tableur.

	A	B	C	D	E
1	n	a_n	b_n	c_n	d_n
2	0				
3	1				
4	2				

b) Compléter la colonne A pour qu'elle contienne tous les entiers de 1 à 100.
c) Compléter les cellules B2, C2, D2 et E2.
d) Quelle formule faut-il rentrer dans la cellule B3 ? dans la cellule C3 ? dans la cellule D3 ? et dans la cellule E3 ?
e) En étirant vers le bas, compléter les colonnes B,C,D et E.
f) En déduire la forme algébrique de u_{100} et v_{100}.

2

Nombres complexes : point de vue géométrique et applications

Les nombres complexes ont de nombreuses applications, notamment pour étudier des configurations du plan ou des transformations du plan (homothétie, rotation, …). Ils peuvent également être utilisés pour étudier des exemples d'ensembles fractals.

Qu'est-ce qu'un ensemble de Julia ? ↪ TP 2 p. 75

▶ VIDÉO

Les ensembles de Julia
lienmini.fr/maths-e02-01

Pour prendre un bon départ

● EXO
Prérequis
lienmini.fr/maths-e02-02

Les rendez-vous
Sésamath

1 Lire des coordonnées

Dans un repère orthonormé, on considère les points A et B.

1. Lire graphiquement les coordonnées de A et de B.

2. Lire graphiquement les coordonnées de $\overrightarrow{AB}$.

3. Déterminer les coordonnées du symétrique de A par rapport à l'axe des abscisses.

4. Déterminer les coordonnées du symétrique de A par rapport à l'origine.

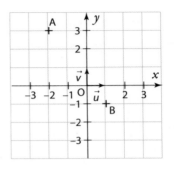

2 Utiliser le cercle trigonométrique

1. Tracer le cercle trigonométrique.

2. Placer sur ce cercle les points associés aux réels suivants, puis déterminer la valeur du cosinus et du sinus de chaque réel.

a) π **b)** $\dfrac{\pi}{2}$ **c)** $\dfrac{\pi}{6}$ **d)** $\dfrac{2\pi}{3}$

3 Calculer des coordonnées et des normes

Dans un repère orthonormé $(O\,;\vec{u}\,,\vec{v})$, on considère les points A(5 ; 3) et B(−1 ; 2).

1. Déterminer les coordonnées du vecteur $\overrightarrow{AB}$.

2. Déterminer la norme du vecteur $\overrightarrow{AB}$.

3. Déterminer les coordonnées du milieu du segment [AB].

4 Résoudre des équations trigonométriques

Résoudre dans [0 ; 2π[les équations suivantes.

a) $\cos(x) = \dfrac{1}{2}$ **b)** $\sin(x) = -\dfrac{\sqrt{3}}{2}$

5 Calculer avec des complexes

On considère les nombres complexes $z_1 = 5 - 2i$ et $z_2 = 3 + i$.
Déterminer la forme algébrique des complexes suivants.

a) $z_1 + z_2$ **b)** $z_1 \times z_2$ **c)** $\dfrac{z_1}{z_2}$ **d)** $\overline{z_1}$

6 Calculer avec la fonction exponentielle

Simplifier les expressions suivantes.

a) $\dfrac{e^7 \times e^{-6}}{e}$ **b)** $\dfrac{(e^{2x})^2 \times e^{-x}}{e^x}$

20 min

1 Représenter graphiquement un nombre complexe

Le plan est muni d'un repère orthonormé (O ; $\vec{u}$, $\vec{v}$).
On considère un point M(x ; y). On appelle affixe du point M le nombre complexe z défini par $z = x + iy$.

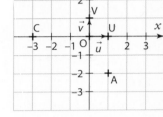

1. Déterminer l'affixe des points O, U, V, A, B et C représentés ci-contre.

2. Soit M(x ; y) un point du plan.

a) Déterminer une condition sur les coordonnées de M, puis sur l'affixe de M, pour que le point M appartienne à l'axe des abscisses.

b) Déterminer une condition sur les coordonnées de M, puis sur l'affixe de M, pour que le point M appartienne à l'axe des ordonnées.

3. Quelles sont les coordonnées du point d'affixe $-2 - 4i$?

4. Soit D(3 ; –2) et E(5 ; 8). Déterminer les coordonnées puis l'affixe du milieu de [DE].

5. Soit A(x_A ; y_A) et B(x_B ; y_B). Déterminer les coordonnées puis l'affixe du milieu de [AB].

6. Soit P(4 ; 2).

a) Déterminer l'affixe z de P.

b) Déterminer la forme algébrique de $\bar{z}$ et de $-z$.

c) Représenter graphiquement le point P_2 ayant pour affixe $\bar{z}$. Que peut-on dire des points P et P_2 ?

d) Représenter graphiquement le point P_3 ayant pour affixe $-z$. Que peut-on dire des points P et P_3 ?

⮕ Cours 1 p. 46

20 min

2 Repérer un point par un angle et une distance

Le plan est muni d'un repère orthonormé (O ; $\vec{u}$, $\vec{v}$).

1. a) Dans ce repère, placer le point M(2 ; –2) et le point M' intersection de [OM) et du cercle trigonométrique.

b) Donner un réel appartenant à [0 ; 2π[, puis un réel appartenant à]–π ; π] associé au point M'.

c) Donner un troisième réel associé au point M'.

d) Donner tous les réels associés au point M'.

Une mesure un radians de l'angle orienté ($\vec{u}$, $\overrightarrow{OM}$) est un réel θ associé au point M'. Un angle orienté a une infinité de mesures. On notera ($\vec{u}$, $\overrightarrow{OM}$) = θ[2π] (lire « modulo 2π »).

2. Représenter graphiquement dans ce repère orthonormé :

a) les points A tels que OA = 2 ;

b) les points B tels que ($\vec{u}$, $\overrightarrow{OB}$) = $\dfrac{\pi}{4}$[2π] ;

c) le point C tel que OC = 2 et ($\vec{u}$, $\overrightarrow{OC}$) = $\dfrac{\pi}{4}$[2π] ;

d) le point D tel que OD = 3 et ($\vec{u}$, $\overrightarrow{OD}$) = $-\dfrac{2\pi}{3}$[2π].

3. Soit M(x ; y).

a) Déterminer l'expression de OM en fonction de x et y.

b) On note r la distance OM et θ une mesure de l'angle ($\vec{u}$, $\overrightarrow{OM}$) en radians.
Exprimer x et y en fonction de r, cos(θ) et sin(θ). Puis en déduire l'affixe du point M en fonction de r, cos(θ) et sin(θ).

⮕ Cours 2 p. 48 et 3 p. 50

3 Découvrir la forme exponentielle d'un nombre complexe

1. Soit f la fonction exponentielle. Donner la valeur de $f(0)$ puis comparer $f(x + y)$ et $f(x) \times f(y)$.

2. Soit g la fonction définie sur $\mathbb{R}$ par $g(x) = \cos(x) + \mathrm{i}\sin(x)$.

Donner la valeur de $g(0)$ puis comparer $g(x + y)$ et $g(x) \times g(y)$.

Par analogie avec la fonction exponentielle, on note $g(x) = \mathrm{e}^{\mathrm{i}x}$.

3. Déterminer la forme algébrique de $\mathrm{e}^{\mathrm{i}\pi}$ et de $\mathrm{e}^{\mathrm{i}\frac{\pi}{2}}$.

4. Pour tout réel x, déterminer le module et un argument de $\mathrm{e}^{\mathrm{i}x}$.

5. Démontrer que pour tout réel x, $g(-x) = \overline{g(x)}$.

6. Déterminer la forme algébrique de $g(x) \times g(-x)$, puis en déduire que $g(-x) = \dfrac{1}{g(x)}$.

7. En utilisant le résultat de la question **2.**, montrer que $(g(x))^n = g(nx)$ pour tout $n \in \mathbb{N}$.

8. Écrire les résultats des questions **5.**, **6.** et **7.** en utilisant la notation avec l'exponentielle.

↪ Cours 5 p. 54

4 Utiliser les nombres complexes en géométrie

Les nombres complexes peuvent être utilisés pour étudier des configurations du plan (alignement, orthogonalité, calcul de longueurs ou d'angles par exemple).

A ▶ Arguments et angles
Soit A, B, C et D quatre points deux à deux distincts d'affixes z_A, z_B, z_C et z_D.

On rappelle que si M est un point d'affixe z_M, alors $(\vec{u}, \overrightarrow{OM}) = \arg(z_M)[2\pi]$.

1. Soit P le point tel que $\overrightarrow{OP} = \overrightarrow{AB}$. Montrer que $(\vec{u}, \overrightarrow{AB}) = \arg(z_B - z_A)[2\pi]$.

2. On admet que pour tous vecteurs $\vec{w_1}$, $\vec{w_2}$ et $\vec{w_3}$:
- $(\vec{w_1}, \vec{w_2}) + (\vec{w_2}, \vec{w_3}) = (\vec{w_1}, \vec{w_3})[2\pi]$ (cette relation s'appelle la relation de Chasles).
- $(\vec{w_1}, \vec{w_2}) = -(\vec{w_2}, \vec{w_1})[2\pi]$.

Montrer que $(\overrightarrow{AB}, \overrightarrow{CD}) = \arg\left(\dfrac{z_D - z_C}{z_B - z_A}\right)[2\pi]$.

3. En déduire $(\overrightarrow{AB}, \overrightarrow{AC})$ en fonction de z_A, z_B et z_C.

4. Application : soit A(1 + i), B(i), C(3 + 2i) et D(3). Déterminer une mesure de l'angle $(\overrightarrow{AB}, \overrightarrow{CD})$.

B ▶ Configurations du plan
Soit A, B, C et D quatre points deux à deux distincts d'affixes z_A, z_B, z_C et z_D.

1. En utilisant des vecteurs, déterminer une condition pour que :

a) A, B, C soient alignés.

b) ABC soit un triangle rectangle en A.

c) (AB) et (CD) soient parallèles.

d) (AB) et (CD) soient perpendiculaires.

2. En utilisant la propriété démontrée en **A ▶ 2.** déterminer une condition pour chaque cas de la question précédente en utilisant un argument et les affixes des points.

3. Application : soit A(1 + i), B(3 + 2i), C(−1 + i) et D(3 + 3i). Démontrer que (AB) et (CD) sont parallèles.

↪ Cours 6 p. 56

Dans tout le chapitre, le plan est muni d'un repère orthonormé (O ; $\vec{u}$, $\vec{v}$).

1 Représentation graphique d'un nombre complexe

Définition Point image, vecteur image et affixe

À tout nombre complexe $z = a + ib$, avec a et b réels, on peut associer :

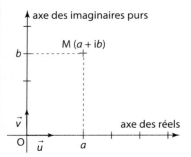

• l'unique point M(a ; b). M est appelé **point image** de z ;

• l'unique vecteur $\vec{w}\begin{pmatrix} a \\ b \end{pmatrix}$. $\vec{w}$ est appelé **vecteur image** de z.

Réciproquement :

• à tout point M(a ; b) avec a et b deux réels, on peut associer l'unique nombre complexe $z = a + ib$. Le nombre z est appelé **affixe du point M** ;

• à tout vecteur $\vec{w}\begin{pmatrix} a \\ b \end{pmatrix}$ avec a et b deux réels, on peut associer l'unique nombre complexe $z = a + ib$. Le nombre z est appelé **affixe du vecteur $\vec{w}$**.

▶**Remarques**

① Lorsqu'un point ou un vecteur est repéré par son affixe, le plan est appelé le plan complexe.

② Les nombres réels sont représentés sur l'axe des abscisses, appelé aussi axe des réels.

Les nombres imaginaires purs sont représentés sur l'axe des ordonnées, appelé aussi axe des imaginaires purs.

▶**Notations**

L'affixe de M est souvent noté z_M et la donnée d'un point M d'affixe z_M est souvent notée M(z_M).

L'affixe de $\vec{w}$ est souvent noté $z_{\vec{w}}$, et la donnée d'un vecteur $\vec{w}$ d'affixe $z_{\vec{w}}$ est souvent notée $\vec{w}(z_{\vec{w}})$.

🔆 **Exemples** • Si A(1 ; 2), alors $z_A = 1 + 2i$.   • Si $z_{\vec{w}} = 2 - 3i$, alors $\vec{w}\begin{pmatrix} 2 \\ -3 \end{pmatrix}$.

Théorème Égalité de deux points, de deux vecteurs

Soit A(z_A) et B(z_B) deux points du plan complexe : A = B $\Leftrightarrow z_A = z_B$.

Soit $\vec{w_1}(z_{\vec{w_1}})$ et $\vec{w_2}(z_{\vec{w_2}})$ deux vecteurs du plan complexe : $\vec{w_1} = \vec{w_2} \Leftrightarrow z_{\vec{w_1}} = z_{\vec{w_2}}$.

Théorème Affixe du vecteur $\overrightarrow{AB}$, affixe du milieu de [AB]

Soit A(z_A) et B(z_B) deux points du plan complexe.

• $\overrightarrow{AB}$ a pour affixe $z_B - z_A$ • le milieu du segment [AB] a pour affixe $\dfrac{z_A + z_B}{2}$

🔆 **Exemples** Soit A(3 + 2i) et B(5 – i). Alors le vecteur $\overrightarrow{AB}$ a pour affixe $z_{\overrightarrow{AB}} = 5 - i - (3 + 2i) = 2 - 3i$.

Théorème Opérations et affixe d'un vecteur

Soit $\vec{w_1}(z_1)$ et $\vec{w_2}(z_2)$.

• $\vec{w_1} + \vec{w_2}$ a pour affixe $z_1 + z_2$.   • $\vec{w_1} - \vec{w_2}$ a pour affixe $z_1 - z_2$.

• $-\vec{w_1}$ a pour affixe $-z_1$.   • Soit $\lambda \in \mathbb{R}$, $\lambda\vec{w_1}$ a pour affixe λz_1.

Propriétés Interprétation géométrique

Soit M un point d'affixe z. Alors :

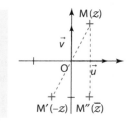

• $-z$ est l'affixe du symétrique de M par rapport à l'origine ;

• $\overline{z}$ est l'affixe du symétrique de M par rapport à l'axe des abscisses.

● EXOS
Méthodes
lienmini.fr/maths e02-03

Les rendez-vous
Sésamath

Exercices (résolus)

Méthode 1 · Déterminer et utiliser des affixes

Énoncé

1. Dans le plan complexe ci-contre, on a placé les points A et B.
Lire les affixes du point A et du vecteur $\overrightarrow{AB}$.

2. Dans un repère orthonormé, placer :

a) le point C d'affixe $3 - 2i$;

b) l'ensemble des points M du plan dont l'affixe z vérifie :

• $Re(z) = 2$ • $Im(z) = 3$ • $Re(z) = Im(z)$.

3. a) Déterminer l'affixe du point D tel que ABCD soit un parallélogramme.

b) Déterminer l'affixe du centre du parallélogramme.

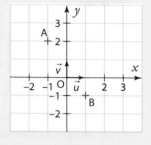

Solution

1. $A(-1 ; 2)$. Donc $z_A = -1 + 2i$.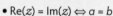

$\overrightarrow{AB}\begin{pmatrix} 2 \\ -3 \end{pmatrix}$. Donc $z_{\overrightarrow{AB}} = 2 - 3i$.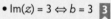

2. a) $z_C = 3 - 2i$, donc $C(3 ; -2)$.

b) Posons $z = a + ib$, avec a et b deux réels.
On a alors $M(a ; b)$. **2**

• $Re(z) = 2 \Leftrightarrow a = 2$ **2**

Il faut tracer la droite d'équation $x = 2$.

• $Im(z) = 3 \Leftrightarrow b = 3$ **3**

Il faut tracer la droite d'équation $y = 3$.

• $Re(z) = Im(z) \Leftrightarrow a = b$

Il faut tracer la droite d'équation $y = x$.

3. a) ABCD est un parallélogramme $\Leftrightarrow \overrightarrow{AB} = \overrightarrow{DC}$ **4**

$$\Leftrightarrow z_{\overrightarrow{AB}} = z_{\overrightarrow{DC}} \quad \textbf{5}$$
$$\Leftrightarrow 2 - 3i = z_C - z_D \quad \textbf{6}$$
$$\Leftrightarrow z_D = z_C - (2 - 3i)$$
$$\Leftrightarrow z_D = 3 - 2i - (2 - 3i)$$
$$\Leftrightarrow z_D = 1 + i.$$

Pour que ABCD soit un parallélogramme, l'affixe de D doit être égale à $1 + i$.

b) Soit I le centre du parallélogramme. I est le milieu de [AC]. **7**

$z_I = \dfrac{-1 + 2i + 3 - 2i}{2} = 1$. **8** Donc I a pour affixe 1.

Conseils & Méthodes

1 Si $A(a ; b)$, alors l'affixe du point A est $z_A = a + ib$.

Si $\overrightarrow{w}\begin{pmatrix} a \\ b \end{pmatrix}$ alors $z_{\overrightarrow{w}} = a + ib$.

2 Si M a pour affixe $a + ib$ avec a et b deux réels alors $M(a ; b)$.

3 Traduire la condition en utilisant les coordonnées de M.

4 ABCD parallélogramme si, et seulement si, $\overrightarrow{AB} = \overrightarrow{DC}$.

5 Deux vecteurs sont égaux si, et seulement si, ils ont la même affixe.

6 $\overrightarrow{AB}$ a pour affixe $z_B - z_A$.

7 Le centre d'un parallélogramme est le milieu de ses diagonales.

8 Le milieu de [AC] a pour affixe $\dfrac{z_A + z_C}{2}$.

À vous de jouer !

1 Soit $(O ; U, V)$ un repère orthonormé.
1. Déterminer l'affixe des points O, U et V.
2. Tracer ce repère, et placer le point A d'affixe $-1 + 2i$ et un vecteur $\overrightarrow{w}$ d'affixe $2 - i$.

2 Pour chaque question, représenter graphiquement l'ensemble des points M dont l'affixe vérifie la condition demandée.
a) $Im(z) = -2$
b) $Im(z) = 2 \times Re(z) + 1$.

3 On considère deux points A et B d'affixes $z_A = 1 + i$ et $z_B = 2 - 4i$.
Déterminer l'affixe du point C pour que B soit le milieu de [AC].

4 On considère deux points A et B d'affixes $z_A = -2 + 5i$ et $z_B = 3 + 7i$.
Déterminer l'affixe du point C tel que $\overrightarrow{AC} = 3\overrightarrow{AB}$.

➜ Exercices 38 à 49 p. 62

Cours

2 Module d'un nombre complexe

Définition Module d'un nombre complexe

Soit M un point d'affixe z. Le **module** de z, noté $|z|$ est le réel positif défini par $|z| = $ **OM**.
Si $z = a + ib$ avec a et b deux réels. Alors $|z| = \sqrt{a^2 + b^2}$.

● **Exemple** Soit $z = 2 + i$. Alors $|z| = \sqrt{2^2 + 1^2} = \sqrt{5}$.

Propriétés Cas particuliers

- Si $z \in \mathbb{R}$, alors on a $z = a$ avec $a \in \mathbb{R}$, et alors $|z| = \sqrt{a^2} = |a|$ (valeur absolue de a).
- Si $z \in i\mathbb{R}$, alors on a $z = ib$ avec $b \in \mathbb{R}$, et alors $|z| = \sqrt{b^2} = |b|$ (valeur absolue de b).

▶ **Remarque**

Si $z = z'$, alors $|z| = |z'|$. Mais la réciproque est fausse. En effet, $|1 + i| = \sqrt{1^2 + 1^2} = \sqrt{2}$ et $|1 - i| = \sqrt{1^2 + (-1)^2} = \sqrt{2}$.

Propriétés Propriétés du module

Soit z un nombre complexe.

① $|z| = 0 \Leftrightarrow z = 0$ ② $|-z| = |z|$ ③ $|\overline{z}| = |z|$ ④ $z \times \overline{z} = |z|^2$

● **Démonstration**

② et ③ ➥ **Exo 89** p. 65

④ Posons $z = a + ib$ avec a et b deux réels. On a alors $\overline{z} = a - ib$
$z \times \overline{z} = (a + ib)(a - ib) = a^2 - (ib)^2 = a^2 + b^2 = |z|^2$.

Théorème Module et opérations

Soit z et z' deux nombres complexes.

① $|z \times z'| = |z| \times |z'|$ ③ Si $z \neq 0$, alors $\left|\dfrac{1}{z}\right| = \dfrac{1}{|z|}$ et $\left|\dfrac{z'}{z}\right| = \dfrac{|z'|}{|z|}$

② Pour tout entier naturel n, $|z^n| = |z|^n$ ④ $|z + z'| \leqslant |z| + |z'|$

● **Démonstration**

① $|z \times z'|^2 = z z' \times \overline{z z'} = z \times z' \times \overline{z} \times \overline{z'} = z\overline{z} \times z'\overline{z'} = |z|^2 \times |z'|^2 = (|z| \times |z'|)^2$.
Or $|z \times z'| \in \mathbb{R}^+$ et $|z| \times |z'| \in \mathbb{R}^+$. Donc $|z \times z'| = |z| \times |z'|$.

② Pour tout $n \in \mathbb{N}$, on considère la propriété $P(n)$: « $|z^n| = |z|^n$ ».

Initialisation : pour $n = 0$, $|z^0| = |1| = 1$ et $|z|^0 = 1$. Donc $|z^0| = |z|^0$.
Donc $P(0)$ est vraie.

Hérédité : soit $n \in \mathbb{N}$. Supposons que $P(n)$ est vraie et montrons que $P(n + 1)$ est vraie.

$|z^{n+1}| = |z^n \times z| = |z^n| \times |z| = |z|^n \times |z| = |z|^{n+1}$. Donc $P(n + 1)$ est vraie.

Conclusion : on conclut que pour tout $n \in \mathbb{N}$, $P(n)$ est vraie. Donc pour tout $n \in \mathbb{N}$, $|z^n| = |z|^n$.

③ $z \times \dfrac{1}{z} = 1$ Donc $\left|z \times \dfrac{1}{z}\right| = |1|$. Donc $|z| \times \left|\dfrac{1}{z}\right| = 1$. Donc $\left|\dfrac{1}{z}\right| = \dfrac{1}{|z|}$.

$\dfrac{z'}{z} = z' \times \dfrac{1}{z}$. Donc $\left|\dfrac{z'}{z}\right| = \left|z' \times \dfrac{1}{z}\right| = |z'| \times \left|\dfrac{1}{z}\right| = |z'| \times \dfrac{1}{|z|} = \dfrac{|z'|}{|z|}$.

Théorème Distance et module

Soit $A(z_A)$ et (z_B). On a $AB = |z_B - z_A| = |z_A - z_B|$.

▶ **VIDÉO**
Démonstration
lienmini.fr/maths-e02-04

ØLJEN
Les maths en finesse

● EXOS
Méthodes
lienmini.fr/maths-e02-03
Les rendez-vous
Sésamath

Exercices résolus

Méthode 2 Déterminer et utiliser le module d'un nombre complexe

Énoncé

1. Déterminer le module des nombres complexes suivants.

a) $z_1 = 7 - 2i$ **b)** $z_2 = 3i$ **c)** $z_3 = -\dfrac{5}{1+i}$

2. Soit A et B deux points d'affixes respectives $z_A = 6 + 3i$ et $z_B = 3 - 4i$. Déterminer la distance AB.

3. Dans un repère orthonormé $(O\,;\vec{u}\,,\vec{v})$, déterminer l'ensemble des points M d'affixe z tels que :

a) $|z| = 3$ **b)** $|z - 3 + 4i| = 2$ **c)** $|z - 2 + i| = |z + 4 - 2i|$

Solution

1. a) $z_1 = 7 - 2i$. Donc $|z_1| = \sqrt{7^2 + (-2)^2} = \sqrt{53}$. **1**

b) $z_2 = 0 + 3i$. Donc $|z_2| = \sqrt{0^2 + 3^2} = 3$.

c) $z_3 = -\dfrac{5}{1+i} = \dfrac{-5}{1+i}$ **2**

Donc $|z_3| = \dfrac{|-5|}{|1+i|} = \dfrac{|-5 + 0i|}{|1 + 1i|} = \dfrac{\sqrt{(-5)^2 + 0^2}}{\sqrt{1^2 + 1^2}} = \dfrac{5}{\sqrt{2}} = \dfrac{5\sqrt{2}}{2}$.

2. AB $= |3 - 4i - (6 + 3i)| = |-3 - 7i|$. Donc AB $= \sqrt{(-3)^2 + (-7)^2} = \sqrt{58}$. **3**

3. a) $|z| = 3 \Leftrightarrow |z - 0| = 3$ **4**

$\Leftrightarrow$ OM $= 3$

L'ensemble cherché est donc le cercle de centre O et de rayon 3.

b) $|z - 3 + 4i| = 2 \Leftrightarrow |z - (3 - 4i)| = 2$ **4**

Soit A le point d'affixe $3 - 4i$.

$|z - 3 + 4i| = 2 \Leftrightarrow$ AM $= 2$.

L'ensemble cherché est donc un cercle de centre A(3 ; –4) et de rayon 2.

c) $|z - 2 + i| = |z + 4 - 2i| \Leftrightarrow |z - (2 - i)| = |z - (-4 + 2i)|$ **4**

Soit B le point d'affixe $2 - i$ et C le point d'affixe $-4 + 2i$.

$|z - 2 + i| = |z + 4 - 2i| \Leftrightarrow$ BM $=$ CM

L'ensemble cherché est donc la médiatrice du segment [BC], avec B(2 ; –1) et C(–4 ; 2).

Conseils & Méthodes

1 Si $z = a + ib$ avec a et b deux réels, alors $|z| = \sqrt{a^2 + b^2}$.

2 Il n'est pas utile de déterminer la forme algébrique de z_3. En effet, pour tous nombres complexes z et z' tel que $z' \neq 0$, on a $\left|\dfrac{z}{z'}\right| = \dfrac{|z|}{|z'|}$.

3 Une distance peut être calculée avec le module : AB $= |z_B - z_A|$.

4 Un module peut s'interpréter comme une distance entre deux points. Pour cela, il faut l'écrire sous la forme $|z - z_A|$ avec z_A l'affixe d'un point donné.

À vous de jouer !

5 Déterminer le module des nombres complexes suivants.
a) $z_1 = -3 + 9i$
b) $z_2 = 2i - 4$

6 Déterminer le module des nombres complexes suivants.
a) $z_1 = (3 + 2i)(5 - 4i)$
b) $z_2 = \dfrac{3 + 2i}{5 - 4i}$

7 Dans un repère orthonormé $(O\,;\vec{u}\,,\vec{v})$, on considère les points A et B d'affixes respectives $z_A = 2 + 5i$ et $z_B = -1 + 2i$.
Déterminer les distances OA et OB.

8 Dans un repère orthonormé $(O\,;\vec{u}\,,\vec{v})$, déterminer l'ensemble des points M d'affixe z tels que :
a) $|z| = 18$
b) $|z + 2 - i| = 4$
c) $|z - 3 - i| = |z + 5 - 2i|$

➔ Exercices 50 à 55 p. 62

3 Argument et forme trigonométrique

Définition Angle orienté

Soit $\overrightarrow{w_1}$ et $\overrightarrow{w_2}$ deux vecteurs et M et N deux points tels que $\overrightarrow{w_1} = \overrightarrow{OM}$ et $\overrightarrow{w_2} = \overrightarrow{ON}$.

Soit M′ et N′ les points d'intersection de [OM) et [ON) avec le cercle trigonométrique.

Si M′ est l'image d'un réel x et N′ est l'image d'un réel y, alors une mesure de l'angle orienté $(\overrightarrow{w_1}, \overrightarrow{w_2})$ est $y - x$.

Cas particulier : si M′ est le point image du réel x, alors une mesure de l'angle orienté $(\vec{u}, \overrightarrow{OM})$ est x.

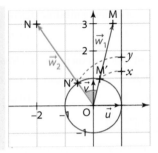

▶**Remarque** Un angle orienté a une infinité de mesures. Si θ est l'une d'entre elles, alors θ + k2π avec $k \in \mathbb{Z}$ est aussi une mesure de l'angle orienté. On notera donc $(\overrightarrow{w_1}, \overrightarrow{w_2}) = \theta[2\pi]$ (lire « θ modulo 2π »).

❙ **Exemple** $(\vec{u}, \vec{v}) = \dfrac{\pi}{2}[2\pi]$ et $(\vec{v}, \vec{u}) = -\dfrac{\pi}{2}[2\pi]$.

Définition Argument d'un nombre complexe

Soit z un nombre complexe non nul et M le point d'affixe z.
Un **argument** de z est une mesure en radians de l'angle $(\vec{u}, \overrightarrow{OM})$. On le note **arg($z$)**.

▶**Notation** Un nombre complexe a une infinité d'arguments. Si θ est un argument de z, on notera : arg(z) = θ[2π]. arg(z) = θ[a] (« θ modulo a ») signifie que arg(z) = θ + $k \times a$, avec $k \in \mathbb{Z}$.

▶**Remarque** Le nombre complexe $z = 0$ n'a pas d'argument.

❙ **Exemple** arg(i) = $\dfrac{\pi}{2}[2\pi]$.

Propriétés Propriétés des arguments

Soit z un nombre complexe non nul.
- $z \in \mathbb{R}^+ \Leftrightarrow \arg(z) = 0[2\pi]$
- $z \in i\mathbb{R}^+ \Leftrightarrow \arg(z) = \dfrac{\pi}{2}[2\pi]$
- $z \in \mathbb{R}^- \Leftrightarrow \arg(z) = \pi[2\pi]$
- $z \in i\mathbb{R}^- \Leftrightarrow \arg(z) = -\dfrac{\pi}{2}[2\pi]$

- $\arg(-z) = \arg(z) + \pi[2\pi]$
- $\arg(\overline{z}) = -\arg(z)[2\pi]$
- Pour tout $k \in \mathbb{Z}$, $\arg(z) + 2k\pi = \arg(z)[2\pi]$

Théorème Déterminer un argument

Soit z un nombre complexe non nul tel que $z = a + ib$ avec a et b deux réels.

Alors un argument de z est un réel θ tel que $\begin{cases} \cos(\theta) = \dfrac{a}{|z|} \\ \sin(\theta) = \dfrac{b}{|z|} \end{cases}$

Théorème Égalité de deux nombres complexes

Deux nombres complexes non nuls sont **égaux** si, et seulement si, ils ont **même module** et **même argument** (modulo 2π).

Définition Forme trigonométrique

Tout nombre complexe z non nul peut s'écrire sous la forme $z = r(\cos(\theta) + i\sin(\theta))$ avec $r = |z|$ et $\theta = \arg(z)$ [2π]. Cette écriture est appelée **forme trigonométrique** de z.

● EXOS
Méthodes
lienmini.fr/maths-e02-03

Les rendez-vous
Sésamath

Exercices (résolus)

Méthode 3 — Déterminer et utiliser un argument et une forme trigonométrique

Énoncé

1. a) Déterminer un argument du nombre complexe $z = -1 + i\sqrt{3}$.

b) En déduire la forme trigonométrique de z.

2. Soit z_2 un nombre complexe tel que $|z_2| = 8$ et $\arg(z_2) = \dfrac{3\pi}{2}[2\pi]$.

Déterminer la forme algébrique du nombre z_2.

3. Déterminer dans le repère orthonormé $(O\,;\vec{u}\,,\vec{v})$, l'ensemble des points M d'affixe z tels que $\arg(z) = -\dfrac{\pi}{3}[2\pi]$.

Solution

1. a) On calcule d'abord le module de z. **[1]**

$|z| = \sqrt{(-1)^2 + (\sqrt{3})^2} = 2$.

Donc $z = 2 \times \left(-\dfrac{1}{2} + \dfrac{i\sqrt{3}}{2} \right)$.

On cherche un réel θ tel que $\begin{cases} \cos(\theta) = -\dfrac{1}{2} \\ \sin(\theta) = \dfrac{\sqrt{3}}{2} \end{cases}$ **[2]**

$\theta = \dfrac{2\pi}{3}$ vérifie les deux équations.

Donc $\arg(z) = \dfrac{2\pi}{3}[2\pi]$.

b) La forme trigonométrique de z est :

$z = 2\left(\cos\left(\dfrac{2\pi}{3}\right) + i\sin\left(\dfrac{2\pi}{3}\right) \right)$ **[3]**

2. $z_2 = 8\left(\cos\left(\dfrac{3\pi}{2}\right) + i\sin\left(\dfrac{3\pi}{2}\right) \right)$ **[4]**

Donc $z_2 = 8(0 - i)$ **[5]**

Donc $z_2 = -8i$.

3. $\arg(z) = -\dfrac{\pi}{3}[2\pi] \Leftrightarrow (\vec{u}\,,\overrightarrow{OM}) = -\dfrac{\pi}{3}[2\pi]$. **[6]**

Donc l'ensemble des points M tels que $\arg(z) = -\dfrac{\pi}{3}[2\pi]$ est une demi-droite d'origine O, privée de O et de vecteur directeur $\vec{w}$ tel que $(\vec{u}\,,\vec{w}) = -\dfrac{\pi}{3}[2\pi]$

Conseils & Méthodes

[1] Commencer par calculer le module de z.
Si $z = a + ib$, avec a et b deux réels, alors $|z| = \sqrt{a^2 + b^2}$.

[2] Chercher ensuite un argument de z. Il faut déterminer un réel θ tel que $\begin{cases} \cos(\theta) = \dfrac{a}{|z|} \\ \sin(\theta) = \dfrac{b}{|z|} \end{cases}$

[3] La forme trigonométrique de z est $z = r(\cos(\theta) + i\sin(\theta))$ avec $r = |z|$ et $\theta = \arg(z)[2\pi]$.

[4] Déterminer la forme trigonométrique de z.
$z = |z|(\cos(\arg(z)) + i\sin(\arg(z)))$

[5] Calculer les valeurs des cosinus et des sinus, puis développer.

[6] On interprète un argument d'un nombre complexe comme la mesure d'un angle orienté.

À vous de jouer !

9 Déterminer un argument puis la forme trigonométrique des nombres complexes suivants.

a) $z_1 = \sqrt{3} - i$ **b)** $z_2 = 3 + 3i$ **c)** $z_3 = -2$

10 Déterminer la forme algébrique des nombres complexes suivants.

a) z_1 le nombre complexe tel que $|z_1| = 5$ et $\arg(z_1) = \dfrac{\pi}{4}[2\pi]$.

b) z_2 le nombre complexe de module 4 et d'argument $-\dfrac{5\pi}{6}$.

11 Déterminer dans le repère orthonormé $(O\,;\vec{u}\,,\vec{v})$ l'ensemble des points M d'affixe z tels que $\arg(z) = -\dfrac{\pi}{2}[2\pi]$.

12 Déterminer dans le repère orthonormé $(O\,;\vec{u}\,,\vec{v})$ l'ensemble des points M d'affixe z tels que $\arg(z) = 0[\pi]$.

↪ Exercices 56 à 64 p. 63

Cours

4 Relations trigonométriques et propriétés des arguments

Propriétés Formules d'addition

Pour tous réels a et b,

① $\cos(a - b) = \cos(a)\cos(b) + \sin(a)\sin(b)$

② $\cos(a + b) = \cos(a)\cos(b) - \sin(a)\sin(b)$

③ $\sin(a - b) = \sin(a)\cos(b) - \cos(a)\sin(b)$

④ $\sin(a + b) = \sin(a)\cos(b) + \cos(a)\sin(b)$

● **Démonstration**

① Soit $\overrightarrow{w_1}$ et $\overrightarrow{w_2}$ deux vecteurs de norme 1 tels que $\overrightarrow{w_1}\begin{pmatrix} \cos(a) \\ \sin(a) \end{pmatrix}$ et $\overrightarrow{w_2}\begin{pmatrix} \cos(b) \\ \sin(b) \end{pmatrix}$.

D'une part $\overrightarrow{w_1} \cdot \overrightarrow{w_2} = \cos(a)\cos(b) + \sin(a)\sin(b)$.

D'autre part $\overrightarrow{w_1} \cdot \overrightarrow{w_2} = \|\overrightarrow{w_1}\| \times \|\overrightarrow{w_2}\| \times \cos(\overrightarrow{w_1}, \overrightarrow{w_2})$

$= 1 \times 1 \times \cos(b - a)$.

$= \cos(a - b)$

car $\cos(t) = \cos(-t)$ pour tout réel t.

Donc $\cos(a - b) = \cos(a)\cos(b) + \sin(a)\sin(b)$.

Pour démontrer les autres formules :

② On remplace b par $-b$ dans la première formule.

③ $\sin(a - b) = \cos\left(\dfrac{\pi}{2} - (a - b)\right) = \cos\left(\dfrac{\pi}{2} - a + b\right)$ puis on utilise

la deuxième formule.

④ On remplace b par $-b$ dans la troisième formule.

▶ **VIDÉO**

Démonstration
lienmini.fr /maths-e02-05

Propriétés Formules de duplication

Pour tout réel a,

● $\cos(2a) = \cos^2(a) - \sin^2(a) = 1 - 2\sin^2(a) = 2\cos^2(a) - 1$

● $\sin(2a) = 2\sin(a)\cos(a)$

● **Démonstration**

On utilise les formules d'addition avec $b = a$.

Propriétés Argument et opérations

Soit z et z' deux nombres complexes non nul.

① $\arg(z \times z') = \arg(z) + \arg(z')[2\pi]$

② Pour tout entier naturel n,

$\arg(z^n) = n \times \arg(z)[2\pi]$.

③ $\arg\left(\dfrac{1}{z}\right) = -\arg(z)[2\pi]$

④ $\arg\left(\dfrac{z'}{z}\right) = \arg(z') - \arg(z)[2\pi]$

● **Démonstration**

① Soit z et z' deux nombres complexes dont la forme trigonométrique est $z = r(\cos(\theta) + i\sin(\theta))$

et $z' = r(\cos(\theta') + i\sin(\theta'))$.

Alors $zz' = rr'(\cos(\theta)\cos(\theta') - \sin(\theta)\sin(\theta') + i(\cos(\theta)\sin(\theta') + \sin(\theta)\cos(\theta')))$.

Donc $zz' = rr'(\cos(\theta + \theta') + i\sin(\theta + \theta'))$.

Donc $\arg(zz') = \theta + \theta'[2\pi]$. Soit $\arg(z \times z') = \arg(z) + \arg(z')[2\pi]$.

② On démontre le deuxième point par récurrence.

③ $\dfrac{1}{z} \times z = 1$. Donc $\arg\left(\dfrac{1}{z} \times z\right) = \arg(1)[2\pi]$. Donc $\arg\left(\dfrac{1}{z}\right) + \arg(z) = 0[2\pi]$. Donc $\arg\left(\dfrac{1}{z}\right) = -\arg(z)[2\pi]$.

④ $\dfrac{z'}{z} = z' \times \dfrac{1}{z}$. Donc $\arg\left(\dfrac{z'}{z}\right) = \arg(z') + \arg\left(\dfrac{1}{z}\right)[2\pi]$. Donc $\arg\left(\dfrac{z'}{z}\right) = \arg(z') - \arg(z)[2\pi]$.

● EXOS
Méthodes
lienmini.fr/maths e02-03

Les rendez-vous
Sésamath

Exercices (résolus)

Méthode 4 — Utiliser les formules d'addition et de duplication

Énoncé

1. Déterminer la valeur de $\dfrac{\pi}{3} - \dfrac{\pi}{4}$, puis en déduire la valeur de $\cos\left(\dfrac{\pi}{12}\right)$.

2. En remarquant que $\dfrac{\pi}{6} = 2 \times \dfrac{\pi}{12}$, utiliser une autre méthode pour déterminer la valeur de $\cos\left(\dfrac{\pi}{12}\right)$.

Solution

1. $\dfrac{\pi}{3} - \dfrac{\pi}{4} = \dfrac{4\pi}{12} - \dfrac{3\pi}{12} = \dfrac{\pi}{12}$ **1**

$\cos\left(\dfrac{\pi}{12}\right) = \cos\left(\dfrac{\pi}{3} - \dfrac{\pi}{4}\right) = \cos\left(\dfrac{\pi}{3}\right)\cos\left(\dfrac{\pi}{4}\right) + \sin\left(\dfrac{\pi}{3}\right)\sin\left(\dfrac{\pi}{4}\right)$ **2**

$= \dfrac{1}{2} \times \dfrac{\sqrt{2}}{2} + \dfrac{\sqrt{3}}{2} \times \dfrac{\sqrt{2}}{2} = \dfrac{\sqrt{2}}{4} \times (1 + \sqrt{3})$.

2. $\dfrac{\pi}{6} = 2 \times \dfrac{\pi}{12}$. Donc $\cos\left(\dfrac{\pi}{6}\right) = 2\cos^2\left(\dfrac{\pi}{12}\right) - 1$. Donc $\dfrac{\sqrt{3}}{2} = 2\cos^2\left(\dfrac{\pi}{12}\right) - 1$.

D'où $2\cos^2\left(\dfrac{\pi}{12}\right) = 1 + \dfrac{\sqrt{3}}{2}$. **3** Donc $\cos^2\left(\dfrac{\pi}{12}\right) = \dfrac{2 + \sqrt{3}}{4}$. Or $\cos\left(\dfrac{\pi}{12}\right) > 0$, donc $\cos\left(\dfrac{\pi}{12}\right) = \sqrt{\dfrac{2 + \sqrt{3}}{4}} = \dfrac{\sqrt{2 + \sqrt{3}}}{2}$.

Conseils & Méthodes

1 Pour soustraire deux fractions, il faut qu'elles aient le même dénominateur.

2 Utiliser les formules d'addition
$\cos(a - b) = \cos(a)\cos(b) + \sin(a)\sin(b)$

3 Utiliser les formules du duplication
$\cos(2a) = \cos^2(a) - \sin^2(a) = 2\cos^2(a) - 1$

À vous de jouer !

13 En remarquant que $\dfrac{\pi}{6} + \dfrac{\pi}{4} = \dfrac{5\pi}{12}$, déterminer les valeurs exactes de $\cos\left(\dfrac{5\pi}{12}\right)$ et $\sin\left(\dfrac{5\pi}{12}\right)$.

14 En utilisant les formules de duplication, déterminer la valeur de $\cos\left(\dfrac{\pi}{8}\right)$ et $\sin\left(\dfrac{\pi}{8}\right)$.

↪ Exercices 65 à 67 p. 63

Méthode 5 — Utiliser les propriétés des arguments

Énoncé

On considère les nombres complexes $z_1 = -\sqrt{3} + i$ et $z_2 = -4i$. Déterminer un argument de $z_1 z_2$ et de $z_1^{2\,020}$.

Solution

• $|z_1| = \sqrt{(-\sqrt{3})^2 + 1^2} = 2$ **1** **2**

On cherche un réel θ tel que $\begin{cases} \cos(\theta) = -\dfrac{\sqrt{3}}{2} \\ \sin(\theta) = \dfrac{1}{2} \end{cases}$ Donc $\arg(z_1) = \dfrac{5\pi}{6}[2\pi]$.

Par un raisonnement similaire, on montre que $\arg(z_2) = \dfrac{3\pi}{2}[2\pi]$.

Donc $\arg(z_1 z_2) = \dfrac{5\pi}{6} + \dfrac{3\pi}{2}[2\pi]$. Soit $\arg(z_1 z_2) = \dfrac{7\pi}{3}[2\pi]$ ou encore $\arg(z_1 z_2) = \dfrac{\pi}{3}[2\pi]$.

• $\arg(z_1^{2\,020}) = 2\,020 \times \dfrac{5\pi}{6}[2\pi] = \dfrac{10\,100\pi}{6}[2\pi] = \dfrac{841 \times 12\pi + 8\pi}{6}[2\pi]$

$= 841 \times 2\pi + \dfrac{8\pi}{6}[2\pi]$. **3** **4** Donc $\arg(z_1^{2020}) = \dfrac{4\pi}{3}[2\pi]$.

Conseils & Méthodes

1 Il n'est pas utile de déterminer la forme algébrique de $z_1 z_2$:
$\arg(z_1 z_2) = \arg(z_1) + \arg(z_2)[2\pi]$.

2 Pour déterminer un argument de z_1, commencer par calculer le module de z_1.

3 $\arg(z^n) = n \times \arg(z)[2\pi]$

4 Pour simplifier, utiliser :
$\arg(z) + 2k\pi = \arg(z)[2\pi]$.
Pour cela, effectuer la division euclidienne de 10 100 par 2×6, donc 12. $10\,100 = 841 \times 12 + 8$.

À vous de jouer !

15 On considère les nombres complexes $z_1 = -1 + i\sqrt{3}$ et $z_2 = 1 + i$. Déterminer un argument de $\dfrac{z_1}{z_2}$.

16 On considère les nombres complexes $z = 5 - 5i$. Déterminer un argument de z^{500}.

↪ Exercices 68 à 70 p. 64

5 Forme exponentielle

Théorème Fonction exponentielle complexe

Soit f la fonction définie sur $\mathbb{R}$ par $f(\theta) = \cos(\theta) + i\sin(\theta)$.

• En utilisant les formules d'addition du cosinus et du sinus, on montre que, pour tous réels θ et θ' :
$f(\theta + \theta') = f(\theta) \times f(\theta')$. De plus, $f(0) = 1$.

• Par analogie avec la fonction exponentielle dans $\mathbb{R}$, on pose $f(\theta) = e^{i\theta}$, soit $e^{i\theta} = \cos(\theta) + i\sin(\theta)$.

On a $|e^{i\theta}| = 1$ et $\arg(e^{i\theta}) = \theta[2\pi]$.

● Exemple

$$e^{i\frac{\pi}{2}} = \cos\left(\frac{\pi}{2}\right) + i\sin\left(\frac{\pi}{2}\right) = i.$$

Définition Forme exponentielle d'un nombre complexe

Tout nombre complexe z non nul s'écrit sous la forme $z = re^{i\theta}$ avec $r = |z|$ et $\theta = \arg(z)[2\pi]$.

Cette écriture est appelée **forme exponentielle** de z.

Réciproquement, si z est un nombre complexe tel que $z = re^{i\theta}$ avec $r > 0$, alors $r = |z|$ et $\theta = \arg(z)[2\pi]$.

● Exemple

Soit $z = 1 + i$. On a $|z| = \sqrt{2}$ et $\arg(z) = \dfrac{\pi}{4}[2\pi]$. Donc $z = \sqrt{2}\,e^{i\frac{\pi}{4}}$.

▶ **Remarque** Pour obtenir une forme exponentielle, il faut impérativement avoir $r > 0$.
Par exemple $-2e^{-i\frac{\pi}{6}}$ n'est pas une forme exponentielle.

Propriétés Calculer avec la notation exponentielle

Pour tous nombres réels θ et θ' :

• $e^{i\theta} \times e^{i\theta'} = e^{i(\theta+\theta')}$

• pour tout $n \in \mathbb{Z}$, $(e^{i\theta})^n = e^{in\theta}$

• pour tout $k \in \mathbb{Z}$, $e^{i(\theta+k2\pi)} = e^{i\theta}$

• $\dfrac{1}{e^{i\theta}} = e^{-i\theta} = \overline{e^{i\theta}}$

• $\dfrac{e^{i\theta'}}{e^{i\theta}} = e^{i(\theta'-\theta)}$

Théorème Égalité de deux exponentielles complexes

Pour tous nombres réels θ et θ', $e^{i\theta} = e^{i\theta'} \Leftrightarrow \theta = \theta'[2\pi]$.

Théorème Formule de Moivre

Pour tout $\theta \in \mathbb{R}$ et tout $n \in \mathbb{Z}$, $\cos(n\theta) + i\sin(n\theta) = (\cos(\theta) + i\sin(\theta))^n$.

Théorème Formules d'Euler

Pour tout $\theta \in \mathbb{R}$, $\cos(\theta) = \dfrac{1}{2}(e^{i\theta} + e^{-i\theta})$ et $\sin(\theta) = \dfrac{1}{2i}(e^{i\theta} - e^{-i\theta})$.

● Démonstration

$$\frac{1}{2}(e^{i\theta} + e^{-i\theta}) = \frac{1}{2}(\cos(\theta) + i\sin(\theta) + \cos(-\theta) + i\sin(-\theta)) = \frac{1}{2}(\cos(\theta) + i\sin(\theta) + \cos(\theta) - i\sin(\theta))$$

$$= \frac{1}{2} \times (2\cos(\theta))$$

Donc $\cos(\theta) = \dfrac{1}{2}(e^{i\theta} + e^{-i\theta})$.

On utilise un raisonnement similaire pour $\sin(\theta)$.

● EXOS
Méthodes
lienmini.fr/maths e02-03

Les rendez-vous
Sésamath

Exercices (résolus)

Méthode 6 — Déterminer et utiliser la forme exponentielle d'un nombre complexe

Énoncé

1. Déterminer la forme exponentielle des nombres complexes suivants.

a) z_1 de module 2 et d'argument $\dfrac{5\pi}{6}$

b) $z_2 = e^{-i\frac{\pi}{6}} z_1^2$

c) $z_3 = \dfrac{2z_1}{e^{-i\frac{\pi}{6}}}$

2. On considère le nombre complexe $z = 2e^{i\frac{\pi}{6}}$. Déterminer la forme algébrique de z^{10}.

3. En utilisant les formules d'Euler, montrer que $\cos^3(\theta) = \dfrac{3\cos\theta + \cos 3\theta}{4}$.

Solution

1.a) On a $z_1 = 2e^{i\frac{5\pi}{6}}$ **1**

b) $z_2 = e^{-i\frac{\pi}{6}} \times \left(2e^{i\frac{5\pi}{6}}\right)^2 = e^{-i\frac{\pi}{6}} \times 4 \times e^{i\frac{5\pi}{6} \times 2} = 4 \times e^{-i\frac{\pi}{6}} \times e^{i\frac{10\pi}{6}}$ **2**

Donc $z_2 = 4 \times e^{i\left(-\frac{\pi}{6} + \frac{10\pi}{6}\right)} = 4 \times e^{i\frac{9\pi}{6}} = 4 \times e^{i\frac{3\pi}{2}}$. **3**

c) $z_3 = \dfrac{2 \times 2e^{i\frac{5\pi}{6}}}{e^{-i\frac{\pi}{6}}} = 4\,e^{i\left(\frac{5\pi}{6} - \left(-\frac{\pi}{6}\right)\right)}$ **4** Donc $z_3 = 4 \times e^{i\pi}$.

2. $z^{10} = \left(2e^{i\frac{\pi}{6}}\right)^{10} = 2^{10} \times \left(e^{i\frac{\pi}{6}}\right)^{10} = 1024 \times e^{i\frac{10\pi}{6}}$ **2**

Donc $z^{10} = 1024 \times e^{i\frac{5\pi}{3}} = 1024 \times \left(\cos\left(\dfrac{5\pi}{3}\right) + i\sin\left(\dfrac{5\pi}{3}\right)\right)$. **5**

Donc $z^{10} = 1024 \times \left(\dfrac{1}{2} - i\dfrac{\sqrt{3}}{2}\right) = 512 - i \times 512\sqrt{3}$. **6**

3. D'après la formule d'Euler, $\cos(\theta) = \dfrac{1}{2}(e^{i\theta} + e^{-i\theta})$. **7**

Donc $\cos^3(\theta) = \left(\dfrac{1}{2}(e^{i\theta} + e^{-i\theta})\right)^3 = \dfrac{1}{8} \times (e^{i\theta} + e^{-i\theta})^3$ **8**

$= \dfrac{1}{8} \times \left((e^{i\theta})^0(e^{-i\theta})^3 + 3(e^{i\theta})^1(e^{-i\theta})^2 + 3(e^{i\theta})^2(e^{-i\theta})^1 + (e^{i\theta})^3(e^{-i\theta})^0\right)$

$= \dfrac{1}{8} \times \left(e^{-3i\theta} + 3e^{-i\theta} + 3e^{i\theta} + e^{3i\theta}\right)$ **9** $= \dfrac{1}{8} \times \left(e^{-3i\theta} + e^{3i\theta} + 3(e^{-i\theta} + e^{i\theta})\right) = \dfrac{1}{8} \times \left(2\cos(3\theta) + 3 \times 2\cos(\theta)\right)$ **10**

Donc $\cos^3(\theta) = \dfrac{3\cos(\theta) + \cos(3\theta)}{4}$.

Conseils & Méthodes

1 La forme exponentielle de z est $z = re^{i\theta}$ avec $r = |z|$ et $\theta = \arg(z)[2\pi]$.

2 $(ab)^n = a^n \times b^n$ et $(e^{i\theta})^n = e^{in\theta}$

3 $e^{i\theta} \times e^{i\theta'} = e^{i(\theta + \theta')}$

4 $\dfrac{e^{i\theta'}}{e^{i\theta}} = e^{i(\theta' - \theta)}$

5 $e^{i\theta} = \cos(\theta) + i\sin(\theta)$

6 Déterminer la valeur du cosinus et du sinus, puis développer.

7 Appliquer la formule d'Euler : $\cos(\theta) = \dfrac{1}{2}(e^{i\theta} + e^{-i\theta})$.

8 La formule du binôme de Newton est : $(a + b)^n = \sum_{k=0}^{n} \binom{n}{k} a^k b^{n-k}$.

9 $(e^{i\theta})^n = e^{in\theta}$ et $e^{i\theta} \times e^{i\theta'} = e^{i(\theta + \theta')}$

10 On réutilise la formule d'Euler : $\cos(\theta) = \dfrac{1}{2}(e^{i\theta} + e^{-i\theta})$ donc $(e^{i\theta} + e^{-i\theta}) = 2\cos(\theta)$.

À vous de jouer !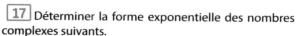

17 Déterminer la forme exponentielle des nombres complexes suivants.

a) z_1 de module 3 et d'argument $-\dfrac{\pi}{3}$

b) $z_2 = e^{i\frac{\pi}{3}} z_1^2$

18 En utilisant les formules d'Euler, montrer que $\sin^3(\theta) = \dfrac{-\sin(3\theta) + 3\sin(\theta)}{4}$.

19 Déterminer la forme exponentielle des nombres complexes suivants.

a) $z_1 = \sqrt{2}\,e^{i\frac{\pi}{4}} \times 2e^{-i\frac{\pi}{2}}$

b) $z_2 = \dfrac{8e^{-i\frac{\pi}{6}}}{4e^{-i\frac{\pi}{3}}}$

20 On considère le nombre complexe $z = \sqrt{2}\,e^{i\frac{\pi}{4}}$. Déterminer la forme algébrique de z^{20}.

↪ Exercices 71 à 77 p. 64

6 Ensembles de nombres et géométrie

Propriété Ensemble $\mathbb{U}$

Notons $\mathbb{U}$ l'ensemble des nombres complexes de module 1.

Si z et z' sont deux nombres complexes appartenant à $\mathbb{U}$. Alors $z \times z' \in \mathbb{U}$ et $\dfrac{1}{z} \in \mathbb{U}$.

● **Démonstration**

$|z \times z'| = |z| \times |z'| = 1 \times 1 = 1$. Donc $z \times z' \in \mathbb{U}$.

Si $z \in \mathbb{U}$, alors $|z| = 1$, donc $z \neq 0$. De plus $\left|\dfrac{1}{z}\right| = \dfrac{1}{|z|} = \dfrac{1}{1} = 1$. Donc $\dfrac{1}{z} \in \mathbb{U}$.

Définition Racine n-ième de l'unité

Soit $n \in \mathbb{N}^*$. On appelle **racine n-ième de l'unité**, un nombre complexe z tel que $z^n = 1$.

On note $\mathbb{U}_n$ l'ensemble des racines n-ièmes de l'unité.

$$\mathbb{U}_n = \left\{ e^{\frac{2ik\pi}{n}}, k \in \{0\,;1\,;2\,;\ldots;(n-1)\} \right\}$$

● **Démonstration**

$z^n = 1$. Donc $|z|^n = 1$. Et comme $|z| \in \mathbb{R}^+$, alors $|z| = 1$. Posons donc $z = e^{i\theta}$.

$z^n = 1 \Leftrightarrow e^{in\theta} = e^0 \Leftrightarrow n\theta = 0[2\pi] \Leftrightarrow n\theta = 0 + 2k\pi, k \in \mathbb{Z} \Leftrightarrow \theta = \dfrac{2k\pi}{n}, k \in \mathbb{Z}$

Or $z^n = 1$ est une équation polynomiale de degré n. Donc elle admet au plus n solutions.

Donc $\mathbb{U}_n = \left\{ e^{\frac{2ik\pi}{n}}, k \in \{0\,;1\,;2\,;\ldots;(n-1)\} \right\}$.

▶ **VIDÉO**

Démonstration
lienmini.fr /maths-e02-06

● **Exemple**

$\mathbb{U}_3 = \left\{ 1\,; e^{\frac{2i\pi}{3}}\,; e^{\frac{4i\pi}{3}} \right\}$ et $\mathbb{U}_4 = \left\{ 1\,; e^{\frac{2i\pi}{4}}\,; e^{\frac{4i\pi}{4}}\,; e^{\frac{6i\pi}{4}} \right\}$, donc $\mathbb{U}_4 = \{1\,; i\,; -1\,; -i\}$.

▶ **Remarque** Les racines n-ièmes de l'unité sont les sommets d'un polygone régulier à n côtés, inscrit dans le cercle trigonométrique.

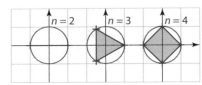

Propriété Argument et angle

Soit A(z_A), B(z_B), C(z_C) et D(z_D) quatre points distincts.

Alors $(\overrightarrow{AB}, \overrightarrow{AC}) = \arg\left(\dfrac{z_C - z_A}{z_B - z_A}\right)[2\pi]$ et $(\overrightarrow{AB}, \overrightarrow{CD}) = \arg\left(\dfrac{z_D - z_C}{z_B - z_A}\right)[2\pi]$.

• A, B et C sont alignés $\Leftrightarrow (\overrightarrow{AB}, \overrightarrow{AC}) = 0[\pi]$.   • ABC est rectangle en A $\Leftrightarrow (\overrightarrow{AB}, \overrightarrow{AC}) = \dfrac{\pi}{2}[\pi]$.

• (AB) // (CD) $\Leftrightarrow (\overrightarrow{AB}, \overrightarrow{CD}) = 0[\pi]$.   • (AB) $\perp$ (CD) $\Leftrightarrow (\overrightarrow{AB}, \overrightarrow{CD}) = \dfrac{\pi}{2}[\pi]$.

▶ **Remarque** $\theta = 0[\pi]$ signifie $\theta = 0[2\pi]$ ou $\theta = \pi[2\pi]$ et $\theta = \dfrac{\pi}{2}[\pi]$ signifie $\theta = \dfrac{\pi}{2}[2\pi]$ ou $\theta = -\dfrac{\pi}{2}[2\pi]$.

EXOS
Méthodes
lienmini/maths e02-03
Les rendez-vous
Sésamath

Exercices (résolus)

Méthode 7 Utiliser les racines de l'unité pour étudier les polygones réguliers

Énoncé

En utilisant les racines n-ièmes de l'unité, tracer un octogone régulier inscrit dans le cercle trigonométrique dont un des sommets est le point A d'affixe 1. Puis, déterminer la longueur de ses côtés.

Solution

• Les sommets de l'octogone correspondent aux racines 8-ièmes de l'unité. **1**

$$\mathbb{U}_8 = \left\{ e^{\frac{2ik\pi}{8}}, k \in \{0\,;1\,;2\,;\ldots;7\} \right\}. z_A = 1 = e^0\,; z_B = e^{\frac{2i\pi}{8}} = e^{i\frac{\pi}{4}} \text{ 2}$$

$$z_C = e^{\frac{4i\pi}{8}} = e^{i\frac{\pi}{2}} \text{ et ainsi de suite.}$$

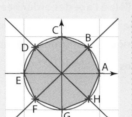

• Tous ses côtés ont même longueur. Calculons AB.

$$AB = \left| e^{i\frac{\pi}{4}} - e^0 \right| = \left| \cos\left(\frac{\pi}{4}\right) + i\sin\left(\frac{\pi}{4}\right) - 1 \right| \text{ 3}$$

$$= \sqrt{\left(\cos\left(\frac{\pi}{4}\right) - 1\right)^2 + \left(\sin\left(\frac{\pi}{4}\right)\right)^2} = \sqrt{\cos^2\left(\frac{\pi}{4}\right) - 2\cos\left(\frac{\pi}{4}\right) + 1 + \sin^2\left(\frac{\pi}{4}\right)}$$

Donc $AB = \sqrt{2 - 2 \times \frac{\sqrt{2}}{2}} = \sqrt{2 - \sqrt{2}}$. **4** La longueur de ses côtés est donc $\sqrt{2 - \sqrt{2}}$.

Conseils & Méthodes

1 Un octogone est un polygone à 8 côtés.

2 Pour placer $B\left(e^{i\frac{\pi}{4}}\right)$, on trace la droite d'équation $y = x$.

3 $e^{i\frac{\pi}{4}} = \cos\left(\frac{\pi}{4}\right) + i\sin\left(\frac{\pi}{4}\right)$

4 Pour tout réel x, $\cos^2(x) + \sin^2(x) = 1$.

À vous de jouer !

21 Tracer précisément un triangle équilatéral inscrit dans le cercle trigonométrique et déterminer son périmètre.

22 On veut étudier le pentagone régulier inscrit dans le cercle trigonométrique. Déterminer une valeur approchée de la longueur de ses côtés.

➥ **Exercices 78 à 79** p. 64

Méthode 8 Utiliser les arguments en géométrie

Énoncé

Soit A, B et C trois points d'affixes respectives $z_A = 2i$, $z_B = 2 + i$ et $z_C = 1 - i$. Montrer que ABC est rectangle en B.

Solution

$$(\overrightarrow{BA}, \overrightarrow{BC}) = \arg\left(\frac{z_C - z_B}{z_A - z_B}\right)[2\pi]$$

Or $\dfrac{z_C - z_B}{z_A - z_B} = \dfrac{1 - i - (2 + i)}{2i - (2 + i)} = \dfrac{-1 - 2i}{-2 + i} = \dfrac{(-1 - 2i) \times (-2 - i)}{(-2 + i) \times (-2 - i)}$ **1**

$$= \dfrac{2 + i + 4i - 2}{(-2)^2 - i^2} = \dfrac{5i}{5} = i$$

Donc $(\overrightarrow{BA}, \overrightarrow{BC}) = \arg(i)[2\pi] = \dfrac{\pi}{2}[2\pi]$ **2**

Donc ABC est un triangle rectangle en B.

Conseils & Méthodes

1 Pour déterminer la forme algébrique d'un quotient de la forme $\dfrac{a + ib}{a' + ib'}$ multiplier le numérateur et le dénominateur par $a' - ib'$.

2 On cherche θ tel que $\begin{cases} \cos\theta = 0 \\ \sin\theta = 1 \end{cases}$

À vous de jouer !

23 Soit A, B et C trois points d'affixe respectives $z_A = 1 - 2i$, $z_B = 2$ et $z_C = 4 + 4i$.
Démontrer que les points A, B et C sont alignés.

24 Soit A, B et C trois points d'affixe respectives $z_A = 1 - 2i$, $z_B = 2$ et $z_C = -2 + 2i$. Démontrer que les droites (AB) et (BC) sont perpendiculaires.

➥ **Exercices 80 à 87** p. 64

Exercices (résolus)

 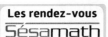

EXOS
Méthodes
lienmini.fr/maths e02-03

Les rendez-vous
Sésamath

Méthode 9 — Effectuer des calculs en choisissant une forme adaptée

➡ Cours 1 p. 46 2 p. 48
3 p. 50 4 p. 52 5 p. 54

Énoncé

Soit A et B d'affixes respectives $z_A = 2e^{-i\frac{\pi}{3}}$ et $z_B = \dfrac{3-i}{2+i}$.

1. La droite (AB) est-elle parallèle à l'axe des ordonnées ?
2. Donner la forme algébrique de $z_B^{2\,020}$. Est-ce un nombre réel ?
3. Déterminer la forme algébrique et la forme exponentielle de $\dfrac{z_B}{z_A}$.
4. En déduire une valeur de $\cos\left(\dfrac{\pi}{12}\right)$.

Solution

1. $z_A = 2\left(\cos\left(-\dfrac{\pi}{3}\right) + i\sin\left(-\dfrac{\pi}{3}\right)\right) = 1 - i\sqrt{3}$ **1**

Et $z_B = \dfrac{(3-i)(2-i)}{(2+i)(2-i)} = \dfrac{6-3i-2i+i^2}{2^2-i^2} = \dfrac{5-5i}{5} = 1 - i$. **2**

$\text{Re}(z_A) = \text{Re}(z_B) = 1$. Donc (AB) est parallèle à l'axe des ordonnées.

2. $|z_B| = \sqrt{1^2 + (-1)^2} = \sqrt{2}$. **3**

On cherche θ tel que $\begin{cases} \cos\theta = \dfrac{1}{\sqrt{2}} \\ \sin\theta = -\dfrac{1}{\sqrt{2}} \end{cases}$

$\theta = -\dfrac{\pi}{4}$ vérifie les deux équations.

Donc $\arg(z_B) = -\dfrac{\pi}{4}\,[2\pi]$, et $z_B = \sqrt{2}\,e^{-i\frac{\pi}{4}}$.

$z_B^{2\,020} = \left(\sqrt{2}\,e^{-i\frac{\pi}{4}}\right)^{2\,020} = \sqrt{2}^{\,2\,020} \times \left(e^{-i\frac{\pi}{4}}\right)^{2\,020}$

Donc $z_B^{2\,020} = \sqrt{2}^{\,2\,020} \times e^{-i\frac{\pi}{4}\times 2\,020} = \sqrt{2}^{\,2\,020} \times e^{-i505\pi}$.

Or $e^{-i505\pi} = e^{i(-506\pi+\pi)} = e^{i(-253\times 2\pi+\pi)} = e^{i\pi}$. **4**

Donc $z_B^{2\,020} = \sqrt{2}^{\,2\,020}\,e^{i\pi} = \sqrt{2}^{\,2\,020}(\cos\pi + i\sin\pi)$.

Donc $z_B = \sqrt{2}^{\,2\,020}(-1) = -2^{1\,010}$ et z_B est un nombre réel.

3. $\dfrac{z_B}{z_A} = \dfrac{1-i}{1-i\sqrt{3}} = \dfrac{(1-i)(1+i\sqrt{3})}{(1-i\sqrt{3})(1+i\sqrt{3})} = \dfrac{1-i+i\sqrt{3}+\sqrt{3}}{1+3}$ **5**

Donc $\dfrac{z_B}{z_A} = \dfrac{1+\sqrt{3}}{4} + i\dfrac{-1+\sqrt{3}}{4}$ et $\dfrac{z_B}{z_A} = \dfrac{\sqrt{2}\,e^{-i\frac{\pi}{4}}}{2e^{-i\frac{\pi}{3}}} = \dfrac{\sqrt{2}}{2}\times e^{i\left(-\frac{\pi}{4}-\left(-\frac{\pi}{3}\right)\right)} = \dfrac{\sqrt{2}}{2}e^{i\frac{\pi}{12}}$.

4. On a $\dfrac{z_B}{z_A} = \dfrac{\sqrt{2}}{2} \times \left(\cos\dfrac{\pi}{12} + i\sin\left(\dfrac{\pi}{12}\right)\right)$. Donc $\dfrac{\sqrt{2}}{2} \times \cos\left(\dfrac{\pi}{12}\right) = \dfrac{1+\sqrt{3}}{4}$. Donc $\cos\left(\dfrac{\pi}{12}\right) = \dfrac{1+\sqrt{3}}{2\sqrt{2}} = \dfrac{\sqrt{2}\times(1+\sqrt{3})}{4}$. **6**

Conseils & Méthodes

1 (AB) est parallèle à l'axe des ordonnées si, et seulement si, A et B ont la même abscisse, c'est-à-dire $\text{Re}(z_A) = \text{Re}(z_B)$.

2 Pour déterminer la forme algébrique de $\dfrac{a+ib}{a'+ib'}$, multiplier le numérateur et le dénominateur par $a' - ib'$.

3 Pour déterminer la puissance d'un nombre complexe, on utilise la forme exponentielle. On calcule donc le module et un argument.

4 Pour tout $k \in \mathbb{Z}$, $e^{i(\theta+2k\pi)} = e^{i\theta}$.

5 Pour déterminer la forme algébrique, utiliser les formes algébriques de z_B et de z_A. Pour déterminer la forme exponentielle, utiliser les formes exponentielles de z_A et z_B.

6 Deux nombres complexes sont égaux si, et seulement si, ils ont même partie réelle et même partie imaginaire.

À vous de jouer !

25 Soit $z_1 = 3 + 3i$ et $z_2 = 2\sqrt{3} + 2i$.
En utilisant plusieurs formes du nombre complexe z_1z_2, déterminer une valeur de $\cos\left(\dfrac{5\pi}{12}\right)$.

26 Soit $z = \dfrac{6+2i}{4-2i}$

Déterminer la forme algébrique de $z^{2\,021}$

➡ Exercices 88 à 95 p. 65

● EXOS
Méthodes
lienmini.fr/maths e02-03

Les rendez-vous
Sésamath

Exercices résolus

Méthode 10 · Étudier des configurations du plan

↦ Cours 1 p. 46 2 p. 48
3 p. 50 6 p. 56

Énoncé

Soit A, B et C trois points d'affixe $z_A = 3 + 6i$, $z_B = -1 - 2i$ et $z_C = -3 + 4i$.

1. Montrer que O, A et B sont alignés.

2. Montrer que A, B et C appartiennent à un même cercle de centre E(1 ; 2), dont on déterminera le rayon.

3. Déterminer l'affixe du point D tel que B soit le symétrique de D par rapport à A.

4. Déterminer l'ensemble des points M tels que $\arg\left(\dfrac{z - 1 + 2i}{z - 2}\right) = \dfrac{\pi}{2}[\pi]$.

Solution

1. $(\overrightarrow{OA}, \overrightarrow{OB}) = \arg\left(\dfrac{z_B - z_O}{z_A - z_O}\right)[2\pi]$ **1**

Or $\dfrac{z_B - z_O}{z_A - z_O} = \dfrac{-1 - 2i - 0}{3 + 6i - 0} = \dfrac{-1 - 2i}{3 + 6i}$.

Donc $\dfrac{z_B - z_O}{z_A - z_O} = \dfrac{(-1 - 2i)(3 - 6i)}{(3 + 6i)(3 - 6i)} = \dfrac{-3 + 6i - 6i + 12i^2}{3^2 - (6i)^2} = \dfrac{-3 - 12}{9 + 36} = -\dfrac{1}{3}$.

Donc $(\overrightarrow{OA}, \overrightarrow{OB}) = \arg\left(-\dfrac{1}{3}\right)[2\pi]$. Donc $(\overrightarrow{OA}, \overrightarrow{OB}) = \pi[2\pi]$ **2**

Donc O, A et B sont alignés.

2. Calculons EA, EB et EC. **3**

$EA = |z_A - z_E| = |3 + 6i - (1 + 2i)| = |2 + 4i| = \sqrt{2^2 + 4^2} = \sqrt{20}$.

$EB = |z_B - z_E| = |-1 - 2i - (1 + 2i)| = |-2 - 4i| = \sqrt{(-2)^2 + (-4)^2} = \sqrt{20}$.

$EC = |z_C - z_E| = |-3 + 4i - (1 + 2i)| = |-4 + 2i| = \sqrt{(-4)^2 + 2^2} = \sqrt{20}$.

$EA = EB = EC = \sqrt{20}$.

Donc A, B et C appartiennent à un même cercle de centre E et de rayon $\sqrt{20}$.

3. B est le symétrique de D par rapport à A si, et seulement si, $\overrightarrow{DA} = \overrightarrow{AB}$. **4**

Soit z_D l'affixe de D.

$\overrightarrow{DA} = \overrightarrow{AB} \Leftrightarrow z_{\overrightarrow{DA}} = z_{\overrightarrow{AB}} \Leftrightarrow z_A - z_D = z_B - z_A \Leftrightarrow z_D = 2z_A - z_B \Leftrightarrow z_D = 2 \times (3 + 6i) - (-1 - 2i)$
$\Leftrightarrow z_D = 7 + 14i$

Donc pour que B soit le symétrique de D par rapport à A, il faut que l'affixe de D soit $z_D = 7 + 14i$.

4. $\arg\left(\dfrac{z - 1 + 2i}{z - 2}\right) = \dfrac{\pi}{2}[\pi] \Leftrightarrow \arg\left(\dfrac{1 - 2i - z}{2 - z}\right) = \dfrac{\pi}{2}[\pi]$ **5**

Soit F et G les points d'affixe $z_F = 1 - 2i$ et $z_G = 2$.

$\arg\left(\dfrac{z - 1 + 2i}{z - 2}\right) = \dfrac{\pi}{2}[\pi] \Leftrightarrow \arg\left(\dfrac{z_F - z}{z_G - z}\right) = \dfrac{\pi}{2}[\pi] \Leftrightarrow (\overrightarrow{MG}, \overrightarrow{MF}) = \dfrac{\pi}{2}[\pi]$

Donc M appartient au cercle de diamètre [FG], privé des points F et G.

Conseils & Méthodes

1 O, A et B sont alignés si, et seulement si, $(\overrightarrow{OA}, \overrightarrow{OB}) = 0[\pi]$.

2 Si $z \in \mathbb{R}^-$, alors $\arg(z) = \pi[2\pi]$.

3 M appartient au cercle de centre E et de rayon r si, et seulement si, $EM = r$, soit $|z_M - z_E| = r$.

4 B est le symétrique de D par rapport à A si, et seulement si, A est le milieu de [DB].

5 Soit A(z_A), B(z_B) et M(z).
$\arg\left(\dfrac{z - z_A}{z - z_B}\right) = \arg\left(\dfrac{z_A - z}{z_B - z}\right) = (\overrightarrow{MB}, \overrightarrow{MA})[2\pi]$.

À vous de jouer !

27 Soit A, B et C d'affixes respectives $z_A = -1 + i$; $z_B = 2 - i$ et $z_C = 4 + 2i$.
1. Montrer que le triangle ABC est rectangle et isocèle.
2. Déterminer l'affixe du point D tel que ABCD soit un parallélogramme.
3. Quelle est la nature du quadrilatère ABCD ?

28 Soit A, B, C et D d'affixes respectives $z_A = 5$; $z_B = 2 + i$; $z_C = 3 + 4i$ et $z_D = 6 + 3i$.
1. Montrer que (AB) et (CD) sont parallèles.
2. Soit I le milieu de [AC]. Déterminer l'affixe du point I.
3. Montrer que B, I et D sont alignés.

↦ Exercices 100 à 116 p. 66

> **VIDÉO**
> Démonstration
> lienmini.fr/maths-e02-04

ØLJEN
Les maths en finesse

La propriété à démontrer — Module d'une puissance

> **Pour tout nombre complexe z et pour tout entier naturel n,**
> $$|z^n| = |z|^n.$$

▸ On admettra que pour tous nombres complexes z et z', $|z \times z'| = |z| \times |z'|$.

▸ On utilisera un raisonnement par récurrence.

▶ Comprendre avant de rédiger

Testons la propriété pour $n = 2$ et $n = 3$:

• $|z^2| = |z \times z| = |z| \times |z| = |z|^2$

• $|z^3| = |z^2 \times z| = |z^2| \times |z| = |z|^2 \times |z| = |z|^3$

▶ Rédiger

Étape ❶

Une démonstration par récurrence se décompose en trois étapes : initialisation, hérédité, et conclusion.

Pour l'initialisation, on veut montrer que la propriété $P(0)$ est vraie.

> Pour tout $z \in \mathbb{C}$,
> $z^0 = 1$

→ **La démonstration rédigée**

• Pour tout $n \in \mathbb{N}$, on considère la propriété $P(n)$: « $|z^n| = |z|^n$ ».

Initialisation : pour $n = 0$, $|z^0| = |1| = 1$ et $|z|^0 = 1$. Donc $|z^0| = |z|^0$.

Donc la propriété est vraie pour $n = 0$.

Étape ❷

Pour la deuxième étape (hérédité), on considère un entier naturel n et on suppose que $P(n)$ est vraie. Il faut alors démontrer que $P(n+1)$ est vraie.

> Pour écrire la propriété $P(n+1)$, on remplace tous les n par $n+1$ dans la propriété $P(n)$.

→ **Hérédité** : soit $n \in \mathbb{N}$. Supposons que $P(n)$ est vraie, c'est-à dire $|z^n| = |z|^n$.

Montrons que $P(n + 1)$ est vraie, c'est-à-dire $|z^{n+1}| = |z|^{n+1}$.

Étape ❸

On utilise les propriétés suivantes :

• pour tout $z \in \mathbb{C}$, pour tout $n \in \mathbb{N}$, $z^{n+1} = z^n \times z^1 = z^n \times z$,

• pour tous $z \in \mathbb{C}$ et $z' \in \mathbb{C}$, on a $|z \times z'| = |z| \times |z'|$,

• l'hypothèse de récurrence.

> $a^m \times a^n = a^{m+n}$
> et $a = a^1$

→ $|z^{n+1}| = |z^n \times z|$
$= |z^n| \times |z|$
$= |z|^n \times |z|$
$= |z|^{n+1}$.

Donc $P(n + 1)$ est vraie.

Étape ❹

On conclut pour tout entier naturel n.

→ **Conclusion** : on conclut que pour tout $n \in \mathbb{N}$, $P(n)$ est vraie. Donc pour tout $n \in \mathbb{N}$, $|z^n| = |z|^n$.

▶ Pour s'entraîner

Soit (z_n) la suite définie par $z_0 = 4$ et pour tout $n \in \mathbb{N}$, $z_{n+1} = |(1 + i) \times z_n|$.

Montrer que pour tout entier naturel n, $z_n = 4 \times \left(\sqrt{2}\right)^n$.

◆ DIAPORAMA
Calculs et automatismes
lienmini.fr/maths-e02-07

Exercices calculs et automatismes

Dans tous les exercices, le plan est muni d'un repère orthonormé $(O\,;\vec{u}\,,\vec{v})$.

29 Calcul avec les complexes

On considère le nombre complexe $z = i - 2$.
Choisir la(les) bonne(s) réponse(s).

1. Le conjugué de z est :

a $i + 2$ **b** $i - 2$ **c** $-i + 2$ **d** $-i - 2$

2. La forme algébrique de $\dfrac{1}{z}$ est :

a $\dfrac{1}{i-2}$ **b** $-\dfrac{2}{3}+i\dfrac{2}{3}$ **c** $-\dfrac{2}{5}-i\dfrac{1}{5}$ **d** $\dfrac{2}{5}+i\dfrac{1}{5}$

30 Lecture graphique d'affixe

Déterminer les affixes des points A, B, C, D et E représentés ci-dessous.

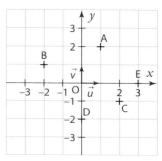

31 Lecture graphique d'un module et d'un argument

Sur le graphique suivant, on a représenté des points et le cercle de centre l'origine et de rayon 2.
Déterminer le module et un argument de l'affixe de chacun des sept points.

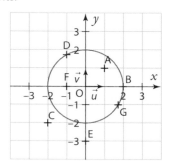

32 Module et argument

On considère le nombre complexe $z = 2 - 2i$.
Choisir la(les) bonne(s) réponse(s).

1. Le module de z est égal à :

a 4 **b** 0 **c** $\sqrt{8}$ **d** 2

2. Un argument de z est :

a $\dfrac{\pi}{4}$ **b** $-\dfrac{\pi}{4}$ **c** $-\dfrac{\pi}{2}$ **d** $\dfrac{3\pi}{4}$

33 Propriété des arguments

On considère un nombre complexe z d'argument $\dfrac{\pi}{5}$.
Choisir la(les) bonne(s) réponse(s).

1. Un argument de $-z$ est :

a $-\dfrac{\pi}{5}$ **b** $\dfrac{4\pi}{5}$ **c** $\dfrac{6\pi}{5}$ **d** $\dfrac{\pi}{5}$

2. Un argument de $\overline{z}$ est :

a $-\dfrac{\pi}{5}$ **b** $\dfrac{4\pi}{5}$ **c** $\dfrac{6\pi}{5}$ **d** $\dfrac{\pi}{5}$

3. Un argument de $2z$ est :

a $-\dfrac{\pi}{5}$ **b** $\dfrac{4\pi}{5}$ **c** $\dfrac{6\pi}{5}$ **d** $\dfrac{\pi}{5}$

4. Un argument de z^2 est :

a $\left(\dfrac{\pi}{5}\right)^2$ **b** $\dfrac{2\pi}{5}$ **c** $\dfrac{\pi}{25}$ **d** $\dfrac{\pi}{5}$

34 Argument

Les affirmations suivantes sont-elles vraies ou fausses ?   V   F

a) Si $z = -5$ alors $\arg(z) = 0[2\pi]$.   ☐   ☐

b) Si $z = 3i$ alors $\arg(z) = \dfrac{\pi}{2}[2\pi]$ ☐   ☐

c) Si $z = 1 - i$ alors $\arg(z) = \dfrac{\pi}{4}[2\pi]$.   ☐   ☐

35 Forme trigonométrique

Pour chacun des nombres complexes suivants, dire s'il est sous forme trigonométrique. Si c'est le cas, préciser son module et un de ses arguments.

a) $z_1 = 5\left(\cos\dfrac{\pi}{3} + i\sin\dfrac{\pi}{3}\right)$ **b)** $z_2 = -2\left(\cos\dfrac{\pi}{3} + i\sin\dfrac{\pi}{3}\right)$

c) $z_3 = \cos\dfrac{\pi}{5} + i\sin\dfrac{\pi}{5}$ **d)** $z_4 = 2\left(\cos\dfrac{\pi}{3} + i\sin\dfrac{\pi}{6}\right)$

e) $z_5 = 3\left(\cos\dfrac{\pi}{4} - i\sin\dfrac{\pi}{4}\right)$ **f)** $z_6 = 4\left(\cos\dfrac{\pi}{3} + \sin\dfrac{\pi}{3}\right)$

36 Passer d'un forme à une autre

1. Déterminer la forme trigonométrique de $z = \sqrt{3} + i$.

2. Déterminer la forme exponentielle de $z = 1 + i\sqrt{3}$.

3. Déterminer la forme algébrique de $2e^{i\frac{\pi}{4}}$.

37 Forme exponentielle

On considère le nombre complexe $z = 4e^{i\frac{\pi}{3}}$.

Les affirmations suivantes sont-elles vraies ou fausses ?   V   F

a) La forme exponentielle de $-z$ est $-4e^{i\frac{\pi}{3}}$.   ☐   ☐

b) La forme exponentielle de $\overline{z}$ est $4e^{-i\frac{\pi}{3}}$.   ☐   ☐

Exercices d'application

Dans tous les exercices, le plan est muni d'un repère orthonormé $(O\,;\vec{u}, \vec{v})$.

Déterminer et utiliser une affixe

Méthode **1** p. 47

38 On considère le graphique suivant.

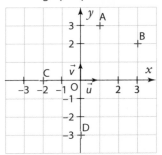

1. Déterminer l'affixe des points A, B, C et D.
2. Déterminer l'affixe des vecteurs $\overrightarrow{AB}$ et $\overrightarrow{CD}$.

39 Dans un repère orthonormé $(O\,;\vec{u}, \vec{v})$, placer les points A, B et C dont les affixes sont $z_A = -2 - i$; $z_B = -3$ et $z_C = 4i$.

40 On considère le nombre complexe $z = 2 + i$.
Dans un repère orthonormé $(O\,;\vec{u}, \vec{v})$, placer :
a) le point A d'affixe z.
b) le point B d'affixe $-z$.
c) le point C d'affixe $\overline{z}$.
d) le point D d'affixe $z - 3$.
e) le point E d'affixe $z - 3i$.

41 On considère trois points A, B et C d'affixes respectives $z_A = 1 - 3i$, $z_B = 2 - i$ et $z_C = 3$.
Déterminer les affixes des vecteurs $\overrightarrow{AB}$, $\overrightarrow{AC}$ et $\overrightarrow{BC}$.

42 On considère trois points A, B et C d'affixes respectives $z_A = 3 - i\sqrt{2}$, $z_B = 1 + i$ et $z_C = \dfrac{i}{2}$.
Déterminer les affixes des vecteurs $\overrightarrow{AB}$, $\overrightarrow{AC}$ et $\overrightarrow{BC}$.

43 Pour chaque question, représenter graphiquement l'ensemble des points M dont l'affixe z vérifie la condition demandée :
a) $\mathrm{Re}(z) = -1$.
b) $\mathrm{Im}(z) = 0$.
c) $\mathrm{Re}(z) = \mathrm{Im}(z) + 1$.

44 On considère les points A, B et C d'affixes respectives $z_A = -3 - 2i$, $z_B = 5 + 2i$ et $z_C = 1 - 3i$.
1. Déterminer les affixes des vecteurs $\overrightarrow{OA}$ et $\overrightarrow{CB}$.
2. OABC est-il un parallélogramme ?

45 On considère les points A, B et C d'affixes respectives $z_A = 1 + i$, $z_B = 2 - 3i$ et $z_C = -2 - i$.
1. Déterminer l'affixe du point D tel que ABCD soit un parallélogramme.
2. Déterminer l'affixe du point E centre du parallélogramme.
3. Placer tous ces points dans un repère orthonormé.

46 Soit A, B et C trois points d'affixes respectives $z_A = 4 + i$, $z_B = 6 - 2i$ et $z_C = -3 - i$.
1. Déterminer l'affixe du milieu de segment [AB].
2. Déterminer l'affixe du symétrique de A par rapport à C.
3. Déterminer l'affixe de l'image de A par la translation de vecteur $\overrightarrow{BC}$.

47 On considère trois points A, B et C d'affixes respectives a, b et c.
1. Soit G le point d'affixe g tel que $\overrightarrow{GA} + \overrightarrow{GB} + \overrightarrow{GC} = \vec{0}$.
Montrer que $g = \dfrac{1}{3}(a + b + c)$.
2. On suppose que $a = 2 + 3i$, $b = 5 + 4i$ et $c = 3 + 5i$. Dans un repère orthonormé $(O\,;\vec{u}, \vec{v})$ placer les points A, B, C et G.

48 Les points A, B, C et D ont pour affixes respectives $z_A = 3 + 2i$, $z_B = 1 - i$, $z_C = 2 + 2i$ et $z_D = -i$.
1. Déterminer les affixes des vecteurs $\overrightarrow{AB}$ et $\overrightarrow{CD}$.
2. En déduire la nature de ABDC.
3. Déterminer les affixes respectives du milieu I de [AD] et du milieu J de [BC].
4. En déduire une autre preuve du résultat de la question **2**.

49 On considère trois points A, B et C d'affixes respectives $z_A = -2 + 3i$, $z_B = -1 + i$, $z_C = 5 - 9i$.
1. Déterminer l'affixe du point D tel que $\overrightarrow{AD} = 2\overrightarrow{AB}$.
2. Déterminer l'affixe du point E tel que $\overrightarrow{AE} + \overrightarrow{BE} = \overrightarrow{CE}$.

Déterminer et utiliser le module d'un nombre complexe

Méthode **2** p. 49

50 Déterminer le module des nombres complexes suivants.
a) $z_1 = 3 - 2i$
b) $z_2 = \sqrt{2} + i$
c) $z_3 = \dfrac{1}{2} + i\sqrt{3}$
d) $z_4 = \dfrac{5}{7}i$.

51 Déterminer le module des nombres complexes suivants.
a) $z_1 = (3 + i)(7 - 2i)$
b) $z_2 = \dfrac{6}{1 + i}$

52 On considère les points A et B d'affixes respectives $z_A = 5 + 4i$ et $z_B = 2 + 3i$.
Calculer la distance AB.

53 On considère les points A, B et C d'affixes respectives $z_A = 3 - i$, $z_B = -2i$ et $z_c = 2 + 2i$.
1. Calculer les distances AB, AC et BC.
2. En déduire la nature du triangle ABC.

54 Dans chaque cas, représenter dans un repère orthonormé $(O\,;\vec{u}\,,\vec{v})$ l'ensemble des points M dont l'affixe z vérifie :
a) $|z| = 4$
b) $|z - 3| = 2$

55 Dans chaque cas, déterminer l'ensemble des points M dont l'affixe z vérifie :
a) $|z - 2 + i| = 3$
b) $|z + 1 - i| = -2$
c) $|z - 2| = |z - 8|$
d) $|z - 2 + 3i| = |z + 4 - 2i|$

Déterminer et utiliser un argument et une forme trigonométrique p. 51

56 Déterminer un argument des nombres complexes suivants.
a) $z_1 = 19$
b) $z_2 = \dfrac{7}{3}i$
c) $z_3 = -1 + i$
d) $z_4 = \sqrt{3} + i$

57 Déterminer un argument des nombres complexes suivants.
a) $z_1 = \sqrt{2} + i\sqrt{6}$
b) $z_2 = i\sqrt{3} + 1$

58 On considère le nombre complexe $z = -1 + i$.
1. Déterminer un argument de z.
2. En déduire un argument de $-z$ et de $\overline{z}$.

59 Déterminer la forme trigonométrique des nombres complexes suivants.
a) $z_1 = 7$
b) $z_2 = 4i$
c) $z_3 = \sqrt{3} + i$
d) $z_4 = \dfrac{1}{2} + \dfrac{i}{2}$

60 Déterminer la forme algébrique des nombres complexes suivants.
a) $z_1 = 2\left(\cos\left(\dfrac{\pi}{2}\right) + i\sin\left(\dfrac{\pi}{2}\right)\right)$
b) $z_2 = 3\left(\cos\left(\dfrac{2\pi}{3}\right) + i\sin\left(\dfrac{2\pi}{3}\right)\right)$
c) $z_3 = 4\left(\cos\left(-\dfrac{\pi}{3}\right) + i\sin\left(-\dfrac{\pi}{3}\right)\right)$
d) $z_4 = \dfrac{1}{2} \times \left(\cos\left(\dfrac{7\pi}{6}\right) + i\sin\left(\dfrac{7\pi}{6}\right)\right)$

61 Sur la figure ci-dessous, à l'aide du codage, déterminer la forme trigonométrique des affixes des points A, B et C.

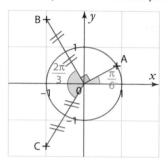

62 Sur la figure ci-dessous, déterminer la forme trigonométrique des affixes des points A, B, C et D.

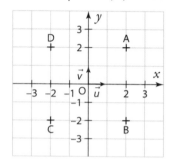

63 Dans le plan complexe, déterminer l'ensemble des points M dont l'affixe z vérifie :
a) $\arg(z) = \dfrac{\pi}{3}[2\pi]$
b) $\arg(z) = -\pi[2\pi]$

64 Dans le plan complexe, représenter graphiquement l'ensemble des points M dont l'affixe z vérifie :
a) $\arg(z) = \pi[2\pi]$ ou $\arg(z) = -\pi[2\pi]$
b) $\arg(z) = \dfrac{\pi}{4}[2\pi]$ ou $\arg(z) = \dfrac{3\pi}{4}[2\pi]$

Utiliser les formules d'addition et de duplication p. 53

65 **1.** Déterminer la valeur de $\dfrac{\pi}{4} + \dfrac{\pi}{3}$.
2. En déduire la valeur de $\cos\left(\dfrac{7\pi}{12}\right)$ et $\sin\left(\dfrac{7\pi}{12}\right)$.

66 Exprimer en fonction de $\cos(x)$ et $\sin(x)$.
a) $\cos\left(x - \dfrac{\pi}{4}\right)$
b) $\sin\left(x + \dfrac{\pi}{3}\right)$

67 Soit x un réel tel que $x \in \left[0\,;\dfrac{\pi}{2}\right]$ et $\sin(x) = \dfrac{1}{3}$.
1. Déterminer la valeur exacte de $\cos(x)$.
2. En utilisant les formules de duplication, déterminer la valeur exacte de $\cos(2x)$ et $\sin(2x)$.

Utiliser les propriétés des arguments

 p. 53

68 1. Déterminer un argument des nombres complexes $z_1 = \sqrt{3} - i$ et $z_2 = -1 - i$.

2. En déduire un argument de $z_1 \times z_2$, $\dfrac{z_1}{z_2}$ et z_1^5.

69 1. Déterminer un argument de $z = 4 - i \times 4\sqrt{3}$.

2. En déduire un argument de $\dfrac{1}{z}$ et de $z^{1\,000}$.

70 1. Déterminer un argument de $-2\sqrt{3} - 2i$.

2. En déduire que $(-2\sqrt{3} - 2i)^3$ est imaginaire pur.

Déterminer et utiliser la forme exponentielle

 p. 55

71 Déterminer la forme exponentielle des nombres complexes suivants.

a) z_1 de module $\sqrt{3}$ et d'argument $\dfrac{2\pi}{3}$

b) $z_2 = 5e^{i\frac{\pi}{6}} \times 4e^{i\frac{\pi}{3}}$ **c)** $z_3 = \dfrac{2e^{i\frac{\pi}{2}}}{4\,e^{i\pi}}$

72 Déterminer la forme algébrique des nombres complexes suivants.

a) $z_1 = 4e^{i\frac{\pi}{3}}$ **b)** $z_2 = 3e^{-i\frac{\pi}{4}}$ **c)** $z_3 = 2e^{2i\pi}$ **d)** $z_4 = \sqrt{2}e^{i\pi}$

73 Sur la figure ci-contre, déterminer graphiquement la forme exponentielle des affixes des points A, B et C.

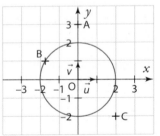

74 Dans un repère orthonormé, placer les points :

a) A d'affixe $e^{i\frac{\pi}{4}}$ **b)** B d'affixe $\dfrac{1}{2}e^{i\pi}$

c) C d'affixe $2e^{i\frac{2\pi}{3}}$ **d)** D d'affixe $5e^{i2\pi}$

75 On considère le nombre complexe $z = 4e^{i\frac{\pi}{4}}$.
Déterminer la forme algébrique de z^6.

76 On considère le nombre complexe $z = 5e^{i\frac{\pi}{3}}$.
Montrer que $z^{2\,019}$ est réel.

77 En utilisant les formules d'Euler, montrer que
$$\cos^2(\theta)\sin^2(\theta) = \dfrac{1 - \cos(4\theta)}{8}.$$

Utiliser les racines de l'unité

 p. 57

78 1. Déterminer l'ensemble des racines 6-ièmes de l'unité, noté $\mathbb{U}_6$, puis tracer précisément un hexagone régulier inscrit dans le cercle trigonométrique.

2. Déterminer la valeur du périmètre de l'hexagone.

79 1. Déterminer l'ensemble des racines 10-ièmes de l'unité.

2. Déterminer une valeur approchée du périmètre d'un polygone régulier à 10 côtés inscrit dans le cercle trigonométrique.

Utiliser les arguments en géométrie

 p. 57

80 Soit A, B et C trois points d'affixes respectives $z_A = 9 + 2i$, $z_B = 3 - i$ et $z_C = -1 - 3i$.
1. Déterminer la forme algébrique de $k = \dfrac{z_C - z_A}{z_B - z_A}$.
2. En déduire un argument de k.
3. Que peut-on en déduire ?

81 Soit A, B et C trois points d'affixes respectives $z_A = -3 + 2i$, $z_B = 0$ et $z_C = -5 - i$.
1. Déterminer la forme algébrique de $k = \dfrac{z_C - z_A}{z_B - z_A}$.
2. En déduire un argument de k.
3. Que peut-on en déduire ?

82 Soit A, B et C trois points d'affixes respectives $z_A = -3 - 2i$, $z_B = 1 - i$ et $z_C = -1 + 7i$.
Montrer que ABC est un triangle rectangle.

83 Soit A, B et C trois points d'affixes respectives $z_A = 1 - 2i$, $z_B = 2 + i$ et $z_C = -1 + 4i$.
Le triangle ABC est-il rectangle en B ?

84 Soit A, B, C et D les points d'affixes respectives $z_A = 3 + 2i$, $z_B = 1 - i$, $z_C = -2 + i$ et $z_D = -1 + \dfrac{5}{2}i$. Montrer que (AB) et (CD) sont parallèles.

85 Soit A, B, C et D les points d'affixes respectives $z_A = 4 + 2i$, $z_B = 2 + i$, $z_C = 2 + 2i$ et $z_D = 3$.
Montrer que (AB) et (CD) sont perpendiculaires.

86 Soit A, B, C et D les points d'affixes respectives $z_A = 2i$, $z_B = 1$, $z_C = 3 - i$ et $z_D = 2 + i$.
On admet que ABCD est un parallélogramme.

1. Déterminer un argument de $\dfrac{z_D - z_B}{z_C - z_A}$.

2. Que peut-on en déduire pour le parallélogramme ABCD ?

87 Soit A, B, C et D les points d'affixes respectives $z_A = 1 + 5i$, $z_B = -2 + 4i$, $z_C = -2i$ et $z_D = 3 - i$.
On admet que ABCD est un parallélogramme.
Montrer que ABCD est un rectangle.

Dans tous les exercices, le plan est muni d'un repère orthonormé $(O \, ; \vec{u} \, , \vec{v})$.

Différentes formes d'un nombre complexe

 p. 58

88 Donner une valeur approchée au centième d'un argument des nombres complexes suivants.
a) $1 + 2i$
b) $-2 + i$
c) $4 - 3i$
d) $-3 - i$

89 **Démo** Démontrer que pour tout nombre complexe z :
$$|-z| = |\overline{z}| = |z|.$$

90 On rappelle que pour tout nombre réel a :
$$|a| = \sqrt{a^2}.$$
Démontrer que pour tout nombre complexe z :
$$|\operatorname{Re}(z)| \leqslant |z| \text{ et } |\operatorname{Im}(z)| \leqslant |z|$$

91 Démontrer que $(3 - 3i)^n$ est un nombre réel, si et seulement si, n est un multiple de 4.

92 On considère les nombres complexes $z = \dfrac{\sqrt{6} - i\sqrt{2}}{2}$ et $z' = 1 - i$.
1. Déterminer le module et un argument de z, z' et $\dfrac{z}{z'}$.
2. Déterminer la forme algébrique de $\dfrac{z}{z'}$.
3. En déduire la valeur de $\cos\left(\dfrac{\pi}{12}\right)$ et $\sin\left(\dfrac{\pi}{12}\right)$.

93 On considère le nombre complexe $z = 1 - i$.
1. Déterminer la forme exponentielle de z.
2. Démontrer que pour tout entier naturel n non nul multiple de 4, z^n est un nombre entier pair.

94 Dans le plan complexe, on considère le point A d'affixe $z_A = \sqrt{3} - i$.
On pose $r = e^{i\frac{\pi}{3}}$.
1. Déterminer la forme exponentielle de $z_A{}' = z_A \times r$.
2. En déduire le module et un argument de $z_A{}'$.
3. Généralisation : pour tout nombre complexe z, on considère $z' = r \times z$.
a) Déterminer le module et un argument de z' en fonction de ceux de z.
b) Donner un procédé de construction géométrique permettant de construire facilement le point d'affixe z' à partir du point d'affixe z.

95 Pour chacune des propositions suivantes, indiquer si elle est vraie ou fausse et justifier.
Proposition 1 L'équation $z - i = i(z + 1)$ a pour solution $\sqrt{2}e^{i\frac{\pi}{4}}$.
Proposition 2 Pour tout réel $x \in \left]-\dfrac{\pi}{2} \, ; \dfrac{\pi}{2}\right[$, le nombre complexe $1 + e^{2ix}$ admet pour forme exponentielle $2\cos x \, e^{-ix}$.
D'après Bac S 2019

Nombres complexes et trigonométrie

96 En utilisant la formule de Moivre et la formule du binôme de Newton, exprimer $\cos(3x)$ et $\sin(3x)$ en fonction de $\cos(x)$ et $\sin(x)$.

97 **1.** Développer $(a + b)^4$ à l'aide de la formule du binôme de Newton.
2. En utilisant les formules d'Euler, exprimer $\cos^4(x)$ sous forme d'une combinaison linéaire de cosinus dépendants de x.

98 **1.** Déterminer les formes exponentielles des nombres complexes $1 + i$ et $1 - i$.
2. Déterminer la forme trigonométrique de $S_n = (1 + i)^n + (1 - i)^n$.
3. Pour chaque proposition suivante, déterminer si elle est vraie ou fausse et justifier.
Proposition 1 Pour tout entier naturel n, S_n est un nombre réel.
Proposition 2 Il existe une infinité d'entiers naturels n tels que $S_n = 0$.
D'après Bac S 2018

99 On veut déterminer une valeur exacte de $\cos\left(\dfrac{2\pi}{5}\right)$.
On pose $\omega = e^{i\frac{2\pi}{5}}$.
1. a) Calculer ω^5.
b) Factoriser $\omega^5 - 1$ par $\omega - 1$.
c) En déduire que $1 + \omega + \omega^2 + \omega^3 + \omega^4 = 0$.
2. Exprimer $1 + \omega + \omega^2 + \omega^3 + \omega^4$ en fonction de $\cos\left(\dfrac{2\pi}{5}\right)$ et $\cos\left(\dfrac{4\pi}{5}\right)$.
3. En utilisant les formules de duplication, exprimer $\cos\left(\dfrac{4\pi}{5}\right)$ en fonction de $\cos\left(\dfrac{2\pi}{5}\right)$.
4. a) En utilisant les questions précédentes, en déduire que $\cos\left(\dfrac{2\pi}{5}\right)$ est solution de l'équation $4x^2 + 2x - 1 = 0$.
b) En déduire la valeur exacte de $\cos\left(\dfrac{2\pi}{5}\right)$.

Exercices d'entraînement

Nombres complexes et géométrie

Méthode 10 p. 59

100 Soit M et N deux points d'affixes respectives :

$$z_M = -3 - i \text{ et } z_N = \frac{3+i}{3}.$$

1. Les points O, M et N sont-ils alignés ? Justifier.
2. On considère le point P d'affixe 3i. Déterminer l'affixe du point Q tel que MNQP soit un parallélogramme.

101 On considère les points A, B et C d'affixes respectives :

$$z_A = 3, \ z_B = \frac{5}{2} + \frac{7}{2}i \text{ et } z_C = -\frac{1}{2} - \frac{1}{2}i.$$

1. Déterminer la nature du triangle ABC.
2. Déterminer l'affixe du point I milieu de [BC].
3. Déterminer l'affixe du point D tel que ABDC soit un parallélogramme.

102 On considère les points A, B, C et D d'affixes respectives :

$$z_A = 3 + i, z_B = 1 + 2i, z_C = 2 + 4i \text{ et } z_D = 4 + 3i.$$

Déterminer la nature du quadrilatère ABCD. On ira au plus précis.

103 On considère l'équation

$$(E) : z^2 - 6z + c = 0,$$

avec c un réel strictement supérieur 9.
1. Déterminer les deux solutions complexes de l'équation (E), que l'on notera z_A et z_B.
2. Soit A et B les points d'affixes respectives z_A et z_B.
a) Justifier que OAB est isocèle en O.
b) Démontrer qu'il existe une valeur du réel c pour laquelle OAB est rectangle. Déterminer cette valeur.

D'après Bac S 2017

104 On considère les points A(i) et B(2 − i).

1. Résoudre l'équation :

$$\frac{z - i}{z - (2 - i)} = 3 .$$

On notera M le point qui a pour affixe la solution.
2. Démontrer que A, B et M sont alignés.
3. Expliquer pourquoi, pour tout nombre réel λ, le point dont l'affixe est solution de l'équation $\frac{z - i}{z - (2 - i)} = \lambda$ est aligné avec A et B.

105 Soit $\vec{w_1}$ et $\vec{w_2}$ deux vecteurs d'affixes z_1 et z_2.
1. Rappeler l'expression du produit scalaire de deux vecteurs $\vec{w_1}\begin{pmatrix} x_1 \\ y_1 \end{pmatrix}$ et $\vec{w_2}\begin{pmatrix} x_2 \\ y_2 \end{pmatrix}$ dans un repère orthonormé.

2. En déduire que $\vec{w_1}$ et $\vec{w_2}$ sont orthogonaux si, et seulement si, $z_1 \overline{z_2}$ est un imaginaire pur.

106 On considère la suite (z_n) définie par $z_0 = 4i$ et pour tout $n \in \mathbb{N}$, $z_{n+1} = \frac{1+i}{\sqrt{2}} \times z_n$.

On note M_n le point d'affixe z_n. Démontrer que tous les points M_n appartiennent à un même cercle de centre O, dont on déterminera le rayon.

107 Un robot est contrôlé par ordinateur. Le sol est muni d'un repère orthonormé $(O ; \vec{u}, \vec{v})$ et le robot est repéré par son affixe dans ce plan.
Il est initialement au point d'affixe 1. Grâce à l'ordinateur, on peut lui donner une liste de points qu'il devra rejoindre un par un.
Donner une liste d'affixes de points à transmettre au robot pour qu'il trace au sol :
a) un carré.
b) un triangle équilatéral.
c) un triangle rectangle isocèle.
d) un hexagone.

108 Soit f la fonction qui à tout point M, distinct de O et d'affixe z associe le point M′ d'affixe $z′$ tel que $z′ = -\frac{1}{z}$.

1. On considère les points A et B d'affixes respectives $z_A = -1 + i$ et $z_B = \frac{1}{2}e^{i\frac{\pi}{3}}$.
a) Déterminer la forme algébrique de l'affixe du point A′, image du point A par la fonction f.
b) Déterminer la forme exponentielle de l'affixe du point B′, image du point B par la fonction f.
c) Placer les points A, B, A′ et B′ dans un repère orthonormé $(O ; \vec{u}, \vec{v})$.
2. Soit r un réel strictement positif et θ un réel. On considère le nombre complexe $z = re^{i\theta}$.
a) Montrer que $z′ = \frac{1}{r}e^{i(\pi - \theta)}$.
b) Est-il vrai que si un point M, distinct de O, appartient au disque de centre O et de rayon 1, sans appartenir au cercle de centre O et de rayon 1, alors son image M′ par la fonction f est à l'extérieur de ce disque ? Justifier.
3. Soit Γ le cercle de centre K d'affixe $z_K = -\frac{1}{2}$ et de rayon $\frac{1}{2}$.
a) Montrer qu'une équation cartésienne du cercle Γ est $x^2 + x + y^2 = 0$.
b) On pose $z = x + iy$ avec x et y deux réels non tous les deux nuls. Déterminer la forme algébrique de $z′$ en fonction de x et y.
c) Soit M un point, distinct de O, du cercle Γ. Montrer que l'image M′ du point M par la fonction f appartient à la droite d'équation $x = 1$.

D'après Bac S 2019

109 Soit (z_n) la suite de nombres complexes définie par $z_0 = 1$ et pour tout $n \in \mathbb{N}$, $z_{n+1} = \dfrac{1}{3}z_n + \dfrac{2}{3}i$.

Pour tout $n \in \mathbb{N}$, on pose $u_n = z_n - i$.
On note A_n le point d'affixe z_n, B_n le point d'affixe u_n et C le point d'affixe i.

1. Exprimer u_{n+1} en fonction de u_n, pour tout entier naturel n.

2. Démontrer que pour tout entier naturel n, $u_n = \left(\dfrac{1}{3}\right)^n (1-i)$.

3. a) Pour tout entier naturel n, calculer le module de u_n en fonction de n.
b) Démontrer que $\displaystyle\lim_{n \to +\infty} |z_n - i| = 0$.
c) Quelle interprétation géométrique peut-on donner de ce résultat ?

4. a) Soit n un entier naturel, déterminer un argument de u_n.
b) Démonter que, lorsque n décrit l'ensemble des entiers naturels, les points B_n sont alignés.
c) Démonter que pour tout entier naturel n, le point A_n appartient à la droite d'équation $y = -x + 1$.

D'après Bac S 2018

110 On considère les points A et B d'affixes respectives :
$$z_A = 2e^{i\frac{\pi}{4}} \text{ et } z_B = 2e^{i\frac{3\pi}{4}}.$$

1. Montrer que OAB est un triangle rectangle isocèle.

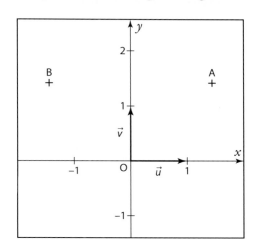

2. On considère l'équation
$$(E) : z^2 - \sqrt{6}z + 2 = 0.$$
Montrer qu'une des solutions de (E) est l'affixe d'un point situé sur le cercle circonscrit au triangle OAB.

D'après Bac S 2017

Ensembles de points

111 Dans chaque cas, déterminer l'ensemble des points M dont l'affixe z vérifie :

a) $|2z - i| = 1$ **b)** $|i - 2z| = -1$

c) $\dfrac{|z+1|}{|z+2|} = 1$ **d)** $\arg\left(\dfrac{z-2i}{z-1+2i}\right) = \dfrac{\pi}{2}[\pi]$

112 Représenter dans le plan complexe l'ensemble des points dont l'affixe z est telle que $z\bar{z} = 4$.

113 Pour chaque proposition suivante, déterminer si elle est vraie ou fausse et justifier.

Proposition 1 Un point M d'affixe z tel que $|z - i| = |z + 1|$ appartient à la droite d'équation $y = -x$.

Proposition 2 L'ensemble des points M d'affixe z vérifiant $|z - 6| = |z + 5i|$ est un cercle.

Proposition 3 Soit z un nombre complexe différent de 2.
On pose $Z = \dfrac{iz}{z-2}$. Alors l'ensemble des points du plan complexe d'affixe z tels que $|Z| = 1$ est une droite passant par le point A(1 ; 0).

D'après Bac S 2019

114 **1.** Traduire géométriquement la condition $(z - i)(\overline{z - i}) = 9$.
2. Développer et simplifier autant que possible l'expression $(z - i)(\overline{z - i})$.
3. Représenter dans le plan complexe l'ensemble des points dont l'affixe vérifie $|z|^2 - 2\text{Im}(z) = 8$.

115 Soit deux fonctions f et g définies sur $\mathbb{C}$ par $f(z) = z^2$ et $g(z) = z \times (\bar{z} + 1)$.
Dans chacun des cas suivants, représenter l'ensemble des points M du plan dont l'affixe remplie la condition demandée :

a) $f(z) \in \mathbb{R}$.   **b)** $f(z)$ imaginaire pur.
c) $\text{Re}(g(z)) = 4$ **d)** $\text{Re}(g(z)) = \text{Im}(g(z))$

116 Soit f la fonction définie sur $\mathbb{C}\backslash\{-1\}$ par $f(z) = \dfrac{z-1}{z+1}$.
1. On pose $z = x + iy$ avec x et y deux réels.
Déterminer l'expression de $f(z)$ en fonction de x et y.
2. Dans chacun des cas suivants, représenter l'ensemble des points M du plan dont l'affixe remplie la condition demandée :

a) $f(z) = 2$ **b)** $f(z) = 2i$
c) $f(z) \in \mathbb{R}$ **d)** $f(z)$ imaginaire pur

Travailler l'oral

117 Présenter les différentes formes d'un nombre complexe et expliquer comment passer d'une forme à l'autre.

118 Soit A, B et C trois points d'affixes respectives z_A, z_B et z_C. Expliquer comment montrer que ABC est rectangle et isocèle.

Exercices (bilan)

Dans tous les exercices, le plan est muni d'un repère orthonormé $(O\,;\vec{u}\,,\vec{v})$.

119 Différentes formes d'un nombre complexe

On considère les deux nombres complexe $z_1 = 5 - 5i$ et $z_2 = 3e^{-i\frac{\pi}{3}}$.

1. Déterminer la forme trigonométrique, puis la forme exponentielle de z_1.

2. Déterminer la forme algébrique de z_2.

3. En déduire la forme algébrique et la forme exponentielle de $\dfrac{z_1}{z_2}$.

4. En déduire la valeur de $\cos\left(\dfrac{\pi}{12}\right)$ et $\sin\left(\dfrac{\pi}{12}\right)$.

5. Déterminer la forme algébrique de z_1^{400}.

120 Nombres complexes et géométrie

On considère les points A, B, C et M d'affixes respectives :
$z_A = -1 + i$
$z_B = 2 + i(1 + \sqrt{3})$
$z_C = 2 + i(1 - \sqrt{3})$
$z_M = 1 + i$.

1. a) Montrer que les points A, B et C appartiennent au cercle de centre M et de rayon 2.

b) Dans un repère orthonormé, tracer le cercle de centre M et de rayon 2, et placer les points A, B et C.

2. Montrer que ABC est un triangle équilatéral.

3. Déterminer l'affixe de I, milieu de [AM].

4. a) Déterminer l'affixe du point D tel que ABCD soit un parallélogramme.

b) Quelle est la nature de ABCD ?

5. Les points B, D et M sont-ils alignés ?

121 Ensemble de points

1. Dans chaque cas, déterminer l'ensemble des points M dont l'affixe z vérifie :

a) $|z - 4| = 3$

b) $|z - 2 + 3i| = |z + 1 - 7i|$

c) $\arg(z) = \pi[2\pi]$

d) $\arg\left(\dfrac{z - 2 + i}{z - 5i}\right) = \dfrac{\pi}{2}[\pi]$

2. Déterminer les affixes des sommets d'un polygone régulier à 12 côtés inscrit dans le cercle trigonométrique dont un sommet est le point A d'affixe 1. Puis déterminer son périmètre.

122 Trigonométrie

1. Exprimer $\cos\left(x + \dfrac{\pi}{4}\right)$ et $\sin\left(x - \dfrac{\pi}{6}\right)$ en fonction de $\cos x$ et $\sin x$.

2. En utilisant les formules d'Euler, exprimer $\sin^3(x)$ en fonction de $\sin(x)$ et $\sin(3x)$.

3. En utilisant la formule de Moivre, exprimer $\cos(4x)$ en fonction de $\cos(x)$ et $\sin(x)$.

123 Suites de nombres complexes

On considère la suite de nombres complexes définie par $z_0 = 1$ et pour tout $n \in \mathbb{N}$, $z_{n+1} = \left(1 + i\dfrac{\sqrt{3}}{3}\right)z_n$.

On note A_n le point d'affixe z_n.

1. a) Déterminer la forme exponentielle de $1 + i\dfrac{\sqrt{3}}{3}$.

b) En déduire la forme exponentielle de z_1 et de z_2.

2. Montrer que pour tout entier naturel $z_n = \left(\dfrac{2}{\sqrt{3}}\right)^n e^{in\frac{\pi}{6}}$.

b) Pour quelle valeur de n les points O, A_0 et A_n sont-ils alignés ?

3. Pour tout entier naturel n, on pose $d_n = |z_{n+1} - z_n|$.

a) Interpréter géométriquement d_n.

b) Calculer d_0.

c) Montrer que pour tout entier naturel n non nul,
$$z_{n+2} - z_{n+1} = \left(1 + i\dfrac{\sqrt{3}}{3}\right)(z_{n+1} - z_n).$$

d) En déduire que la suite (d_n) est géométrique, et exprimer d_n en fonction de n.

4. a) Montrer que pour tout entier naturel,
$$|z_{n+1}|^2 = |z_n|^2 + d_n^2.$$

b) En déduire que pour tout entier naturel n, le triangle OA_nA_{n+1} est rectangle en A_n.

5. Expliquer comment construire, à la règle non graduée et au compas, le point A_5 sur la figure ci-dessous.

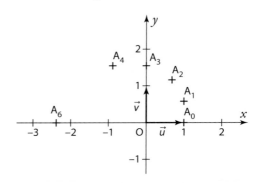

6. On veut déterminer le plus petit entier tel que $|z_n| > 10$.

a) Compléter le progamme en **Python** suivant.

```
n = 0
u = …
while … :
        n = …
        u = …
print ( … )
```

b) Déterminer cet entier à l'aide de la calculatrice.

D'après Bac S 2016

Affixe

- **Affixe d'un point, d'un vecteur**
  - $M(a\,;b) \leftrightarrow$ Affixe $z = a + ib$
  - $\vec{w}\begin{pmatrix} a \\ b \end{pmatrix} \leftrightarrow$ Affixe $z = a + ib$
- **Milieu et vecteur**
  - $\overrightarrow{AB}$ a pour affixe $z_B - z_A$
  - Le milieu de $[AB]$ a pour affixe $\dfrac{z_A + z_B}{2}$

Argument

- **Définition et expression**

Si $M(z)$ avec $z \neq 0$, un argument de z est une mesure en radians de $(\vec{u}\,, \overrightarrow{OM})$.

$\arg(z) = \theta[2\pi]$ avec $\theta \in \mathbb{R}$ tel que $\begin{cases} \cos\theta = \dfrac{a}{|z|} \\ \sin\theta = \dfrac{b}{|z|} \end{cases}$

- **Propriétés**
  - $\arg(z \times z') = \arg(z) + \arg(z')[2\pi]$.
  - $\arg(z^n) = n \times \arg(z)[2\pi]$.
  - $\arg\left(\dfrac{1}{z}\right) = -\arg(z)[2\pi]$
  - $\arg\left(\dfrac{z'}{z}\right) = \arg(z') - \arg(z)[2\pi]$
- **Argument et angle**
  - $(\overrightarrow{AB}\,, \overrightarrow{AC}) = \arg\left(\dfrac{z_C - z_A}{z_B - z_A}\right)[2\pi]$
  - $(\overrightarrow{AB}\,, \overrightarrow{CD}) = \arg\left(\dfrac{z_D - z_C}{z_B - z_A}\right)[2\pi]$

Formules d'addition et de duplication

- **Formules d'addition**

$\cos(a - b) = \cos(a)\cos(b) + \sin(a)\sin(b)$

$\cos(a + b) = \cos(a)\cos(b) - \sin(a)\sin(b)$

$\sin(a - b) = \sin(a)\cos(b) - \cos(a)\sin(b)$

$\sin(a + b) = \sin(a)\cos(b) + \cos(a)\sin(b)$

- **Formules de duplication**

$\cos(2a) = \cos^2(a) - \sin^2(a)$

$\qquad = 1 - 2\sin^2(a) = 2\cos^2(a) - 1$

$\sin(2a) = 2\sin(a)\cos(a)$

Module

- **Définition et expression**

$|z| = OM = \sqrt{a^2 + b^2}$

- **Propriétés**
  - $z \times \overline{z} = |z|^2$
  - $|z \times z'| = |z| \times |z'|$
  - $|z^n| = |z|^n$
  - $\left|\dfrac{1}{z}\right| = \dfrac{1}{|z|}$
  - $\left|\dfrac{z'}{z}\right| = \dfrac{|z'|}{|z|}$
- **Module et distance**

$AB = |z_B - z_A|$

- $\mathbb{U}$: ensemble des nombres complexes de module 1

Forme trigonométrique, forme exponentielle

- **Forme trigonométrique**

$z = r(\cos\theta + i\sin\theta)$ avec $r = |z|$ et $\theta = \arg(z)\,[2\pi]$

- **Notation exponentielle**

$e^{i\theta} = \cos(\theta) + i\sin(\theta)$

- **Forme exponentielle**

$z = re^{i\theta}$ avec $r = |z|$ et $\theta = \arg(z)\,[2\pi]$

- **Propriétés**
  - $e^{i\theta} \times e^{i\theta'} = e^{i(\theta + \theta')}$
  - $(e^{i\theta})^n = e^{in\theta}$
  - $\dfrac{e^{i\theta'}}{e^{i\theta}} = e^{i(\theta' - \theta)}$
  - $e^{i(\theta + 2k\pi)} = e^{i\theta}$ avec $k \in \mathbb{Z}$
- **Racines n-ièmes de l'unité**

$z^n = 1$

$\mathbb{U}_n = \left\{ e^{\frac{2ik\pi}{n}}, k \in \{0\,;1\,;2\,;\ldots;(n-1)\} \right\}$

$\rightarrow$ Sommets d'un polygone régulier à n côtés inscrit dans le cercle trigonométrique.

Formules de Moivre et d'Euler

- **Formule de Moivre**

$\cos(n\theta) + i\sin(n\theta) = (\cos(\theta) + i\sin(\theta))^n$

- **Formule d'Euler**

$\cos(\theta) = \dfrac{1}{2}(e^{i\theta} + e^{-i\theta})$ et $\sin(\theta) = \dfrac{1}{2i}(e^{i\theta} - e^{-i\theta})$

Je dois être capable de...

▶ Déterminer une affixe et représenter un nombre complexe par un point

▶ Déterminer le module et les arguments d'un nombre complexe et passer de la forme algébrique à la forme trigonométrique ou exponentielle et inversement

▶ Utiliser les formules d'addition et de duplication

▶ Éffectuer des calculs sur des nombres complexes en choisissant une forme adaptée

▶ Utiliser les formules d'Euler et de Moivre

▶ Utiliser les racines de l'unité

▶ Utiliser les nombres complexes pour étudier des configurations du plan

Parcours d'exercices

1, 2, 38, 39

5, 6, 9, 10, 17, 18, 50, 51, 56, 57, 71, 72

13, 14, 65, 66

15, 16, 17, 18, 25, 26, 68, 69, 71, 72, 88, 89

18, 77

21, 22, 78, 79

1, 2, 7, 8, 11, 12, 23, 24, 27, 28, 44, 45, 52, 53, 63, 64, 80, 81, 100, 101

⦿ EXOS
QCM interactifs
lienmini.fr/maths-e02-08

QCM Pour les QCM suivants, choisir la(les) bonne(s) réponse(s).

Dans tous les exercices, le plan est muni d'un repère orthonormé $(O\,;\vec{u}\,,\vec{v})$.

	A	B	C	D
124 $z = 5 - i\sqrt{2}$ a pour module :	27	$\sqrt{27}$	$\sqrt{29}$	$\sqrt{21}$
125 $z = -\sqrt{3} + i\sqrt{3}$ a pour argument :	$\dfrac{\pi}{4}$	$-\dfrac{\pi}{4}$	$\dfrac{3\pi}{4}$	$-\dfrac{3\pi}{4}$
126 $z = -2\left(\cos\left(\dfrac{\pi}{6}\right) - i\sin\left(\dfrac{\pi}{6}\right)\right)$ a pour argument :	$-\dfrac{\pi}{6}$	$\dfrac{\pi}{6}$	$\dfrac{5\pi}{6}$	$-\dfrac{5\pi}{6}$
127 La forme exponentielle de $\dfrac{5\sqrt{3}}{2}\left(\dfrac{1}{2} + i\dfrac{\sqrt{3}}{2}\right)$ est :	$\dfrac{15}{2}e^{i\frac{\pi}{3}}$	$\dfrac{5\sqrt{3}}{2}e^{i\frac{\pi}{6}}$	$\dfrac{15}{2}e^{i\frac{\pi}{6}}$	$\dfrac{5\sqrt{3}}{2}e^{i\frac{\pi}{3}}$
128 $(1 + i)^{72}$ est égal à :	2^{72}	$6{,}9 \times 10^{10}$	2^{36}	0
129 On considère les points A(2 + i) et B(2 − 4i). Le triangle OAB est :	équilatéral.	isocèle.	rectangle.	quelconque.
130 L'ensemble des points M dont l'affixe z vérifie $\lvert z - 1 + i\rvert = \lvert z + 2i\rvert$ est :	le milieu de [AB].	la médiatrice de [AB] avec A(−1 + i) et B(2i).	la médiatrice de [AB] avec A(1 − i) et B(−2i).	un cercle.

Dans tous les exercices, le plan est muni d'un repère orthonormé $(O\,;\vec{u}\,,\vec{v})$.

131 Lecture graphique

Déterminer :

a) l'affixe du point A.

b) le module et un argument des affixes des points B et C.

c) la forme exponentielle de l'affixe du point D.

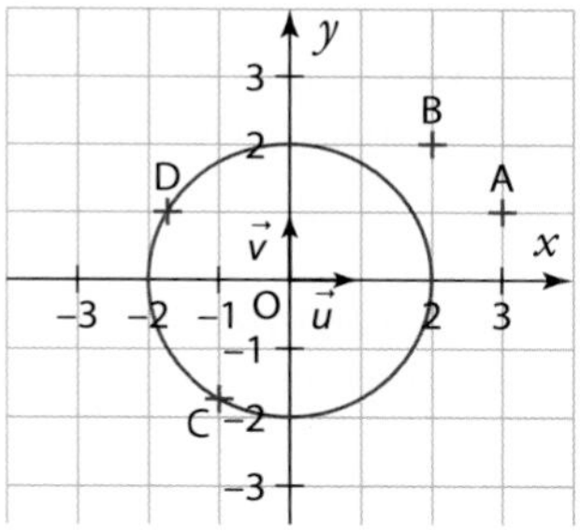

Méthode 1 p. 47

132 Forme trigonométrique, forme exponentielle

On considère les nombres complexes $z_1 = -2\sqrt{3} - 2\text{i}$ et $z_2 = \sqrt{5}\text{e}^{\text{i}\frac{3\pi}{4}}$.

1. Déterminer le module et un argument de z_1 et de z_2.

2. Déterminer la forme trigonométrique et la forme exponentielle de z_1. Méthode 2 p. 49

3. Déterminer la forme algébrique de z_2. Méthode 3 p. 51 Méthode 6 p. 55

133 Utiliser les formules d'addition et de duplication

1. Exprimer $\cos\left(x - \dfrac{\pi}{3}\right)$ et $\sin\left(x + \dfrac{5\pi}{4}\right)$ en fonction de $\cos x$ et $\sin x$.

2. On admet que $\cos\left(\dfrac{\pi}{5}\right) = \dfrac{1+\sqrt{5}}{4}$. En utilisant les formules de duplication, déterminer $\cos\left(\dfrac{2\pi}{5}\right)$. Méthode 4 p. 53

134 Effectuer des calculs en utilisant une forme adaptée

1. On considère le nombre complexe $z_1 = -8 - 8\text{i}$.

a) Déterminer la forme algébrique de z_1^6.

b) z_1^{500} est-il un nombre réel, imaginaire pur ou un nombre complexe quelconque ?

2. Soit $z_2 = 8\text{e}^{-\text{i}\frac{\pi}{4}}$. On note A le point d'affixe z_1 et B le point d'affixe z_2. Méthode 5 p. 53

(AB) est-elle parallèle à l'axe des abscisses ? Méthode 6 p. 55 Méthode 9 p. 58

135 Formules d'Euler et de Moivre

1. En utilisant les formules d'Euler, exprimer $\sin^4(x)$ sous forme d'une combinaison linéaire de sinus et/ou de cosinus dépendants de x.

2. En utilisant la formule de Moivre, exprimer $\sin(4x)$ en fonction de $\cos(x)$ et $\sin(x)$. Méthode 6 p. 55

136 Nombres complexes et géométrie

On considère les points A, B et C d'affixes respectives $z_A = -2\text{i}$, $z_B = \sqrt{3} + \text{i}$ et $z_C = \sqrt{3} - \text{i}$.

1. Montrer que A, B et C appartiennent à un même cercle de centre O dont on déterminera le rayon.

2. Déterminer les coordonnées de D tel que ABCD soit un parallélogramme.

3. Déterminer l'affixe du centre du parallélogramme.

4. Soit E le point d'affixe $z_E = -2\sqrt{3}$.

a) Déterminer un argument de $\dfrac{z_E - z_A}{z_B - z_A}$. Méthode 1 p. 47 Méthode 2 p. 49 Méthode 3 p. 51

b) Que peut-on dire des droites (AB) et (AE) ? Méthode 8 p. 57 Méthode 10 p. 59

137 Ensemble de points

Dans chaque cas, déterminer l'ensemble des points M dont l'affixe z vérifie :

a) $|z - 3\text{i}| = \sqrt{5}$

b) $|z - 3 - 2\text{i}| = |z + 4\text{i}|$

c) $\arg(z) = -\dfrac{\pi}{2}[2\pi]$

d) $\arg\left(\dfrac{z - 3 - 2\text{i}}{z + 3 + 8\text{i}}\right) = \dfrac{\pi}{2}[\pi]$.

Méthode 2 p. 49 Méthode 3 p. 51 Méthode 10 p. 59

138 Racines de l'unité

1. Déterminer l'ensemble $\mathbb{U}_7$.

2. Déterminer la longueur des côtés et le périmètre d'un polygone à sept côtés inscrit dans le cercle trigonométrique. On arrondira les résultats au centième. Méthode 7 p. 57

139 Suites de nombres complexes

On considère la suite de nombres complexes définie par $z_0 = 50$ et pour tout $n \in \mathbb{N}$, $z_{n+1} = \dfrac{\text{i}}{2}z_n$.

On note M_n le point d'affixe z_n.

1. Démontrer que pour tout entier naturel n, les points O, M_n et M_{n+2} sont alignés.

2. Déterminer la valeur de $|z_0|$, $|z_1|$, et $|z_2|$.

3. Conjecturer l'expression de $|z_n|$ en fonction de n.

4. Démontrer la conjecture de la question **3.**

5. On souhaite déterminer le plus petit entier n tel que M_n appartiennent au disque de centre 0 et de rayon 0,5.

a) Compléter le programme en **Python** suivant.

```
n=0
u=...
while...:
    n=...
    u=...
print(...)
```

b) Déterminer cet entier à l'aide de la calculatrice. Méthode 10 p. 59

Exercices (vers le supérieur)

Dans tous les exercices, le plan est muni d'un repère orthonormé $(O ; \vec{u}, \vec{v})$.

140 Module et argument (MPSI) (PCSI)

Pour tout point M du plan, l'affixe de M est noté z_M.
Soit A, B et C trois points distincts de O.
Pour chacune des propositions suivantes indiquer si elle est vraie ou fausse et justifier.

Proposition 1 Si $z = \dfrac{1+i}{\sqrt{2} - i\sqrt{6}}$, alors $|z| = \dfrac{1}{2}$

et $\arg(z) = \dfrac{7\pi}{12}[2\pi]$.

Proposition 2 Si $z = -2\left(\cos\left(\dfrac{3\pi}{4}\right) + i\sin\left(\dfrac{3\pi}{4}\right)\right)$, alors $|z| = 2$

et $\arg(z) = -\dfrac{3\pi}{4}[2\pi]$.

Proposition 3 Si A et B sont symétriques par rapport à O alors $z_A = \overline{z_B}$.

Proposition 4 Si $|z_A| = |z_B| = |z_C|$, alors ABC est un triangle équilatéral.

Proposition 5 Si $\arg(z_A) = \pi + \arg(z_B)[2\pi]$, alors O, A et B sont alignés.

D'après concours ADVANCE 2019

141 Nombres complexes et géométrie (1) (MPSI) (PCSI)

Le point A a pour affixe $z_A = 1 + i$.
Soit $\mathscr{C}$ le cercle de centre O passant par le point A.
Soit B un point de $\mathscr{C}$ d'affixe réelle z_B positive.
On définit le point E tel que OBEA soit un losange.
Pour chacune des propositions suivantes indiquer si elle est vraie ou fausse et justifier.

Proposition 1 $z_A = e^{i\frac{\pi}{4}}$.

Proposition 2 L'affixe du point B est $z_B = \dfrac{3}{2}$.

Proposition 3 L'affixe du point E est $z_E = (1 + \sqrt{2}) + i$.

Proposition 4 $OE = 2\sqrt{2}$.

D'après concours FESIC 2017

142 Nombres complexes et géométrie (2) (MPSI) (PCSI)

Soit x un réel strictement positif. On considère les points A, B et C d'affixes respectives $z_A = 1 - xi$, $z_B = 2i$ et $z_C = -2$.
1. Donner les distances AB et AC en fonction de x.
2. Pour quelle valeur de x le triangle ABC est-il isocèle en A ? Justifier.
3. Le triangle ABC peut-il être équilatéral ? Justifier.
4. Soit D le point tel que ABCD est un parallélogramme. Déterminer en fonction de x, l'affixe z_D du point D. Justifier.

D'après concours d'entrée ENI-GEIPI 2018

143 Résolution d'équation

Soit $n \in \mathbb{N}$. Résoudre l'équation $z^n = \overline{z}$.

144 Suite de nombres complexes (MPSI) (PCSI)

Pour tout entier naturel n non nul, on considère les points M_n d'affixe $z_n = e^{\frac{2n\pi i}{3}}$.

Choisir la (les) bonne(s) réponse(s).
a Les points O, M_1 et M_{20} sont alignés.
b Les points O, M_6 et M_9 sont alignés.
c Le triangle OM_1M_{20}, s'il existe, est équilatéral.
d Le triangle OM_6M_9, s'il existe, est équilatéral.

D'après concours techniciens supérieurs de l'aviation 2017

145 Somme des racines n-ièmes de l'unité

Soit n un entier naturel supérieur ou égal à 1.

On note $\omega = e^{\frac{2i\pi}{n}}$. Soit $S_n = \displaystyle\sum_{k=0}^{n-1} \omega^k$.

1. Si $n = 1$, déterminer S_n en fonction de n.
2. Si $n \geqslant 2$, exprimer $S_n - S_n\omega$ en fonction de ω et n, puis en déduire la valeur de S_n.

146 Produit des racines n-ièmes de l'unité

Soit n un entier naturel supérieur ou égal à 1.

On note $\omega = e^{\frac{2i\pi}{n}}$.

Soit $P_n = \displaystyle\prod_{k=0}^{n-1} \omega^k$ (le symbole $\prod$ signifie produit).
Déterminer l'expression de P_n en fonction de n.

147 Racines n-ièmes d'un nombre complexe

Soit a un nombre complexe. On appelle racine n-ième de a un nombre complexe z tel que $z^n = a$.
1. Si $a = 0$, déterminer les racines n-ième de a.
2. Si $a \neq 0$, posons $a = re^{i\theta}$.
Déterminer les racines n-ièmes de a.

 Coup de pouce On rappelle que deux nombres complexes sont égaux si, et seulement si, ils ont même module et même argument.

3. Applications.
a) Soit $a = 5 - i5\sqrt{3}$.
Déterminer les racines 4-ièmes de a.
b) Résoudre l'équation $z^3 = \sqrt{3} + i$.

148 Une fonction complexe

On définit la fonction f de $\mathbb{C}\backslash\{i\}$ dans $\mathbb{C}$ par $f(z) = \dfrac{z - 1}{z - i}$.

1. Démontrer que 1 n'a aucun antécédent par f.
2. Déterminer l'ensemble des points M d'affixe z tel que $f(z)$ est un nombre réel.
3. Déterminer l'ensemble des points M d'affixe z tel que $f(z)$ est un nombre imaginaire pur.
4. Déterminer l'ensemble des points M d'affixe z tel que $|f(z)| = 1$.

149 Triangle équilatéral

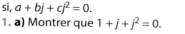

Coup de pouce On dit qu'un triangle équilatéral ABC est :
- direct si, et seulement si, $(\overrightarrow{AB}, \overrightarrow{AC}) = \dfrac{\pi}{3}[2\pi]$;
- indirect si, et seulement si, $(\overrightarrow{AB}, \overrightarrow{AC}) = -\dfrac{\pi}{3}[2\pi]$.

On considère trois points A, B et C d'affixes respectives a, b et c. On pose $j = e^{i\frac{2\pi}{3}}$.

On veut démontrer que ABC est un triangle équilatéral direct si, et seulement si, $a + bj + cj^2 = 0$.

Direct

1. a) Montrer que $1 + j + j^2 = 0$.

b) Montrer que $e^{i\frac{\pi}{3}} = -j^2$.

2. Montrer que ABC est un triangle équilatéral direct si, et seulement si, $\dfrac{c - a}{b - a} = -j^2$.

Indirect

3. En déduire que ABC est un triangle équilatéral direct si, et seulement si, $a + bj + cj^2 = 0$.

4. Démontrer que ABC est un triangle équilatéral si, et seulement si, $a^2 + b^2 + c^2 = ab + ac + bc$.

150 Inégalité triangulaire (1)　　**Démo**

Dans cet exercice, on veut démontrer que pour tous nombres complexes z et z' :
$|z + z'| \leqslant |z| + |z'|$.

1. On utilisant la relation $|z|^2 = z\overline{z}$, exprimer $|z + z'|^2$ en fonction de $|z|^2$, $|z'|^2$ et $2\mathrm{Re}(z\overline{z'})$.

2. Démontrer que pour tout nombre complexe z'', $\mathrm{Re}(z'') \leqslant |z''|$ et déterminer dans quel cas il y a égalité.

3. En déduire que $|z + z'|^2 \leqslant (|z| + |z'|)^2$.

4. En déduire que $|z + z'| \leqslant |z| + |z'|$.

5. a) Montrer que $|z + z'| = |z| + |z'| \Leftrightarrow z\overline{z'} \in \mathbb{R}^+$.

b) En déduire que $|z + z'| = |z| + |z'|$ si, et seulement si, il existe $\lambda \in \mathbb{R}^+$, tel que $z' = \lambda z$ ou $z = 0$.

6. Soit M le point d'affixe z et M' le point d'affixe $z + z'$.

a) Interpréter la relation $|z + z'| \leqslant |z| + |z'|$ en termes de distances.

b) Interpréter géométriquement le cas $|z + z'| = |z| + |z'|$.

151 Inégalité triangulaire (2)

Dans cet exercice, on veut démontrer que pour tous nombres complexes z et z' :
$$\left| |z| - |z'| \right| \leqslant |z - z'|.$$

1. En remarquant que $z = (z - z') + z'$ et $z' = (z' - z) + z$ et en utilisant l'inégalité triangulaire démontrée dans l'exercice précédent, démontrer que :

a) $|z| - |z'| \leqslant |z - z'|$

b) $|z'| - |z| \leqslant |z' - z|$

2. Conclure.

152 Transformation du plan

Soit M et M' deux points d'affixes respectives z et z'. Démontrer les propriétés suivantes.

a) M' est l'image de M par la translation de vecteur $\overrightarrow{w}$ d'affixe b si, et seulement si, $z' = z + b$.

b) Soit A le point d'affixe a.

M' est l'image de M par la symétrie centrale de centre A, si, et seulement si, $z' = -z + 2a$.

153 Exponentielle d'un nombre complexe

Pour tout nombre complexe $z = a + ib$, avec a et b deux réels, on pose $e^z = e^a \times e^{ib}$

1. Déterminer la forme algébrique de $e^{4+i\frac{\pi}{2}}$.

2. Déterminer le module et un argument de e^z.

3. Démontrer que pour tout nombre complexe z et z', $e^{z+z'} = e^z \times e^{z'}$.

4. Résoudre l'équation suivante : $e^z = -e$.

154 Formule d'addition

1. Démontrer que pour tous nombres réels p et q
$$e^{ip} + e^{iq} = 2e^{\frac{i(p+q)}{2}} \times \cos\left(\frac{p - q}{2}\right).$$

2. En déduire la formule suivante
$$\cos(p) + \cos(q) = 2\cos\left(\frac{p+q}{2}\right)\cos\left(\frac{p-q}{2}\right).$$

3. Avec raisonnement similaire, déterminer une formule analogue pour $\sin(p) + \sin(q)$.

155 Construction d'un pentagone régulier

Un logiciel de calcul formel nous donne :

1	`cos (2*pi/5)`
	$\dfrac{\sqrt{5} - 1}{4}$

Proposer un programme de construction à la règle et au compas d'un pentagone régulier inscrit dans le cercle de centre O et de rayon 1.

156 Transformation de Fourier discrète

La transformée de Fourier discrète est un outil mathématique utilisé en traitement du signal.

On pose $\omega = e^{i\frac{2\pi}{n}}$ avec $n \geqslant 2$ et on considère une séquence de n nombres complexes $(x_0 ; x_1 ; \ldots ; x_{n-1})$. La transformée de Fourier discrète de $(x_0 ; x_1 ; \ldots ; x_{n-1})$ est $(X_0 ; X_1 ; \ldots ; X_{n-1})$ avec $X_l = \sum_{k=0}^{n-1} x_k \times \omega^{-k \times l}$ pour $0 \leqslant l \leqslant n-1$,

1. Premier cas particulier : $n = 2$.
Déterminer la transformée de Fourier de $(x_0 ; x_1)$.

2. Deuxième cas particulier : $n = 3$.

a) Déterminer la transformée de Fourier de $(x_0 ; x_1 ; x_2)$.

b) En déduire la transformée de Fourier de $(1 ; 0 ; 1)$.

Travaux pratiques

1 Lieu de points

Le plan complexe est muni d'un repère orthonormé $(O\,;\vec{u}\,,\vec{v})$.
À tout point M d'affixe z, distinct de O, on associe le point M' d'affixe $f(z)$ tel que $f(z) = \dfrac{1}{z}$.
Le point M' est appelé l'image du point M et on notera z' son affixe.
On souhaite étudier l'ensemble des points M', lorsque M parcourt différents ensembles.

A ▶ Conjecture avec un logiciel de géométrie dynamique

1. On souhaite déterminer le lieu décrit par l'ensemble des points M' lorsque M décrit le cercle de centre O et de rayon 1
a) Ouvrir un logiciel de géométrie dynamique.
b) Créer un cercle de centre O et de rayon 1.
c) Créer un point M libre sur ce cercle.

d) Créer le point M' d'affixe $f(z) = \dfrac{1}{z}$.

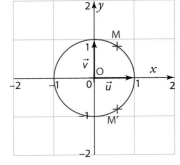

▶**Remarque :** Sur GeoGebra, x(M) correspond à l'abscisse de M, y(M) à l'ordonnée de M et pour créer le point A d'affixe z, on peut écrire A = z.

e) En activant la trace du point M', conclure.

2. Reprendre les questions précédentes, pour déterminer le lieu décrit par l'ensemble des points M' lorsque :
a) M décrit le cercle de centre O et de rayon 2.
b) M décrit le cercle de centre O et de rayon 0,5.
c) M décrit le cercle de centre A(1 ; 0) et de rayon 1.
d) M décrit la droite d'équation $y = 1$.

B ▶ Étude théorique

1. Déterminer les points invariants par f (c'est-à-dire les points M tels que M' = M).

2. Si M décrit le cercle de centre O et de rayon r, quel est l'ensemble décrit par les points M' ?
Démontrer ce résultat en utilisant les modules.

3. On veut démontrer la conjecture de la question **A ▶ 2. c)** .
a) Démontrer que $|z - 1| = 1$ si, et seulement si, $|z' - 1| = |z'|$.
b) Conclure.

4. On veut démontrer la conjecture de la question **A ▶ 2. d)** .

a) Démontrer que $|z - 2\mathrm{i}| = |z|$ si, et seulement si, $\left|z' + \dfrac{1}{2}\mathrm{i}\right| = \dfrac{1}{2}$.

b) Conclure.

5. En utilisant un raisonnement similaire aux questions **3.** et **4.**, déterminer l'ensemble décrit pas les points M', lorsque M décrit :
a) la droite d'équation $y = k$ avec $k \in \mathbb{R}$ et $k \neq 0$.
b) la droite d'équation $x = k$ avec $k \in \mathbb{R}$ et $k \neq 0$.
c) le cercle de centre B(k ; 0) et de rayon k avec $k \neq 0$.
d) le cercle de centre C(0 ; k) et de rayon k avec $k \neq 0$.

2 Ensembles de Julia, ensemble de Mandelbrot

Une fractale est un objet mathématique dont la structure est invariante par changement d'échelle.

Dans ce TP, nous allons étudier les ensembles de Julia, nommés en l'honneur de Gaston Julia (XXᵉ siècle), qui sont un exemple de fractales. Ces ensembles sont construits à partir de suites de nombres complexes de premier terme z_0 et définies par la relation de récurrence $z_{n+1} = z_n^2 + c$ avec c un nombre complexe. Ces suites peuvent soit être bornées, soit diverger selon la valeur de z_0.

Un ensemble de Julia rempli est l'ensemble des valeurs de z_0 pour lesquelles la suite est bornée.

Benoit Mandelbrot a décidé d'étudier l'ensemble des valeurs de c tels que l'ensemble de Julia n'ait pas explosé en de multiples morceaux. Cet ensemble s'appelle l'ensemble de Mandelbrot.

A ▶ Étude sur un tableur

On souhaite déterminer si un nombre complexe z_0 appartient à l'ensemble de Julia rempli.

On note (u_n) la suite définie pour tout entier naturel n par $u_n = |z_n|$.

1. Pour tout entier naturel n, on note $z_n = x_n + iy_n$ avec x_n et y_n deux réels.

Exprimer x_{n+1} et y_{n+1} en fonction de x_n et y_n.

2. Reproduire le tableau ci-contre dans un tableur. Les cases violettes seront remplies par l'utilisateur.

a) Quelle formule faut-il rentrer dans les cellules E2 et F2, pour obtenir la valeur qui sera rentrée dans les cellules B1 et B2 ?

	A	B	C	D	E	F	G
1	x_0			n	x_n	y_n	u_n
2	y_0			0			
3	Re(c)			1			
4	Im(c)			2			
5				3			

b) Déterminer les formules à rentrer dans les cellules E3, F3 et G2 pour obtenir par recopie vers le bas les valeurs de x_n, y_n et u_n.

3. On choisit $c = -1$. Déterminer deux valeurs de z_0 pour laquelle la suite (u_n) semble bornée et deux pour lesquelles elle ne semble pas bornée.

B ▶ Représentation graphique d'un ensemble de Julia

On souhaite représenter l'ensemble de Julia pour $c = -1$ à l'aide du programme **Python** ci-contre.

La fonction **Julia** a comme paramètre **P** (le nombre de valeurs de z_0 que l'on veut tester), et **N** le nombre maximal de termes de la suite (z_n) que l'on va calculer pour chaque valeur de z_0.

On admet que s'il existe un entier n_0 tel que $u_n > 2$, alors u_n n'est pas bornée.

Donc s'il existe un entier n_0 inférieur à N tel que $u_n > 2$, alors on n'affichera pas le point d'affixe z_0.

1. **random()** renvoie un nombre aléatoire entre 0 et 1. Que renvoie **random()*4-2** ?

2. Tester ce programme pour :

a) $P = 1000$ et $N = 100$ **b)** $P = 100000$ et $N = 100$

3. Modifier ce programme pour représenter l'ensemble de Julia lorsque : **a)** $c = 0,25$ **b)** $c = -0,12 + 0,74i$.

▶ **Remarque** En **Python**, i s'écrit 1j.

◉ PYTHON
Programme
lienmini.fr/maths-e02-09

```python
from random import*
from math import*
from pylab import*
def Julia(P,N):
    LX=[]
    LY=[]
    for i in range(P):
        z0=random()*4-2+1j*(random()*4-2)
        z=z0
        k=0
        while (abs(z)<2 and k<N):
            k=k+1
            z=z**2-1
        if k==N:
            LX.append(z0.real)
            LY.append(z0.imag)
    scatter(LX,LY)
    show()
```

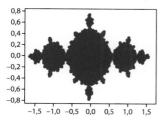

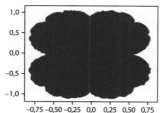

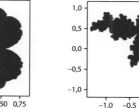

PARTIE 2

Arithmétique

Euclide
(vers 300 av. J.-C.)

Diophante d'Alexandrie
(vers IIᵉ siècle
ou IIIᵉ siècle)

Hypatie d'Alexandrie
(env. 360-415)

Claude-Gaspard Bachet
de Méziriac (1581-1638)

Vers 300 av. J-C, Euclide utilise pour la 1ʳᵉ fois la méthode de descente infinie, ancêtre du raisonnement par récurrence, dans ses *Éléments* en établissant l'existence d'un diviseur premier pour chaque nombre composé.
↳ Dicomaths **p. 238**

Sous l'Antiquité, Diophante d'Alexandrie étudie certaines équations de la forme $ax + by = c$ (avec a, b, c, x et y des entiers relatifs) dites équations diophantiennes.
↳ Dicomaths **p. 238**

Première femme mathématicienne connue, elle écrit un commentaire sur l'arithmétique de Diophante.
↳ Dicomaths **p. 239**

Au début du XVIIᵉ siècle, Bachet présente son algorithme d'Euclide étendu puis la première démonstration connue de ce qui deviendra le théorème de Bachet-Bézout.
↳ Dicomaths **p. 237**

Mon parcours au lycée

Dans les classes précédentes…
• J'ai étudié les ensembles de nombres et leurs propriétés.
• J'ai découvert les notions de diviseur, de multiple et de nombre premier.

En Terminale…
• Je vais approfondir mes connaissances sur l'arithmétique des entiers relatifs.
• Je vais comprendre le mécanisme de certains tests de primalité.

Pierre de Fermat (1607-1665)

Étienne Bézout (1730-1783)

Sophie Germain (1776-1831)

Robert Daniel Carmichaël (1879-1967)

Au XVIIe siècle, Mersenne, Descartes et Fermat ont de nombreux échanges épistolaires. Ce dernier énonce que les nombres de la forme $2^{2^n} + 1$ (avec $n \in \mathbb{N}$) dits nombres de Fermat sont tous premiers (réfuté plus tard par Euler).
↪ Dicomaths **p. 238**

Au XVIIIe siècle, Bézout généralise la démonstration du théorème de Bachet-Bézout et publie en 1779 sa *Théorie générale des équations algébriques*.
↪ Dicomaths **p. 237**

Au XIXe siècle, Sophie Germain étudie des nombres premiers portant son nom.
↪ Dicomaths **p. 239**

Les XXe et XXIe siècles voient l'essor de la théorie des nombres et de ses applications, notamment, le chiffrement RSA (Rivest, Shamir et Adleman) utilisés pour crypter des communications.
↪ Dicomaths **p. 237**

Domaines professionnels

- ✓ Un·e **responsable des achats** utilise l'optimisation linéaire pour mieux gérer les commandes.
- ✓ Un·e **spécialiste en télécommunications** développe des codes correcteurs d'erreurs.
- ✓ Un·e **cryptanalyste** se sert de différents chiffrements afin de décrypter un message, génère des nombres premiers aléatoires pour le système RSA.
- ✓ Un·e **directeur·trice** d'un établissement bancaire demande différents tests pour vérifier la sécurité de son système.
- ✓ Un·e **ingénieur(e) d'études** développe des logiciels ou des sites internet sécurisés.

3

Divisibilité, division euclidienne, congruence

▶ VIDÉO

Le numéro d'une carte de crédit
lienmini.fr/maths-e03-01

Pour vérifier le numéro d'une carte bancaire, on utilise un algorithme qui calcule les restes dans la division par 10 sur les 15 premiers chiffres. Le dernier chiffre, appelé la clé, permet de valider le numéro de la carte.

À l'aide d'une relation modulo 10, comment vérifier le numéro d'une carte bleue ? ↪ TP 3, p. 103

Pour prendre un bon départ

● EXO
Prérequis
lienmini.fr/maths-e03-02

Les rendez-vous
Sésamath

1 Diviser par 3 et 9

1. Quels sont, parmi les nombres suivants, ceux qui sont divisibles par 3 ? par 9 ?
a) 129 **b)** 567 **c)** 5 634 **d)** 21 573
2. Rappeler les règles de divisibilité par 3 et par 9.

2 Diviser par 6 et 18

1. Quels sont, parmi les nombres suivants, ceux qui sont divisibles par 6 ? par 18 ?
a) 456 **b)** 651 **c)** 558 **d)** 642 **e)** 1 516 **f)** 50 166
2. Donner un critère pour qu'un nombre soit divisible par 6 et par 18.

3 Calculer un reste

1. Trouver les restes des divisions suivantes mentalement.
a) 1 951 par 3 **b)** 1 945 par 9 **c)** 1 547 par 5 **d)** 2 132 par 4
2. Comment déterminer ces restes sans effectuer la division par 3, 9, 5 ou 4 ?
3. On divise un entier par 7. Soit r son reste. Quelles sont les valeurs que peut prendre r ?
4. On divise un entier par 23. On trouve 27 comme reste. Est-possible ? Pourquoi ?
5. On donne : $117 = 6 \times 17 + 15$.
a) Dans la division de 117 par 17, donner le dividende, le quotient et le reste.
b) Quel est le reste dans la division de 117 par 6 ?

4 Déterminer la parité d'une somme et d'un produit

1. Un nombre n est la somme de deux entiers a et b.
a) Quelles sont les parités de a et de b si n est pair ? Si n est impair ?
b) Énoncer une règle sur la parité de la somme de deux entiers.
2. Un nombre n est le produit de deux entiers a et b.
a) Quelles sont les parités de a et de b si n est pair ? Si n est impair ?
b) Énoncer une règle sur la parité du produit de deux entiers.

5 Déterminer la parité d'un carré

Un nombre n est le carré d'un entier a.
1. Quelle est la parité de a si n est pair ? Si n est impair ?
2. Énoncer une règle sur la parité d'un entier et de son carré.

6 Comprendre un algorithme en langage Python

Qu'affiche cet algorithme pour $f(1964)$?

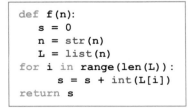

```python
def f(n):
    s = 0
    n = str(n)
    L = list(n)
for i in range(len(L)):
        s = s + int(L[i])
return s
```

Activités

1 Trouver et utiliser la liste des diviseurs d'un nombre

A ▶ Déterminer la liste des diviseurs

1. Déterminer la liste de tous les diviseurs de 54, 36 et 29.

2. Pourquoi un entier supérieur ou égal à 2 possède-t-il au moins deux diviseurs ?

3. a) Pourquoi, lorsque l'on connaît un diviseur, on en connaît un deuxième ?

b) En déduire que si le nombre n'est pas un carré, on obtient un nombre pair de diviseurs.

4. En utilisant les réponses aux questions précédentes, déterminer les 16 diviseurs de 120 et remplir le tableau ci-dessous.

Diviseurs	1	2						
Diviseurs	120	60						

B ▶ Utiliser la liste des diviseurs

1. Déterminer tous les diviseurs de 24.

2. En déduire tous les couples d'entiers $(x\,;y)$ tels que : $xy = 24$.

3. En vous inspirant des questions **1.** et **2.**, déterminer les couples d'entiers $(x\,;y)$ tels que : $(x-1)(y+1) = 27$.

↪ Cours 1 p. 82

2 Définir la division euclidienne

A ▶ Égalité associée à une division de deux entiers positifs

1. Poser la division de 528 par 14. Quel est le quotient ? Quel est le reste ?

2. Quelle égalité peut-on écrire suite à cette division ?

3. Parmi les égalités suivantes, déterminer celles qui représentent une division euclidienne par 5.
Pour celles que n'en sont pas, modifier l'égalité afin qu'elles le deviennent

a) $78 = 14 \times 5 + 8$ **b)** $116 = 23 \times 5 + 1$ **c)** $149 = 29 \times 5 + 4$ **d)** $153 = 31 \times 5 - 2$

4. Lorsqu'on divise un entier positif a par un autre b, quelle condition doit vérifier le reste ?

B ▶ Division d'un entier négatif par un entier naturel

1. Déterminer les deux entiers relatifs q et r tels que : $-500 = 7 \times q + r$ avec $0 \leqslant r < 7$.
Cette égalité représente la division euclidienne de -500 par 7. Les entiers q et r sont respectivement le quotient et le reste.

2. Poser la division de 735 par 11 puis donner, avec les contraintes de la question précédente, le quotient et le reste de la division de -735 par 11.

↪ Cours 2 p. 84

3 Travailler avec l'arithmétique modulaire

A ▶ Nombre modulo 7

On dit que deux nombres a et b sont en relation modulo 7 s'ils ont le même reste dans la division par 7.

1. Montrer que les paires de nombres suivantes sont en relation modulo 7.

a) 93 et 2   **b)** 158 et 221   **c)** 68 et (−2)   **d)** 289 et (−61)

2. Donner un entier $0 \leqslant a < 7$ et un entier $-7 \leqslant b < 0$ en relation modulo 7 avec les entiers suivants.

a) 24   **b)** −19   **c)** 47   **d)** −56   **e)** 151

B ▶ Problème de calendrier

1. Calculer le nombre n de jours séparant le 1er janvier 2019 et le 1er janvier 2040.

2. Le 1er janvier 2019 était un mardi.

a) Quel est le reste du nombre n par 7 ?

b) Quel est le jour de la semaine du 1er janvier 2040 ?

C ▶ Signe astral chez les Aztèques (modulo 20)

L'année de référence est soit 1997 soit 1917 (pour les personnes nées avant le 01/01/1997).
a : nombre d'années entre l'année de naissance et l'année de référence.
b : quotient dans la division de a par 4.
c : nombre de jours entre le 1er janvier de l'année de naissance et la date de naissance.

1. Déterminer le reste r dans la division par 20 de : $5a + b + c + 6$.

2. Découvrez votre signe aztèque !

01 - Crocodile	02 - Vent	03 - Maison	04 - Lézard	05 - Serpent	06 - Mort	07 - Chevreuil	08 - Lapin	09 - Eau	10 - Chien

1 1 - Singe	12 - Herbe	13 - Roseau	14 - Jaguar	15 - Aigle	16 - Vautour	17 - Mouvement	18 - Silex	19 - Pluie	20 - Fleur

D ▶ Relations sur les restes

1. On dit que deux nombres a et b sont en relation modulo 9 s'ils ont même reste dans la division par 9. On impose que : $-4 \leqslant b < 5$.
Déterminer pour chaque valeur de a l'entier b qui lui est associé dans la relation modulo 9.

a) $a = 11$ **b)** $a = 24$ **c)** $a = 62$ **d)** $a = 85$ **e)** $a = -12$ **f)** $a = 32$

2. Soit $a \geqslant 100$ un entier naturel. On pose : $a = 100b + c$ avec b et c entiers naturels tels que $0 \leqslant c < 100$. On note r le reste de la division de c par 4.

a) Quel est le reste dans la division euclidienne de a par 4 ? Formuler un critère de divisibilité par 4.

b) Sans utiliser de calculatrice, justifier que 17 052 est divisible par 4, tandis que − 5 434 ne l'est pas.

3. a) Quel est le reste de la division par 11 de 23 et 35 ?

b) Quel est le reste de la division de 58 par 11 ? Que constate-t-on ?

c) Effectuer à la main la multiplication 23×35 puis déterminer son reste. Que constate-t-on ?

d) Compléter les phrases suivantes : « Dans la division par 11, le reste de la somme est …. » ;
« Dans la division par 11 le reste du produit est …. ».

↳ Cours 3 p. 86

Cours

1 Divisibilité dans $\mathbb{Z}$

Définition Arithmétique

L'arithmétique est l'étude des entiers naturels ou relatifs et de leur rapport.
$\mathbb{N}$ est l'ensemble des **entiers naturels** : 0, 1, 2, 3, …
$\mathbb{Z}$ est l'ensemble des **entiers relatifs** : …, -2, -1, 0, 1, 2, …

Propriétés Axiomes dans $\mathbb{N}$

- **Principe du bon ordre** : toute partie de $\mathbb{N}$ non vide admet un plus petit élément.
- **Principe de la descente infinie** : toute suite dans $\mathbb{N}$ strictement décroissante est finie.
- **Principe des tiroirs** : si l'on range $(n + 1)$ chaussettes dans n tiroirs, alors un tiroir contiendra au moins deux chaussettes.

Exemple

Dans la division par 7 d'un entier non multiple de 7, les restes possibles sont 1, 2, 3, 4, 5 et 6, on est alors sûr qu'à partir de la 7ᵉ division, donnant la 7ᵉ décimale, on obtiendra un reste déjà obtenu (principe des tiroirs).
Par exemple la partie décimale de : $\dfrac{22}{7} = 3{,}142857\,142857\ldots$ est périodique.

Définition Divisibilité dans $\mathbb{Z}$

Soit a et b deux entiers relatifs.
On dit que b divise a, noté $b|a$ si, et seulement si, il existe un entier relatif k tel que : $a = kb$.

▶ **Remarque**

Autres formulations : « b est un diviseur de a », « a est divisible par b », « a est un multiple de b ».

Exemples

- $15 = 3 \times 5$ donc 3 et 5 sont des diviseurs de 15. Les diviseurs dans $\mathbb{N}$ de 15 sont : 1, 3, 5, 15.
- $-45 = (-5) \times 9$ donc -5 et 9 sont des diviseurs de -45.
Les diviseurs de (-45) dans $\mathbb{Z}$ sont : -45, -15, -9, -5, -3, -1, 1, 3, 5, 9, 15, 45.

Propriétés Multiples et diviseurs

- 0 est multiple de tout entier a car $0 = 0 \times a$.
- 1 divise tout entier a car $a = 1 \times a$.
- Si a est un multiple de b et si $a \neq 0$, alors $|a| \geqslant |b|$.
- Si a divise b et b divise a avec a et b non nuls, alors $a = b$ ou $a = -b$.

Théorème Opérations sur les multiples

Soit a, b, c trois entiers relatifs.
Si a divise b et c, alors a divise toute combinaison linéaire de b et c soit : $(\alpha b + \beta c)$ avec α et β entiers relatifs

Démonstration

Si a divise b et c, il existe deux entiers relatifs k et k' tels que : $b = ka$ et $c = k'a$.
On a alors pour tous entiers relatifs α et β : $\alpha b + \beta c = (\alpha k + \beta k')a$, donc a divise $\alpha b + \beta c$.

Exemple

Soit k un entier naturel, on pose $a = 9k + 2$ et $b = 12k + 1$. Pour déterminer une condition sur les diviseurs communs positifs à a et b, on cherche à éliminer k par une combinaison linéaire de a et b, en considérant 36 comme multiple commun à 9 et 12 : $4a - 3b = 4(9k + 2) - 3(12k + 1) = 36k + 8 - 36k - 3 = 5$.
Un diviseur commun positif à a et b doit diviser 5, ce diviseur ne peut être que 1 ou 5.

EXOS
Méthodes
lienmini.fr/maths-e03-03

Les rendez-vous
Sésamath

Exercices (résolus)

Méthode 1 — Résoudre une équation

Énoncé

Déterminer tous les couples d'entiers naturels $(x\,;y)$ tels que : $x^2 = 2xy + 15$.

Solution

Isolons les inconnues x et y puis factorisons par x :

$x^2 - 2xy = 15 \Leftrightarrow x(x - 2y) = 15.$

On détermine les diviseurs positifs de 15 : $D_{15} = \{1\,;3\,;5\,;15\}$. **2**

Comme x et y sont positifs : $x > x - 2y$ et on a les décompositions :

$$\begin{cases} x = 15 \\ x - 2y = 1 \end{cases} \text{ou} \begin{cases} x = 5 \\ x - 2y = 3 \end{cases}$$

On trouve alors :

$$\begin{cases} x = 15 \\ y = \dfrac{x-1}{2} = 7 \end{cases} \text{ou} \begin{cases} x = 5 \\ y = \dfrac{x-3}{2} = 1 \end{cases}$$

On obtient les couples solutions : $(15\,;7)$ et $(5\,;1)$.

Conseils & Méthodes

1 La résolution d'équations à solutions entières n'utilise pas les mêmes méthodes que dans $\mathbb{R}$: pour utiliser la divisibilité on cherche à factoriser.

2 Les diviseurs ne peuvent être que les facteurs d'une décomposition de 15.

À vous de jouer !

1 Déterminer les couples $(x\,;y)$ d'entiers naturels qui vérifient les équations suivantes.
a) $x^2 = y^2 + 21$ **b)** $x^2 - 7xy = 17$

2 Déterminer les entiers relatifs n qui vérifient :
a) $n^2 + n = 20$ **b)** $n^2 + 2n = 35$

➜ Exercices 36 à 52 p. 92

Méthode 2 — Utiliser la divisibilité

Énoncé

Déterminer tous les entiers relatifs n tels que $(n - 3)$ divise $(n + 5)$.

Solution

$(n - 3)$ divise $(n + 5)$ donc il existe un entier relatif k tel que : $n + 5 = k(n - 3)$. **1**

Comme $5 = -3 + 8$, on obtient : $(n - 3) + 8 = k(n - 3)$.

On factorise par $(n - 3)$: $(n - 3)(k - 1) = 8$. **2**

$(n - 3)$ est alors un diviseur de 8.

Les diviseurs de 8 dans $\mathbb{Z}$ sont : **3**

$D_8 = \{-8\,;-4\,;-2\,;-1\,;1\,;2\,;4\,;8\}$.

Rassemblons les solutions dans un tableau

$n - 3$	-8	-4	-2	-1	1	2	4	8
n	-5	-1	1	2	4	5	7	11

Conseils & Méthodes

1 Traduire l'énoncé avec une égalité.

2 Factoriser l'égalité pour utiliser les diviseurs de 8.

3 Les diviseurs sont à chercher dans $\mathbb{Z}$: ne pas oublier les diviseurs négatifs !

À vous de jouer !

3 Déterminer les entiers relatifs n tels que :
a) $n + 3$ divise $n + 10$.
b) $n + 1$ divise $3n - 4$.

4 **1.** Démontrer que $(n - 4)$ divise $(n + 17)$ équivaut à $(n - 4)$ divise 21.
2. Déterminer alors toutes les valeurs de $n > 4$ telles que $\dfrac{n + 17}{n - 4}$ soit un entier.

➜ Exercices 36 à 52 p. 92

2 Division euclidienne

Définition   Division euclidienne dans $\mathbb{Z}$

Soit a un entier relatif et b un entier naturel non nul.

On appelle **division euclidienne** de a par b l'opération qui, au couple (a, b), associe l'unique couple d'entiers relatifs $(q ; r)$ tel que :

$$a = bq + r \text{ avec } 0 \leqslant r < b.$$

a est le **dividende**,
b est le **diviseur**,
q est le **quotient**,
r est le **reste**.

● **Démonstration**

① Montrons l'**existence** du couple (q, r) pour $a \in \mathbb{Z}$ et $b \in \mathbb{N}^*$.

● Pour $a \geqslant 0$.

Soit E l'ensemble des entiers e tels que $be > a$.

E n'est pas vide : en effet $b \geqslant 1 \overset{\times(a+1)}{\Rightarrow} b(a+1) \geqslant a+1 \Rightarrow b(a+1) > a \Rightarrow (a+1) \in E$.

E est une partie non vide de $\mathbb{N}$ donc E admet un plus petit élément m tel que $bm > a$ et $b(m-1) \leqslant a$.

On pose alors $q = m - 1$, on a alors : $bq \leqslant a < b(q+1) \overset{-bq}{\Rightarrow} 0 \leqslant a - bq < b$.

En posant $r = a - bq$ on alors : $a = bq + r$ avec $0 \leqslant r < b$.

Il existe donc un couple $(q ; r)$ tel que :

$$a = bq + r \text{ avec } 0 \leqslant r < b.$$

● Pour $a < 0$.

On pose $a' = a(1 - b)$, comme $b \geqslant 1 \overset{\times(-1)}{\Rightarrow} -b \leqslant -1 \overset{+1}{\Rightarrow} 1 - b \leqslant 0$

On a alors $a(1 - b) \geqslant 0$ soit $a' \geqslant 0$, on peut alors utiliser le cas où $a \geqslant 0$ avec a' et b.

Il existe un couple $(q' ; r)$ tel que : $a' = bq' + r$ avec $0 \leqslant r < b$.

En revenant à a, on a alors : $a(1 - b) = bq' + r \Rightarrow a - ab = bq' + r \Rightarrow a = b(q' + a) + r$.

En posant $q = q' + a$, on obtient alors :

$$a = bq + r \text{ avec } 0 \leqslant r < b.$$

② Montrons l'**unicité** du couple $(q ; r)$.

On suppose qu'il existe deux couples $(q ; r)$ et $(q' ; r')$ tels que :

$a = bq + r = bq' + r'$ avec $0 \leqslant r < b$ et $0 \leqslant r' < b$.

$bq + r = bq' + r' \Leftrightarrow b(q - q') = r' - r$ avec $-b < r' - r < b$.

b divise alors $(r' - r)$ qui est compris strictement entre $-b$ et b donc $r' - r = 0$ d'où $r' = r$

Cela entraîne alors $q' = q$. Le couple $(q ; r)$ est unique.

▶ **Remarques**

● La condition $0 \leqslant r < b$ assure l'unicité du couple $(q ; r)$.

● Les restes possibles dans la division par 7 sont alors : 0, 1, 2, 3, 4, 5, 6.

● **Exemples**

● La division de 114 par 8 donne : $114 = 8 \times 14 + 2$.

● La division de -114 par 8 donne : $-114 = 8 \times (-15) + 6$.

$$\begin{array}{r|l} 114 & 8 \\ \hline 2 & 14 \end{array}$$

En effet : $114 = 8 \times 14 + 2 \Leftrightarrow -114 = 8 \times (-14) - 2$

$$\Leftrightarrow -114 = 8 \times (-14) - 8 + 6$$

$$= 8 \times (-15) + 6.$$

● EXOS
Méthodes
lienmini.fr/maths-e03-03

Les rendez-vous
Sésamath

Exercices résolus

Méthode 3 Manipuler la division euclidienne

Énoncé

1. Trouver tous les entiers n dont le quotient dans la division euclidienne par 5 donne un quotient égal à trois fois le reste.

2. Lorsqu'on divise a par b, le reste est 8 et lorsqu'on divise $2a$ par b, le reste est 5. Déterminer ce diviseur b.

3. Montrer qu'un nombre pair n non divisible par 4 est tel que son reste dans la division par 4 est 2.

4. On divise 439 par b : le quotient est 13. Quels peuvent être le diviseur et le reste r ?

Solution

1. $n = 5q + r$ avec $0 \leqslant r < 5$ **1**

$q = 3r$ donc $n = 15r + r = 16r$ **2**

r	0	1	2	3	4
n	0	16	32	48	64

3

2. On note q et q' les quotients respectifs des divisions par b :

$\begin{cases} a = bq + 8 \quad b > 8 \\ 2a = bq' + 5 \quad b > 5 \end{cases}$ **4**

En multipliant la première équation par 2 et en soustrayant terme à terme, on trouve :

$2bq + 16 - bq' - 5 = 0 \Leftrightarrow b(2q - q') = -11$ **5**

b est donc un diviseur de -11 supérieur à 8,
on en conclut alors que : $b = 11$. **6**

3. Les restes r possibles dans la division par 4 sont : 0, 1, 2 et 3. **7**

n est pair, il existe $k \in \mathbb{Z}$ tel que $n = 2k$.

La division de $n = 2k$ par 4 donne : $2k = 4q + r \Leftrightarrow r = 2(k - 2q)$.

2 divise r donc les seuls restes possibles sont 0 ou 2.

n n'étant pas divisible par 4 son reste ne peut être nul. Par conséquent le seul reste possible est 2.

Un nombre pair non divisible par 4 admet 2 comme reste dans la division par 4.

4. $13b \leqslant 439$ donc $b \leqslant \dfrac{439}{13}$ et $14b > 439$ donc $b > \dfrac{439}{14}$ on a alors $\dfrac{439}{14} < b \leqslant \dfrac{439}{13}$ d'où $31,35 < b \leqslant 33,77$. **8**

Deux valeurs de b sont possibles : $b_1 = 32$ ou $b_2 = 33$.

Ce qui donne pour reste $r_1 = 439 - 32 \times 13 = 23$ ou $r_2 = 439 - 33 \times 13 = 10$.

Conseils & Méthodes

1 Ne pas oublier la condition sur le reste.

2 Exprimer n en fonction du reste r.

3 Les restes possibles dans la division par 5 sont : 0, 1, 2, 3, 4.

4 Ne pas oublier la condition sur le diviseur b qui doit être inférieur au reste.

5 On ne cherche pas a donc on cherche à l'éliminer.

6 La condition sur b permet de conclure.

7 Analyser tous les cas de figure.

8 Lorsqu'on divise 439 par b, il y va 13 fois mais pas 14.

À vous de jouer !

5 Trouver les entiers naturels n qui, dans la division euclidienne par 4, donnent un quotient égal au reste.

6 Dans la division euclidienne par un entier b, un nombre a a pour quotient 15 et pour reste 51.
a) Est-ce possible ?
b) Si oui, donner le plus petit nombre b possible. Si non expliquer pourquoi.

7 Quel est le reste d'un entier impair n multiple de 3 dans la division par 6 ?

8 Trouver un entier naturel qui, dans la division euclidienne par 23, a pour reste 1 et, dans la division euclidienne par 17, a le même quotient et pour reste 13.

9 Dans la division euclidienne entre deux entiers positifs, le dividende est 857 et le quotient 32. Quels peuvent être le diviseur et le reste r ?

↳ Exercices 53 à 61 p. 92

Cours

3 Congruence

Définition Entiers congrus à n

Soit n un entier naturel ($n \geqslant 2$), a et b deux entiers relatifs.
On dit que les entiers a et b sont **congrus modulo n** si, et seulement si, a et b ont le même reste dans la division par n. On note alors : $a \equiv b \bmod n$ ou $a \equiv b \ (n)$ ou $a \equiv b \ [n]$.

● Exemples

① $57 \equiv 15 \ (7)$ car $57 = 7 \times 8 + 1$ et $15 = 7 \times 2 + 1$.   ② $41 \equiv -4 \ (9)$ car $41 = 9 \times 4 + 5$ et $-4 = 9 \times (-1) + 5$.

▶ **Remarques**

- Un nombre est congru à son reste dans la division par n : $2\,019 \equiv 9 \ (10)$, $17 \equiv 1 \ (4)$.
- La parité s'exprime par : $x \equiv 0 \ (2)$ si x est pair et $x \equiv 1 \ (2)$ si x est impair.
- n est un diviseur de a si, et seulement si, $a \equiv 0 \ (n)$.

Propriété Relation d'équivalence

La congruence est une relation d'équivalence, c'est-à-dire que pour tous entiers a, b, c on a :
① $a \equiv a \ (n)$ (réflexivité),
② $a \equiv b \ (n) \Rightarrow b \equiv a \ (n)$ (symétrie),
③ $a \equiv b \ (n)$ et $b \equiv c \ (n) \Rightarrow a \equiv c \ (n)$ (transitivité).

Théorème Multiples

Soit n un entier naturel ($n \geqslant 2$), a et b deux entiers relatifs : $a \equiv b \ (n) \Leftrightarrow a - b \equiv 0 \ (n)$.

● Démonstration

On démontre l'équivalence par double implication.
- $a \equiv b \ (n)$, il existe alors deux entiers relatifs q et q' tels que : $\begin{cases} a = nq + r \\ b = nq' + r \end{cases}$ avec $0 \leqslant r < n$.

Par soustraction terme à terme $a - b = n(q - q')$ donc $(a - b)$ est multiple de n d'où $a - b \equiv 0 \ (n)$.
- Réciproquement, $a - b \equiv 0 \ (n)$ donc il existe un entier relatif k tel que : $a - b = kn$ (Éq. 1).
La division euclidienne de a par n donne : $a = nq + r$ avec $0 \leqslant r < n$ (Éq. 2).
(Éq. 2) dans (Éq. 1) donne : $nq + r - b = kn \Leftrightarrow -b = kn - nq - r \Leftrightarrow b = (q - k)n + r$.

Théorème Compatibilité

Soit n un entier naturel ($n \geqslant 2$) et a, b, c, d des entiers relatifs vérifiant : $a \equiv b \ (n)$ et $c \equiv d \ (n)$.
La relation de congruence est compatible avec :
① l'addition : $a + c \equiv b + d \ (n)$,
② la multiplication : $ac \equiv bd \ (n)$,
③ avec les puissances : $a^k \equiv b^k \ (n)$ avec $k \in \mathbb{N}$.

● Démonstrations

① et ② ↪ Apprendre à démontrer p. 90

● Exemples

- $22 + 37 \equiv 1 + 2 \ (7) \Leftrightarrow 59 \equiv 3 \ (7)$
- $22 \times 37 \equiv 1 \times 2 \ (7) \Leftrightarrow 814 \equiv 3 \ (7)$
- $22^{50} \equiv 1^{50} \ (7) \Leftrightarrow 22^{50} \equiv 1 \ (7)$ et $39^3 \equiv 2^3 \ (7) \Leftrightarrow 39^3 \equiv 8 \equiv 1 \ (7)$

● EXOS
Méthodes
lienmini.fr/maths-e03-03

Les rendez-vous
Sésamath

Exercices (résolus)

Méthode 4 Utiliser la congruence

Énoncé

Montrer que, pour tout entier naturel n, $3^{n+3} - 4^{4n+2}$ est divisible par 11.

Solution

$3^{n+3} = 3^n \times 3^3$ et $4^{4n+2} = (4^4)^n \times 4^2$ **1**

$3^3 = 27 = 11 \times 2 + 5$ donc $3^3 \equiv 5 \ (11)$

$4^2 = 16 = 11 \times 1 + 5$ donc $4^2 \equiv 5 \ (11)$ **2**

$4^4 = (4^2)^2$ donc $4^4 \equiv 5^2 \equiv 25 \equiv 3 \ (11)$

On a : $\begin{cases} 3^{n+3} \equiv 3^n \times 5 \ (11) \\ 4^{4n+2} \equiv 3^n \times 5 \ (11) \end{cases} \Leftrightarrow 3^{n+3} - 4^{4n+2} \equiv 0 \ (11)$ **3**

Pour tout entier n, $3^{n+3} - 4^{4n+2}$ est divisible par 11.

Conseils & Méthodes

1 Penser aux congruences : si un nombre est divisible par 11, il est congru à 0 modulo 11.

2 On cherche deux puissances de 3 et de 4 congrues modulo 11

3 Penser à la compatibilité.

À vous de jouer !

10 En remarquant que $25 \equiv -1 \ (13)$, montrer que pour tout entier naturel n, $5^{4n} - 1$ est divisible par 13.

11 À l'aide des congruences, déterminer le chiffre des unités dans l'écriture décimale de $3^{2\,021}$.

↳ Exercices 62 à 74 p. 93

Méthode 5 Utiliser un tableau de congruence

Énoncé

Déterminer les restes possibles de la division de n^2 par 7 suivant les valeurs de l'entier relatif n.

En déduire les solutions de $n^2 \equiv 2 \ (7)$.

Solution

On construit le tableau suivant : **1**

Reste de la division de n par 7	0	1	2	3	4	5	6
Reste de la division de n^2 par 7	0	1	4	2	2	4	1

Par exemple si $n \equiv 3 \ (7)$, alors $n^2 \equiv 9 \equiv 2 \ (7)$.

Les restes possibles sont : 0, 1, 2, 4.

Si $n^2 \equiv 2 \ (7)$ le reste de n^2 par 7 est 2 ce qui est possible si le reste de n par 7 est 3 ou 4. **2**

Les solutions sont : $n \equiv 3 \ (7)$ ou $n \equiv 4 \ (7)$.

● **Remarque** Dans toute la suite, on notera $n \equiv \dots \ (7)$ pour « Reste de la division de n par 7 ».

Conseils & Méthodes

1 La méthode est exhaustive : c'est la disjonction des cas.
Restes possibles dans la division par 7 : 0, 1, 2, 3, 4, 5, 6.
On détermine ensuite les restes possibles de n^2 dans la division par 7.

2 À l'aide du tableau de congruence, résoudre l'équation.

À vous de jouer !

12 Déterminer les restes possibles dans la division de n^2 par 8 suivant les valeurs de l'entier relatifs n.
Résoudre alors l'équation $(n + 3)^2 - 1 \equiv 0 \ (8)$.

13 **1.** Déterminer les restes possibles dans la division de $4x$ par 9 suivant les valeurs de l'entier relatifs x.
2. Résoudre alors : $4x \equiv 5 \ (9)$.

↳ Exercices 62 à 74 p. 93

Exercices (résolus)

 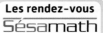

Méthode 6 — Déterminer une série de restes

↪ Cours 3 p. 86

Énoncé

1. Soit n un entier naturel. Déterminer, suivant les valeurs de n, les restes possibles de 3^n dans la division par 11.

2. En déduire les valeurs de n pour lesquelles $3^n + 7$ est divisible par 11.

3. En déduire que $135^{2\,021} \equiv 3 \; (11)$.

Solution

1. On établit la série des restes possible de 3^n par 11. **1**

$3^0 \equiv 1 \; (11)$

$3^1 \equiv 3 \; (11)$

$3^2 \equiv 9 \; (11)$

$3^3 \equiv 27 \equiv 5 \; (11)$

$3^4 \equiv 3 \times 5 \equiv 4 \; (11)$

$3^5 \equiv 3 \times 4 \equiv 1 \; (11)$. **2**

La série des restes est 1, 3, 9, 5, 4, soit une période de 5.

On divise n par 5 : $n = 5q + r$ avec $0 \leqslant r < 5$, on a alors : **3**

$3^n = 3^{5q+r} = 3^{5q} \times 3^r = (3^5)^q \times 3^r$ comme $3^5 \equiv 1 \; (11)$.

Pour tout $n \in \mathbb{N}$, $3^n \equiv 1^q \times 3^r \equiv 3^r \; (11)$.

Résumons ce résultat dans un tableau :

$n \equiv \dots (5)$	0	1	2	3	4
$3^n \equiv \dots (11)$	1	3	9	5	4

4

2. $(3^n + 7)$ est divisible par 11 si, et seulement si :

$3^n + 7 \equiv 0 \; (11) \Leftrightarrow 3^n \equiv -7 \equiv 11 - 7 \equiv 4 \; (11)$.

D'après le tableau : $3^n \equiv 4 \; (11) \Leftrightarrow n \equiv 4 \; (5)$. **5**

Conclusion : $3^n + 7$ est divisible par 11 si 4 est le reste de la division de n par 5.

3. On a $135 \equiv 3 \; (11)$ car $135 = 11 \times 12 + 3$ et $2\,021 \equiv 1 \; (5)$ car $2\,021 = 5 \times 404 + 1$. **6**

D'après les règles de compatibilité et du tableau : $135^{2\,021} \equiv 3^{2\,021} \equiv 3^1 \equiv 3 \; (11)$.

Conseils & Méthodes

1 D'après le principe des tiroirs, les restes possibles dans la division de 3^n par 11 obéissent à une série.

2 Déterminer les restes pour $n = 0$, $n = 1$, … jusqu'à obtenir un reste déjà obtenu.

3 On traite le cas général avec $n \in \mathbb{N}$.

4 Remplir un tableau donnant les restes de 3^n suivant les valeurs de n.

5 Résoudre l'équation demandée à l'aide du tableau.

6 Pour utiliser le tableau des puissances de 3, chercher les restes du nombre dans la division par 11 et de la puissance dans la division par 5.

À vous de jouer !

14 **1.** Déterminer, suivant les valeurs de n, les restes possibles de 2^n dans la division par 9.
2. En déduire les entiers n tels que $2^n - 1$ est divisible par 9.

15 **1.** Déterminer, suivant les valeurs de n, les restes possibles de 7^n dans la division par 10.
2. En déduire les entiers n tels que $7^n - 1$ est divisible par 10.
3. En déduire le chiffre des unités de 7^{98}.

16 **1.** Déterminer, suivant les valeurs de n, les restes possibles de 5^n dans la division par 9.
2. En déduire les entiers n tels que $5^n - 1$ est divisible par 9.
3. En déduire que $212^{2\,020} \equiv 4 \; (9)$.

17 **1.** Déterminer, suivant les valeurs de n, les restes possibles de 3^n dans la division par 7.
2. En déduire les entiers n tels que $3^n - 6$ est divisible par 7.
3. En déduire que $164^{2\,021} \equiv 5 \; (7)$.

↪ Exercices 75 à 79 p. 94

EXOS
Méthodes
lienmini.fr/maths-e03-03

Les rendez-vous
Sésamath

Exercices résolus

Méthode 7 — Conjecturer un critère de divisibilité

↪ Cours 2 p. 84 et 3 p. 86

Énoncé

Cet exercice a pour but d'utiliser et de démontrer un critère de divisibilité par 7.

1. Donner tous les nombres entiers naturels à un et deux chiffres divisibles par 7.

2. Voici deux exemples mettant un œuvre une même procédure permettant de déterminer si un nombre entier naturel est divisible par 7 ou non.

• 574 est-il divisible par 7 ?	
57	4
−8	4 × 2
49	

49 est divisible par 7
donc 574 aussi

• 827 est-il divisible par 7 ?	
82	7
−14	7 × 2
68	

68 n'est pas divisible par 7
donc 827 non plus

À l'aide de cette procédure, dire si les nombres 406, 895 et 5 607 sont divisibles par 7.

3. Énoncer puis démontrer un critère simple de divisibilité par 7 lié à cette procédure.

Solution

1. Les multiples de 7 inférieurs à 100 sont :

0, 7, 14, 21, 28, 35, 42, 49, 56, 63, 70, 77, 84, 91, 98.

2. 406 est divisible par 7 **1**   895 n'est pas divisible par 7

40	6
−12	6 × 2
28	

89	5
−10	5 × 2
79	1

5 607 n'est pas divisible par 7 **2**

560	7
−14	7 × 2
546	1

54	6
−12	6 × 2
42	1

Conseils & Méthodes

1 Commencer par multiplier le chiffre des unités par 2.

2 On peut réitérer la procédure.

3 Traduire en termes de congruence le critère de divisibilité.

4 Penser à multiplier l'équation de façon à obtenir le reste souhaité. Attention, pas de division avec les congruences !

3. « Un nombre est divisible par 7 si, et seulement si, le nombre de ses dizaines diminué du double du chiffre de ses unités est divisible par 7 ». On peut réitérer le processus si nécessaire.

On effectue la division euclidienne de n par 10 soit : $n = 10a + b$ avec $0 \leqslant b < 10$.

Montrons $n \equiv 0\ (7) \Leftrightarrow a - 2b \equiv 0\ (7)$ par double implication : **3** et **4**

• $n \equiv 0\ (7) \Rightarrow 10a + b \equiv 0\ (7) \overset{\times(-2)}{\Rightarrow} -20a - 2b \equiv 0\ (7) \overset{-20 \equiv 1(7)}{\Rightarrow} a - 2b \equiv 0\ (7)$.

• $a - 2b \equiv 0\ (7) \overset{\times 10}{\Rightarrow} 10a - 20b \equiv 0\ (7) \overset{-20 \equiv 1(7)}{\Rightarrow} 10a + b \equiv 0\ (7) \Rightarrow n \equiv 0\ (7)$.

À vous de jouer !

18 Soit un entier naturel n tel que $n = 100a + b$ avec $a, b \in \mathbb{N}$ et $0 \leqslant b < 100$.

1. Prouver que n est divisible par 25 si, et seulement si, b est divisible par 25.

2. Énoncer en français un critère simple de divisibilité par 25.

19 Soit un entier naturel tel que : $n = 10a + b$ avec $a, b \in \mathbb{N}$ et $0 \leqslant b \leqslant 9$.

1. Établir la liste des multiples de 13 inférieurs à 100.

2. Montrer que : $n \equiv 0\ (13) \Leftrightarrow a + 4b \equiv 0\ (13)$.

3. Énoncer en français un critère simple de divisibilité par 13.

4. En déduire, sans calculatrice, les multiples de 13 parmi les entiers suivants : 676, 943, 4 652, 156 556.

↪ Exercices 80 à 83 p. 94

Exercices (apprendre à démontrer)

Compatibilité

Soit n un entier naturel ($n \geqslant 2$) et a, b, c, d des entiers relatifs vérifiant :
$a \equiv b$ (n) et $c \equiv d$ (n).

La relation de congruence est compatible avec l'addition : $a + c \equiv b + d$ (n)
et la multiplication : $ac \equiv bd$ (n).

◯ On démontre ces deux égalités en revenant à la définition de la congruence.

▶ Comprendre avant de rédiger

• On veut montrer, comme avec la relation d'égalité, qu'avec la relation de congruence on peut ajouter ou multiplier terme à terme deux relations.

• Les restes de 47 et 58 dans la division par 9 sont respectivement 2 et 4 alors les restes de leur somme et de leur produit sont respectivement 6 et 8 :

$$\begin{cases} 47 \equiv 2 \ (9) \\ 58 \equiv 4 \ (9) \end{cases} \Rightarrow 47 + 58 \equiv 6 \ (9) \text{ et } 47 \times 58 \equiv 8 \ (9).$$

▶ Rédiger

La démonstration rédigée

• Démontrons la compatibilité avec l'addition.

On a les équivalences suivantes ($k \in \mathbb{Z}$) :

Étape ❶
Deux nombres sont congrus modulo n si leur différence est un multiple de n.

→ $\begin{cases} a \equiv b \ (n) \\ c \equiv d \ (n) \end{cases} \Leftrightarrow \begin{cases} a - b \equiv 0 \ (n) \\ c - d \equiv 0 \ (n) \end{cases} \Leftrightarrow \begin{cases} a - b = kn \\ c - d = k'n \end{cases}$

Étape ❷
On peut additionner terme à terme deux égalités.

→ $(a - b) + (c - d) = (k + k')n \Leftrightarrow$
$(a + c) - (b + d) = (k + k')n$

Étape ❸
On revient alors à la relation de congruence.

→ $a + c \equiv b + d$ (n)

• Démontrons la compatibilité avec la multiplication.

On a les équivalences suivantes :

Étape ❹
Deux nombres sont congrus modulo n s'ils sont séparés d'un multiple de n.

→ $\begin{cases} a \equiv b \ (n) \\ c \equiv d \ (n) \end{cases} \Leftrightarrow \begin{cases} a = b + kn \\ c = d + k'n \end{cases}$

Étape ❺
On peut multiplier terme à terme deux égalités.

→ $ac = (b + kn)(d + k'n) = bd + n(k'b + kd + kk'n)$

Étape ❻
On revient ensuite à la relation de congruence.

→ $ac - bd = (k'b + kd + kk'n)n \Leftrightarrow ac - bd \equiv 0$ (n)
$\Leftrightarrow ac \equiv bd$ (n)

▶ Pour s'entraîner

Montrer la compatibilité de la congruence avec les puissances :

soit $n \geqslant 2$, pour tout $k \in \mathbb{N}$, $a \equiv b$ (n) $\Rightarrow a^k \equiv b^k$ (n).

◐ DIAPORAMA
Calculs et automatismes
lienmini.fr/maths-e03-04

Exercices — calculs et automatismes

20 Liste de diviseurs

Méthode Comment faire pour dresser, à l'aide d'un tableau, la liste des diviseurs positifs des entiers naturels a suivants ?
a) $a = 150$
b) $a = 230$

21 Nombre de diviseurs

Choisir la bonne réponse.
1. Le nombre de diviseurs positifs de 810 est :
a 16 **b** 18 **c** 20 **d** 22

2. Le nombre de diviseurs positifs de 252 est :
a 16 **b** 18 **c** 20 **d** 22

22 Diviseur d'un carré

L'affirmation suivante est-elle vraie ou fausse ?
Justifier.   V   F

Un carré parfait admet un nombre impair ☐ ☐
de diviseur.

23 Critère de divisibilité

À quelle condition un nombre est-il divisible par 6 ? par 18 ?

24 Divisibilité par le produit

Les affirmations suivantes sont-elle vraies
ou fausses ? Justifier.   V   F
a) Si un nombre est divisible par 6 et 9, ☐ ☐
alors ce nombre est divisible par 54.

b) Si un nombre est divisible par 9 et 14, ☐ ☐
alors ce nombre est divisible par 126.

25 Recherche de diviseurs communs

Soit k un entier naturel. On pose $a = 5k + 4$ et $b = 3k + 1$.
Méthode Comment faire pour déterminer les diviseurs communs possibles pour a et b par une combinaison linéaire ?

26 Division euclidienne

Dans chaque cas, écrire la division euclidienne de a par b.
a) $a = 193$ et $b = 16$
b) $a = 18$ et $b = 50$
c) $a = -20$ et $b = 7$
d) $a = -354$ et $b = 17$

27 Égalité et division euclidienne

L'affirmation suivante est-elle
vraie ou fausse ? Justifier.   V   F
L'égalité : $-37 = 5\,(-7) - 2$ correspond ☐ ☐
à la division euclidienne de -37 par 5.

28 Diviseur et division euclidienne

Dans la division euclidienne de deux entiers naturels, le dividende est 63 et le reste 17.
Donner toutes les valeurs possibles du quotient et du diviseur.

29 Restes possibles

Choisir la (les) bonne(s) réponse(s).
Dans une division euclidienne, le quotient d'un entier relatif x par 3 est 7.
Les valeurs de x possibles sont :
a 0, 1, 2 **b** 21 **c** 22 et 23 **d** 21, 22, 23

30 D'une division euclidienne à une autre

Choisir la (les) bonne(s) réponse(s).
Si l'on divise un entier a par 18, le reste est 13.
Le reste de la division de a par 6 est :
a 7 **b** 13 **c** 1 **d** on ne sait pas.

31 Recherche de deux entiers

La différence entre deux entiers naturels est 538. Si l'on divise l'un par l'autre, le quotient est 13 et le reste 34.
Quels sont ces deux entiers ?

32 Congruence

Pour chaque valeur de a donnée, trouver un entier relatif x tel que : $a \equiv x\,(7)$ et $-3 \leqslant x < 4$.
a) $a = 11$ **b)** $a = 24$
c) $a = 62$ **d)** $a = 85$
e) $a = -12$ **f)** $a = 32$
g) $a = 98$ **h)** $a = -47$

33 Déterminer un reste

Méthode Comment faire pour montrer que : $2^5 \equiv -1\,(11)$?
Quels sont alors les restes dans la division euclidienne par 11 de 13^{12} et $(-2)^{19}$?

34 Reste ou pas

Les affirmations suivantes sont-elle vraies
ou fausses ? Justifier.   V   F
a) $12^{15} \equiv 1\,(11)$ ☐ ☐

b) $77^{15} \equiv 1\,(13)$ ☐ ☐

c) $10^7 \equiv -1\,(9)$ ☐ ☐

d) $99^{100} \equiv 1\,(10)$ ☐ ☐

35 Divisibilité et congruence

L'affirmation suivante est-elle vraie ou fausse ?
Justifier.   V   F
$(6^n - 1)$ est divisible par 5. ☐ ☐

Exercices d'application

Résoudre une équation et utiliser la divisibilité

 Méthode **1** Méthode **2** p. 83

36 1. Dans un tableau, **Histoire des maths**
dresser la liste des diviseurs de 220.
2. Un diviseur propre d'un entier est un diviseur autre que lui-même. Vérifier que la somme des diviseurs propres de 220 est 284.
3. Déterminer les diviseurs propres de 284 puis en faire la somme.
4. Qu'observe-t-on ? On dit que 220 et 284 sont amiables.
Euler (1707-1783), mathématicien suisse, donna une liste de 61 paires de nombres amiables. On ne connaît aucune paire de nombres amiables de parité différente.

37 Un supermarché reçoit une livraison de bouteilles. Si l'on compte les bouteilles par 3, 5 ou 7, il en reste toujours 2.
Sachant que le nombre de bouteilles est compris entre 1 500 et 1 600, combien de bouteilles le supermarché a-t-il reçues ?

38 1. Donner la liste des diviseurs de 20 dans $\mathbb{N}$.
2. En déduire tous les couples d'entiers naturels $(x \, ; \, y)$ vérifiant :
$$4x^2 - y^2 = 20.$$

39 Déterminer les couples d'entiers naturels $(x \, ; \, y)$ vérifiant :
$$5x^2 - 7xy = 17.$$

40 Déterminer les entiers relatifs n tels que $(n - 4)$ divise $(3n - 17)$.

41 Pour quelles valeurs de l'entier naturel n a-t-on $(n + 8)$ divisible par n ?

42 Soit n un entier relatif. Pour quelles valeurs de n la fraction $\dfrac{6n + 12}{2n + 1}$ est-elle un entier relatif ?

43 Soit n un entier relatif. Pour quelles valeurs de n la fraction $\dfrac{9n - 4}{3n + 1}$ est-elle un entier relatif ?

44 Déterminer les valeurs de l'entier naturel n pour lesquelles $(n - 7)$ divise $(n^2 - n - 27)$.

45 1. Montrer que si un entier naturel d divise $(12n + 7)$ et $(3n + 1)$ alors, il divise 3.
2. En déduire que la fraction $\dfrac{12n + 7}{3n + 1}$ est irréductible.

46 Soit l'équation (E) : $xy - 5x - 5y - 7 = 0$.
1. Montrer que :
$$xy - 5x - 5y - 7 = 0 \Leftrightarrow (x - 5)(y - 5) = 32.$$
2. Déterminer les couples d'entiers naturels $(x \, ; \, y)$ qui vérifient (E).

47 Montrer que si n est un entier impair alors $(n^2 - 1)$ est divisible par 8.

48 Soit n un naturel. Démontrer que, quel que soit n, $3n^4 + 5n + 1$ est impair et en déduire que ce nombre n'est jamais divisible par $n(n + 1)$.

49 On pose : $a_n = n^5 - n$ avec $n \in \mathbb{N}$.
1. Montrer que a_n est pair.
2. Montrer que a_n est divisible par 3.
3. En utilisant les congruences modulo 5, démontrer que a_n est divisible par 5.
4. Pourquoi a_n est-il divisible par 30 ?

50 Démontrer par disjonction des cas **Démo** que pour tout naturel n, $n(n^2 + 5)$ est divisible par 3.

51 Montrer que, si l'on soustrait à un entier naturel strictement inférieur à 100 la somme de ses chiffres, alors le résultat est divisible par 9.

52 Soit n un entier naturel.
1. Démontrer que $(n + 1)$ divise $(n^2 + 5n + 4)$ et $(n^2 + 3n + 2)$.
2. Déterminer l'ensemble des valeurs de n pour lesquelles $3n^2 + 15n + 19$ est divisible par $(n + 1)$.
3. En déduire que pour tout n, $(3n^2 + 15n + 19)$ n'est pas divisible par $(n^2 + 3n + 2)$.

Manipuler la division euclidienne

Méthode **3** p. 85

53 On considère l'égalité suivante :
$$23 \times 51 + 35 = 1\ 208.$$
Sans effectuer de division, répondre aux questions suivantes.
1. Quels sont le quotient et le reste de la division de $-1\ 208$ par 51 ?
2. Quels sont le quotient et le reste de la division de $1\ 208$ par 23 ?

54 On considère l'égalité suivante :
$$842\ 270 = 3\ 251 \times 259 + 261.$$
Sans effectuer de division, répondre aux questions suivantes.
1. Quels sont le quotient et le reste de la division de $842\ 270$ par 259 ?
2. Quels sont le quotient et le reste de la division de $-842\ 270$ par 3 251 ?

55 Soit n et p sont deux entiers naturels. On sait que le reste dans la division euclidienne de n par 11 vaut 8 et que le reste dans la division euclidienne de p par 11 vaut 7.
Quel est le reste de $n + p$ dans la division euclidienne par 11 ?

56 Un entier naturel n est tel que si on le divise par 5 le reste vaut 3 et si on le divise par 6 le reste augmente de 1 et le quotient diminue de 1. Déterminer n.

57 La différence de deux entiers naturels est 885. Si l'on divise l'un par l'autre, le quotient est 29 et le reste 17. Quels sont ces entiers ?

58 On divise un entier naturel n par 152, puis par 147. Les quotients sont égaux et les restes respectifs sont 13 et 98. Déterminer n.

59 Dans la division euclidienne de 1 620 par un entier naturel b non nul, le quotient est 23 et le reste r. Déterminer les valeurs possibles pour b et r.

60 Si l'on divise A par 6, le reste est 4. Quels sont les restes possibles de la division de A par 18 ?

61 À la pointe ouest de l'île de Ré, se situe le grand phare des baleines. L'escalier qui mène au sommet a un nombre de marches compris entre 246 et 260.

Ted et Laure sont deux sportifs. Laure qui est plus jeune monte les marches 4 par 4 et à la fin il lui reste 1 marche. Ted, lui, monte les marches 3 par 3 et à la fin il lui reste 2 marches. Combien l'escalier compte-t-il de marches ?

Utiliser la congruence Méthode **4** Méthode **5** p. 87

62 Déterminer le reste de la division euclidienne de $(5^{3n} - 6^n)$ par 17 pour tout $n \in \mathbb{N}$.

63 Déterminer le reste de la division euclidienne de 39^{60} par 7.

64 Déterminer le reste de la division euclidienne de $2\,012^{2\,012}$ par 11.

65 Déterminer le reste de la division euclidienne de $(451 \times 6^{43} - 912)$ par 7.

66 Démontrer que 13 divise $(31^{26} + 5^{126})$.

67 Montrer que pour tout entier naturel n :
$(16^{2n+1} + 18^n)$ est divisible par 17.

68 Montrer que pour tout entier naturel n :
$(2^{4n+1} + 3^{4n+1})$ est divisible par 5.

69 **1.** Compléter cette table des restes dans la congruence modulo 4.

$x \equiv \dots$ (4)	0	1	2	3
$x^2 \equiv \dots$ (4)				

2. Prouver que l'équation $7x^2 - 4y^2 = 1$, d'inconnues x et y entiers relatifs, n'a pas de solution.
3. Résoudre dans $\mathbb{Z}$ l'équation $(x + 3)^2 \equiv 1$ (4).

70 Pour tout entier naturel n supérieur ou égal à 2, on pose $A(n) = n^4 + 1$.
1. Étudier la parité de l'entier $A(n)$.
2. Montrer que, quel que soit l'entier n, $A(n)$ n'est pas un multiple de 3.
3. Montrer que, pour tout entier d diviseur de $A(n) : n^8 \equiv 1$ (d).

71 La proposition suivante est-elle vraie ou fausse ? Justifier.
« Si $ab \equiv 0$ (6) alors $a \equiv 0$ (6) ou $b \equiv 0$ (6). »

72 La proposition suivante est-elle vraie ou fausse ? Justifier.
« Si $2x \equiv 4$ (12) alors $x \equiv 2$ (12). »

73 On veut montrer que l'équation (E) : $11x^2 - 7y^2 = 5$ n'a pas de solution entière.
1. On suppose qu'il existe une solution $(x \, ; y)$.
En raisonnant modulo 5, montrer que l'équation (E) peut se mettre sous la forme : $x^2 \equiv 2y^2$ (5).
2. Recopier puis compléter les tableaux de congruence suivants.

$x \equiv \dots$ (5)	0	1	2	3	4
$x^2 \equiv \dots$ (5)					
$y \equiv \dots$ (5)	0	1	2	3	4
$2y^2 \equiv \dots$ (5)					

3. Montrer que x et y sont multiples de 5.
4. Conclure.

74 On veut montrer que l'équation
(E) : $3x^2 + 7y^2 = 10^{2n}$ avec $n \in \mathbb{N}$
n'a pas de solution entière.
1. On suppose qu'il existe une solution $(x \, ; y)$.
On raisonne modulo 7.
a) Montrer que $100 \equiv 2$ (7).
b) En déduire que l'équation (E) peut se mettre sous la forme : $3x^2 \equiv 2^n$ (7).
2. Recopier puis compléter le tableau de congruence suivant.

$x \equiv \dots$ (7)	0	1	2	3	4	5	6
$3x^2 \equiv \dots$ (7)							

3. Étudier les restes dans la division de 2^n par 7.
4. Conclure.

Exercices (d'entraînement)

Déterminer une série de restes p. 88

75 1. Déterminer, suivant les valeurs de $n \in \mathbb{N}$, le reste de la division par 5 de 2^n.
On pourra donner la réponse sous la forme d'un tableau de congruence.
2. En déduire le reste de la division par 5 de $1\,357^{2\,017}$.

76 Pour quelles valeurs de l'entier naturel n le nombre $3 \times 4^n + 2$ est-il divisible par 11 ?

77 1. Déterminer les restes de la division euclidienne de 5^n par 11 suivant les valeurs de n.
2. En déduire le reste de la division par 11 de $2\,018^{2\,019}$.

78 1. Déterminer, suivant les valeurs de l'entier naturel non nul n, le reste dans la division euclidienne par 9 de 7^n.
2. Démontrer alors que $2\,014^{2\,014} \equiv 7$ (9).

79 Pour chacune des propositions suivantes indiquer si elle est vraie ou fausse en justifiant.
Proposition 1 Le reste de la division euclidienne de $2\,018^{2\,020}$ par 7 est 2.
Proposition 2 $11^{2\,011}$ est congru à 4 modulo 7.

Conjecturer un critère de divisibilité **7** p. 89

80 Soit n un entier naturel, on sépare **Démo**
son nombre de dizaines a et le chiffre des unités b.
On a alors : $n = 10a + b$.
1. Prouver que n est divisible par 17 si, et seulement si, $a - 5b$ est divisible par 17.
2. Montrer par ce procédé (que l'on peut réitérer) que les nombres : 816 et 16 983 sont divisibles par 17.

81 Un entier x est composé de $(n + 1)$ chiffres notés : $a_0, a_1, ..., a_n$.
On note alors : $x = \overline{a_n ... a_2\ a_1\ a_0}$.

1. Sachant que $10 \equiv -1$ (11), montrer que :
$x \equiv (a_0 + a_2 + a_4 + ...) - (a_1 + a_3 + ...)$ (11).
2. Énoncer un critère de divisibilité par 11.
3. Déterminer, pour chacun des entiers suivants, son reste dans la division par 11.

a) 123 456 789   **b)** 10 891 089
c) $\underbrace{5555 ... 5}_{100 \text{ fois}}$ **d)** 147 856 103

82 1. **a)** Démontrer que pour tout **Démo**
entier naturel n non nul : $10^n \equiv 1$ (9).
b) On désigne par N un entier naturel écrit en base dix et on appelle S la somme de ses chiffres.
Démontrer la relation suivante : $N \equiv S$ (9).
c) En déduire que N est divisible par 9 si, et seulement si, S est divisible par 9.
2. On suppose que $A = 2\,014^{2\,014}$.
On désigne par :
• B la somme des chiffres de A,
• C la somme des chiffres de B,
• D la somme des chiffres de C.
a) Démontrer la relation suivante : $A \equiv D$ (9).
b) Sachant que $2\,014 < 10\,000$, démontrer que A s'écrit en numération décimale avec au plus 8 056 chiffres. En déduire que $B \leqslant 72\,504$.
c) Démontrer que $C \leqslant 45$.
d) En étudiant la liste des entiers inférieurs à 45, déterminer un majorant de D plus petit que 15.
e) Démontrer que $D = 7$.

83 On appelle inverse de x modulo 5, un entier y tel que $xy \equiv 1$ (5).
1. Déterminer un inverse modulo 5 de $x = 2$.
2. Déterminer un inverse modulo 5 de $x = 3$ et $x = 4$.
3. Est-ce que $x = 5$ admet un inverse ? Pourquoi ?
4. À l'aide d'un tableau de congruence, déterminer suivant la valeur de x son inverse modulo 5.
5. À l'aide de ce tableau, résoudre les équations suivantes.
a) $2x \equiv 3$ (5)   **b)** $9x \equiv 1$ (5)

Écriture décimale

84 On décide de former des nombres dans le système décimal en écrivant de gauche à droite quatre chiffres consécutifs dans l'ordre croissant puis on permute les deux premiers chiffres de gauche. Par exemple, à partir de 4 567 on obtient 5 467 ; à partir de 2 345 on obtient 3 245. Démontrer que tous les entiers naturels ainsi obtenus sont multiples de 11.

85 On considère un entier de 3 chiffres. On appelle *renversé* de cet entier le nombre qui s'écrit en échangeant les chiffres des centaines et des unités. Par exemple, le renversé de 158 est 851. Montrer que la différence entre un entier de 3 chiffres et son renversé est divisible par 9.

Travailler l'oral

86
Le 1er janvier 2012 était un dimanche. Déterminer :
a) le jour de la semaine du 1er janvier 2062.
b) le jour de la semaine du 10 mars 2041.
c) Le jour de la semaine du 11 avril 1953, jour de naissance de Andrew Wiles, célèbre pour avoir démontré le grand théorème de Fermat.

87 Suite et terminaison décimale

On considère la suite (u_n) d'entiers :
$$u_0 = 14 \text{ et pour tout } n \in \mathbb{N}, u_{n+1} = 5u_n - 6.$$
1. Calculer u_1, u_2, u_3 et u_4.
Quelle conjecture peut-on émettre concernant les deux derniers chiffres de u_n ?
2. Montrer que : pour tout $n \in \mathbb{N}, u_{n+2} \equiv u_n$ (4).
En déduire que : pour tout $k \in \mathbb{N}, u_{2k} \equiv 2$ (4) et $u_{2k+1} \equiv 0$ (4).
3. a) Montrer par récurrence que pour tout entier naturel n :
$$2u_n = 5^{n+2} + 3.$$
b) En déduire que, pour tout entier naturel n :
$$2u_n \equiv 28 \ (100).$$
c) Déterminer les deux derniers chiffres de l'écriture décimale de u_n suivant les valeurs de n.

88 Suite et congruence

Soit la suite (u_n) définie par $u_0 = 0$ et, pour tout entier naturel n, $u_{n+1} = 3u_n + 1$.
1. a) Démontrer par récurrence que :
pour tout entier naturel n, $2u_n = 3^n - 1$.
b) Déterminer le plus petit entier naturel non nul n tel que 3^n est congru à 1 modulo 7.
c) En déduire que $u_{2\,022}$ est divisible par 7.
2. a) Calculer le reste de la division euclidienne par 5 de chacun des cinq premiers termes de la suite (u_n).
b) Sans justification, compléter le tableau suivant.

$m \equiv \ldots$ (5)	0	1	2	3	4
$3m + 1 \equiv \ldots$ (5)					

c) En déduire que, pour tout entier naturel n, si u_n est congru à 4 modulo 5, alors u_{n+4} est congru à 4 modulo 5.
d) Existe-t-il un entier naturel n tel que le reste de la division de u_n par 5 soit égal à 2 ?

89 Diviseur commun

Soit la suite (a_n) définie pour $n \in \mathbb{N}$ par :
$$a_n = \frac{4^{2n+1} + 1}{5}.$$
1. Calculer a_2 et a_3.
2. Montrer que : pour tout $n \in \mathbb{N}, a_{n+1} = 16a_n - 3$.
3. Démontrer que, pour tout $n \in \mathbb{N}, a_n \in \mathbb{N}$.
4. a) Pour tout $n \in \mathbb{N}$, on note d_n le plus grand diviseur commun de a_n et a_{n+1}.
Montrer que, pour tout $n \in \mathbb{N}, d_n$ est égal à 1 ou à 3.
b) Montrer que, pour tout $n \in \mathbb{N}$,
$a_{n+1} \equiv a_n$ (3).
c) Vérifier que $a_0 \equiv 1$ (3).
En déduire que, pour tout $n \in \mathbb{N}, a_n$ n'est pas divisible par 3.
d) Démontrer que, pour tout $n \in \mathbb{N}, d_n = 1$.

90 Divisibilité

Pour chacune des propositions suivantes indiquer si elle est vraie ou fausse en justifiant.
M et N ont pour écriture en base 10 abc et bca.
Proposition 1 Si l'entier M est divisible par 27 alors l'entier $M - N$ est aussi divisible par 27.
Proposition 2 3 divise $(2^{2n} - 1)$ pour tout entier naturel n.
Proposition 3 Si $x^2 + x \equiv 0$ (6) alors $x \equiv 0$ (3).

91 Cube et terminaison décimale

Le but de l'exercice est de montrer qu'il existe un entier naturel n dont l'écriture décimale du cube se termine par 2 009, c'est-à-dire tel que $n^3 \equiv 2\,009$ (10 000).
A ▶ 1. Quel est le reste de $2\,009^2$ dans la division par 16 ?
2. En déduire que $2\,009^{8\,001} \equiv 2\,009$ (16).
B ▶ Soit la suite (u_n) définie sur $\mathbb{N}$ par :
$$u_0 = 2\,009^2 - 1 \text{ et pour tout } n \in \mathbb{N}, u_{n+1} = (u_n + 1)^5 - 1.$$
1. a) Démontrer que u_0 est divisible par 5.
b) On rappelle le binôme de Newton à l'ordre 5 :
$(a + b)^5 = a^5 + 5a^4b + 10a^3b^2 + 10a^2b^3 + 5ab^4 + b^5$.
Démontrer que : pour tout entier naturel n,
$$u_{n+1} = u_n [u_n^4 + 5(u_n^3 + 2u_n^2 + 2u_n + 1)].$$
c) Démontrer par récurrence que :
pour tout $n \in \mathbb{N}, u_n$ est divisible par 5^{n+1}.
2. a) Vérifier que $u_3 = 2\,009^{250} - 1$ puis en déduire que $2\,009^{250} \equiv 1$ (625).
b) Démontrer alors que : $2\,009^{8\,001} \equiv 2\,009$ (625).

C ▶ On admet que l'on peut montrer que $2\,009^{8\,001} - 2\,009$ est divisible par 10 000. Déterminer un entier naturel dont l'écriture décimale du cube se termine par 2 009.

92 Puissances de 2, 3 ou 5

Soit (E) l'ensemble des entiers naturels qui peuvent s'écrire sous la forme $9 + a^2$ où $a \in \mathbb{N}^*$.
Par exemple : $10 = 9 + 1^2, 13 = 9 + 2^2$, etc.
On se propose d'étudier l'existence d'éléments de (E) qui sont des puissances de 2, 3 ou 5.
1. Étude de l'équation d'inconnue a :
$$a^2 + 9 = 2^n \text{ où } a \in \mathbb{N} \text{ et } n \geqslant 4.$$
a) Montrer que si a existe, a est impair.
b) En raisonnant modulo 4, montrer que l'équation proposée n'a pas de solution.
2. Étude de l'équation d'inconnue a :
$$a^2 + 9 = 3^n \text{ où } a \in \mathbb{N}, \text{ et } n \geqslant 3.$$
a) Montrer que si $n \geqslant 3$, 3^n est congru à 1 ou à 3 modulo 4.
b) Montrer que si a existe, il est pair et en déduire que nécessairement n est pair.
c) On pose $n = 2p$ où p est un entier naturel, avec $p \geqslant 2$.
Déduire d'une factorisation de $3^n - a^2$, que l'équation proposée n'a pas de solution.
3. Étude de l'équation d'inconnue a :
$$a^2 + 9 = 5^n \text{ où } a \in \mathbb{N}, \text{ et } n \geqslant 2.$$
a) En raisonnant modulo 3, montrer que l'équation est impossible si n est impair.
b) On pose $n = 2p$, en s'inspirant de **2. c)** démontrer qu'il existe un unique entier naturel a tel que $a^2 + 9$ soit une puissance entière de 5.

93 Rep-units

Les entiers naturels 1, 11, 111, 1 111, … sont des rep-units.
On appelle ainsi les entiers naturels ne s'écrivant qu'avec des 1.

Pour tout entier naturel p non nul, on note N_p le rep-unit s'écrivant avec p fois le chiffre 1 :

$$N_p = \underbrace{11\,...\,1}_{p\ \text{fois}} = \sum_{k=0}^{p-1} 10^k.$$

Dans tout l'exercice, p désigne un entier naturel non nul.
L'objet de cet exercice est d'étudier quelques propriétés des rep-units.

A ▸ Divisibilité par 3 et 7

1. Divisibilité de N_p par 3.

a) Montrer que, pour tout entier naturel j, $10^j \equiv 1\ (3)$.

b) En déduire que $N_p \equiv p\ (3)$.

c) Déterminer une condition nécessaire et suffisante pour que N_p soit divisible par 3.

2. Divisibilité de N_p par 7.

a) Compléter le tableau de congruences, où a est l'unique entier relatif appartenant à $\{-3\,;\,-2\,;\,-1\,;\,0\,;\,1\,;\,2\,;\,3\}$ tel que $10^m \equiv a\ (7)$.

m	0	1	2	3	4	5	6
a							

b) Soit p un entier naturel non nul.
Montrer que $10^p \equiv 1\ (7)$ si, et seulement si, p est un multiple de 6. On pourra utiliser la division euclidienne de p par 6.

c) Justifier que :
pour tout entier naturel p non nul,

$$N_p = \frac{10^p - 1}{9}.$$

d) On admet que :

7 divise N_p est équivalent à 7 divise $9N_p$.

En déduire que N_p est divisible par 7 si, et seulement si, p est un multiple de 6.

B ▸ Un rep-unit strictement supérieur à 1 n'est jamais un carré parfait

1. Soit $n \geqslant 2$.
On suppose que l'écriture décimale de n^2 se termine par le chiffre 1, soit $n^2 \equiv 1\ (10)$.

a) Compléter le tableau de congruences.

$n \equiv (10)$	0	1	2	3	4	5	6	7	8	9
$n^2 \equiv (10)$										

b) En déduire qu'il existe un entier naturel m tel que :
$$n = 10m + 1 \quad \text{ou} \quad n = 10m - 1.$$

c) Conclure que $n^2 \equiv 1\ (20)$.

2. Soit $p \geqslant 2$. Quel est le reste de la division euclidienne de N_p par 20 ?

3. En déduire que, pour $p \geqslant 2$, le rep-unit N_p n'est pas le carré d'un entier.

94 Date anniversaire

Algo ✎

Dans cet exercice, on appelle j le numéro du jour de naissance dans le mois et m le numéro du mois de naissance dans l'année.

Par exemple, pour une personne née le 14 mai :
$j = 14$ et $m = 5$.

A ▸ Lors d'une représentation, un magicien demande aux spectateurs d'exécuter le programme de calcul (A) suivant.

« Prenez le numéro de votre jour de naissance et multipliez-le par 12.

Prenez le numéro de votre mois de naissance et multipliez-le par 37.

Ajoutez les deux nombres obtenus. Je pourrai alors vous donner la date de votre anniversaire ».

Un spectateur annonce 308 et en quelques secondes, le magicien déclare : « Votre anniversaire tombe le 1er août ! ».

1. Vérifier que pour une personne née le 1er août, le programme de calcul (A) donne effectivement le nombre 308.

2. a) Pour un spectateur donné, on note z le résultat obtenu en appliquant le programme de calcul (A). Exprimer z en fonction de j et de m et démontrer que $z \equiv m\ (12)$.

b) Retrouver alors la date de l'anniversaire d'un spectateur ayant obtenu le nombre 455 en appliquant le programme de calcul (A).

B ▸ Lors d'une autre représentation, le magicien décide de changer son programme de calcul. Pour un spectateur dont le numéro du jour de naissance est j et le numéro du mois de naissance est m, le magicien demande de calculer le nombre z défini par :

$$z = 12j + 31m.$$

On donne l'algorithme incomplet suivant.

```
Variables : j, m entiers
Traitement
    pour m de 1 à … faire
        pour j de 1 à … faire
            z ← 12j + 31m
            si … … alors
                Afficher j, m
            Fin si
        Fin pour
    Fin pour
```

1. Compléter cet algorithme afin qu'il affiche toutes les valeurs de j et de m telles que : $12j + 31m = 503$.

2. Quelle est alors la date d'anniversaire correspondante ?

Préparer le BAC L'essentiel

Propriétés de l'ensemble $\mathbb{N}$

- **Principe du bon ordre**

Toute partie de $\mathbb{N}$ non vide admet un plus petit élément.

On exhibe un élément d'une partie de $\mathbb{N}$ pour déduire un plus petit élément.

- **Principe de la descente infinie**

Toute suite dans $\mathbb{N}$ strictement décroissante est finie.

On utilise ce principe pour montrer que la suite des restes des divisions successives dans l'algorithme d'Euclide finit par un reste nul.

- **Principe des tiroirs**

Si l'on range $(n+1)$ chaussettes dans n tiroirs, alors au moins un tiroir contiendra au moins 2 chaussettes.

C'est ce qui permet de déduire par exemple un cycle de restes de 2^n dans la division par 9. Le cycle est au maximum un cycle de 9 restes.

Diviseur

Soit a et b deux entiers relatifs.

b divise a, noté $b|a$ si, et seulement si, il existe un entier relatif k tel que :
$$a = kb.$$

On dit aussi que a est un multiple de b.

Comme un entier ne possède qu'un nombre restreint de diviseurs, on cherchera à factoriser une équation ou un problème de divisibilité pour en déduire les solutions.

Opération sur les multiples

Si a divise b et c, alors a divise toute combinaison linéaire de b et de c soit $\alpha b + \beta c$, avec $\alpha, \beta \in \mathbb{Z}$.

Si un entier n divise a et b dépendant d'un paramètre k, alors on peut trouver une combinaison linéaire de a et de b ne dépendant plus de k qui est divisible par n.

Division euclidienne

Soit $a \in \mathbb{Z}$ et $b \in \mathbb{N}^*$. **On appelle division euclidienne de a par b, l'opération qui au couple $(a\,;b)$ associe le couple $(q\,;r)$ tel que :**
$$a = bq + r \text{ avec } 0 \leqslant r < b$$

Congruence

- **Soit $n \geqslant 2$ et $a, b \in \mathbb{Z}$. a et b sont congrus modulo n s'ils sont séparés par un multiple de n :**
$$a \equiv b\,(n) \Leftrightarrow a - b \equiv 0\,(n)$$

- La congruence est une relation d'équivalence : réflexive, symétrique et transitive.

Compatibilité

Soit $a \equiv b\,(n)$ et $c \equiv d\,(n)$.

La congruence est compatible avec :

l'addition : $a + c \equiv b + d\,(n)$

la multiplication : $ac \equiv bd\,(n)$

la puissance : $a^k \equiv b^k\,(n)$, $k \in \mathbb{N}$.

Je dois être capable de...

▶ Résoudre une équation et utiliser la divisibilité **Méthode 1** **Méthode 2** → 1, 2, 3, 4, 36, 37

▶ Manipuler la division euclidienne **Méthode 3** → 5, 6, 53, 54

▶ Utiliser la congruence **Méthode 4** **Méthode 5** → 10, 11, 12, 13, 62, 63

▶ Déterminer une série de restes **Méthode 6** → 14, 15, 75, 76

▶ Conjecturer un critère de divisibilité **Méthode 7** → 18, 19, 80, 81

Parcours d'exercices

▶ EXOS
QCM interactifs
lienmini.fr/maths-e03-05

QCM Pour les exercices suivants, choisir la (les) bonne(s) réponse(s).

	A	B	C	D
95 Le nombre de diviseurs positifs de 700 est :	16	18	20	22
96 Le nombre de couples d'entier naturels vérifiant l'équation $5x^2 - 7xy = 17$ est :	0	2	1	4
97 Les entiers n tels que $2x - 3$ divise $n + 5$ sont :	$\{-5 \,;\, 1 \,;\, 2 \,;\, 8\}$	$\{-5 \,;\, 1 \,;\, 5 \,;\, 9\}$	$\{-13 \,;\, -1 \,;\, 2 \,;\, 13\}$	$\{-13 \,;\, -1 \,;\, 1 \,;\, 13\}$
98 Il existe un entier k pour lequel $9k + 2$ et $7k + 3$ ont pour diviseur commun d tel que :	$d = 13$	$d = 2$	$d = 3$	$d = 6$
99 Le reste de la division euclidienne de -453 par 13 est :	2	5	9	11
100 On donne : $17\,648 = 17 \times 1\,037 + 19$. Le reste de la division euclidienne de $17\,648$ par 17 est :	19	2	17	1 037
101 On donne $17\,648 = 17 \times 1\,037 + 19$. Le reste de la division euclidienne de $-17\,648$ par 17 est :	2	19	-2	15
102 L'ensemble des solutions de $3x \equiv 6 \ (9)$ est :	$x \equiv 2 \ (9)$	$x \equiv 5 \ (9)$	$x \equiv 8 \ (9)$	$x \equiv 2 \ (3)$
103 Pour tout entier naturel naturel n, $2^{3n} - 1$ est divisible par :	5	6	7	8
104 Le chiffre des unités de $3^{1\,000}$ est :	1	3	7	9
105 Le reste de $2\,016^{2\,016}$ dans la division par 5 est :	1	2	3	4
106 Le nombre $2\,021^{2\,021}$ est congru modulo 7 à :	15	17	-3	4

107 Diviseurs

1. Trouver tous les diviseurs positifs de 700. Combien y en a-t-il ?

2. Soit $n \in \mathbb{Z}$; pour quelles valeurs de n

le nombre $\dfrac{6n + 9}{2n + 1}$ est-il un entier relatif ? p. 83

108 Équations

Trouver tous les couples d'entiers naturels $(x ; y)$ qui vérifient :

a) $x(y + 1) = 14x$ **b)** $(x + 2y)(2x - 3y)=15$

c) $x^2 - y^2 = 20$ **d)** $2x^2 = 4y + 1$ p. 83

109 Divisibilité

Déterminer $n \in \mathbb{N}$ tel que :

$(n - 2)$ divise $(2n + 3)$. p. 83

110 Diviseurs communs (1)

Soit $k \in \mathbb{Z}$, on pose $a = 3k + 2$ et $b = 5k - 7$.

1. Montrer que si d divise a et b alors d divise 31. On citera le théorème utilisé.

2. Quels sont les diviseurs communs positifs possibles à a et b ? p. 83

111 Diviseurs communs (2)

Soit $k \in \mathbb{Z}$, on donne : $a = 9k - 4$ et $b = 5k - 3$.

Déterminer les valeurs possibles d'un diviseur d commun à a et b. p. 83

112 Divisibilité

Soit k un entier relatif et $A = (2k + 1)^2 - 1$.

1. Factoriser A.

2. Montrer que A est divisible par 8 pour tout entier relatif k. p. 83

113 Division euclidienne : vrai ou faux ?

Pour chacune des propositions suivantes indiquer si elle est vraie ou fausse et donner une justification de la réponse choisie.

1. Proposition 1 Si le reste dans la division d'un entier n par 66 est 5 alors 5 est le reste de n dans la division par 11.

2. Proposition 2 Si le reste dans la division d'un entier n par 11 est 5 alors 5 est le reste de n dans la division par 66. p. 85

114 Division euclidienne

La somme de deux entiers naturels a et b est égale à 1 400. Le reste de la division euclidienne de a par b est 16.

1. Traduire l'énoncé. Quelle condition a-t-on sur b ?

2. Montrer que b est un diviseur de 1 384.

3. En utilisant le fait que 173 est premier, déterminer les valeurs possibles pour a et b. p. 83

115 Restes

Soit b un entier naturel non nul. Le quotient dans la division euclidienne de 524 par b est 15. Quels sont les restes possibles ? p. 85

116 Quotient

Trouver tous les entiers naturels qui ont un reste égal au cube de leur quotient dans la division euclidienne par 64. p. 83

Démo

117 Congruence

Soit $n \geqslant 2$ et les entiers relatifs a, b, c, d tels que :

$$a \equiv b \ (n) \text{ et } c \equiv d \ (n).$$

Montrer que : $a + c \equiv b + d \ (n)$. p. 87

118 Restes et congruence

1. Montrer que : $3^3 \equiv -1 \ (7)$.

2. En déduire que $1 \ 515^{2 \ 004} - 1$ est divisible par 7 et que le reste de $3^{2 \ 018}$ par 7 est 2. p. 85

119 Pièces d'un puzzle

En rangeant les n pièces de son puzzle, Raja constate que :

• si elle les range par groupe de 5, il lui reste 3 pièces ;

• si elle les range par groupe de 7, il lui reste 2 pièces ;

• si elle les range par groupe de 9, il lui reste 1 pièces ;

• et si elle les range par groupe de 11, il ne lui reste plus de pièce.

Sa mère affirme qu'alors $(2n - 11)$ est divisible par 5, 7, 9 et 11.

1. A-t-elle raison ?

2. Combien ce puzzle contient de pièces sachant que ce nombre est inférieur à 2 000 ? p. 87

120 Résolution d'équations

Résoudre les équations suivantes.

a) $7 - x \equiv 5 \ (3)$ **b)** $x^2 + x + 3 \equiv 0 \ (5)$ p. 87

121 Tableau de congruence

Soit l'équation (E) : $x^2 - x + 4 \equiv 0 \ (6)$.

1. Recopier puis remplir le tableau de congruence suivant.

$x \equiv \ldots(6)$	0	1	2	3	4	5
$x^2 \equiv \ldots(6)$						
$-x + 4 \equiv \ldots(6)$						
$x^2 - x + 4 \equiv \ldots(6)$						

2. Résoudre alors l'équation (E). p. 87

122 Cycle de restes

1. Soit $n \in \mathbb{N}$. Établir le cycle des restes de 4^n dans la division par 7.

2. En déduire le reste de $2 \ 020^{2 \ 019}$ dans la division par 7. p. 87

123 Le numéro INSEE ou de sécurité sociale

Le numéro de sécurité sociale est une succession de 13 chiffres suivie d'une clé de 2 chiffres. Par exemple 2 84 07 17 300 941 clé 46.

On pose alors A le nombre composé des 13 chiffres et K la clé de contrôle constitué par les deux derniers chiffres. Dans notre exemple, on a donc :
$A = 2\ 84\ 07\ 17\ 300\ 941$ et $K = 46$.
Soit r le reste de la division de A par 97.
La clé de contrôle est alors $K = 97 - r$.
Pour rendre exécutable le calcul sur une calculatrice, on décompose A en deux séries de nombres. B correspond au 7 premiers chiffres en partant de la gauche et C aux six derniers.
On a alors : $A = 10^6 \times B + C$.
1. Démontrer que : $A \equiv 27B + C$ (97).
2. Vérifier alors que la clé de l'exemple est 46.
3. Écrire une fonction `cle(B,C)` en **Python** qui permet, en rentrant B et C, de calculer la clé K.
Rentrer cette fonction sur la calculatrice.
Tester en cherchant la clé du numéro de sécurité sociale suivant : 1 62 06 74 086 017.
4. Montrer que si dans le nombre complet en incluant la clé (15 chiffres), un et un seul chiffre est erroné, l'erreur est détectée, et qu'il en est de même si deux chiffres consécutifs sont permutés.

124 Écriture décimale et divisibilité Démo

On considère la suite (u_n) définie par :
$$u_0 = 1 \text{ et } \forall\, n \in \mathbb{N},\ u_{n+1} = 10u_n + 21.$$
1. Calculer u_1, u_2 et u_3.
2. a) Démontrer par récurrence que :
pour tout $n \in \mathbb{N}$, $3u_n = 10^{n+1} - 7$
b) En déduire l'écriture décimale de u_n.
3. Démontrer que pour tout $n \in \mathbb{N}$, u_n n'est divisible ni par 2, ni par 3, ni par 5.
4. a) Démontrer que pour tout $n \in \mathbb{N}$:
$$3u_n \equiv 4 - (-1)^n\ (11).$$
b) En déduire que pour tout $n \in \mathbb{N}$, u_n n'est pas divisible par 11.
5. a) Démontrer l'égalité : $10^{16} \equiv 1$ (17).
b) En déduire que pour tout $k \in \mathbb{N}$, u_{16k+8} est divisible par 17.

125 Carré parfait
Montrer, sans utiliser de calculatrice et à l'aide des congruences, que 1 295 377 n'est pas un carré parfait.

126 Système de congruences
On considère le système (S) : $\begin{cases} n \equiv 2\ (3) \\ n \equiv 1\ (5) \end{cases}$

1. Montrer que 11 est solution de (S).
2. Montrer que si n est solution de (S) alors $(n - 11)$ est divisible par 3.
3. Montrer que les solutions de (S) sont tous les entiers de la forme $11 + 15k$, où $k \in \mathbb{Z}$.

127 Base 12 et divisibilité
On note 0, 1, 2 , … , 9, α, β, les chiffres de l'écriture d'un nombre en base 12. Par exemple :
$$\overline{\beta \alpha 7}^{12} = \beta \times 12^2 + \alpha \times 12 + 7$$
$$= 11 \times 12^2 + 10 \times 12 + 7$$
$$= 1711 \text{ en base 10}$$
1. a) Soit N_1 le nombre s'écrivant en base 12 par $N_1 = \overline{\beta 1 \alpha}^{12}$.
Déterminer l'écriture de N_1 en base 10.
b) Soit N_2 le nombre s'écrivant en base 10 par :
$N_2 = 1131 = 1 \times 10^3 + 1 \times 10^2 + 3 \times 10 + 1$.
Déterminer l'écriture de N_2 en base 12.
Dans la suite, un entier N s'écrira en base 12 par :
$$N = \overline{a_n \dots a_1 a_0}^{12}.$$
2. a) Démontrer que $N \equiv a_0$ (3).
En déduire un critère de divisibilité par 3 d'un nombre écrit en base 12.
b) À l'aide de son écriture en base 12, déterminer si N_2 est divisible par 3.
Confirmer avec son écriture en base 10.
3. a) Démontrer que :
$$N \equiv a_n + \dots + a_1 + a_0\ (11).$$
En déduire un critère de divisibilité par 11 d'un nombre en base 12.
b) À l'aide de son écriture en base 12, déterminer si N_1 est divisible par 11.
Confirmer avec son écriture en base 10.
4. Un nombre N s'écrit $\overline{x\,4\,y}^{12}$.
Déterminer les valeurs de x et y pour lesquelles N est divisible par 33. Déterminer alors les nombres N possibles avec leurs écritures en base 10.

128 Division euclidienne
Calculer le reste des divisions suivantes :
a) $3^{2\,089}$ par 25
b) $55^{234\,567}$ par 7
c) $4321^{1\,234} + 1234^{4\,321}$ par 7

129 Divisibilité Démo
Soit $a \in \mathbb{N}$, montrer que :
pour tout $n \in \mathbb{N}$, $(a + 1)^{n+1} - a(n + 1) - 1$ est multiple de a^2.
On pourra raisonner par récurrence.

130 Résolution d'équation (1)

On considère l'équation (E) : $17x^2 - 31y^2 = 22$ où x et y sont des entiers relatifs.
En utilisant les congruences modulo 8, montrer que l'équation (E) n'a pas de solution.

131 Résolution d'équation (2)

On veut résoudre l'équation dans $\mathbb{Z}$:
$$x^2 - 4x + 3 \equiv 0 \ (12).$$
1. Déterminer la forme canonique de :
$$x^2 - 4x + 3.$$
2. Compléter le tableau suivant.

$t^1 \equiv \ldots (12)$	0	1	2	3	4	5	6
$t^2 \equiv \ldots (12)$							

3. En déduire les solutions de $t^2 \equiv 1 \ (12)$.
4. Conclure.

132 Équations

Résoudre dans $\mathbb{Z}$ les équations suivantes.
a) $6x \equiv 3 \ (4)$
b) $3x \equiv 4 \ (7)$
c) $4x \equiv 10 \ (26)$
d) $2x \equiv 5 \ (11)$

133 Systèmes

Résoudre dans $\mathbb{Z}$ les systèmes suivants.

a) $\begin{cases} x \equiv 3 \ (5) \\ x \equiv 1 \ (6) \end{cases}$

b) $\begin{cases} 2x \equiv 3 \ (4) \\ 4x \equiv 1 \ (3) \end{cases}$

134 Équation du second degré

On admet qu'un nombre premier p divise le produit ab si, et seulement si, p divise a ou b.
Résoudre dans $\mathbb{Z}$: $x^2 - 2x + 2 \equiv 0 \ (17)$.

135 Divisibilité

Pour quelles valeurs de $n \in \mathbb{N}$:
a) l'entier $5^{2n} + 5^n + 1$ est-il divisible par 3 ?
b) l'entier $2^{2n} + 2^n + 1$ est-il divisible par 7 ?

136 Forme d'un carré et d'un cube

1. Montrer que le carré d'un entier non multiple de 5 est de la forme : $5n + 1$ ou $5n - 1$.
2. Montrer que le cube d'un entier non multiple de 7 est de la forme : $7n + 1$ ou $7n - 1$.

137 Carré parfait

Montrer que le produit de 4 entiers consécutifs augmenté de 1 est un carré parfait.

138 Divisibilité

1. Montrer que : pour tout $n \in \mathbb{Z}$, 6 divise $(5n^3 + n)$.
2. Montrer que : pour tout $n \in \mathbb{N}$, 7 divise $(4^{2^n} + 2^{2^n} + 1)$.

139 Décomposition de $(8n + 7)$

On veut montrer que le nombre $(8n + 7)$ n'est jamais la somme de trois carré parfait.
1. Quelle est la parité de $(8n + 7)$?
2. En déduire en raisonnant modulo 8, que la somme de trois carrés ne peut être congru à 7.
3. Conclusion.

140 Somme de trois cubes

Montrer que la somme de trois cubes consécutifs est divisible par 9.

141 Congruence puissance n

On rappelle la formule du binôme de Newton :
$$(a + b)^n = \sum_{i=0}^{n} \binom{n}{i} a^{n-i} b^i \ .$$

Soit $a, b \in \mathbb{Z}$ et $n \geqslant 2$, montrer que :
$$a \equiv b \ (n) \Rightarrow a^n \equiv b^n \ (n^2).$$

142 Solutions rationnelles

Soit $P(x) = x^3 - x^2 - 2x + 1$.
Le but de cet exercice est de montrer que $P(x) = 0$ n'a pas de solutions entières ou rationnelles.

1. On suppose qu'il existe une solution rationnelle $x = \dfrac{p}{q}$ fraction irréductible.
Montrer que : $p^3 - p^2q - 2pq^2 + q^3 = 0$ (E).
2. Montrer que (E) se met sous la forme :
$$p^2(p - q) + q^3 \equiv 0 \ (2) \ (E').$$
3. Montrer que (E') n'admet des solutions que si p est pair.
4. Conclure.

143 Duel Fort Boyard

Un candidat de Fort Boyard est opposé au « Maître du temps » dans le duel suivant.
Face à un alignement de 20 bâtonnets, chacun doit, à tour de rôle, retirer 1, 2 ou 3 bâtonnets.
Celui que retire le dernier bâtonnet a perdu.
Le candidat commence.
Indiquer une méthode où le candidat est sûr de gagner son duel.

Travaux pratiques

1 Diviseurs d'un entier

On étudie dans cet exercice la programmation de la liste des diviseurs d'un entier naturel non nul.

A ▸ Propriété

1. Déterminer à la main les diviseurs de 150 et 144 en recopiant et complétant les tableaux suivants.

Diviseurs	1	2				
Diviseurs	150	75				

Diviseurs	1	2				
Diviseurs	144	72				

2 Que vérifie les diviseurs de la 1re ligne par rapport à ceux de la 2e ligne ?
Quelle est la propriété que vérifie le dernier diviseur de la 1re ligne par rapport à 150 et 144 ?

B ▸ Programmation

1. Pour déterminer la liste des diviseurs d'un entier $n \geqslant 2$ donné, on crée en **Python** 🐍 la fonction **div** avec **n** comme argument. Compléter la ligne 5 du programme ci-contre.

2. Que remarque-t-on sur la liste **D** lorsque l'on rentre **div(144)** ? Que faut-il ajouter pour remédier à ce problème ?
Que faut-il ajouter pour que la fonction **div** donne le nombre de diviseurs du nombre **n** ?

3. La fonction **div** de la question 1. utilise une boucle conditionnelle. Écrire une fonction **div2** qui utilise une boucle itérative.

```
1   Import math input*
2   def div(n):
3       D=[]
4       i=1
5       while(…):
6           if n%i == 0:
7               D.append(i)
8               D.append(n//i)
9           i=i+1
10      D.sort()
11      return D
```

2 Division à l'école élémentaire

Pour faire comprendre la division d'un entier naturel par un entier naturel non nul à l'école primaire, on procède par soustractions successives, c'est-à-dire que, si l'on veut diviser 32 par 5, on soustrait 5 à 32 autant de fois que cela est possible.

On a ainsi enlevé 6 fois 5 et il reste 2, on peut donc écrire : $32 = 5 \times 6 + 2$.

1. Écrire un programme en **Python** 🐍 permettant de trouver le quotient q et le reste r de la division dans $\mathbb{N}$ de a par b ($b \neq 0$) par cette méthode.
Tester cet algorithme pour les divisions suivantes : 32 par 5 ; 12 par 13 et 1 412 par 13.

2. Améliorer cet algorithme de façon à ce qu'il puisse trouver le quotient q et le reste r dans la division d'un entier relatif a par un entier naturel b non nul.
Tester cet algorithme pour la division : – 114 par 8.

32 – 5 =	27
27 – 5 =	22
22 – 5 =	17
17 – 5 =	12
12 – 5 =	7
7 – 5 =	2

3 Algorithme de Luhn

Un numéro de carte bancaire est de la forme : $a_1a_2a_3a_4a_5a_6a_7a_8a_9a_{10}a_{11}a_{12}a_{13}a_{14}a_{15}c$

où $a_1, a_2, ..., a_{15}$ et c sont des chiffres compris entre 0 et 9.

Les quinze premiers chiffres contiennent des informations sur le type de carte, la banque et le numéro de compte bancaire.

c est la clé de validation du numéro. Ce chiffre est calculé à partir des quinze autres.

L'algorithme suivant, en langage naturel, permet de valider la conformité d'un numéro de carte.

```
I prend la valeur 0
P prend la valeur 0
R prend la valeur 0
Pour k allant de 0 à 7 :
        R prend la valeur du reste de la division euclidienne de 2a_{2k+1} par 9
        I prend la valeur I+R
Fin Pour
Pour k allant de 1 à 7 :
        P prend la valeur P+a_{2k}
Fin Pour
S prend la valeur I+P+c
Si S est un multiple de 10 alors :
        Afficher « Le numéro de la carte est correct »
Sinon :
        Afficher « Le numéro de la carte n'est pas correct »
Fin Si
```

1. On considère le numéro de carte suivant : 5 635   4 002   9 561   3 411.

a) Compléter le tableau suivant permettant d'obtenir la valeur finale de la variable I.

k	0	1	2	3	4	5	6	7
a_{2k+1}								
$2a_{2k+1}$								
R								
I								

b) Résumer en une phrase ce que fait cet algorithme qui s'appelle l'algorithme de Luhn.

c) Justifier que le numéro de la carte 5635   4002   9561   3411 est correct.

d) On modifie le numéro de cette carte en changeant les deux premiers chiffres. Le premier chiffre (initialement 5) est changé en 6.

Quel doit être le deuxième chiffre a pour que le numéro de carte obtenu 6a35 4002 9561 3411 reste correct ?

2. On connaît les quinze premiers chiffres du numéro d'une carte bancaire.

Montrer qu'il existe une clé c rendant ce numéro de carte correct et que cette clé est unique.

3. Un numéro de carte dont les chiffres sont tous égaux peut-il être correct ? Si oui, donner tous les numéros de carte possibles de ce type.

4. On effectue le test suivant : on intervertit deux chiffres consécutifs distincts dans un numéro de carte correct et on vérifie si le numéro obtenu reste correct.

On a trouvé une situation où ce n'est pas le cas, l'un des deux chiffres permutés valant 1.

Peut-on déterminer l'autre chiffre permuté ?

4

PGCD, théorèmes de Bézout et de Gauss

Pour coder un message, César décalait les lettres dans l'alphabet. Pour plus de sécurité, on peut aussi grouper les lettres par lot et appliquer à ces lots une fonction de codage.

Comment chiffrer un message en groupant les lettres par 2 ?

↳ **TP 2** p. 131

▶ VIDÉO

Les codes secrets
lienmini.fr/maths-e04-01

Pour prendre un bon départ

● EXOS
Prérequis
lienmini.fr/maths-e04-02

Les rendez-vous
Sésamath

1 Trouver le plus grand diviseur commun

Déterminer le plus grand diviseur commun des couples d'entiers suivants.

a) 28 et 77   **b)** 96 et 36   **c)** 88 et 132

d) 170 et 65   **e)** 66 et 180

2 Simplifier une fraction

Par quel nombre faut-il diviser numérateur et dénominateur pour obtenir une fraction irréductible des rationnels suivants ?

a) $\dfrac{26}{65}$ **b)** $\dfrac{72}{54}$ **c)** $\dfrac{255}{35}$ **d)** $\dfrac{693}{55}$

3 Déterminer si des nombres sont premiers entre eux

Deux nombres sont premiers entre eux si leur seul diviseur commun est 1.
Les couples d'entiers suivants sont-ils premiers entre eux ?

a) 9 et 16   **b)** 35 et 91   **c)** 31 et 67   **d)** 26 et 91

4 Diviser par un produit

Les phrases suivantes sont-elles vraies ou fausses ? Justifier

a) Si un entier a est divisible par 6 et 9 alors cet entier a est divisible par 54.

b) Si un entier a est divisible par 8 et 9 alors cet entier a est divisible par 72.

c) Si un entier a est divisible par 4 et 18 alors $a \equiv 0 \ (36)$.

d) Si un entier a est divisible par 10 et 15 alors $a \equiv 0 \ (150)$.

5 Résoudre une équation

Trouver un couple d'entiers $(x \ ; y)$ solution des équations suivantes.

a) $7x - 10y = 1$ **b)** $4x + 5y = 1$

c) $3x + 4y = 3$ **d)** $7x - 12y = 3$

6 Traduire un problème en équation

1. Pierre a des jetons d'une valeur de 3 € et Lilya a des jetons d'une valeur de 7 €.
Pierre doit donner 34 € à Lilya.

Comment Pierre et Lilya peuvent-ils procéder ?

2. a) Céline possède des jetons de 3 € et des jetons de 7 € pour une valeur totale de 34 €.

Combien de jetons de chaque sorte possède-t-elle ? Trouver toutes les solutions.

b) En déduire le nombre maximum de rectangles de 3 cm par 7 cm que l'on peut obtenir en découpant une plaques rectangulaire de 21 cm par 34 cm.
Proposer deux dispositions de découpage

7 Comprendre un algorithme en langage Python

Que retourne ce programme pour **f("L")** ?

```python
def f(lettre):
    alphabet=["A","B","C","D","E","F","G","H","I","J","K","L",
    "M","N","O","P","Q","R","S","T","U","V","W","X","Y","Z"]
    x=alphabet.index(lettre)
    y=(11*x+8)%26
return alphabet[y]
```

1 Trouver le plus grand commun diviseur

A ▶ Méthode archaïque

1. Déterminer l'ensemble D_{84} des diviseurs positifs de 84.

2. Déterminer l'ensemble D_{147} des diviseurs positifs de 147.

3. Déterminer l'ensemble $D_{84} \cap D_{147}$ des diviseurs communs, ou codiviseurs, de 84 et 147.

4. Cet ensemble admet un plus grand élément appelé plus grand commun diviseur et noté PGCD(84 , 147). Quel est-il ?

5. Utiliser la même procédure pour trouver le plus grand diviseur commun de 255 et 77. Que peut-on dire de 255 et 77 ?

B ▶ Méthode géométrique
On désire déterminer le plus grand commun diviseur par une construction géométrique.
Par exemple, pour PGCD(21 , 15) on propose la construction suivante.

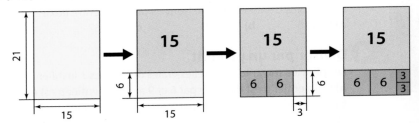

1. Expliquer cette construction du PGCD(21 , 15) du point de vue géométrique.

2. Proposer une construction géométrique pour PGCD(91 , 52).

↪ **Cours 1** p. 108

2 Déterminer le PGCD par divisions successives

 Le procédé décrit ici était connu des Grecs sous le nom d'**anthyphérèse** (soustraire alternativement) car la division était obtenue par soustractions successives. Il est décrit dans le livre VII des *Éléments d'Euclide*.

Soit d un diviseur commun à 347 et 105.

1. a) Vérifier que le reste dans la division euclidienne de 147 par 105 est 42.

b) Pourquoi si d divise 147 et 105, d divise 105 et 42 ?

2. a) Vérifier que le reste dans la division euclidienne de 105 par 42 est 21.

b) Pourquoi si d divise 105 et 42, d divise 21 ?

3. Donner l'ensemble de tous les diviseurs positifs commun à 147 et 105. Quel est son plus grand élément ?

4. Appliquer cette méthode pour trouver le plus grand diviseur commun à 5 726 et 2 045.

↪ **Cours 2** p. 110

3 Découvrir le chiffrement affine

Le chiffrement ou cryptage consiste à transformer un message en un message codé (ou chiffré).
Le déchiffrement est le procédé inverse, il consiste à décoder un message codé.

A ▸ Procédé de chiffrement

Afin de coder un message, on assimile chaque lettre de l'alphabet à un nombre entier entre 0 et 25 comme l'indique le tableau ci-dessous.

A	B	C	D	E	F	G	H	I	J	K	L	M
0	1	2	3	4	5	6	7	8	9	10	11	12
N	O	P	Q	R	S	T	U	V	W	X	Y	Z
13	14	15	16	17	18	19	20	21	22	23	24	25

Un chiffrement affine utilise une fonction affine f, par exemple $f(x) = 11x + 8$.
Pour chaque lettre du message :
• on associe un entier x entre 0 et 25 comme indiqué sur le tableau ;
• on calcule $f(x)$ et on détermine le reste y de la division de $f(x)$ par 26 ;
• on traduit ensuite y par une lettre suivant le même tableau ci-dessus.
Codage de la lettre G :
$$G \rightarrow 6 \rightarrow f(6) = 11 \times 6 + 8 = 74 \rightarrow 74 \equiv 22 \ (26) \rightarrow W.$$

1. Coder la lettre W.

2. Le but de cette question est de déterminer la fonction de décodage f^{-1}.
a) Montrer que pour tous entiers relatifs x et z, on a :
$$11x \equiv z \ (26) \Leftrightarrow x \equiv 19z \ (26).$$
b) En déduire que la fonction f^{-1} de décodage est :
$$f^{-1}(y) = 19y + 4.$$

B ▸ Casser un chiffrement affine

On peut facilement casser un chiffrement affine si l'on connaît la langue dans laquelle il est écrit car une lettre est toujours codée de la même façon.
On a reçu le message : « FMEYSEPGCB ».
Une étude statistique de la fréquence d'apparition des lettres sur un passage plus important, montre que la lettre E est chiffrée en E et que la lettre J est chiffrée en N.
Soit la fonction de chiffrage f définie par :
$$f(x) = ax + b \text{ où } a, b \in [0 \,;\, 25].$$

1. Montrer que a et b vérifient le système suivant :
$$\begin{cases} 4a + b \equiv 4 \ (26) \\ 9a + b \equiv 13 \ (26) \end{cases}$$

2. a) Montrer que : $5a \equiv 9 \ (26)$, puis que $a \equiv 7 \ (26)$.
b) En déduire que $b \equiv 2 \ (26)$ et que f est définie par :
$$f(x) = 7x + 2.$$

c) Démontrer que pour tous entiers relatifs x et z, on a :
$$7x \equiv z \ (26) \Leftrightarrow x \equiv 15z \ (26).$$
d) En déduire que la fonction de décodage f^{-1} est définie par :
$$f^{-1}(y) = 15y + 22.$$

e) Décoder le message.

⇨ Cours 3 p. 112 et 4 p. 114

Cours

1 PGCD : plus grand commun diviseur

Définition   PGCD

Soit a et b deux entiers relatifs non tous nuls.

L'ensemble des diviseurs communs à a et b admet un plus grand élément d, appelé **plus grand commun diviseur**.

On le note **PGCD(a , b)**.

● **Démonstration**

Démontrons l'existence et l'unicité du PGCD.

L'ensemble des diviseurs communs à a et b est un ensemble fini car c'est l'intersection de deux ensembles dont l'un au moins est fini (non tous nuls).

1 divise a et b donc l'ensemble des diviseurs communs à a et b n'est pas vide.

Or tout ensemble fini non vide dans $\mathbb{Z}$ admet un plus grand élément, donc d existe.

● **Exemples**

PGCD$(24 , 18) = 6$
PGCD$(60 , 84) = 12$
PGCD$(150 , 240) = 30$

Propriétés   Propriétés du PGCD

① PGCD$(a , b) =$ PGCD(b , a)

② PGCD$(a , b) =$ PGCD$(|a| , |b|)$

③ PGCD$(a , 0) = a$ car 0 est multiple de tout entier.

④ Si b divise a, alors PGCD$(a , b) = |b|$.

⑤ Pour tout entier naturel k non nul, on a : PGCD$(ka , kb) = k\,$PGCD(a , b).

● **Exemples**

① PGCD$(30 , 75) =$ PGCD$(75 , 30) = 15$

② PGCD$(-24 , -18) =$ PGCD$(24 , 18) = 6$

③ PGCD$(82 , 0) = 82$

④ PGCD$(30 , 5) = 5$ car 30 est un multiple de 5.

⑤ PGCD$(240 , 180) = 10\,$PGCD$(24 , 18) = 60$

Définition   Nombres premiers entre eux

Soit a, b deux entiers relatifs non tous nuls.

On dit que a et b sont **premiers entre eux** si, et seulement si, **PGCD$(a , b) = 1$**

● **Exemples**

PGCD$(15 , 8) = 1$ donc 15 et 8 sont premiers entre eux.
PGCD$(a , 1) = 1$ donc l'entier 1 est premier avec tout entier.

▶**Remarques**

• Il ne faut pas confondre nombres premiers entre eux et nombres premiers.
Les nombres 15 et 8 sont premiers entre eux mais ni l'un ni l'autre ne sont premiers.
En revanche, deux nombres premiers sont premiers entre eux.

• Une fraction irréductible q s'écrit comme le rapport de deux entiers premiers entre eux :

$$q = \frac{a}{b} \text{ avec } a \in \mathbb{Z}, b \in \mathbb{N}^* \text{ et PGCD}(a , b) = 1$$

Exercices résolus

Méthode 1 — Utiliser la définition et les propriétés du PGCD

Énoncé

1. Déterminer tous les entiers naturels n tels que : PGCD$(n, 324) = 12$.

2. En déduire parmi eux les entiers naturels n inférieurs à 100.

Solution

1. L'entier 12 divise n et 324. **1**

$n = 12\,k, k \in \mathbb{N}$ et $324 = 12 \times 27$.

Le problème revient à résoudre : PGCD$(k, 27) = 1$. **2**

k et $27 = 3^3$ sont premiers entre eux si 3 ne divise pas k. **3**

On a donc : $k \equiv 1\ (3)$ ou $k \equiv 2\ (3)$. **4**

Les valeurs de n qui conviennent sont les multiples de 12 non multiples de $12 \times 3 = 36$.

2. On veut : $n < 100 \Rightarrow 12\,k < 100 \Rightarrow k \leqslant 8$

k non multiple de 3 : $k \in \{1, 2, 4, 5, 7, 8\}$. **5**

Les valeurs de n qui conviennent sont : $n \in \{12, 24, 48, 60, 84, 96\}$.

Conseils & Méthodes

1 Revenir à la définition du PGCD : diviseur commun.

2 Utiliser la linéarité du PGCD : PGCD$(ka, kb) = k$PGCD(a, b).

3 Si deux nombres sont premiers entre eux, 1 est leur seul diviseur commun.

4 Traduire la contrainte à l'aide des congruences.

5 Faire la liste des choix possibles pour k puis pour n dans l'intervalle $[0, 100]$.

À vous de jouer !

1 1. Déterminer les entiers naturels n tels que :
$$\text{PGCD}(n, 378) = 54.$$
2. En déduire parmi eux les entiers naturels n inférieurs à 500.

2 1. Déterminer les entiers naturels n tels que :
$$\text{PGCD}(n, 150) = 6.$$
2. En déduire parmi eux les entiers naturels n inférieurs à 400.

↪ Exercices 42 à 48 p. 120

Méthode 2 — Résoudre un système d'équations

Énoncé

Trouver tous les entiers naturels a et b avec $a < b$ tels que : $ab = 432$ et PGCD$(a, b) = 6$.

Solution

PGCD$(a, b) = 6$, on peut alors écrire : $a = 6a'$ et $b = 6b'$ avec a' et b' premiers entre eux. **1**

On a alors :

$$ab = 432 \Leftrightarrow 6^2 a'b' = 432 \Leftrightarrow a'b' = \frac{432}{6^2} = 12.$$

Les diviseurs de 12 sont : $\{1 ; 2 ; 3 ; 4 ; 6 ; 12\}$.

Comme 2 et 6 ne sont pas premiers entre eux **2**,

les seuls décompositions possibles sont : 1×12 et 3×4.

Les couples solutions sont donc : $(1 ; 12)$ et $(3 ; 4)$.

Conseils & Méthodes

1 a' et b' sont premiers entre eux sinon 6 ne serait pas le plus grand diviseur commun.

2 PGCD$(2, 6) = 2$.

À vous de jouer !

3 Trouver tous les entiers naturels a et b avec $a < b$ tels que :
$$ab = 7\,776 \text{ et PGCD}(a, b) = 18.$$

4 Déterminer les entiers naturels a et b avec $a < b$ tels que :
$$a + b = 24 \text{ et PGCD}(a, b) = 4.$$

↪ Exercices 42 à 48 p. 120

2 Algorithme d'Euclide

Théorème Algorithme d'Euclide

Soit a et b deux entiers naturels non nuls tels que b ne divise pas a.

La suite des divisions euclidiennes du diviseur par le reste de la division précédente finit par s'arrêter.

Le **dernier reste non nul** est alors le **PGCD** de a et de b.

Division de a par b	$a = bq_0 + r_0$	avec	$b > r_0 \geqslant 0$
Division de b par r_0	$b = r_0 q_1 + r_1$	avec	$r_0 > r_1 \geqslant 0$
Division de r_0 par r_1	$r_0 = r_1 q_2 + r_2$	avec	$r_1 > r_2 \geqslant 0$
$\vdots$	$\vdots$		$\vdots$
Division de r_{n-2} par r_{n-1}	$r_{n-2} = r_{n-1} q_n + r_n$	avec	$r_{n-1} > r_n \geqslant 0$
Division de r_{n-1} par r_n	$r_{n-1} = r_n q_{n+1} + 0$	on a alors : PGCD$(a, b) = r_n$	

● Démonstration

● Montrons que PGCD(a, b) = PGCD(b, r_0) par une double inégalité.

Soit D = PGCD(a, b) et d = PGCD(b, r_0).

D divise a et b alors D divise toute combinaison de a et b donc D divise $a - bq_0 = r_0$.

D divise b et r_0. Par conséquent $D \leqslant d$.

d divise b et r_0, alors d divise toute combinaison de a et r_0 donc d divise $bq_0 + r_0 = a$.

d divise a et b. Par conséquent $d \leqslant D$.

De ces deux inégalités, on déduit que $D = d$ soit PGCD(a, b) = PGCD(b, r_0).

● La suite des restes : $r_0, r_1, r_2, ..., r_n$ est une suite strictement décroissante dans $\mathbb{N}$ car :

$$r_0 > r_1 > r_2 > \cdots > r_n.$$

D'après le principe de descente infinie (toute suite strictement décroissante dans $\mathbb{N}$ est finie), il existe n tel que $r_{n+1} = 0$.

● De proche en proche, on en déduit que :

PGCD(a, b) = PGCD(b, r_0) = ... = PGCD(r_{n-2}, r_{n-1}) = PGCD(r_{n-1}, r_n).

Or r_n divise r_{n-1}, donc PGCD$(r_{n-1}, r_n) = r_n$.

● Conclusion : PGCD$(a, b) = r_n$.

Le dernier reste non nul est le PGCD.

◉ Remarques

● Cette démonstration est celle qu'utilisait Euclide, aux notations près, au IIIe siècle av. J.-C.

● Bien retenir que pour montrer que deux PGCD sont égaux, il est souvent préférable de procéder par double inégalités.

● Le petit nombre d'étapes pour trouver le PGCD fait de cet algorithme un procédé plus efficace que la décomposition en nombres premiers (chapitre 5).

● L'algorithme d'Euclide peut être présenté sous la forme d'un organigramme (ci-contre).

On pose la question « est-ce que $b = 0$? ». Si oui, le PGCD est égal à a. Si non, on part dans la boucle « non ».

On revient à la question avec les nouvelles valeurs de a et b.

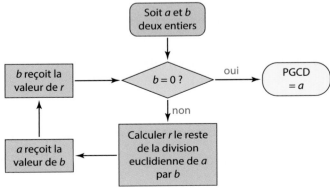

● EXOS
Méthodes
lienmini.fr/maths-e04-03
Les rendez-vous
Sésamath

Exercices (résolus)

Méthode 3 Appliquer l'algorithme d'Euclide

Algo

Énoncé

1. À l'aide de l'algorithme d'Euclide, déterminer PGCD(1 958 , 4 539).

2. Déterminer une fonction en **Python** calculant le PGCD de deux entiers à l'aide de l'algorithme d'Euclide. Vérifier le résultat trouvé à la question 1.

Solution

1. $4\,539 = 1\,958 \times 2 + 623$ **1**

$1\,958 = 623 \times 3 + 89$ **2**

$623 = 89 \times 7 + 0$

On obtient alors : PGCD(1 958 , 4 539) = 89 **3**

● Remarque

Si l'on avait divisé le plus petit par le plus grand, cela aurait rajouté la ligne : $1\,958 = 4\,539 \times 0 + 1\,958$. Ensuite, on divise 4 539 par 1 958 retrouvant ainsi les divisions effectuées.

2. On crée la fonction **pgcd(a,b)** en initialisant le reste.

Par une boucle conditionnelle, tant que le reste est non nul, on divise. On remarquera qu'à chaque étape, on réactualise les valeurs de a et b.

On obtient alors :

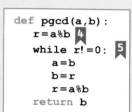

```python
def pgcd(a,b):
    r=a%b    4
    while r!=0:    5
        a=b
        b=r
        r=a%b
    return b
```

```
>>> pgcd(4539 , 1958)
89
```

Conseils & Méthodes

1 Diviser le plus grand nombre par le plus petit.

2 Diviser ensuite le diviseur par le reste jusqu'à obtenir un reste nul.

3 Le dernier reste non nul est le PGCD.

4 a % b signifie le reste de la division de a par b.

5 $r! = 0$ signifie $r \neq 0$

À vous de jouer !

5 À l'aide de l'algorithme d'Euclide, déterminer les PGCD des couples d'entiers suivants.
a) (144 ; 840)   **b)** (202 ; 138)

6 À l'aide de l'algorithme d'Euclide, déterminer les PGCD des couples d'entiers suivants.
a) (441 ; 777)   **b)** (2 004 ; 9 185)

7 À l'aide de l'algorithme d'Euclide, dire si les couples d'entiers suivants sont premiers entre eux.
a) (4 847 ; 5 633)   **b)** (5 617 ; 813)

8 **1.** À l'aide de l'algorithme d'Euclide, déterminer PGCD(a , b) avec $a = 18\,480$ et $b = 9\,828$.
2. Que peut-on dire des nombres $\dfrac{a}{84}$ et $\dfrac{b}{84}$?

9 Écrire un programme en langage naturel permettant de calculer le PGCD(a , b) avec l'algorithme d'Euclide.
Tester ce programme avec $a = 1\,958$ et $b = 4\,539$ puis avec $a = 123\,456\,789$ et $b = 987\,654\,321$.

10 Compléter le programme en **Python** ci-dessous pour que la fonction récursive **euclide** donne le PGCD (a , b).

```python
def euclide(a,b):
    if b==0:
        return …
    return euclide(… , …)
```

Tester ce programme avec $a = 1\,958$ et $b = 4\,539$ puis avec $a = 123\,456\,789$ et $b = 987\,654\,321$.

↪ Exercices 49 à 53 p. 120

3 Théorème de Bézout et son corollaire

Théorème Identité de Bézout

Soit deux entiers non nuls a et b tels que PGCD$(a, b) = D$.

Il existe un couple d'entiers relatifs $(u ; v)$ tel que :

$$au + bv = D.$$

● Démonstration

Soit G l'ensemble des combinaisons linéaires strictement positives de a et de b.

G n'est pas vide car il contient par exemple $|a|$.

D'après le principe du bon ordre, cet ensemble admet un plus petit élément $d = au + bv$ avec $d > 0$.

Notons $D = $ PGCD(a, b) et montrons que $D = d$ par double inégalité.

● D divise a et b donc D divise toute combinaison linéaire de a et b donc D divise $au + bv = d$.
En conséquence $D \leqslant d$.

● Divisons a par d : $a = dq + r$ avec $0 \leqslant r < d$.

Isolons r et remplaçons d par $au + bv$:

$r = a - dq = a - (au + bv)q = a - auq - bvq = a(1 - uq) + b(-vq)$.

Si $r \neq 0$ alors r est un élément de G des combinaisons linéaires strictement positives. Comme d est le plus petit élément, on a alors $r \geqslant d$,
ce qui est impossible car $r < d$.

Par conséquent $r = 0$ et donc d divise a.

● Par un raisonnement analogue, on montre que d divise b.

● d divise a et b donc $d \leqslant D$.

● Par double inégalité, on en déduit que $D = d$ et donc que $au + bv = D$.

▶ VIDÉO
Démonstration
lienmini.fr/maths-e04-04

Théorème Conséquence de l'identité de Bézout

Tout diviseur commun à a et b divise PGCD(a, b).

● Démonstration

Soit d un diviseur commun à a et b, il existe donc $k, k' \in \mathbb{Z}$ tels que : $a = kd$ et $b = k'd$.
De l'identité de Bézout, on a :

$$au + bv = D \Leftrightarrow kdu + k'dv = D \Leftrightarrow d(ku + k'v) = D ;$$

d divise donc $D = $ PGCD(a, b).

Théorème Théorème de Bézout

Les entiers relatifs a et b sont premiers entre eux si, et seulement si, il existe un couple d'entier relatifs $(u ; v)$ tels que : $au + bv = 1.$

● Démonstration

Démontrons par double implications.

● Si PGCD$(a, b) = 1$, d'après l'identité de Bézout, il existe un couple d'entiers relatifs (u, v) tels que $au + bv = 1$.

● Réciproquement si $au + bv = 1$ alors si $D = $ PGCD(a, b), D divise toute combinaison linéaire de a et de b
donc D divise $au + bv$ donc D divise 1 et donc $D = 1$.

Théorème Corollaire du théorème de Bézout

L'équation $ax + by = c$ admet des solutions entières si, et seulement si, c est un multiple du PGCD(a, b).

● Démonstration
↪ Exercice 66 p. 121

● EXOS
Méthodes
lienmini.fr/maths-e04-03

Les rendez-vous
Sésamath

Exercices (résolus)

Méthode 4 — Déterminer un couple d'entiers de Bézout

Énoncé

1. Montrer que les entiers 59 et 27 sont premiers entre eux.

2. Déterminer un couple d'entiers relatifs $(x ; y)$ tel que : $59x + 27y = 1$. On parle d'un couple d'entiers de Bézout.

3. Montrer que pour tout entier relatif n, les entiers $(2n + 1)$ et $(3n + 2)$ sont premiers entre eux.

Solution

1. $59 = 27 \times 2 + 5 \quad (L_1)$ **1**

$27 = 5 \times 5 + 2 \quad (L_2)$

$5 = 2 \times 2 + 1 \quad (L_3)$

Le dernier reste est 1 donc PGCD(59 , 27) = 1.

2. On remonte l'algorithme d'Euclide : **2**

de (L_3) : $\quad 2 \times 2 = 5 - 1 \quad\quad (L_4)$

de $(L_2) \times 2$ $\quad 27 \times 2 = 5 \times 10 + 2 \times 2$ **3**

de (L_4) $\quad 27 \times 2 = 5 \times 10 + 5 - 1$

$\quad\quad 27 \times 2 = 5 \times 11 - 1$

$\quad\quad 5 \times 11 = 27 \times 2 + 1 \quad (L_5)$ **4**

de $(L_1) \times 11$ $\quad 59 \times 11 = 27 \times 22 + 5 \times 11$

de (L_5) $\quad 59 \times 11 = 27 \times 22 + 27 \times 2 + 1$

$\quad\quad 59 \times 11 = 27 \times 24 + 1$

On obtient alors : $59 \times 11 + 27 \times (-24) = 1$ **6**

Un couple d'entiers de Bézout est $(11 , -24)$

3. On cherche une combinaison linéaire de $(2n + 1)$ et $(3n + 2)$ égale à 1 : **7**

$$-3(2n + 1) + 2(3n + 2) = -6n - 3 + 6n + 4 = 1$$

Il existe donc un couple $(u , v) = (-3, 2)$ tel que $(2n + 1)u + (3n + 2)v = 1$, d'après le théorème de Bézout, pour tout n les nombre $(2n + 1)$ et $(3n + 2)$ sont premiers entre eux.

Conseils & Méthodes

1 Pour montrer que deux nombres sont premiers entre eux, utiliser l'algorithme d'Euclide.

2 On reprend l'algorithme d'Euclide en partant de la ligne (L_3) jusqu'à la ligne (L_1).

3 Pour utiliser $2 \times 2 = 5 - 1$ il faut multiplier (L_2) par 2.

4 On isole 5×11 pour pouvoir utiliser (L_1).

5 On multiplie ensuite (L_1) par 11.

6 Réorganiser l'égalité pour trouver un couple d'entiers de Bézout.

7 Les coefficients doivent permettre « d'éliminer n ».

À vous de jouer !

11 **1.** Montrer que 87 et 31 sont premiers entre eux à l'aide de l'algorithme d'Euclide.

2. En remontant cet algorithme, déterminer un couple d'entiers relatifs $(x ; y)$ tel que :

$$87x + 31y = 1.$$

12 **1.** Montrer que 38 et 45 sont premiers entre eux à l'aide de l'algorithme d'Euclide.

2. En remontant cet algorithme, déterminer un couple d'entiers relatifs $(x ; y)$ tel que : $38x + 45y = 1$.

13 **1.** Montrer que deux entiers naturels consécutifs sont premiers entre eux.

2. Montrer que deux entiers naturels impairs consécutifs sont premiers entre eux.

14 **1.** Montrer que 41 et 25 sont premiers entre eux à l'aide de l'algorithme d'Euclide

2. En remontant cet algorithme, déterminer un couple d'entiers relatifs $(x ; y)$ tel que :

$$41x - 25y = 1.$$

15 Montrer que la fraction $\dfrac{9n + 1}{6n + 1}$ est irréductible pour tout entier naturel n.

16 Montrer que la fraction $\dfrac{14n + 3}{5n + 1}$ est irréductible pour tout entier naturel n.

↪ Exercices 54 à 67 p. 120

4 # Théorème de Gauss et son corollaire

Théorème **Théorème de Gauss**

Soit a, b et c trois entiers relatifs non nuls.

Si a divise le produit bc et si a et b sont premiers entre eux, alors **a divise c.**

• **Démonstration**

Démontrons à l'aide du théorème de Bézout.

- a divise bc donc il existe un entier relatif k tel que : $bc = ka$.   (Éq. 1)
- a et b sont premiers entre eux donc d'après le théorème de Bézout,
il existe un couple d'entiers relatifs $(u\,;v)$ tel que : $au + bv = 1$.   (Éq. 2)
- (Éq. 2) $\times c$: $acu + bcv = c \overset{\text{(Éq. 1)}}{\Rightarrow} acu + kav = c \Rightarrow a(cu + kv) = 1$

  Donc a divise c.

▶ **VIDÉO**

Démonstration
lienmini.fr/maths-e04-09

ØLJEN
Les maths en finesse

Théorème **Corollaire du théorème de Gauss**

Soit a, b et c trois entiers relatifs non nuls.

Si b et c divise a et si b et c sont premiers entre eux, alors **bc divise a.**

• **Démonstration**

Si b et c divise a, alors il existe deux entiers relatifs k et k' tels que : $a = kb$ et $a = k'c$.

On a alors $kb = k'c$ donc b divise $k'c$ comme b et c sont premiers entre eux, d'après le théorème de Gauss, b divise k'. Il existe alors un entier relatif k'' tel que $k' = k''b$.

Or $a = k'c$ donc $a = k''bc$ et donc bc divise a.

 5 # Équations diophantiennes

Définition **Équation diophantienne**

Une **équation diophantienne** est une équation polynomiale à coefficients entiers dont on cherche les solutions parmi les nombres entiers.

Une équation diophantienne du premier degré est une équation qui peut se mettre sous la forme :
$$ax + by = c.$$

D'après le corollaire du théorème de Bézout, une telle équation admet des solutions si c est un multiple de PGCD$(a\,,b)$.

Une solution particulière et le théorème de Gauss permettent alors de trouver toutes les solutions de cette équation du premier degré.

◗ **Remarque**

Ce type d'équation doit son nom à Diophante d'Alexandrie, mathématicien grec du IIIe siècle.

• **Exemples**

L'équation $17x - 33y = 2$ admet des solutions entières car 17 et 33 sont premiers entre eux et 2 est un multiple de 1. Une solution particulière est $(4\,;2)$ car : $17 \times 4 - 33 \times 2 = 68 - 66 = 2$. Pour donner toutes les solutions ↪ **Méthode 7** p. 116.

L'équation $15x + 27y = 2$ n'admet pas de solutions entières car PGCD$(15\,,27) = 3$ et 2 n'est pas un multiple de 3.

⊙ EXOS
Méthodes
lienmini.fr/maths-e04-03

Les rendez-vous
Sésamath

Exercices (résolus)

Méthode 5 Appliquer le théorème de Gauss

Énoncé

1. Trouver tous les couples d'entiers relatifs $(x\,;y)$ tels que : $5(x-1) = 7y$.

2. En déduire les couples d'entiers relatifs $(x\,;y)$ tels que : $5x + 7y = 5$.

Solution

1. $5(x-1) = 7y$ donc 7 divise $5(x-1)$.

Comme 7 et 5 sont premiers entre eux,
d'après le théorème de Gauss, 7 divise $(x-1)$. **1**

On a alors : $x - 1 = 7k$ avec $k \in \mathbb{Z}$.

En remplaçant dans l'équation : $5 \times 7k = 7y$. **2**

En divisant par 7 : $y = 5k$.

Les solutions sont donc de la forme :

$$\begin{cases} x = 1 + 7k \\ y = 5k \end{cases}, k \in \mathbb{Z}$$

Les solutions trouvées sont bien solution de l'équation :

$5(1 + 7k - 1) = 7(5k)$. **3**

2. $5x + 7y = 5 \Leftrightarrow 5x - 5 = -7y \Leftrightarrow 5(x-1) = 7(-y)$

Il suffit alors de remplacer y par $(-y)$ dans les solutions précédentes :

$$\begin{cases} x = 1 + 7k \\ y = -5k \end{cases}, k \in \mathbb{Z}$$

Conseils & Méthodes

1 Penser à utiliser le théorème de Gauss lorsque $ab = cd$ avec a et b premiers entre eux.

2 Il est indispensable de remplacer dans l'équation pour montrer qu'il s'agit du même k dans $y = 5k$.

3 Comme on a raisonné par implication, il faut vérifier que les solutions trouvées sont bien solution de l'équation.

À vous de jouer !

17 **1.** Déterminer les couples d'entiers relatifs $(x\,;y)$ tels que : $33x - 45y = 0$.
2. En déduire les couples d'entiers relatifs $(x\,;y)$ tels que : $33x + 45y = 12$.

18 **1.** Déterminer les couples d'entiers relatifs $(x\,;y)$ tels que : $7(x-3) = 5(y-2)$.
2. En déduire les entiers relatifs x tels que : $7x \equiv 1\ (5)$.

⮡ **Exercices 68 à 70 p. 121**

Méthode 6 Appliquer le corollaire du théorème de Gauss

Énoncé

Soit x un entier relatif

Montrer que si $x \equiv 0\ (8)$ et $x \equiv 0\ (9)$, alors $x \equiv 0\ (72)$.

Solution

Si $x \equiv 0\ (8)$ et $x \equiv 0\ (9)$ alors 8 et 9 divise x. **1**

Comme 8 et 9 sont premiers entre eux, d'après le corollaire du théorème de Gauss,

$8 \times 9 = 72$ divise x donc $x \equiv 0\ (72)$.

Conseils & Méthodes

1 Traduire les congruences en termes de divisibilité pour pouvoir utiliser le théorème de Gauss.

À vous de jouer !

19 Montrer que si $x \equiv 0\ (3)$, $x \equiv 0\ (5)$ et $x \equiv 0\ (7)$ alors $x \equiv 0\ (105)$.

20 Soit n un entier naturel.
Montrer que $n(n + 1)(n + 2)$ est divisible par 6.

⮡ **Exercices 68 à 70 p. 121**

Exercices (résolus)

EXOS
Méthodes
lienmini.fr/maths-e04-03

Les rendez-vous
Sésamath

Méthode 7 Résoudre une équation diophantienne

➥ Cours 5 p. 114

Énoncé

Soit l'équation (E) à valeurs dans $\mathbb{Z}$: $17x - 33y = 1$.

1. Démontrer que cette équation admet des solutions.

2. Déterminer une solution particulière de l'équation (E).

3. En utilisant le principe de superposition, déterminer l'ensemble des solutions de (E).

Solution

1. 17 et 33 sont premiers entre eux, donc d'après le théorème de Bézout, il existe un couple d'entiers relatifs $(x ; y)$ tel que : $17x - 33y = 1$. **1**

2. Le couple $(2 ; 1)$ est solution de (E) car :
$$17 \times 2 - 33 \times 1 = 34 - 33 = 1.$$

3. Soit $(x ; y)$ une solution quelconque de l'équation (E).

Comme le couple $(2 ; 1)$ est aussi solution de (E), on a :

$17x - 33y = 17 \times 2 - 33 \times 1 \Leftrightarrow 17(x - 2) = 33(y - 1)$ (E').

33 divise $17(x - 1)$, or 33 et 17 sont premiers entre eux, donc d'après le théorème de Gauss, 33 divise $(x - 2)$. **2**

Donc $x - 2 = 33k$ avec $k \in \mathbb{Z}$.

En remplaçant dans (E'), on a : $17 \times 33k = 33(y - 1)$.

En divisant par 33, on a : $y - 1 = 17k$.

L'ensemble des couples solutions sont de la forme :

$$\begin{cases} x - 2 = 33k \\ y - 1 = 17k \end{cases} \Leftrightarrow \begin{cases} x = 2 + 33k \\ y = 1 + 17k \end{cases}, k \in \mathbb{Z}$$

Ces couples solutions vérifient l'équation (E) : **3**

$$17(2 + 33k) - 33(1 + 17k) = 34 + 17 \times 33k - 33 + 33 \times 17k = 1.$$

Ces couples sont bien l'ensemble des solutions de (E).

Conseils & Méthodes

1 Penser au théorème de Bézout ou à son corollaire.

2 Utiliser le théorème de Gauss, pour sélectionner des solutions.

3 Vérifier que les solutions trouvées sont bien solution de l'équation.

À vous de jouer !

21 Soit l'équation
$$(E) : 4x + 3y = 2.$$
1. Dire pourquoi l'équation (E) admet des solutions entières.
2. Déterminer une solution particulière de (E).
3. Déterminer l'ensemble des couples d'entiers relatifs solutions de (E).

22 Soit l'équation
$$(E) : 15x + 8y = 5.$$
1. Déterminer une solution particulière de l'équation : $15x + 8y = 1$.
2. En déduire une solution particulière de (E).
3. Déterminer l'ensemble des couples d'entiers relatifs solutions de (E).

23 Soit l'équation
$$(E) : 51x - 26y = 1.$$
1. Dire pourquoi l'équation (E) admet des solutions entières.
2. Déterminer une solution particulière de (E).
3. Déterminer l'ensemble des couples d'entiers relatifs solutions de (E).

24 Soit l'équation
$$(E) : 29x - 13y = 6.$$
1. Dire pourquoi l'équation (E) admet des solutions entières.
2. Déterminer une solution particulière de (E).
3. Déterminer l'ensemble des couples d'entiers relatifs solutions de (E).

➥ Exercices 71 à 76 p. 121

Méthode 8 — Montrer la rationalité d'un nombre

➥ Cours 1 p. 108 et 2 p. 110

Énoncé

On considère le polynôme du second degré :

$$P(x) = x^2 + ax + b \text{ où } a, b \in \mathbb{Z}.$$

1. Montrer que si $P(x) = 0$ admet une solution rationnelle α, alors α est entier.

2. En déduire que $\sqrt{n}$, avec $n \in \mathbb{N}$, est soit un entier soit un irrationnel.

Solution

1. Supposons qu'il existe une solution α rationnelle

à l'équation $P(x) = 0$. On pose $\alpha = \dfrac{p}{q}$ irréductible.

On a donc :

$$\left(\dfrac{p}{q}\right)^2 + a\left(\dfrac{p}{q}\right) + b = 0 \overset{\times q^2}{\Leftrightarrow} p^2 + apq + bq^2 = 0.$$

On isole p^2 : $p^2 = q(-ap - bq)$.

q divise p^2, or q et p sont premier entre eux donc, d'après le théorème de Gauss, q divise 1.

Comme $q \in \mathbb{N}^*$, on a $q = 1$.

Conclusion : si α est rationnel alors α est entier. **2**

2. En prenant $a = 0$ et $b = n$, on a :

$$P(x) = x^2 - n \quad \textbf{3}$$

$\sqrt{n}$ est une solution de $P(x) = 0$.

D'après la question 1, $\sqrt{n}$ est soit un entier soit un irrationnel. **4**

Conseils & Méthodes

1 Un nombre rationnel est un nombre qui peut s'écrire sous la forme $\dfrac{p}{q}$ avec $p \in \mathbb{Z}$, $q \in \mathbb{N}^*$ et $PGCD\,(p\,,q) = 1$.

2 Si $q = 1$ alors $\dfrac{p}{q}$ est un entier.

3 On cherche un polynôme où $\sqrt{n}$ est une racine.

4 Un nombre qui n'est pas un rationnel est un irrationnel.

► Remarque

On a ainsi montré que $\sqrt{2}$, $\sqrt{3}$, $\sqrt{5}$, $\sqrt{6}$, … ainsi que les combinaisons avec des rationnels comme le nombre d'or $\dfrac{1 + \sqrt{5}}{2}$ sont des irrationnels.

À vous de jouer !

25 On considère le polynôme :

$$P(x) = x^3 + ax^2 + bx + c$$

où $a, b, c \in \mathbb{Z}$.

1. Montrer que si $P(x) = 0$ admet une solution rationnelle α, alors α est un entier.

2. En déduire que $\sqrt[3]{n}$, avec $n \in \mathbb{Z}$, est soit un entier soit un irrationnel.

26 **1.** Montrer que $\dfrac{\ln 2}{\ln 3} > 0$.

2. On suppose $\dfrac{\ln 2}{\ln 3} = \dfrac{p}{q}$ avec $PGCD\,(p\,,q) = 1$ et $p, q \in \mathbb{N}^*$.

Montrer alors que $2^q = 3^p$.

3. En déduire que $\dfrac{\ln 2}{\ln 3}$ n'est pas un nombre rationnel.

27 On pose $\alpha = \sqrt{2} + \sqrt{3}$.

1. Calculer α^2 puis $(\alpha^2 - 5)^2$.

2. Déterminer un polynôme du quatrième degré pour lequel α est une racine.

3. Prouver que α est irrationnel.

28 On considère le polynôme $P(x) = x^3 + x^2 - 2x - 1$.
On suppose que le polynôme P admet une racine rationnelle $r = \dfrac{p}{q}$ avec $PGCD\,(p, q) = 1$, $p \in \mathbb{Z}$ et $q \in \mathbb{N}^*$.

1. Justifier que p divise q^3 puis que p divise q. En déduire que $p = \pm 1$.

2. Par un procédé identique, montrer que $q = 1$.

3. En déduire alors que le polynôme P n'admet pas de solution rationnelle.

➥ **Exercices 86 à 87** p. 122

Exercices apprendre à démontrer

● VIDÉO
Démonstration
lienmini.fr/maths-e04-04

Le théorème à démontrer Identité de Bézout

> Soit deux entiers non nuls a et b tels que PGCD(a, b) = D.
> Il existe un couple d'entiers relatifs (u ; v) tel que : $au + bv = D$.

● On montrera à l'aide de l'ensemble des combinaisons linéaires positives de a et b, que D est son plus petit élément.

▶ Comprendre avant de rédiger

- PGCD(6, 9) = 3, il existe un couple (u ; v) = (2 ; – 1) car $6 \times 2 + 9 \times (–1) = 3$.
  Ce couple n'est pas unique car (– 1, 1) donne aussi $6 \times (– 1) + 9 \times 1 = 3$.

- Pour montrer que deux nombres x et y sont égaux, on peut procéder par double inégalité : $x \leq y$ et $y \leq x$.

- Pour montrer que x divise y, on effectue la division euclidienne de x par y et l'on montre que le reste est nul.

▶ Rédiger

Étape	La démonstration rédigée

Étape ❶

On crée l'ensemble des combinaisons linéaire de a et de b strictement positives.

→ $G = \{ax + by, ax + by > 0\}$
$|a| \in G$ car $a \in G$ ou $-a \in G$.

Étape ❷

Toute partie de $\mathbb{N}$ admet un plus petit élément.

→ Soit d le plus petit élément de G,
il correspond à la combinaison : $d = au + bv$.

Étape ❸

D = PGCD(a, b)

D divise a et b donc divise toute combinaison linéaire de a et de b.

→ D divise d donc $D \leq d$.

Étape ❹

On divise a par d.

→ $a = dq + r \Rightarrow r = a - dq$ avec $0 \leq r < d$.

Étape ❺

On exprime r comme une combinaison linéaire de a et de b

→ $r = a - q(au + bv) = a(1 - qu) + (-bq)v$.

Étape ❻

On montre que r est nul par impossibilité qu'il soit strictement positif.

→ Si $r \neq 0$ alors $r \in G$ et donc d n'est pas le plus petit élément ce qui est contradictoire.
D'où $r = 0$ et donc d divise a.
Par un raisonnement similaire, on déduit que d divise b.

Étape ❼

d est un diviseur commum à a et b.

→ d divise a et b donc $d \leq D$
$D \leq d$ et $d \leq D$ donc $D = d$.

▶ Pour s'entraîner

Soit a et b deux entiers realatifs non nuls. On pose A = $4a + 3b$ et B = $5a + 4b$.
Montrer que : PGCD(a, b) = PGCD(A, B).

29 PGCD

Déterminer de tête et à l'aide des règles de divisibilité :
a) PGCD(12 , 42)　　　　**b)** PGCD(45 , 105)
c) PGCD(92 , 69)　　　　**d)** PGCD(72 , 108)

30 Résoudre un problème

1. Sur un vélodrome, deux cyclistes partent en même temps d'un point M et roulent à vitesse constante. Le coureur A boucle le tour en 35 secondes et le coureur B en 42 secondes.
Au bout de combien de secondes le coureur A aura-t-il un tour d'avance sur le coureur B ?
　a 7　　　　　　　　　b 175
　c 210　　　　　　　　d 420

2. On veut découper un rectangle de 24 cm sur 40 cm en carrés sans perte. Quel peut être le côté du carré ?
　a 6 cm　　　　　　　b 8 cm
　c 10 cm　　　　　　　d 120 cm

31 Propriétés du PGCD

Sachant que PGCD(426 , 144) = 6, déterminer de tête :
a) PGCD(852 , 288)　　　**b)** PGCD(142 , 48)
c) PGCD(426 , 6)　　　　**d)** PGCD(– 144 , 426)

32 Algorithme d'Euclide

Méthode Comment faire pour déterminer les PGCD suivants en utilisant l'algorithme d'Euclide ?
a) PGCD(78 , 108)　　　**b)** PGCD(202 , 138)

33 Quotients et algorithme d'Euclide

L'affirmation suivante est-elle vraie ou fausse ? Justifier.　　V　F
Les quotients successifs (comprenant la dernière division de reste nul) de l'algorithme d'Euclide appliqué aux entiers 644 et 345 sont : 1, 1, 5, 2.　□　□

34 Nombres premiers entre eux (1)

Les affirmations suivantes sont-elles vraies ou fausses ? Justifier.　　V　F
a) PGCD (144, 840) = 12.　　　□　□
b) 441 et 277 sont premiers entre eux.　□　□

35 Nombres premiers entre eux (2)

1. Méthode Comment faire pour montrer que, pour tout entier n non nul, les entiers $4n + 1$ et n sont premiers entre eux ?
2. En est-il de même avec $4n$ et $n + 1$?

36 Identité et théorème de Bézout

Les affirmations suivantes sont-elles vraies ou fausses ? Justifier.　　V　F
a) Si a et b sont premiers entre eux, alors il existe un couple d'entiers relatifs $(u \,;v)$ tel que : $au + bv = 2$.　□　□
b) S'il existe une combinaison linéaire de a et de b telle que $au + bv = 2$, alors PGCD $(a, b) = 2$.　□　□

37 Divisibilité

Choisir la(les) bonne(s) réponse(s).
1. Un entier est divisible par 6 et 35. Son plus grand diviseur certain est :
　a 35　　　　　　　　b 42
　c 70　　　　　　　　d 210
2. Un entier est divisible par 6 et 15. Son plus grand diviseur certain est :
　a 30　　　　　　　　b 45
　c 60　　　　　　　　d 90

38 Théorème de Gauss

En utilisant le théorème de Gauss, déterminer les couples d'entiers relatifs $(x \,;y)$ qui vérifient les équations suivantes.
a) $5(x + 3) = 4y$　　　　**b)** $41\,x + 9y = 0$

39 Équation à solution entière

1. Trouver un couple d'entier relatif $(x \,;y)$ qui vérifie l'équation : $7x + 5y = 1$.
2. Méthode Comment à partir de ce couple solution en trouver un deuxième ?

40 Existence de solution

Les affirmations suivantes sont-elles vraies ou fausses ? Justifier.　　V　F
a) L'équation : $37x + 25y = 1$ admet des solutions entières.　□　□
b) L'équation : $51x + 39y = 1$ n'admet pas de solution entière.　□　□
c) L'équation $51x + 39y = 2\,016$ n'admet pas de solution entière.　□　□

41 Théorèmes de Bézout et Gauss

Choisir la(les) bonnes réponse(s).
Soit a et b deux entiers naturels non nuls.
　a Si a divise bc et si a ne divise pas b alors a divise c.
　b Si b et c divisent a alors bc divise a.
　c Les nombres a et $2a + 1$ sont premiers entre eux.
　d Les nombre $3b$ et $2b + 1$ sont premiers entre eux.

Exercices  d'application

Utiliser le PGCD

Méthode 1 Méthode 2 p. 109

42 Déterminer les couples d'entiers naturels $(a ; b)$ tels que :
$$\text{PGCD}(a, b) = 18 \text{ et } a + b = 360.$$

43 Trouver les entiers naturels a et b avec $a < b$ tels que :
$$ab = 6\ 300 \text{ et PGCD}(a, b) = 15.$$

44 En un point donné du ciel, un astre A apparaît tous les 28 jours et un astre B tous les 77 jours. Sachant que les deux astres sont déjà apparu simultanément en ce point, avec quelle périodicité les verra-t-on dans cette configuration ?

45 Une boîte parallélépipédique rectangle de dimensions intérieures 31,2 cm, 13 cm et 7,8 cm est entièrement remplie par des cubes à jouer dont l'arête est un nombre entier de millimètres.
Quel est le nombre minimal de cubes que peut contenir cette boîte ?

46 a et b sont deux entiers naturels **Algo** non nuls tels que $a > b$.
1. Démontrer que PGCD$(a, b) = $ PGCD$(a - b, b)$.
2. Calculer les PGCD des entiers suivants par cette méthode, répétée autant de fois que nécessaire.
a) 308 et 165 **b)** 735 et 210
3. Compléter cette fonction en **Python** permettant de déterminer PGCD(a, b) par cette méthode, les nombres a et b n'étant pas ordonnés.

```
def pgcd(a,b):
    while …:
        …
        …
        …
    return …
```

47 Soit n un naturel non nul.
On pose $a = 5n + 1$ et $b = 2n - 1$.
On note $D = $ PGCD(a, b).
1. Démontrer que les valeurs possibles de D sont 1 ou 7.
2. Déterminer les entiers n tels que :
$$a \equiv 0\ (7) \text{ et } b \equiv 0\ (7).$$
3. En déduire, suivant les valeurs de n, la valeur de D.

48 Soit n un naturel non nul.
On pose : $a = 3n + 1$ et $b = 5n - 1$.
1. Montrer que PGCD(a, b) est un diviseur de 8.
2. Pour quelles valeurs de n, PGCD$(a, b) = 8$?

Appliquer l'algorithme d'Euclide

Méthode 3 p. 111

49 Utiliser l'algorithme d'Euclide pour trouver :
a) PGCD(4 935 , 517)
b) PGCD(2 012 , 7 545)
c) PGCD(18 480 , 8 745)

50 Les entiers suivants sont-ils premiers entre eux ?
a) 4 847 et 5 633
b) 5 617 et 813

51 Soit a et b deux entiers naturels non nuls tels que :
$$\text{PGCD}(a, b) = 7.$$
La dernière division de reste nul étant écrite, les quotients successifs de l'algorithme d'Euclide sont : 3 ; 1 ; 1 ; 3.
Quelles sont les valeurs de a et b ?

52 Soit a et b deux entiers naturels non nuls tels que :
$$\text{PGCD}(a, b) = 15.$$
La dernière division de reste nul étant écrite, les quotients successifs de l'algorithme d'Euclide sont : 2 ; 4 ; 1 ; 3 ; 2.
Quelles sont les valeurs de a et b ?

53 Si on divise 4 294 et 3 521 par un même entier positif, on obtient respectivement comme reste 10 et 11.
Quel est ce diviseur ?

Déterminer un couple d'entiers de Bézout

Méthode 4 p. 113

54 Montrer que 17 et 40 sont premiers entre eux puis déterminer un couple d'entiers relatifs $(x ; y)$ tel que :
$$17x - 40y = 1.$$

55 Montrer que 23 et 26 sont premiers entre eux puis déterminer un couple d'entiers relatifs $(x ; y)$ tel que :
$$23x - 26y = 1.$$

56 Montrer que 221 et 331 sont premiers entre eux puis déterminer un couple d'entiers relatifs $(x ; y)$ tel que :
$$221x - 331y = 1.$$

57 **1.** Déterminer PGCD(58, 24) à l'aide de l'algorithme d'Euclide.
2. En déduire un couple d'entiers relatifs $(x ; y)$ tel que :
$$58x - 24y = 2.$$

58 La proposition suivante est-elle vraie ou fausse ? Justifier.
« S'il existe deux entiers relatifs u et v tels que $au + bv = 5$ alors PGCD$(a, b) = 5$. »

59 Démontrer que, pour tout relatif k, $(7k + 3)$ et $(2k + 1)$ sont premiers entre eux.

60 Démontrer que, pour tout entier naturel n, $(7n + 4)$ et $(5n + 3)$ sont premiers entre eux.

61 Démontrer que pour tout entier relatif n, les entiers $(14n + 3)$ et $(5n + 1)$ sont premiers entre eux. En déduire :
$$\text{PGCD}(87 ; 31).$$

62 Prouver que la fraction $\dfrac{n}{2n + 1}$ est irréductible pour tout entier naturel n.

63 Prouver que la fraction $\dfrac{2n + 1}{n(n + 1)}$ est irréductible pour tout entier naturel n.

64 Déterminer a et b tels que :
$$n^2 - 3 + (an + b)(n - 2) = 1.$$
Que peut-on déduire pour la fraction $\dfrac{n^2 - 3}{n - 2}$?

65 Prouver que la fraction $\dfrac{n^3 + n}{2n + 1}$ est irréductible pour tout entier naturel n.

66 Démontrer le corollaire **Démo**
du théorème de Bézout : « l'équation $ax + by = c$ admet des solutions entières si, et seulement si, c est un multiple PGCD(a , b) ».
On raisonnera par double implication.

67 L'équation $6x + 3y = 1$ admet-elle des solutions ? Et l'équation $7x + 5y = 1$?

Appliquer le théorème de Gauss  p. 115

68 **1.** Déterminer les couples d'entiers relatifs $(a ; b)$ tels que : $29a - 13b = 0$.
2. Vérifier que le couple $(11 ; 24)$ est solution de l'équation (E) : $29x - 13y = 7$.
En déduire les couples $(x ; y)$ solutions de (E).

69 On considère dans un repère, les points A($7 ; 2$) et B($-3 ; -4$).
1. Montrer qu'un point M($x ; y$) appartient à la droite (AB) si $3(x - 7) = 5(y - 2)$.
2. En déduire l'ensemble des points à coordonnées entières appartenant à la droite (AB).

70 Un joueur a totalisé 200 points en lançant sur une cible 25 fléchettes.
La cible possède 3 zones qui rapportent respectivement 0 ; 5 et 12 points.
1. Montrer que le nombre de fléchettes qui ont atteint la zone à 12 points est divisible par 5.
2. En déduire la répartition des fléchettes dans les différentes zones.

Résoudre une équation diophantienne p. 116

71 Soit l'équation (E) : $3x - 4y = 6$.
1. Déterminer une solution particulière à (E).
2. Déterminer l'ensemble des solutions entières.

72 Soit l'équation (E) : $13x - 23y = 1$.
1. Déterminer une solution particulière à (E) en utilisant l'algorithme d'Euclide.
2. Déterminer l'ensemble des solutions entières.

73 **1.** Déterminer l'ensemble des couples d'entiers relatifs (x , y), solutions de l'équation (E) : $8x - 5y = 3$.
2. Soit m un nombre entier relatifs tel qu'il existe un couple $(p ; q)$ de nombres entiers vérifiant : $m = 8p + 1$ et $m = 5q + 4$.
Montrer que le couple $(p ; q)$ est solution de l'équation (E).
3. Déterminer le plus petit de ces nombres entiers m supérieurs à 2 000.

74 **1.** On considère l'équation (E) à résoudre dans $\mathbb{Z}^2$:
$$7x - 5y = 1.$$
a) Vérifier que $(3 ; 4)$ est solution de (E).
b) Déterminer les couples solutions de (E).
2. Une boîte contient 25 jetons, des rouges, des verts et des blancs. Sur les 25 jetons il y a x jetons rouges et y jetons verts. Sachant que $7x - 5y = 1$, quels peuvent être les nombres de jetons rouges, verts et blancs ?

75 **1.** Lisa veut mesurer une durée de 2 minutes avec deux sabliers, l'un mesurant une durée de 11 minutes et l'autre une durée de 5 minutes.
Expliquer comment Lisa doit procéder.

2. Est-il possible pour Lisa de mesurer toute durée entière de d minutes avec ces deux sabliers ?

76 On veut résoudre le système suivant dans $\mathbb{Z}$.
$$(S) : \begin{cases} x \equiv 1 \ (11) \\ x \equiv 3 \ (4) \end{cases}$$
1. Montrer que résoudre ce système revient à résoudre l'équation
$$(E) : 11u - 4v = 2$$
où u et v sont des entiers relatifs.
2. Résoudre l'équation (E).
3. En déduire les solutions de (S).

Exercices d'entraînement

Systèmes : équation – PGCD

77 Trouver les entiers naturels a et b tels que :
$ab - b^2 = 2\,028$ et PGCD$(a, b) = 13$.

78 **1.** Déterminer l'ensemble des entiers naturels n tels que PGCD$(2n + 3, n) = 3$.
2. En déduire l'ensemble des entiers naturels n tels que PGCD$(2n + 3, n) = 1$.

79 Résoudre les systèmes suivants, $x, y \in \mathbb{N}$.

a) $\begin{cases} xy = 1512 \\ \text{PGCD}(x, y) = 6 \end{cases}$ **b)** $\begin{cases} xy = 300 \\ \text{PGCD}(x, y) = 5 \end{cases}$

On donnera la réponse sous forme de tableau.

Recherche de PGCD

80 Soit n un entier naturel.
On pose $a = 9n + 4$ et $b = 2n + 1$.
Montrer que a et b sont premiers entre eux.

81 Soit n un entier naturel.
On pose $a = n + 4$ et $b = 3n + 7$.
Déterminer PGCD(a, b) suivant les valeurs de n.

82 Soit a et b deux entiers premiers **Algo**
entre eux. La fonction **bezout** programmée en
Python  permet de trouver les entiers u et v tels que :
$$au + bv = 1.$$

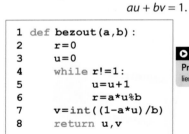

1. a) Expliquer la condition de la ligne 4.
b) Pourquoi le calcul de la ligne 6 suppose que b soit positif ?
2. Que fait la fonction **int()** à la ligne 7 ?
3. Modifier cet algorithme pour qu'il puisse calculer les entiers u et v lorsque le signe de b est quelconque.
4. Faire fonctionner cet algorithme pour les couples $(a\,;b)$ suivants.
a) $(37\,;15)$ **b)** $(11\,;-24)$

83 Soit n un entier relatif.
$A = n - 1$ et $B = n^2 - 3n + 6$.
1. Démontrer que le PGCD de A et de B est égal au PGCD de A et de 4.
2. Déterminer, selon les valeurs de l'entier n, le PGCD de A et de B.
3. Pour quelles valeurs de l'entier relatif n, $n \neq 1$ a-t-on :
$$\frac{n^2 - 3n + 6}{n - 1} \in \mathbb{Z} ?$$

Théorème de Gauss

84 Soit a et b deux rationnels non nuls tels que $a + b$ et ab sont des entiers.
On pose alors $a = \dfrac{p_1}{q_1}$ et $b = \dfrac{p_2}{q_2}$ fractions irréductibles avec $q_1 > 0$ et $q_2 > 0$.
1. Montrer que q_1 divise q_2.
2. En déduire que $q_1 = q_2$.
3. Prouver alors que a et b sont des entiers.

85 Cinq entiers naturels a, b, c, d, e sont cinq termes consécutifs non nuls d'une suite géométrique de raison $q > 1$ et telle que q est premier avec a. On sait de plus que $6a^2 = e - b$.
1. Montrer que : $6a = q(q^3 - 1)$.
2. Montrer que q divise 6 puis déterminer les valeurs possibles pour q.
3. En déduire les valeurs de a, b, c, d et e.

Montrer la rationalité d'un nombre
Méthode 8 p. 117

86 Soit $p \in \mathbb{Z}$ et $q \in \mathbb{N}^*$ premiers entre eux.
Soit f le polynôme : $f(x) = 2x^3 + 5x^2 + 5x + 3$.
1. Montrer que si $\dfrac{p}{q}$ est une racine de f alors p divise 3 et q divise 2.
2. Déduire que f admet une racine rationnelle.

87 Soit f le polynôme :
$$f(x) = x^4 - 4x^3 - 8x^2 + 13x + 10.$$
1. Montrer que si $f(x) = 0$ admet une solution rationnelle α alors α est un entier.
2. Montrer que si α est une solution entière de $f(x) = 0$ alors α divise 10.
3. Trouver les racines entières éventuelle de $f(x) = 0$.

Travailler l'oral

88 En montagne, un randonneur a effectué des réservation dans deux types d'hébergement :
l'hébergement A et l'hébergement B.
Une nuit en hébergement A coûte 24 € et une nuit en hébergement B coûte 45 €.

Il se rappelle que le coût total de sa réservation est de 438 €. On souhaite retrouver les nombres x et y de nuitées passées respectivement en hébergement A et en hébergement B. Proposer une solution algorithmique et une solution arithmétique.

89 Bézout et Gauss. Vrai ou faux ?

Pour chacune des trois propositions, indiquer si elle est vraie ou fausse et donner une démonstration de la réponse choisie.

a) Proposition 1 Pour tout $n \in \mathbb{N}^*$, $3n$ et $2n + 1$ sont premiers entre eux.

b) Soit S l'ensemble des couples $(x\,;y)$ d'entiers relatifs solutions de l'équation $3x - 5y = 2$.

Proposition 2 L'ensemble S est l'ensemble des couples $(5k - 1\,;3k - 1)$ où k est un entier relatif.

c) Soit a et b deux entiers naturels.

Proposition 3 S'il existe deux entiers relatifs u et v tels que $au + bv = 2$ alors le PGCD de a et b est égal à 2.

90 Comètes

A ▶ Ensemble S

On appelle S l'ensemble des entiers relatifs n vérifiant le système :

$$\begin{cases} n \equiv 13 \ (19) \\ n \equiv 6 \ (12) \end{cases}$$

1. Recherche d'un élément de S.

On désigne par $(u\,;v)$ un couple d'entiers relatifs tel que

$$19u + 12v = 1.$$

a) Justifier l'existence d'un tel couple $(u\,;v)$.

b) On pose $n_0 = 6 \times 19u + 13 \times 12v$.

Démontrer que n_0 appartient à S.

c) Donner un entier n_0 appartenant à S.

2. Caractérisation des éléments de S.

a) Soit n un entier relatif appartenant à S.

Démontrer que $n - n_0 \equiv 0 \ (228)$.

b) En déduire qu'un entier relatif n appartient à S si et seulement si n peut s'écrire sous la forme $n = -6 + 228k$ où k est un entier relatif.

B ▶ Application

La comète A passe tous les 19 ans et apparaîtra la prochaine fois dans 13 ans.

La comète B passe tous les 12 ans et apparaîtra la prochaine fois dans 6 ans.

Dans combien d'années pourra-t-on observer les deux comètes la même année ?

91 Pompon et manège

1. On considère l'équation (E) : $17x - 24y = 9$ où $(x\,,y)$ est un couple d'entiers relatifs.

a) Vérifier que le couple $(9\,;6)$ est solution de l'équation (E).

b) Résoudre l'équation (E).

2. Dans une fête foraine, Pablo s'installe dans un manège circulaire représenté par le schéma ci-dessous.

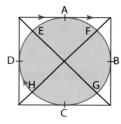

Il peut s'installer sur l'un des huit points indiqués sur le cercle. Le manège comporte un jeu qui consiste à attraper un pompon qui se déplace sur un câble formant un carré dans lequel est inscrit le cercle. Le manège tourne dans le sens des aiguilles d'une montre, à vitesse constante. Il fait un tour en 24 secondes. Le pompon se déplace dans le même sens à vitesse constante. Il fait un tour en 17 secondes. Pour gagner, Pablo doit attraper le pompon, et il ne peut le faire qu'aux points de contact qui sont notés A, B, C et D sur le dessin. À l'instant $t = 0$, Pablo part du point H en même temps que le pompon part du point A.

a) On suppose qu'à un certain instant t Pablo attrape le pompon en A. Il a déjà pu passer un certain nombre de fois en A sans y trouver le pompon. À l'instant t, on note y le nombre de tours effectués depuis son premier passage en A et x le nombre de tours effectués par le pompon. Montrer que $(x\,;y)$ est solution de l'équation (E) de la question **1**.

b) Pablo a payé pour 2 minutes ; aura-t-il le temps d'attraper le pompon ?

c) Montrer qu'en fait il n'est possible d'attraper le pompon qu'au point A.

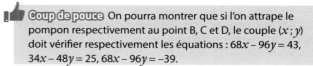 **Coup de pouce** On pourra montrer que si l'on attrape le pompon respectivement au point B, C et D, le couple $(x\,;y)$ doit vérifier respectivement les équations : $68x - 96y = 43$, $34x - 48y = 25$, $68x - 96y = -39$.

d) Pablo part maintenant du point E. Aura-t-il le temps d'attraper le pompon en A avant les deux minutes ?

Exercices (bilan)

92 Suite

Soit (u_n) la suite définie pour $n \in \mathbb{N}$ par :
$$u_0 = 0 \text{ et } u_{n+1} = 4u_n + 1.$$

1. a) Calculer u_1, u_2 et u_3.
b) Montrer que pour $n \in \mathbb{N}$, u_{n+1} et u_n sont premiers entre eux.
2. On pose pour $n \in \mathbb{N}$:
$$v_n = u_n + \frac{1}{3}.$$

a) Montrer que (v_n) est une suite géométrique.
b) En déduire l'expression de v_n puis celle de u_n en fonction de n.
3. Calculer PGCD($4^{n+1} - 1$, $4^n - 1$).

93 Codage

À chaque lettre de l'alphabet on associe, d'après le tableau suivant, un nombre entier compris entre 0 et 25.

A	B	C	D	E	F	G	H	I
0	1	2	3	4	5	6	7	8
J	K	L	M	N	O	P	Q	R
9	10	11	12	13	14	15	16	17
S	T	U	V	W	X	Y	Z	
18	19	20	21	22	23	24	25	

On définit un procédé de codage de la façon suivante.

Étape 1
On choisit deux entiers naturels p et q compris entre 0 et 25.

Étape 2
À la lettre que l'on veut coder, on associe l'entier x correspondant dans le tableau ci-dessus.

Étape 3
On calcule l'entier y défini par les relations :
$$y \equiv px + q0 \ (26) \text{ et } 0 \leqslant y \leqslant 25.$$

Étape 4
À l'entier y, on associe la lettre correspondante dans le tableau.
1. On choisit $p = 9$ et $q = 2$.
a) Démontrer que la lettre V est codée par la lettre J.
b) Citer le théorème qui permet d'affirmer l'existence de deux entiers relatifs u et v tels que : $9u + 26v = 1$.
Donner sans justifier un couple $(u ; v)$ qui convient.
c) Démontrer que :
$$y \equiv 9x + 2 \ (26) \Leftrightarrow x \equiv 3y + 20 \ (26).$$
d) Décoder la lettre R.
2. On choisit $q = 2$ et p est inconnu.
On sait que J est codé par D. Déterminer la valeur de p (on admettra que p est unique).
3. On choisit $p = 13$ et $q = 2$.
Coder les lettres B et D.
Que peut-on dire de ce codage ?

D'après Bac Antilles-Guyane 2015

94 Casser un code

À chaque lettre de l'alphabet, on associe un entier n comme à l'exercice précédent. On choisit 2 entiers a et b compris entre 0 et 25. Tout entier n compris entre 0 et 25 est codé par le reste de la division de $an + b$ par 26.
Le tableau suivant donne les fréquences f en pourcentage des lettres utilisées dans un texte écrit en français.

A	B	C	D	E	F	G	H	I
9,42	1,02	2,64	3,38	15,87	0,94	1,04	0,77	8,41
J	K	L	M	N	O	P	Q	R
0,89	0,00	5,33	3,23	7,14	5,13	2,86	1,06	6,46
S	T	U	V	W	X	Y	Z	
7,90	7,36	6,24	2,15	0,00	0,30	0,24	0,32	

A ▶ Un texte écrit en français et suffisamment long a été codé selon ce procédé. L'analyse fréquentielle du texte codé a montré qu'il contient 15,9 % de O et 9,4 % de E.
On souhaite déterminer les nombres a et b qui ont permis le codage.
1. Quelles lettres ont été codées par O et E ?
2. Montrer que les entiers a et b sont solutions du système
$$\begin{cases} 4a + b \equiv 13 \ (26) \\ b \equiv 4 \ (26) \end{cases}$$
3. Déterminer tous les couples d'entiers $(a ; b)$ ayant pu permettre le codage de ce texte.
B ▶ 1. On choisit $a = 22$ et $b = 4$.
Coder les lettres K et X. Ce codage est-il envisageable ?
2. On choisit $a = 9$ et $b = 4$.
a) Montrer que pour tous $n, m \in \mathbb{N}$, on a :
$$m \equiv 9n + 4 \ (26) \Leftrightarrow n \equiv 3m + 14 \ (26).$$
b) Décoder le mot NBELLA.

D'après Bac Polynésie 2017

95 Théorème des restes chinois

On se propose de déterminer l'ensemble S des entiers relatifs n vérifiant le système :
$$\begin{cases} n \equiv 9 \ (17) \\ n \equiv 3 \ (5) \end{cases}$$

1. On désigne par $(u ; v)$ un couple d'entiers relatifs tel que
$$17u + 5v = 1.$$
a) Justifier l'existence d'un tel couple $(u ; v)$.
b) On pose $n_0 = 3 \times 17u + 9 \times 5v$.
Démontrer que n_0 appartient à S.
c) Donner un entier n_0 appartenant à S.
2. a) Soit n un entier relatif appartenant à S.
Démontrer que $n - n_0 \equiv 0 \ (85)$.
b) En déduire qu'un entier relatif n appartient à S si, et seulement si, n peut s'écrire sous la forme $n = 43 + 85k$ où k est un entier relatif.
3. Application : Assa sait qu'elle a entre 300 et 400 jetons. Si elle fait des tas de 17 jetons, il lui en reste 9. Si elle fait des tas de 5 jetons, il lui en reste 3. Combien a-t-elle de jetons ?

PGCD

Soit $a, b \in \mathbb{Z}^*$.

L'ensemble des diviseurs communs à a et b admet un plus grand élément d, appelé **p**lus **g**rand **c**ommun **d**iviseur noté PGCD(a, b).

Propriétés

- PGCD$(ka, kb) = k$PGCD(a, b)
- Si b divise a alors PGCD$(a, b) = |b|$
- a et b sont **premiers entre eux** si, et seulement si, PGCD$(a, b) = 1$

Algorithme d'Euclide

Soit $a, b \in \mathbb{N}$ et b ne divise pas a.

$a = bq + r$ alors PGCD$(a, b) = $ PGCD(b, r)

Les divisions successives des diviseurs par le reste des divisions précédentes finissent par s'arrêter.

Le dernier reste non nul est alors PGCD(a, b).

C'est le principe de la **descente infinie** dans $\mathbb{N}$.

Théorème de Gauss

- **Théorème de Gauss**

Si a divise bc et si a et b sont premiers entre eux alors a divise c.

- **Corollaire de Gauss**

Si b et c divise a et si b et c sont premiers entre eux alors bc divise a.

Théorème de Bézout

- **Identité de Bézout**

Soit $D = $ PGCD(a, b) alors il existe un couple d'entiers relatifs $(u ; v)$ tel que : $au + bv = D$.

- **Conséquence**

Tout diviseur commun à a et b divise D.

- **Théorème de Bézout**

a et b premiers entre eux si, et seulement si, il existe un couple d'entiers relatifs (u, v) tel que :

$$au + bv = 1.$$

- **Corollaire de Bézout**

L'équation $ax + by = c$ admet des solutions entières si, et seulement si, c est un multiple de PGCD(a, b)

Chiffrement affine

Soit une fonction de codage affine, par exemple : $f(x) = 11x + 8$.

- À une lettre du message, on associe un entier x entre 0 et 25 suivant l'ordre alphabétique.
- On calcule $f(x) = 11x + 8$ et l'on détermine le reste y de la division euclidienne de $f(x)$ par 26.
- On traduit y par une lettre suivant l'ordre alphabétique

Équation diophantienne du premier degré

Ce sont les équations de la forme : $ax + by = c$.

Cette équation admet des solutions si $c = k$ PGCD(a, b).

Pour résoudre cette équation :

- on divise l'équation par PGCD(a, b),
- on cherche une solution particulière,
- puis une solution générale en soustrayant termes à termes la solution particulière et la solution générale.

On applique le théorème de Gauss et on conclut sur l'ensemble des couples solutions.

Je dois être capable de...

		Parcours d'exercices
▶ Utiliser la définition et les propriétés du PGCD	Méthode 1 Méthode 2 →	1, 2, 3, 4, 42, 43
▶ Utiliser l'algorithme d'Euclide	Méthode 3 →	5, 6, 49, 50
▶ Déterminer un couple d'entiers de Bézout	Méthode 4 →	11, 12, 54, 67
▶ Appliquer le théorème de Gauss	Méthode 5 Méthode 6 →	17, 18, 19, 20, 68, 69
▶ Résoudre une équation diophantienne	Méthode 7 →	21, 22, 71, 72

▶ EXOS
QCM interactifs
lienmini.fr/maths-e04-07

QCM Pour les exercices suivants, choisir la (les) bonne(s) réponse(s).

	A	B	C	D
96 PGCD(2 517 , 4 272) = 3. Dans l'algorithme d'Euclide, combien de divisions au minimum sont-elles nécessaires jusqu'à obtenir un reste nul ?	7	8	9	10
97 PGCD(a , b) = 7; $a \in \mathbb{N}$, $b \in \mathbb{N}$. Dans l'algorithme d'Euclide, les quotients successifs sont 3, 1, 1, 2 (comprenant la dernière division de reste nul). On a alors :	$(a , b) = (35 , 63)$	$(a , b) = (35 , 126)$	$(a , b) = (25 , 126)$	$(a , b) = (14 , 35)$
98 Combien de couples d'entiers naturels (a ; b) verifient PGCD(a , b) = 42 et $a + 2b = 336$?	5	3	2	1
99 Soit un entier relatif n. On pose : $a = 2n - 5$ et $b = 3n - 7$.	a et b sont premiers entre eux.	PGCD(a , b) = 11	Tout diviseur commun à a et b divise 11.	a et b ne sont pas premiers entre eux
100 Quelle fraction est irréductible pour tout $n \in \mathbb{N}^*$?	$\dfrac{3n}{2n+1}$	$\dfrac{n+8}{2n+5}$	$\dfrac{3n^2}{2n^2+n}$	$\dfrac{n}{(2n+1)(3n+1)}$
101 L'équation $5x - 8y = 1$ admet comme solution des couples d'entiers relatifs qui sont :	toujours premiers entre eux.	parfois premiers entre eux.	jamais premiers entre eux.	on ne peut répondre.
102 Un nombre est divisible par 15 et 24, alors ce nombre est divisible par :	360	120	90	72
103 Soit k un entier relatif. L'équation $5(x - 2) = 7k$ d'inconnue x a pour solution :	$x \equiv 2 \ (5)$	$x \equiv 5 \ (7)$	$x \equiv 2 \ (7)$	$x \equiv 0 \ (7)$
104 Soit l'équation (E) : $27x + 25y = 1$. Soit (x_0 ; y_0) une solution de (E).	$(-25 ; 27)$ est solution de (E)	x_0 et y_0 sont de parité différente	On peut avoir $x_0 + y_0 = 5$	(E) n'admet pas de solution.
105 Soit l'équation diophantienne (E) : $17x - 13y = 2$. Les solutions de (E) sont :	(E) n'admet pas de solution	$\begin{cases} x = -6 + 13k \\ y = -8 + 17k' \end{cases}$ $k \in \mathbb{Z}$	$\begin{cases} x = 7 + 26k \\ y = 9 + 34k' \end{cases}$ $k \in \mathbb{Z}$	$\begin{cases} x = 7 + 13k \\ y = 9 - 17k' \end{cases}$ $k \in \mathbb{Z}$

106 **Des diviseurs**

Si l'on divise 1 809 et 2 527 par un même entier b, les restes respectifs sont 9 et 7.
Quelles sont les valeurs possibles pour b ? p. 109

107 **Un diviseur**

Si l'on divise 1 545 et 3 375 par un même entier b, les restes respectifs sont 9 et 10.
Quel ce diviseur b ? **Méthode 2** p. 109

108 **Algorithme d'Euclide**

À l'aide de l'algorithme d'Euclide, déterminer :
a) PGCD(901 , 1 505)
b) PGCD(2 012 , 7 545) **Méthode 3** p. 111

109 **Algorithme** Algo

Soit l'algorithme ci-contre où A, B $\in \mathbb{N}$.
1. On rentre A = 12 et B = 14.
Donner les valeurs successives que prennent A, B et D ainsi que la valeur affichée par l'algorithme
2. Que calcule cet algorithme ? Vérifier la validité mathématique de cet algorithme.

```
Lire A, B
D ← |B − A|
Tant que D ≠ 0
D ← A
A ← D
D ← |B − A|
Fin tant que
Afficher A
```

Méthode 4 p. 113

110 **Théorème de Bézout (1)**

Soit n un entier relatif.
1. On pose : $a = 7n + 3$ et $b = 2n + 1$.
Montrer que a et b sont premiers entre eux.
2. Même question avec :
$a = 4n + 5$ et $b = 7n + 9$. **Méthode 4** p. 113

111 **Théorème de Bézout (2)**

Pour chacune des propositions suivantes indiquer si elle est vraie ou fausse et justifier.
a) Soit. $a, b, u, v \in \mathbb{Z}$
Proposition 1
Si $au + bv = 3$ alors PGCD(a , b) = 3.
b) Proposition 2
L'équation $51x + 9y = 2$ admet des solutions entières.
c) Proposition 3
Soit $k \in \mathbb{Z}$, les nombres a et b tels que $a = 14n + 3$ et $b = 5n + 1$ sont premiers entre eux. **Méthode 3** p. 111

112 **Nombres de Bézout**

Soit l'équation (E) : $221x + 338y = 26$.
1. L'équation (E) admet-elle des solutions entières ?
2. Déterminer une solution particulière de l'équation (E). **Méthode 3** p. 111

113 **Théorème de Gauss**

1. Déterminer les couples d'entiers relatifs ($a ; b$) tels que :
$$21a − 5b = 0.$$
2. Soit n un entier relatif. Montrer que si 5 et 11 divise ($n − 9$) alors $n \equiv 9\ (55)$. **Méthode 5** p. 115

114 **Système d'équations**

Soit le système (S) : $\begin{cases} n \equiv 1\,(5) \\ n \equiv 3\,(4) \end{cases}$
1. Montrer que si n est solution de (S) alors ($n − 11$) est divisible par 4 et par 5.
2. En déduire l'ensemble des solutions n du système. **Méthode 2** p. 109

115 **Égalité de deux PGCD** Démo

Soit n un entier relatif.
1. On pose : $a = n − 2$ et $b = n^2 + n + 3$.
Montrer que PGCD(a , b) =PGCD($a , 9$).
2. Déterminer les valeurs n pour lesquelles :
$$\frac{n^2 + n + 3}{n − 2} \in \mathbb{Z}.$$

➡ **Apprendre à démontrer p. 118**

116 **Équation diophantienne (1)**

Soit l'équation (E) : $25x + 7y = 1$.
1. Pourquoi l'équation (E) admet-elle des solutions entières ?
2. Déterminer une solution particulière de l'équation (E).
3. Déterminer toutes les solutions entières de l'équation (E). **Méthode 6** p. 115

117 **Équation diophantienne (2)**

Soit l'équation (E) : $2x − 3y = 5$.
a) Déterminer une solution particulière de l'équation (E).
b) En déduire toutes les solutions entières de l'équation (E). **Méthode 7** p. 116

118 **Rationalité**

Soit $p \in \mathbb{Z}$ et $q \in \mathbb{N}^*$ premiers entre eux.
Soit f le polynôme :
$$f(x) = 3x^3 + 4x^2 + 2x − 4.$$
1. Montrer que si $\dfrac{p}{q}$ est une racine de f alors p divise 4 et q divise 3.
2. Déduire que f n'admet qu'une seule solution rationnelle. **Méthode 8** p. 117

Exercices vers le supérieur

119 PPCM

Soit deux entiers relatifs a et b. On appelle PPCM(a, b) le plus petit multiple strictement positif de a et de b.

1. Calculer PPCM(18, 12) et PPCM(24, 40).

2. Calculer $\dfrac{7}{6} + \dfrac{11}{15}$. Que représente PPCM(6, 15) ?

120 PGCD et PPCM · Démo

Soit $D =$ PGCD(a, b) et $M =$ PPCM(a, b).

1. Montrer que : $\begin{cases} a = Da' \\ b = Db' \end{cases} \Rightarrow M = Da'b'$ et PGCD(a', b') = 1.

2. En déduire que : $DM = ab$.

121 Encore un PPCM

Soit a et b deux naturels tels que $a < b$.
Déterminer a et b tels que :
PGCD(a, b) = 6 et PPCM(a, b) = 102.

122 Vrai-Faux

Soit l'équation (E) : $x^2 - 52x + 480 = 0$, où x est un entier naturel. La phrase suivante est-elle vraie ou fausse ? Justifier.
« Il existe deux entiers naturels non nuls dont le PGCD et le PPCM sont solutions de l'équation (E). »

123 Propriété du PGCD

Soit un entier naturel n non nul.
On pose : $a = 5n^2 + 7$ et $b = n^2 + 2$

1. Montrer que PGCD(a, b) vaut 1 ou 3.

2. Déterminer les valeurs de n pour lequel PGCD(a, b) = 3.

124 Recherche du PGCD

Pour tout entier naturel n supérieur ou égal à 5, on considère les nombres : $a = n^3 - n^2 - 12n$ et $b = 2n^2 - 7n - 4$.

1. Démontrer, après factorisation, que a et b sont des entiers naturels divisible par $(n - 4)$.

2. On pose $\alpha = 2n + 1$ et $\beta = n + 3$. On note d le PGCD(α, β).

a) Trouver une relation entre α et β indépendante de n.

b) Démontrer que d est un diviseur de 5.

c) Démontrer que les nombres α et β sont multiples de 5 si, et seulement si, $(n - 2)$ est multiple de 5.

3. Démontrer que $(2n + 1)$ et n sont premiers entre eux.

4. a) Déterminer, suivant les valeurs de n et en fonction de n, le PGCD(a, b).

b) Vérifier les résultats obtenus dans les cas particuliers $n = 11$ et $n = 12$.

125 Algorithme d'Euclide

À l'aide de l'algorithme d'Euclide, déterminer :

a) PGCD(99 099, 43 928)

b) PGCD(153 527, 245 479)

126 Calcul de PGCD

Soit $n \in \mathbb{Z}$. On pose $a = n^3 + 3n^2 - 5$ et $b = n + 2$.
Calculer PGCD(a, b).

127 Suite et PGCD

Soit la suite (u_n) définie sur $\mathbb{N}$ par :
$$u_0 = 0, \ u_1 = 1 \text{ et } u_{n+2} = 3u_{n+1} - 2u_n.$$

1. On pose $v_n = u_{n+1} - u_n$.

Montrer que la suite (v_n) est une suite géométrique dont on déterminera la raison et le premier terme.

2. a) En déduire que pour tout entier n, u_n est un entier naturel et que $u_{n+1} = 2u_n + 1$.

b) En déduire que deux termes consécutifs de la suite (u_n) sont premiers entre eux.

128 PGCD · Démo

Soit a et b deux entiers premiers entre eux tels que $a \geqslant b \geqslant 1$.

1. Montrer que PGCD($a + b$, $a - b$) vaut 1 ou 2.

2. Montrer que PGCD($a + b$, ab) = 1.

3. Montrer que PGCD($a + b$, $a^2 + b^2$) vaut 1 ou 2.

129 PGCD et congruence

Soit les entiers relatifs n vérifiant le système (S) suivant :

$$(S) : \begin{cases} n \equiv 1\,(5) \\ n \equiv 5\,(7) \end{cases}$$

1. a) Montrer que si n vérifie (S) alors n vérifie le système :
$$\begin{cases} 4n + 1 \equiv 0\,(5) \\ 4n + 1 \equiv 0\,(7) \end{cases}$$

b) En déduire alors que $4n \equiv -1\,(35)$

2. Déterminer les solutions de (S).

130 Racines rationnelles

Soit le polynôme f défini par :
$$f(x) = x^4 - 4x^3 - 8x^2 + 13x + 10.$$

1. Montrer que si f admet une racine rationnelle alors cette racine est entière.

2. a) Montrer que si f admet une racine entière α alors α est un diviseur de 10.

b) Quelles sont les racines entières éventuelles de f ?

3. a) Après avoir déterminé ces racines, factoriser $f(x)$.

b) Déterminer les autres racines de f.

131 Solutions entières

Soit l'équation
$$(E) : 2x + 5y = s \text{ avec } s \in \mathbb{N}.$$
On veut montrer que si $s \geqslant 4$ l'équation (E) admet au moins une solution dans $\mathbb{N}^2$.

1. Soit $0 \leqslant s \leqslant 4$, déterminer les valeurs de s pour lesquelles (E) admet des solutions dans $\mathbb{N}^2$.

2. Montrer par récurrence que si $s \geqslant 4$, l'équation (E) admet au moins une solution dans $\mathbb{N}^2$.

132 Égalité de deux PGCD (1) · Démo

Soit $n, a, b \in \mathbb{Z}^*$
Montrer que si a et n sont premiers entre eux alors :
$$\text{PGCD}(ab, n) = \text{PGCD}(b, n).$$

133 Égalité de deux PGCD (2) **Démo**

Soit $n \in \mathbb{Z}$, on pose
$a = n^4 + 3n^2 - n + 2$ et $b = n^2 + n + 1$.
Montrer que :
$$PGCD(a, b) = PGCD(n - 2, 7).$$

134 Équation diophantienne

Déterminer l'ensemble des couples $(x ; y)$ d'entiers relatifs tels que :
$$955x + 183y = 1.$$
On pourra remonter l'algorithme d'Euclide pour trouver une solution particulière.

135 Somme et PPCM

Soit a et b deux entiers naturels non nuls.
On pose $d = PGCD(a ; b)$ et $m = PPCM(a, b)$.
On rappelle que :
$$m = da'b' \text{ avec } a = da' \text{ et } b = db'.$$
1. On cherche les couples (a, b) d'entiers naturels tels que :
$$a + b = 56 \text{ et } m = 180.$$
a) Montrer que les valeurs possibles pour d sont 1, 2 ou 4.
b) Analyser chaque cas puis déterminer les couples $(a ; b)$ qui conviennent.
2. En procédant comme à la question **1**, déterminer les couples $(a ; b)$ d'entiers naturels tels que :
$$a + b = 276 \text{ et } m = 1\,440.$$

136 Système PGCD-PPCM

Déterminer les couples $(a, b) \in \mathbb{N}^2$ tels que :
$$\begin{cases} PGCD(a, b) = 42 \\ PPCM(a, b) = 1680 \end{cases}$$

137 PGCD et suite de Fibonacci

Soit la suite définie sur $\mathbb{N}$ par :
$$u_0 = 0, u_1 = 1, \text{ et } u_{n+2} = u_{n+1} + u_n.$$
1. Calculer u_2, u_3, u_4, u_5 et u_6.
2. Montrer par récurrence que :
pour tout $n \in \mathbb{N}^*$, $u_{n+1} \times u_{n-1} - (u_n)^2 = (-1)^n$.
En déduire que les termes u_n et u_{n+1} sont premiers entre eux.
3. Démontrer que :
pour tout $n \in \mathbb{N}$, pour tout $p \geqslant 1$,
$$u_{n+p} = u_n \times u_{p-1} + u_{n+1} \times u_p.$$
4. a) Démontrer que :
$$PGCD(u_{n+p}, u_n) = PGCD(u_p, u_n).$$
b) En déduire que si r est le reste de la division de m par n alors :
$$PGCD(u_m, u_n) = PGCD(u_r, u_n)$$
$$PGCD(u_m, u_n) = u_{PGCD(m, n)} \quad (1)$$
5. Application : calculer u_{12}, u_{18}.
Vérifier alors la relation (1) de la question **4. b)**

138 Repas gastronomique

28 personnes participent à un repas gastronomique. Le prix normal est de 26 € sauf pour les étudiants et les enfants qui paient respectivement 17 € et 13 €. La somme totale recueillie est de 613 €.
Calculer le nombre d'étudiants et d'enfants ayant participé au repas. Proposer deux méthodes pour résoudre ce problème.

139 Cryptage

Pour transmettre un message, on utilise le système suivant.
1re étape À chaque lettre du message en clair, on associe son numéro d'ordre dans l'alphabet :
$A \mapsto 01 ; B \mapsto 02 ; C \mapsto 03 ; \dots ; Y \mapsto 25 ; Z \mapsto 26$.
On obtient ainsi une suite de nombres.
2e étape On considère la suite d'entiers naturels (x_n) définie par :
$$\begin{cases} x_1 = 1 \\ x_{n+1} \equiv 5x_n + 2 \ (33) \end{cases}$$
3e étape On ajoute terme à terme les suites obtenues dans la 1re et la 2e étape : on a alors le message crypté.
1. Déterminer les 25 premiers termes de la suite (x_n).
2. Coder le message suivant :
DEBARQUEMENTLEHUITJUIN
3. Décoder le message suivant :
5, 12, 24, 37, 34, 21, 10, 19, 27, 34, 19, 8, 26, 27, 16, 23, 22, 25, 41

140 Théorème des restes chinois

Une bande de 17 pirates possède un trésor constitué de pièces d'or d'égale valeur.

Ils projettent de se les partager également et de donner le reste au cuisinier chinois. Celui-ci recevrait alors 3 pièces. Mais les pirates se querellent et six d'entre eux sont tués. Un nouveau partage donnerait au cuisinier 4 pièces. Dans un naufrage ultérieur, seuls le trésor, six pirates et le cuisinier sont sauvés, et le partage donnerait alors 5 pièces d'or à ce dernier.
Quelle est la fortune minimale que peut espérer le cuisinier s'il décide d'empoisonner le reste des pirates ?

Travaux pratiques

1   Équation de Pell-Fermat

On étudie dans cet exercice les équations du type $x^2 - ny^2 = 1$ où n un entier naturel non carré.

A ▶ Une première équation (E_1) : $x^2 - 2y^2 = 1$

1. Soit $(a\,;b)$ une solution de (E_1).
a) Quelle est la parité de a et de b ?
b) Déterminer PGCD$(a\,,b)$.
c) Montrer que (A ; B) tel que A = $3a + 4b$ et B = $2a + 3b$ est aussi une solution de (E_1).
2. a) Déterminer une solution de (E_1).
b) Déduire de la question **1. c)** une solution avec des entiers supérieurs à 100.
3. Déterminer, à l'aide d'une boucle conditionnelle, un algorithme, écrit en langage naturel puis en **Python** , qui donne un couple solution de (E_1) d'entiers supérieurs à 1 000.

B ▶ Une deuxième équation (E_2) : $x^2 - 3y^2 = 1$

1. Déterminer la plus petite solution non triviale c'est-à-dire différente de (1 ; 0). Cette solution est appelée solution fondamentale et on la note $(x_0\,;y_0)$.
2. a) Vérifier l'identité de Brahmagupta pour tout entiers relatifs a_1, a_2, b_1, b_2 et n :
$$(a_1{}^2 - nb_1{}^2)(a_2{}^2 - nb_2{}^2) = (a_1a_2 + nb_1b_2)^2 - n(a_1b_2 + b_1a_2)^2$$
b) En déduire à partir de cette relation, en prenant $n = 3$, une autre solution $(x_1\,;y_1)$ de (E_2) connaissant $(x_0\,;y_0)$.
c) Soit $(x_n\,;y_n)$ une solution générale de l'équation (E_2), montrer la relation de récurrence donnant la solution suivante $(x_{n+1}\,;y_{n+1})$ en fonction de $(x_n\,;y_n)$:
$$\begin{cases} x_{n+1} = 2x_n + 3y_n \\ y_{n+1} = x_n + 2y_n \end{cases}$$

d) Déterminer les 10 premières solutions de l'équation (E_2), à l'aide d'un algorithme, écrit en **Python** .

C ▶ Équation de Brahmagupta (E_3) : $x^2 - 92y^2 = 1$

1. a) Déterminer un algorithme en **Python** permettant de trouver la solution fondamentale, autre que la solution (1 ; 0) à l'équation (E_3).
b) Rentrer cet algorithme et donner cette solution.
c) Peut-on en déterminer une autre ?
Si oui comment est-elle déterminée.

L'équation $x^2 - ny^2 = 1$ porte le nom du mathématicien anglais John Pell, mais c'est une erreur due à Euler qui lui attribua faussement son étude.
En fait, le premier à avoir décrit l'ensemble des solutions de cette équation est le mathématicien indien Brahmagupta, qui vivait au VIIe siècle après J-C, soit près de 1 000 ans avant Pell. Ses résultats étaient totalement inconnus des mathématiciens européens du XVIIe siècle et c'est Fermat qui remit cette équation au goût du jour, conjecturant qu'elle avait toujours une infinité de solutions.
Enfin Lagrange, un siècle plus tard, donne une preuve totalement rigoureuse de l'infinité des solutions.

2 Chiffrement de Hill

Le chiffrement de Hill a été publié en 1929. C'est un chiffre non polygraphique, c'est-à-dire qu'on ne chiffre pas les lettres les unes après les autres, mais par « paquets ». On présente ici un exemple *bigraphique*, c'est à dire que les lettres sont regroupées deux à deux.

Étape 1 On regroupe les lettres par 2. Chaque lettre est remplacée par un entier en utilisant le tableau ci-dessous.

A	B	C	D	E	F	G	H	I	J	K	L	M
0	1	2	3	4	5	6	7	8	9	10	11	12
N	O	P	Q	R	S	T	U	V	W	X	Y	Z
13	14	15	16	17	18	19	20	21	22	23	24	25

On obtient des couples d'entiers $(x_1 ; x_2)$ où x_1 correspond à la première lettre et x_2 correspond à la deuxième lettre.

Étape 2 Chaque couple $(x_1 ; x_2)$ est transformé en $(y_1 ; y_2)$ tel que :

$$(S_1) : \begin{cases} y_1 \equiv 11x_1 + 3x_2 \ (26) \\ y_2 \equiv 7x_1 + 4x_2 \ (26) \end{cases} \text{ avec } 0 \leqslant y_1 \leqslant 25 \text{ et } 0 \leqslant y_2 \leqslant 25.$$

Étape 3 Chaque couple $(y_1 ; y_2)$ est transformé en un couple de deux lettres en utilisant le tableau de correspondance donné dans l'étape 1. On regroupe ensuite les lettres

Exemple : TE $\rightarrow$ (19 , 4) $\rightarrow \begin{cases} 11 \times 19 + 3 \times 4 \equiv 13 \ (26) \\ 7 \times 19 + 4 \times 4 \equiv 19 \ (26) \end{cases} \rightarrow$ NT

1. Coder le mot ST.

2. a) Compléter l'algorithme en **Python**  permettant de coder un groupe de deux lettres :

```python
def hill(lettre1 , lettre2):
    alphabet=["A","B","C","D","E","F","G","H","I","J","K",
    "L","M","N","O","P","Q","R","S","T","U","V","W","X","Y","Z"]
    x1=alphabet.index(lettre1)
    x2=alphabet.index(lettre2)
    y1=…
    y2=…
    return …,…
```

> **PYTHON**
> Programme
> lienmini.fr/maths-e04-08

b) À l'aide de cet algorithme coder les mets PALACE et RAPACE.
c) Que constatez-vous ?
3. On veut maintenant déterminer la procédure de déchiffrement.
a) Montrer que pour tout couple $(x_1 ; x_2)$ vérifiant le système (S_1), vérifie le système suivant.

$$(S_2) : \begin{cases} 23x_1 \equiv 4y_1 + 23y_2 \ (26) \\ 23x_2 \equiv 19y + 11y_2 \ (26) \end{cases}$$

b) Montrer que pour tout entiers relatifs a et b : $23a \equiv b \ (26) \Leftrightarrow a \equiv 17b \ (26)$.
c) En déduire alors que tout couple $(x_1 ; x_2)$ vérifiant (S_2), vérifie le système suivant.

$$(S_3) : \begin{cases} x_1 \equiv 16y_1 + y_2 \ (26) \\ x_2 \equiv 11y_1 + 5y_2 \ (26) \end{cases}$$

d) Écrire une fonction en **Python**  sur le même principe que la fonction **hill** de chiffrage pour déchiffrer un mot.

e) Décoder le mot : PFXXKNU. Ce mot étant de 7 lettres, ajouter la lettre W à la fin du mot pour avoir des paquets de deux lettres. Le décodage terminé, supprimer la dernière lettre.

5

Nombres premiers

Le système RSA est un système de cryptage dont le nom provient des initiales de ses trois inventeurs (Rivest, Shamir et Adleman). Ce système permet, par exemple si vous êtes en charge d'une banque, de communiquer avec tous vos clients avec le même système cryptographique. Chaque client possède une clé publique avec laquelle il code ses messages et vous une clé privée pour lire les messages de vos nombreux clients.

Comment fonctionne le système RSA ? ↪ TP 2 p. 159

▶ VIDÉO
La magie du code RSA
lienmini.fr/maths-e05-01

Pour prendre un bon départ

● EXOS
Prérequis
lienmini.fr/maths-e05-02

Les rendez-vous
Sésamath

1 **Connaître les nombres premiers inférieurs à 100**

1. Donner les 15 nombres premiers inférieurs à 50.

2. Donner les 10 nombres premiers compris entre 50 et 100.

2 **Montrer qu'un nombre n'est pas premier**

À l'aide des critères de divisibilité par 3, 5 et 11 ou de la division par 7, montrer que les nombres suivants ne sont pas premiers.

a) 57   **b)** 91   **c)** 143   **d)** 265   **e)** 341   **f)** 427   **g)** 319   **h)** 1581

3 **Décomposer un nombre**

Décomposer les nombres suivants en produit de facteurs premiers.

a) 72   **b)** 98   **c)** 90   **d)** 91   **e)** 97   **f)** 121   **g)** 128   **h)** 225

4 **Déterminer l'ensemble des diviseurs d'un entier**

Donner tous les diviseurs des nombres suivants.

a) 24   **b)** 36   **c)** 45   **d)** 51   **e)** 63   **f)** 91

5 **Définir la divisibilité à l'aide de la congruence**

Traduire à l'aide des congruences les propositions suivantes.

a) n est divisible par 6.   **b)** n est divisible par 3 et par 5.

c) n est divisible par 4 et par 6.   **d)** n est divisible par 6 et par 9.

6 **Traduire une proposition mathématique en français usuel**

Traduire par une phrase, sans utiliser le mot « congruence », les propositions suivantes.

a) $n \equiv 0\ (5)$.

b) si $n \equiv 0\ (4)$ et si $n \equiv 0\ (5)$ alors $n \equiv 0\ (20)$.

c) Si $n \leqslant 25$ et si $n \not\equiv 0\ (2)$, $n \not\equiv 0\ (3)$, $n \not\equiv 0\ (5)$ alors, n est premier.

d) Si p est premier et si $ab \equiv 0\ (p)$ alors, $a \equiv 0\ (p)$ ou $b \equiv 0\ (p)$.

7 **Comprendre un algorithme en langage Python**

Que retourne cet algorithme pour `fonct(154)` ?

```python
from math import *
def fonct(n) :
    d=2
    c=1
    L=[]
while d<=sqrt(n):
        if n%d==0:
            L.append(d)
            n = n/d
        else:
            d=d+c
            c=2
    L.append(n)
    return L
```

1 Découvrir le crible d'Ératosthène

Ératosthène de Cyrène, astronome, géographe, philosophe et mathématicien grec du IIIe siècle av. J.- C., a été le directeur de la bibliothèque d'Alexandrie et est connu notamment pour avoir mesuré géométriquement la circonférence de la Terre en utilisant les rayons du Soleil. En mathématiques, il invente un procédé, le crible d'Ératosthène, permettant de trouver une liste de nombres premiers.

A ▶ Élaboration manuelle de la liste des nombres premiers inférieurs ou égaux à 150

On se propose de déterminer la liste des nombres premiers inférieurs à 150.
On utilise la méthode dites du crible d'Ératosthène, un crible étant une sorte de tamis qui retient les nombres premiers. On donne le tableau suivant.

1	2	3	4	5	6	7	8	9	10
11	12	13	14	15	16	17	18	19	20
21	22	23	24	25	26	27	28	29	30
31	32	33	34	35	36	37	38	39	40
41	42	43	44	45	46	47	48	49	50
51	52	53	54	55	56	57	58	59	60
61	62	63	64	65	66	67	68	69	70
71	72	73	74	75	76	77	78	79	80
81	82	83	84	85	86	87	88	89	90
91	92	93	94	95	96	97	98	99	100
101	102	103	104	105	106	107	108	109	110
111	112	113	114	115	116	117	118	119	120
121	122	123	124	125	126	127	128	129	130
131	132	133	134	135	136	137	138	139	140
141	142	143	144	145	146	147	148	149	150

1. Rayer le nombre 1 et entourer le nombre 2. Rayer les multiples de 2 à partir de 4.

2. Entourer 3. Rayer les multiples de 3 à partir de 9 qui ne sont pas déjà rayés.

3. Entourer 5. Rayer les multiples de 5 à partir de 25 qui ne sont pas déjà rayés.

4. Entourer 7. Rayer les multiples de 7 à partir de 49 qui ne sont pas déjà rayés.

5. Entourer 11. Rayer les multiples de 11 à partir de 121 qui ne sont pas déjà rayés.

6. Entourer tous les nombres de la liste qui ne sont pas rayés. Vérifier qu'il y a 35 nombres entourés et qu'ils correspondent aux nombres premiers inférieurs à 150.

B ▶ Justification

1. Pourquoi est-on sûr, lorsqu'on entoure 7, que les multiples de 7 inférieurs à 49 sont déjà rayés de la liste ?

2. Pourquoi est-on sûr, parmi les entiers naturels inférieurs ou égaux à 150, qu'une fois rayés tous les multiples de 2 à 11, tous les nombres non rayés sont premiers ?

↪ Cours 1 p. 136

2 Généraliser le crible d'Ératosthène par un algorithme

On désire généraliser la méthode de l'activité 1 à une liste de nombres premiers inférieurs ou égaux à *n* et

automatiser ce procédé par une fonction en **Python** d'argument *n*. On appelle alors cette fonction **crible** et la liste **L**. L'idée est, au lieu de rayer des nombres, de leur affecter la valeur 0 puis de les supprimer de la liste **L**. On obtient la fonction ci-dessous.

1. Que fait-on à la ligne 3 ?

2. À la ligne 4 :

a) expliquer la borne supérieure du compteur **i**.

b) pourquoi applique-t-on le type **int** à cette borne ?

3. Expliquer ce que l'on fait aux lignes 5 et 6.

4. Que fait-on aux lignes 9, 10, 11 ?

5. Expliquer les affectations aux lignes 8 et 13.

6. Que renvoie la fonction **crible** ?

7. Exécuter ce programme et retrouver le résultat pour *n* = 150 de l'activité 1.

> **PYTHON**
> Programme
> lienmini.fr/maths-e05-03

```
1  from math import *
2  def crible(n):
3      L=[i for i in range(0,n+1)]
4      for i in range(2,int(floor(sqrt(n)))+1):
5          if L[i]>=1:
6              for k in range(2,int(floor(n/i))+1):
7                  L[i*k]=0
8      i=0
9      while i<len(L):
10         if L[i]==0 or L[i]==1:
11             L.remove(L[i])
12         else:
13             i+=1
14     return L, len(L))
```

↪ **Cours 1 p. 136**

---

20 min

3 Déterminer le nombre de diviseurs

Le but de cette activité est de déterminer tous les diviseurs d'un entier donné à l'aide d'une décomposition en facteurs premiers.

1. Décomposer 567 en produit de facteurs premiers et vérifier qu'il existe deux entiers *p* et *q* tels que :
$$567 = p^4 q.$$

2. Pourquoi un diviseur de 567 est-il de la forme $p^\alpha q^\beta$ avec $0 \leqslant \alpha \leqslant 4$ et $0 \leqslant \beta \leqslant 1$?

3. Remplir le tableau suivant.

×	p^0	p^1	p^2	p^3	p^4
q^0					
q^1					

4. Donner alors l'ensemble des diviseurs de 567.
Combien 567 a-t-il de diviseurs ? Pouvait-on prévoir ce résultat ?

5. Proposer une autre méthode à partir de la décomposition en facteurs premiers permettant de déterminer tous les diviseurs de 567.

6. a) Décomposer 735 en produit de facteurs premiers.
b) Peut-on prévoir le nombre de diviseurs de 735 ?
c) Vérifier ce résultat par la méthode de son choix.

7. Peut-on avoir un entier possédant un nombre impair, autre que 1, de diviseurs ?
Proposer un nombre possédant 3 diviseurs puis un nombre possédant 7 diviseurs.

↪ **Cours 3 p. 138 et 4 p. 140**

Cours

1 Définition et conséquences

Définition Nombre premier

Un **nombre premier** est un entier naturel qui admet exactement deux diviseurs : 1 et lui-même.

▶**Remarques**

• 1 n'est pas un nombre premier car il n'a qu'un seul diviseur : lui-même.

• Un nombre premier p est un entier naturel supérieur ou égal à 2, soit $p \geqslant 2$.

• À part 2, tous les nombres premiers sont impairs.

• Il y a 25 nombres premiers inférieurs à 100 :

2, 3, 5, 7, 11, 13, 17, 19, 23, 29, 31, 37, 41, 43, 47, 53, 59, 61, 67, 71, 73, 79, 83, 89, 97.

• Si un entier naturel $n \geqslant 2$ n'est pas premier, il admet un diviseur strict d tel que $1 < d < n$.

• Un entier naturel non premier est appelé nombre composé.

Théorème Critère d'arrêt ou test de primalité

• Tout entier naturel n tel que $n \geqslant 2$ admet un diviseur premier.

• Si n n'est pas premier, alors il admet un diviseur premier p tel que : $2 < p \leqslant \sqrt{n}$.

● Démonstration

Si n est premier, il admet un diviseur premier : lui-même.

Si n n'est pas premier, l'ensemble D des diviseurs stricts de n (non premiers avec n) n'est pas vide.

D'après le principe du bon ordre, D admet un plus petit élément p.

Si p n'était pas premier, il admettrait un diviseur strict d' qui diviserait aussi n et serait donc dans D.

Ceci est impossible car p est le plus petit élément de D.

Donc p est premier. n admet donc un diviseur premier p donc $p \geqslant 2$ et $n = p \times q$ avec $p \leqslant q$.

En multipliant cette inégalité par p, on obtient :

$$p^2 \leqslant pq \text{ donc } p^2 \leqslant n \text{ soit } p \leqslant \sqrt{n}.$$

▶**Remarque**

Pour déterminer une liste de nombres premiers, on peut utiliser le crible d'Ératosthène ↳ **Activité 1**.

Théorème Théorème de Gauss appliqué aux nombres premiers

Soit a et b deux entiers relatifs non nuls.

Si un nombre premier p divise le produit ab, alors p divise a ou p divise b.

● Démonstration
↳ **Exercice 50** p. 146

▶**Remarques**

• Si p premier divise une puissance a^k, alors p divise a.

• Si p premier divise un produit de facteurs premiers, alors p est l'un d'entre eux.

EXOS
Méthodes
lienmini.fr/maths-e05-04

Les rendez-vous
Sésamath

Exercices (résolus)

Méthode 1 — Déterminer si un nombre est premier

Énoncé

Montrer que 419 est un nombre premier.

Solution

Comme $20 < \sqrt{419} < 21$, on teste les diviseurs premiers inférieurs à 21 soit :

$$2, 3, 5, 7, 11, 13, 17 \text{ et } 19. \quad \blacksquare 1$$

- D'après les critères de divisibilité, 419 n'est pas divisible par 2, 3, 5 et 11.
- En effectuant les divisions euclidiennes, 419 n'est pas divisible par 7, 13, 17 et 19 :

$$419 = 7 \times 59 + 6, \qquad 419 = 13 \times 42 + 3,$$
$$419 = 17 \times 24 + 11, \qquad 419 = 19 \times 22 + 1$$

- D'après la contraposée du critère d'arrêt, 419 est un nombre premier. $\blacksquare 2$

Conseils & Méthodes

1 Il est utile de mémoriser les nombres premiers inférieurs à 50 : 2, 3, 5, 7, 11, 13, 17, 19, 23, 29, 31, 37, 41, 43 et 47.

2 Pour montrer qu'un nombre $n \geq 2$ est premier, on utilise la contraposée du critère d'arrêt :

« Si n ne possède pas de diviseurs premiers inférieurs ou égaux à $\sqrt{n}$ alors n est premier. »

À vous de jouer !

1 Démontrer que 317 est un premier.

2 L'entier 437 est-il premier ?

↪ Exercices 39 à 46 p. 146

Méthode 2 — Utiliser le théorème de Gauss appliqué aux nombres premiers

Énoncé

Soit p un nombre premier supérieur ou égal à 5.

Montrer que $p^2 - 1$ est divisible par 3 et 8. En déduire qu'il est divisible par 24.

Solution

- Divisibilité par 3 :

$p \geq 5$ premier donc p n'est pas divisible par 3.

Les deux seuls restes possibles dans la division par 3 sont 1 et 2. $\blacksquare 1$

$$p \equiv 1\,(3) \Rightarrow p^2 - 1 \equiv 1^2 - 1 \equiv 0\,(3)$$
$$p \equiv 2\,(3) \Rightarrow p^2 - 1 \equiv 2^2 - 1 \equiv 3 \equiv 0\,(3)$$

Donc $p^2 - 1$ est divisible par 3.

- Divisibilité par 8 :

$p \geq 5$ premier donc p impair et $p^2 - 1 = (p - 1)(p + 1)$. $\blacksquare 2$

$p - 1$ et $p + 1$ sont deux nombres pairs consécutifs donc l'un d'eux est divisible par 4.

Le produit $(p - 1)(p + 1)$ est donc divisible par 8.

- 3 et 8 divise $p^2 - 1$ comme 3 et 8 sont premiers entre eux, d'après le corollaire du théorème de Gauss :

$3 \times 8 = 24$ divise $p^2 - 1$. $\blacksquare 3$

Conseils & Méthodes

1 Dissociation des cas : penser à analyser les différents restes.

2 Factoriser et utiliser la parité.

3 Pour le produit des diviseurs, argumenter avec le corollaire du théorème de Gauss.

À vous de jouer !

3 Soit p un nombre premier supérieur à 3.
1. Quels sont les restes possibles dans la division par 12 ?
2. Montrer que $(p^2 + 11)$ est divisible par 12.

4 p est un nombre premier supérieur à 5.
1. Montrer que $(p^4 - 1)$ est divisible par 3 et 5.
2. Montrer que $(p^4 - 1)$ est divisible par 16.
3. En déduire que $(p^4 - 1)$ est divisible par 240.

↪ Exercices 47 à 50 p. 146

2 L'infinité des nombres premiers

Théorème Infinité des nombres premiers

Il existe une infinité de nombres premiers.

● Démonstration

Démontrons ce théorème par l'absurde.

Supposons qu'il existe un nombre fini n de nombres premiers : $p_1, p_2, \ldots, p_n$.

Soit $N = p_1 \times p_2 \times \ldots \times p_i \times \ldots \times p_n + 1$.

● $N \geqslant 2$ et $N \geqslant p_n$ par construction donc N n'est pas premier.

● D'après le critère d'arrêt, N admet un diviseur premier parmi $p_1, p_2, \ldots, p_n$.

● Soit p_i ce diviseur premier.
p_i divise ainsi N et $P = p_1 \times p_2 \times \ldots \times p_i \times \ldots \times p_n$ donc p_i divise la différence $N - P = 1$;
on en déduit alors que $N = 1$.

● Ceci est contradictoire car $N \geqslant 2$.

L'hypothèse qu'il existe un nombre fini de nombres premiers est donc à rejeter.

○ VIDÉO
Démonstration
lienmini.fr/maths-e05-05

3 Théorème fondamental de l'arithmétique

Théorème Décomposition en facteurs premiers

Tout entier $n \geqslant 2$ peut se décomposer de façon unique (à l'ordre des facteurs près) en produit de facteurs premiers.
Soit m nombres premiers distincts $p_1, p_2, \ldots, p_m$ et m entiers naturels non nuls $\alpha_1, \alpha_2, \ldots, \alpha_m$ alors :
$$n = p_1^{\alpha_1} \times p_2^{\alpha_2} \times \ldots \times p_m^{\alpha_m}.$$

● Démonstration

Montrons par récurrence que tout entier $n \geqslant 2$ admet une décomposition en facteurs premiers.

Initialisation : $n = 2$. L'entier 2 étant premier, il se décompose en lui-même.

La proposition est initialisée.

Hérédité : soit $n \geqslant 2$, on suppose que tout entier jusqu'à n se décompose en facteurs premiers (hypothèse de récurrence). Montrons qu'il en est de même pour $n + 1$.

● Soit $n + 1$ est premier, il se décompose alors en lui-même.

● Soit $n + 1$ est composé, il admet alors un diviseur strict $d \geqslant 2$. On a alors $n + 1 = dq$ avec $d \leqslant n$ et $q \leqslant n$, les facteurs d et q d'après l'hypothèse de récurrence se décomposent en facteurs premiers et donc par produit $n + 1$ aussi.

La proposition est héréditaire.

Conclusion : par initialisation et hérédité, tout entier $n \geqslant 2$ admet une décomposition en facteurs premiers.

▷**Remarques**
● Lorsque, dans un raisonnement par récurrence, on suppose, dans l'hérédité, la proposition vraie jusqu'au rang n, on dit que la récurrence est forte.
● Pour montrer l'unicité à l'ordre des facteurs près, on utilise également une récurrence forte.
On admettra l'unicité de cette décomposition.

○ EXOS
Méthodes
lienmini.fr/maths-e05-04

Les rendez-vous
Sésamath

Exercices (résolus)

Méthode 3 — Décomposer un nombre en produit de facteurs premiers

Énoncé

1. Décomposer 16 758 en produit de facteurs premiers.

2. À l'aide d'une décomposition en facteurs premiers, déterminer PGCD(126 , 735).

Solution

1. Tant qu'on peut diviser par un facteur premier, on ne passe pas au suivant : **1** et **2**

```
16 738 | 2
 8 379 | 3
 2 793 | 3
   931 | 7
   133 | 7
    19 | 19
     1 |
```

On a alors : $16\ 758 = 2 \times 3^2 \times 7^2 \times 19$.

2. On décompose chaque entiers en facteurs premiers

```
126 | 2        735 | 2
 63 | 3        245 | 5
 21 | 3         49 | 7
  7 | 7          7 | 7
  1 |            1 |
126 = 2 × 3² × 7   735 = 3 × 5 × 7²
```

$126 = 2 \times 3^2 \times 7$ $735 = 3 \times 5 \times 7^2$

On obtient alors : $PGCD(126\ ,\ 735) = 3 \times 7 = 21$. **3**

▶ Remarque

Bien que cette méthode permette de calculer le PGCD, on lui préférera l'algorithme d'Euclide plus performant.

Conseils & Méthodes

1 Présenter la décomposition avec une barre verticale et écrire à droite les diviseurs premiers et à gauche le quotient de la division du nombre au-dessus à gauche par celui au-dessus à droite.

2 Tester les diviseurs premiers dans l'ordre croissant jusqu'à obtenir 1 dans la colonne de gauche.

3 Après avoir décomposer chaque nombre, déterminer le PGCD en multipliant tous les facteurs premiers communs à la puissance la plus petite.

À vous de jouer !

5 **1.** Décomposer en produit de facteurs premiers : 6 468 et 16 380.

2. En déduire PGCD(6 468 , 16 380).

6 **1.** Déterminer PGCD(8 316 , 5 670) à l'aide :
a) d'une décomposition en facteurs premiers.
b) de l'algorithme d'Euclide.

2. Quelle est la méthode la plus « économe » en opérations ?

7 **1.** Déterminer PGCD(5 455 , 3 570) à l'aide :
a) d'une décomposition en facteurs premiers.
b) de l'algorithme d'Euclide.

2. Quelle est la méthode la plus « économe » en opérations ?

8 À l'aide d'une décomposition en facteurs premiers, déterminer le couple d'entiers naturels $(a\ ;\ b)$ tel que :

$$\frac{a}{b} = \frac{5\ 292}{5544} \text{ et } a + b = 903.$$

9 **1.** Expliquer comment procède cette fonction **facteurs** en **Python** pour trouver la décomposition en facteurs premiers de n.

2. Expliquer l'avant dernière ligne : `L.append(n)`.

```python
from math import *
def facteurs(n):
    L=[]
    d=2
    i=1
    while d<=sqrt(n):
        if n%d==0:
            L.append(d)
            n=n/d
        else:
            d=d+i
            i=2
    L.append(n)
    return L
```

↪ Exercices 51 à 59 p. 146

Décomposition et nombre de diviseurs

Propriété Décomposition et nombre de diviseurs

Soit un entier $n \geqslant 2$ dont la décomposition en facteurs premiers est :

$$n = p_1^{\alpha_1} \times p_2^{\alpha_2} \times \ldots \times p_m^{\alpha_m}.$$

Alors, tout diviseur d de n a pour décomposion :

$$d = p_1^{\beta_1} \times p_2^{\beta_2} \times \ldots \times p_m^{\beta_m} \quad \text{avec pour tout } i \in [1\,;m],\ 0 \leqslant \beta_i \leqslant \alpha_i.$$

Le nombre N de diviseurs de n est alors : $N = (\alpha_1 + 1)(\alpha_2 + 1)\ldots(\alpha_m + 1)$.

Remarque

Le nombre de diviseurs se déduit facilement car chaque puissance des facteurs primaires p_i de n peut varier de 0 à α_i. Il y a donc $(1 + \alpha_i)$ choix possibles.

Pour qu'un entier naturel n admette un nombre impair de diviseurs, chaque facteurs $(1 + \alpha_i)$ de N doit être impair, ce qui entraine que les puissances α_i sont paires. Le nombre n est alors un carré.

Exemples

- $126 = 2 \times 3^2 \times 7$ possède $(1 + 1)(2 + 1)(1 + 1) = 12$ diviseurs.
- $196 = 2^2 \times 7^2$ possède $(2 + 1)(2 + 1) = 9$ diviseurs ($196 = 14^2$).

 Petit théorème de Fermat

Théorème Petit théorème de Fermat

Soit un nombre premier p et un entier naturel a non multiple de p, alors : $a^{p-1} \equiv 1\ (p)$.

Si a est un entier naturel quelconque, on a : $a^p \equiv a\ (p)$.

Démonstration

Considérons les $p - 1$ premiers multiples de a : $a, 2a, 3a, \ldots, (p-1)a$.

Considérons les restes de la division de ces multiples de a par p : $r_1, r_2, r_3, \ldots, r_{p-1}$.

- Ces restes sont deux à deux distincts.

En effet s'il existait deux restes identiques $r_i = r_j$ avec $i > j$, alors :

$$ia - ja \equiv r_i - r_j\ (p) \Leftrightarrow a(i - j) \equiv 0\ (p)$$

donc $(i - j)a$ serait multiple de p, qui d'après le théorème de Gauss appliqué aux nombres premiers, impliquerait a ou $(i - j)$ multiples de p, ce qui n'est pas le cas.

- Ces restes sont donc tous différents et comme il y a $(p - 1)$ multiples de a, on trouve ainsi tous les restes non nuls possibles dans la division par p.

- On a alors :

$$a \times 2a \times \ldots \times (p-1)a \equiv r_1 \times r_2 \times \ldots \times r_{p-1}\ (p) \Leftrightarrow (p-1)! \times a^{p-1} \equiv 1 \times 2 \times 3 \times \ldots \times (p-1) \equiv (p-1)!\ (p)$$

Soit $(p-1)! \times (a^{p-1} - 1) \equiv 0\ (p)$ donc p divise $(p-1)! \times (a^{p-1} - 1)$.

Comme $(p-1)!$ est premier avec p car tous les facteurs de $(p-1)!$ sont inférieurs à p, d'après le théorème de Gauss, $a^{p-1} - 1$ est alors un multiple de p donc : $a^{p-1} - 1 \equiv 0\ (p) \Leftrightarrow a^{p-1} \equiv 1\ (p)$

- En multipliant par a, on obtient : $a^p \equiv a\ (p)$.

Cette dernière égalité reste vraie si a est multiple de p car alors $a \equiv 0\ (p)$.

Exemples

- 13 est premier et ne divise pas 4, donc d'après le petit théorème de Fermat : $4^{12} \equiv 1\ (7)$.
- 11 est premier et ne divise par 5, donc d'après le théorème de Fermat, $5^{11} \equiv 5\ (11)$.

EXOS
Méthodes
lienmini.fr/maths-e05-04
Les rendez-vous
Sésamath

Exercices (résolus)

Méthode 4 — Trouver tous les diviseurs d'un entier

Énoncé

1. Trouver le nombre de diviseurs de 120 à l'aide de sa décomposition en facteurs premiers.

2. À l'aide d'un tableau double entrée et d'un arbre, trouver tous les diviseurs de 120.

Solution

1.

120	2
60	2
30	2
15	3
5	5
1	

$120 = 2^3 \times 3 \times 5$
On a alors 16 diviseurs :
$(3 + 1)(1 + 1)(1 + 1) = 16$

Conseils & Méthodes

1 Le nombre de diviseurs est lié à la décomposition en facteurs premiers.

2 Pour dénombrer les diviseurs avec un tableau ou un arbre, répartir équitablement les choix.

2. On fait un tableau à double entrée en séparant les puissances de 2 et les puissances de 3 et 5. **2**

×	2^0	2^1	2^2	2^3
$3^0 5^0$	1	2	4	8
$3^1 5^0$	3	6	12	24
$3^0 5^1$	5	10	20	40
$3^1 5^1$	15	30	60	120

On construit un arbre dont les coefficients sont les puissances des facteurs premiers.

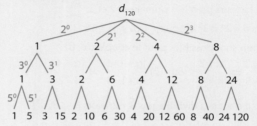

À vous de jouer !

10 **1.** Trouver le nombre de diviseurs de 2 025 à l'aide d'une décomposition en facteurs premiers.

2. À l'aide d'un tableau double entrée, trouver tous les diviseurs de 2 025.

11 **1.** Trouver le nombre de diviseurs de 1 575 à l'aide d'une décomposition en facteurs premiers.

2. À l'aide d'un arbre pondéré, trouver tous les diviseurs de 2 025.

➦ Exercices 60 à 65 p. 147

Méthode 5 — Appliquer le petit théorème de Fermat

Énoncé

Montrer que pour tout $n \in \mathbb{N}$, $3^{6n} - 1$ est divisible par 7.

Solution

7 est premier et 3 non divisible par 7. Donc, d'après le petit théorème de Fermat : $3^{7-1} \equiv 1 \ (7)$.

On a $3^6 \equiv 1 \ (7)$ donc en élevant à la puissance n :

$(3^6)^n \equiv 1^n \ (7) \Leftrightarrow 3^{6n} \equiv 1 \ (7) \Leftrightarrow 3^{6n} - 1 \equiv 0 \ (7)$.

Conseils & Méthodes

1 Dès qu'il y a des puissances et un nombre premier, il faut penser au petit théorème de Fermat.

À vous de jouer !

12 Soit p un nombre premier différent de 3. Démontrer que pour tout $n \in \mathbb{N}$, $3^{n+p} - 3^{n+1}$ est divisible par p.

13 Soit $n \in \mathbb{N}$ et $a = n^5 - n$.
1. Montrer que a est divisible par 5.
2. Montrer que $a = n(n^2 - 1)(n^2 + 1)$ puis que a est divisible par 2 et 3. Pourquoi a est-il divisible par 30 ?

➦ Exercices 66 à 72 p. 147

Méthode 6 — Déterminer un entier conditionné par le nombre de ses diviseurs → Cours 4 p. 140

Énoncé

Un entier naturel n possède 15 diviseurs. On sait de plus que n est divisible par 6 mais pas par 8. Quel est cet entier ?

Solution

• L'entier n possède 15 diviseurs. On établit le nombre de décomposition de 15 en produit de facteurs supérieurs à 1.

Deux décompositions sont possibles ; soit un facteur : 15 ; soit deux facteurs : 3×5. **1**

• On sait que n est divisible par $6 = 2 \times 3$ qui possède deux facteurs premiers. Le nombre de diviseurs doit donc se décomposer en au moins deux facteurs.

• Comme 15 se décompose au plus en deux facteurs, n ne possède que deux facteurs premiers primaires : 2 et 3. **2**

On a alors $n = 2^{\alpha} \times 3^{\beta}$ avec $(\alpha + 1)(\beta + 1) = 15$.

• Deux choix sont possibles pour le couple $(\alpha ; \beta)$:

1) $\begin{cases} \alpha + 1 = 3 \\ \beta + 1 = 5 \end{cases} \Leftrightarrow \begin{cases} \alpha = 2 \\ \beta = 4 \end{cases}$ ou 2) $\begin{cases} \alpha + 1 = 5 \\ \beta + 1 = 3 \end{cases} \Leftrightarrow \begin{cases} \alpha = 4 \\ \beta = 2 \end{cases}$

• Comme n n'est pas divisible par $8 = 2^3$ alors $\alpha < 3$. **3**

• La seule solution est alors $\alpha = 2$ et $\beta = 4$; on a alors $n = 2^2 \times 3^4 = 4 \times 81 = 324$.

Conseils & Méthodes

1 Comme le nombre de diviseurs N est égal au produit des puissances plus un des facteurs premiers, dans la décomposition de n, on cherche à décomposer N en produit de facteurs.

2 Chercher à réduire la décomposition de N à l'aide des diviseurs de n.

3 Éliminer les différents choix à l'aide contraintes de l'énoncé : ici n n'est pas divisible par 8.

À vous de jouer !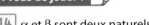

14 α et β sont deux naturels et $n = 2^{\alpha} \times 3^{\beta}$.
Le nombre de diviseurs de n^2 est le triple du nombre de diviseurs de n.
1. Prouver que $(\alpha - 1)(\beta - 1) = 3$.
2. Déduire les valeurs possibles pour n.

15 L'entier parmi les nombres inférieurs ou égaux à 50 qui possède le plus de diviseurs en possède 10.
Trouver cet entier.

16 Parmi les nombres inférieurs ou égaux à 100, quatre possèdent 12 diviseurs.
1. Montrer qu'il existe quatre configurations pour un entier de posséder 12 diviseurs.
2. Trouver les cinq entiers inférieurs à 100 ayant 12 diviseurs.

17 On cherche le plus petit entier naturel n possédant 8 diviseurs.
1. Montrer qu'il existe trois configurations pour un entier de posséder 8 diviseurs.
2. Tester ces trois configurations et en déduire la solution du problème.

18 Un entier naturel n possède 21 diviseurs.
On sait de plus que n est divisible par 18 mais pas par 27. Quel est cet entier ?

19 α et β sont deux naturels et $n = 2^{\alpha} \times 3^{\beta}$.
Le nombre de diviseurs de $18n$ est le double du nombre de diviseurs de n.
1. Montrer que : $18n = 2^{\alpha + 1} \times 3^{\beta + 2}$.
2. Montrer alors que $\alpha(\beta - 1) = 4$.
3. Déduire les valeurs possibles pour n.

20 Parmi les nombres inférieurs ou égaux à 200, un seul possède 18 diviseurs.
1. Montrer qu'il existe quatre configurations pour un entier de posséder 18 diviseurs.
2. Trouver cet entier inférieur à 200 parmi ces configurations.

→ Exercices 73 à 79 p. 148

● EXOS
Méthodes
Lienmini.fr/maths-e05-04

Les rendez-vous
Sésamath

Exercices (résolus)

Méthode 7 Travailler modulo p avec p premier

↳ **Cours 5 p. 140**

Énoncé

Soit p un nombre premier et a, b, n des entiers relatifs.

1. Montrer que si $na \equiv nb \ (p)$ avec $n \not\equiv 0 \ (p)$ alors :

$$a \equiv b \ (p).$$

2. Montrer que si a est premier avec p et si n est un multiple de $p - 1$ alors :

$$a^n \equiv 1 \ (p).$$

3. Montrer que si a est premier avec p alors il existe un entier b tel que :

$$ab \equiv 1 \ (p).$$

En déduire que tout entier a non nul inférieur à p possède un inverse inférieur à p modulo p.

Solution

1. $na \equiv nb \ (p) \Leftrightarrow na - nb \equiv 0 \ (p) \Leftrightarrow n(b - a) \equiv 0 \ (p)$. **1**
p divise $n(b - a)$ et comme $n \not\equiv 0 \ (p)$, p ne divise pas n
p est alors premier avec n et donc, d'après le théorème de Gauss,
p divise $(a - b)$. **2**

$$a - b \equiv 0 \ (p) \Leftrightarrow a \equiv b \ (p)$$

2. $n = k(p - 1)$ avec $k \in \mathbb{Z}$.
Comme a est premier avec p, a n'est pas un multiple de p, **3**
d'après le petit théorème de Fermat : **4**

$$a^{p-1} \equiv 1 \ (p) \overset{\uparrow k}{\Rightarrow} (a^{p-1})^k \equiv 1^k \ (p)$$
$$\Rightarrow a^{k(p-1)} \equiv a^n \equiv 1 \ (p)$$

3. Si p est premier alors $p \geqslant 2$ et donc $p - 2 \geqslant 0$.

Comme a est premier avec p, a n'est pas un multiple de p,
d'après le petit théorème de Fermat :

$$a^{p-1} \equiv 1 \ (p) \Leftrightarrow a \times a^{p-2} \equiv 1 \ (p)$$

donc il existe $b = a^{p-2}$ tel que $ab \equiv 1 \ (p)$.

Si a est non nul et inférieur à p, alors a est premier avec p.
Il existe alors un réel $b \equiv a^{p-2} \ (p)$ tel que $ab \equiv 1 \ (p)$.

Soit r le reste de la division de b par p, le reste r est inférieur à p.
On a alors $ar \equiv 1 \ (p)$.

▶ **Remarque**

On vient de montrer que tout entier non multiple de p admet un inverse modulo p avec p premier.

Il est alors possible de diviser par un entier non nul dans la congruence modulo p.

Conseils & Méthodes

1 Attention, on ne peut pas diviser généralement avec les congruences.

2 Revenir à la définition de la congruence pour argumenter.

3 Penser au théorème de Fermat.

4 Compatibilité des congruences avec la puissance.

À vous de jouer !

21 Soit a un entier naturel pair non nul.
Soit p un nombre premier divisant $a^2 + 1$.
1. Montrer que p est de la forme $4n + 1$ ou $4n + 3$.
2. On suppose que p est de la forme $4n + 3$.
a) Montrer que p ne divise pas a.
b) Montrer que $(a^4)^n \times a^2 \equiv 1 \ (p)$.
c) En déduire une contradiction.
3. Conclure.

22 Soit N un entier supérieur ou égal à 2 et a un entier naturel pair non nul.
On pose $a = N \, !$
1. Montrer qu'il existe un nombre premier p divisant $(a^2 + 1)$.
2. En utilisant le résultat de l'exercice précédent :
a) montrer que $p > N$.
b) Justifier alors qu'il existe une infinité de nombres premiers p de la forme $4n + 1$.

↳ **Exercices 80 à 81 p. 148**

Exercices (apprendre à démontrer)

Le théorème à démontrer — Infinité des nombres premiers

> **Il existe une infinité de nombres premiers.**

▶ On utilisera un raisonnement par l'absurde.

VIDÉO
Démonstration
lienmini.fr/maths-e05-05

▶ Comprendre avant de rédiger

• Quand on veut montrer qu'une propriété P est vraie par un raisonnement par l'absurde, on suppose que P est fausse et l'on montre alors qu'on obtient une contradiction.

• Supposons qu'il n'existe que trois nombres premiers : 2, 3 et 5. On forme un entier n qui est le produit de ces trois nombres premiers auquel on ajoute 1 : $n = 2 \times 3 \times 5 + 1 = 31$.

• D'après le théorème fondamental de l'arithmétique, 31 doit se décomposer de façon unique en produit de puissances de 2, 3 et 5. Ce n'est bien sûr pas le cas. Il y a donc une contradiction.

▶ Rédiger

Étape ❶

On prend les nombres premiers dans l'ordre croissant $p_1 = 2$, $p_2 = 3$, $p_3 = 5$ et ainsi de suite jusqu'au dernier p_n.

L'unicité de la décomposition est obtenue en ordonnant les facteurs premiers du plus petit au plus grand.

→ **La démonstration rédigée**

On suppose qu'il existe un nombre fini de nombres premiers :
$$p_1, p_2, p_3, \dots, p_n.$$

Étape ❷

On forme un entier N produit de tous les nombres premiers auquel on ajoute 1.

→ On pose :
$$N = p_1 \times p_2 \times p_3 \times \dots \times p_n + 1.$$

Étape ❸

D'après le théorème fondamental de l'arithmétique, N se décompose en produit de facteurs premiers.

C'est possible car on a pris les n premiers nombres dans l'expression de n.

→ Il existe au moins un nombre premier p_i dans la décomposition de N, donc p_i divise N.

Étape ❹

Si un entier divise a et b, cet entier divise la différence $a - b$.

→ p_i divise N et le produit de tous les nombres premiers
$$P = p_1 \times p_2 \times p_3 \times \dots \times p_n.$$
p_i divise donc la différence : $N - P = 1$.

Étape ❺

1 n'a qu'un seul diviseur positif lui-même.

n possède au moins le facteur 2 donc il est supérieur à 3.

→ On en déduit alors que $N = 1$.

Étape ❻

Par construction $N \geqslant 2$.

→ Contradiction, donc l'hypothèse de départ est fausse. Il y a un nombre infini de nombres premiers

▶ Pour s'entraîner

Montrer l'irrationalité de $\sqrt{2}$ par l'absurde.

On rappelle qu'un nombre rationnel x peut s'écrire $x = \dfrac{p}{q}$ avec PGCD$(p, q) = 1$.

○ DIAPORAMA
Calculs et automatismes
lienmini.fr/maths-e05-06

Exercices · calculs et automatismes

23 Nombres premiers

Les propositions suivantes sont-elles
vraies ou fausses ?   V   F

a) L'ensemble des nombres premiers est fini.   ☐   ☐

b) Si p est un nombre premier alors p n'est
pas pair.   ☐   ☐

c) Si p est un nombre premier ne divisant pas a
alors les nombres a et p sont premiers entre eux   ☐   ☐

d) Si p est un nombre premier ne divisant pas a
alors les nombres p et a sont premiers.   ☐   ☐

24 Critère d'arrêt

Méthode Comment faire pour déterminer de « tête » les
nombres premiers parmi les entiers suivants ?
$$39 - 47 - 51 - 67 - 77 - 83 - 91$$

25 Crible et critère d'arrêt

1. Rayer les entiers qui ne sont pas premiers dans ce tableau.

31	32	33	34	35	36	37	38	39	40
41	42	43	44	45	46	47	48	49	50
51	52	53	54	55	56	57	58	59	60

2. En déduire la liste des nombres premiers compris entre
30 et 60.

26 Théorème de Gauss (1)

Méthode Soit p un nombre premier. Comment faire pour
montrer que si p divise n^2 alors p^2 divise n^2 ?

27 Théorème de Gauss (2)

Les propositions suivantes sont-elles vraies
ou fausses ? Justifier.   V   F

a) Si a est un entier naturel tel que 13 divise a^5
alors 13^4 divise $\dfrac{a^5}{13}$.   ☐   ☐

b) Si p est un nombre premier divisant ab
alors p divise a et p divise b ☐   ☐

28 Décomposition (1)

1. Donner mentalement la décomposition en produits de
facteurs premiers des nombres suivants.
a) 30   **b)** 40   **c)** 64   **d)** 70   **e)** 120
2. Méthode En utilisant la décomposition de $10 = 2 \times 5$,
comment faire pour donner la décomposition en produit
de facteurs premiers des nombres suivant ?
a) 800   **b)** 2 000   **c)** 60 000

29 Décomposition (2)

Déterminer la décomposition en produit de facteurs premiers
des nombres suivants en utilisant leur caractéristique.
a) $6! = 2 \times 3 \times 4 \times 5 \times 6$ **b)** $29^2 - 4$ **c)** $85^2 - 16$

30 Décomposition (3)

Choisir la (les) bonne(s) réponse(s).
La décomposition de 2 520 est :

a $2^3 \times 3^2$ **b** $2^3 \times 3^2 \times 5 \times 7$

c $2^2 \times 3^2 \times 5 \times 7$ **d** $2^3 \times 5 \times 7$

31 PGCD

Méthode Comment faire pour décomposer les nombres a
et b en produit de facteurs premiers, puis déterminer leur
PGCD dans chacun des cas suivants ?
a) $a = 350$ et $b = 980$ **b)** $a = 792$ et $b = 924$

32 Nombre de diviseurs (1)

Les propositions suivantes sont-elles
vraies ou fausses ? Justifier.   V   F

a) La décomposition en produit de facteurs
premiers de PGCD(2 142 , 6 664) ne contient   ☐   ☐
que des facteurs à la puissance 1.

b) Si $a \geqslant 2$ est un nombre impair, alors le
nombre $2a$ possède deux fois plus de diviseurs   ☐   ☐
que le nombre a

33 Nombre de diviseurs (2)

Méthode Comment faire pour déterminer le nombre de
diviseurs de 48 et 60 ?

34 Nombre de diviseurs (3)

Choisir la (les) bonne(s) réponse(s).
Parmi les entiers suivants celui qui admet le plus de diviseurs est :
a 60   **b** 72   **c** 90   **d** 100

35 Nombre de diviseurs (4)

Déterminer l'entier α tel que $a = 25 \times 6^\alpha$ pour que a admette
48 diviseurs.

36 Théorème de Fermat (1)

Quel est le reste dans la division par 41 des nombres suivants ?
a) 4^{20} **b)** 25^{20} **c)** 49^{20} **d)** 50^{41}

37 Théorème de Fermat (2)

Les propositions suivantes sont-elles
vraies ou fausses ? Justifier.   V   F

a) Pour tout $n \in \mathbb{N}$, 7 divise $5^{6n} - 1$.   ☐   ☐

b) Pour tout $n \in \mathbb{N}$, 4 divise $7^{3n} - 1$.   ☐   ☐

38 Théorème de Fermat (3)

Méthode Comment faire pour montrer que l'entier
$a = 2^{37} + 3^{37} - 5$ est divisible par 74 ?

Exercices d'application

Déterminer si un nombre est premier

39 Montrer que 419 est un nombre premier.
On expliquera clairement la méthode utilisée.

40 Déterminer si les entiers suivants sont premiers ou non.
a) 117 **b)** 271 **c)** 323
d) 401 **e)** 527 **f)** 719

41 Soit $n \in \mathbb{N}$. On pose $N = 2n^2 + n - 10$.
1. Factoriser N par $(n - 2)$.
2. Pour quelle valeur de n, le nombre N est-il premier ?

42 Soit $n \in \mathbb{N}$. On pose $N = 2n^2 + 7n + 6$.
La proposition suivante est-elle vraie ou fausse ? Justifier.
« Il existe une valeur de n pour laquelle N est un nombre premier. »

👍 **Coup de pouce** S'inspirer de l'exercice précédent.

43 Soit p un nombre premier et deux entiers n_1 et n_2 tels que :
$$n_1 = p + 1\,000 \text{ et } n_2 = p + 2\,000.$$
1. En raisonnant modulo 3, montrer que la seule valeur possible de p pour que n_1 et n_2 soient des nombres premiers est 3.
2. Peut-on avoir n_1 et n_2 premiers ?

44 Soit p un nombre premier **Démo**
et a un entier tel que : $2 \leqslant a \leqslant p - 2$.
Montrer que p ne divise pas $a^2 - 1$.

45 On donne ci-dessous la fonction **f** **Algo**
en **Python** 🐍 dont des mots ont été effacés.

```python
from math import *
def f(n):
    i = 2
    if n%i == 0:
        return "non … car … par",i
    i += 1
    while i <= sqrt(n):
        if n%i == 0:
            return "non … car … par",i
        i += 2
    return L
```

1. Compléter cet algorithme par des mots adaptés.
2. a) Que détermine cette fonction ?
b) Expliquer clairement comment procède cette fonction.

46 Dans les *Inédits* de Marcel Pagnol, l'écrivain indique que, pour tout n entier impair $n > 1$, le nombre $N = n + (n + 2) + n\,(n + 2)$ est premier. Qu'en pensez-vous ?

Utiliser le théorème de Gauss appliqué aux nombres premiers

Démo

47 Soit p un nombre premier et $a, b \in \mathbb{N}$.
Montrer que si p divise a et $a^2 + b^2$ alors p divise b.

48 Soit un entier relatif n tel que : $n^2 = 17p + 1$ où p est un nombre premier.
1. Écrire $17p$ comme un produit de facteurs fonction de n.
2. Montrer que n est de la forme :
$$n = 17k + 1 \text{ ou } n = 17k - 1 \text{ avec } k \in \mathbb{Z}$$
On citera le théorème utilisé.
3. Montrer qu'une seule valeur de k convient.
En déduire les valeurs de n et p

49 Soit un entier relatif n tel que : $n^2 = 29p + 1$ où p est un nombre premier.
1. Écrire $29p$ comme un produit de facteurs fonction de n.
2. En s'inspirant de l'exercice précédent, déterminer les valeurs de n et p qui conviennent au problème.

Démo

50 Démontrer le théorème de Gauss appliqué aux nombres premiers :
« Si un nombre premiers p divise le produit ab de deux entiers non nuls alors, p divise a ou p divise b ».

Décomposer en produit de facteurs premiers

51 Décomposer en produit de facteurs premiers 960 et 221 222.

52 **1.** Décomposer en produit de facteurs premiers 2 650 et 1 272.
2. En déduire PGCD(2 650 , 1 272).
3. Retrouver ce résultat à l'aide de l'algorithme d'Euclide puis comparer les deux méthodes.

53 **1.** Décomposer en produit de facteurs premiers $a = 428\,904$ et $b = 306\,360$.
2. En déduire PGCD(a , b).
3. Retrouver ce résultat à l'aide de l'algorithme d'Euclide et comparer les deux méthodes.

54 **1.** Quelle est la condition sur les puissances des facteurs premiers d'un carré parfait ?
2. Trouver un nombre de trois chiffres qui soit un carré parfait divisible par 56.

55 Une boîte, en forme de pavé droit, a des dimensions qui s'expriment, en centimètres, par des nombres entiers. Son volume est de 22,661 dm³.
Quelles sont les dimensions de cette boîte ?

56 **1.** Décomposer 2 016 en produit de facteurs premiers.
2. Déterminer, en expliquant la méthode choisie, la plus petite valeur de l'entier naturel n tel que n^2 est un multiple de 2 016.

57 À l'aide de la décomposition en facteurs premiers de 84, résoudre dans $\mathbb{N}$ l'équation :
$$x(x+1)(2x+1) = 84.$$

58 Cet exercice a pour but de déterminer par combien de zéros se termine le nombre 1 000! On rappelle :
$1\,000! = 1 \times 2 \times 3 \times \ldots \times 1\,000$.
1. Montrer qu'il existe p et q ($p > 1$ et $q > 1$) et un entier N premier avec 10 tels que :
$$1000! = 2^p \times 5^q \times N.$$
2. a) Combien y a-t-il de nombres inférieurs ou égaux à 1 000 divisible par 5 ? divisible par 5^2 ? divisible par 5^3 ? divisible par 5^4 ?
b) En déduire alors que $q = 249$.
3. Montrer que $p > q$ et que q est le nombre cherché.

59 Dans un annuaire de moins de 1 000 pages sont inscrits 999 991 noms.
Chaque page contient le même nombre de noms.
1. Montrer que 997 est un nombre premier.
2. Combien de pages contient cet annuaire ?

Trouver le nombre de diviseurs d'un entier

 p. 141

60 **1.** Décomposer 792 en produit de facteurs premiers. Quel est le nombre de diviseurs de 792 ?
2. À l'aide d'un tableau double entrée déterminer tous les diviseurs de 792.

61 **1.** Décomposer 8 316 en produit de facteurs premiers. Quel est le nombre de diviseurs de 8 316 ?
2. Proposer un algorithme pour énumérer tous les diviseurs de 8 316.

62 **1.** Décomposer 300^{300} en produit de facteurs premiers. Quel est le nombre de diviseurs de 300^{300} ?
2. À partir du résultat de la question **1.**, trouver un nombre possédant plus d'un milliard de diviseurs.

63 Démontrer qu'un entier naturel n est un carré parfait si, et seulement si, le nombre de ses diviseurs est impair. **Démo**

64 Un entier n a cinq diviseurs et $(n-16)$ est le produit de deux nombres premiers.
1. Prouver que $n = p^4$ avec p premier.
2. Écrire $(n-16)$ sous forme d'un produit de trois facteurs dépendant de p.
3. En déduire la valeur de p puis de n.

65 Le produit de deux entiers naturels a et b avec $a < b$ est 11 340. On note $d = \text{PGCD}(a, b)$.
1. a) Pourquoi d^2 divise-t-il 11 340 ?
b) Pourquoi $d = 2^\alpha \times 3^\beta$ avec $0 \leq \alpha \leq 1$ et $0 \leq \beta \leq 2$?
2. On sait de plus que a et b ont six diviseurs communs et a est un multiple de 5.
a) Démontrer que $d = 18$.
b) En déduire a et b.

Appliquer le petit théorème de Fermat

 p. 141

66 **1.** Montrer que $4^{28} - 1$ est divisible par 29.
2. Montrer que pour tout n, $4^n - 1$ est divisible par 3.
3. Montrer que pour tout k, $4^{4k} - 1$ est divisible par 5 et par 17.
4. En déduire quatre diviseurs premiers de $4^{28} - 1$.

67 Soit $n \in \mathbb{N}^*$. On note $a = n^{13} - n$.
1. Montrer que a est divible par 13 et 7.
2. En déduire que a est divisible par 182.

68 **1.** Montrer que, pour tout $a \in \mathbb{N}$:
$$a^{31} - a \equiv 0 \ (62).$$
2. Montrer que, pour tout $a, n \in \mathbb{N}$:
$$a^{30+n} - a^n \equiv 0 \ (62).$$

69 **1.** Soit p un nombre premier supérieur à 2. Montrer que p divise $1 + 2 + 2^2 + \ldots + 2^{p-2}$.
2. Est-ce que 97 divise la somme S telle que
$$S = \sum_{n=1}^{98} n^{96} ?$$

70 Soit p un nombre premier.
1. Montrer que si p divise $3^p + 1$ alors p divise 4.
2. Trouver p tel que p divise $3^p + 1$.

71 **1.** Vérifier que 761 est un nombre premier.
2. L'entier n est un naturel composé de 760 chiffres tous égaux à 9 : $n = \underbrace{999...99}_{760 \text{ fois}}$.
a) Calculer $n + 1$.
b) Montrer que n est divisible par 761.

72 **1.** Soit $n \in \mathbb{N}$ et $A = n^7 - n$.
a) Montrer que A est divisible par 7.
b) Vérifier que : $A = n(n^3 - 1)(n^3 + 1)$ puis montrer que A est divisible par 2 et par 3.
c) En déduire que A est divisible par 42.
2. Soit $n \in \mathbb{N}$ et $B = n^2(n^2 - 1)(n^2 + 1)$.
a) Montrer que B est divisible par 3.
b) En remarquant que $(n^2 - 1)(n^2 + 1) = n^4 - 1$, montrer que B est divisible par 5.
c) En utilisant un tableau de congruence, montrer que B est divisible par 4.
d) En déduire que B est divisible par 60.

Déterminer un entier conditionné par le nombre de ses diviseurs

 p. 142

73 Un entier naturel n possède seulement deux diviseurs premiers.
Sachant que n a 6 diviseurs et que la somme de ses diviseurs est 28, déterminer n.

74 α et β sont deux entiers naturels et $n = 2^{\alpha} \times 3^{\beta}$.
Le nombre de diviseurs de $12n$ est le double du nombre de diviseurs de n.
1. Montrer que l'on a : $\beta\,(\alpha - 1) = 4$
2. En déduire les trois valeurs possibles pour n.

75 α et β sont deux entiers naturels et $n = 2^{\alpha} \times 3^{\beta}$.
Le nombre de diviseurs de n^3 est égal à 8 fois le nombre de diviseurs de n.
1. Prouver que $(\alpha - 5)(\beta - 5) = 32$.
2. Déduire les valeurs possibles pour n.

76 Déterminer le plus petit entier naturel possédant :
a) 10 diviseurs.
b) 15 diviseurs.

77 Déterminer deux entiers naturels a et b tels que $a > b$, PGCD$(a, b) = 18$, et qui ont respectivement 21 et 10 diviseurs.

78 Un entier naturel n est tel que :
• 4 divise n,
• n admet 14 diviseurs,
• n est de la forme $n = 37p + 1$ avec p premier.
1. Montrer que n possède au plus deux diviseurs premiers.
2. Montrer que n ne peut avoir qu'un seul diviseur premier puis déterminer l'entier n inférieur à 1 000.

79 Un nombre parfait est un nombre **Démo**
dont la somme des diviseurs stricts est égal à lui-même.
Euclide donne la règle suivante pour trouver des nombres parfaits :
« Si un nombre a s'écrit $2^n (2^{n+1} - 1)$ et si $2^{n+1} - 1$ est premier, alors a est parfait ».
1. Trouver les quatre premiers nombres parfaits.
2. Soit $a = 2^n (2^{n+1} - 1)$ avec $2^{n+1} - 1$ premier.
a) Quelle est la décomposition de a en facteurs premiers ?
b) En déduire la liste des diviseurs de a.
c) Démontrer alors que la somme des diviseurs stricts est égale à ce nombre a.

Euclide

Travailler modulo p, p premier

 p. 143

80 Soit le système (S) suivant : $(x\,;y) \in \mathbb{Z}$
$$(S) : \begin{cases} 3x + 4y \equiv 5 \ (13) \\ 2x + 5y \equiv 7 \ (13) \end{cases}$$

1. Justifier que (S) est équivalent à :
$$\begin{cases} 3x + 4y \equiv 5 \ (13) \\ 7y \equiv 11 \ (13) \end{cases}$$

2. Déterminer $k_1, k_2 \in [\![0\,;12]\!]$ tels que :
$$7k_1 \equiv 1 \ (13) \text{ et } 3k_2 \equiv 1 \ (13).$$

3. En déduire les solutions du système (S).

81 Soit $q > 5$, un nombre premier et M le produit des nombres premiers de 5 à q :
$$M = 5 \times 7 \times 11 \times \ldots \times q.$$
On pose : $N = 2^2 \times M + 3$.
1. a) Montrer que N est impair.
b) Montrer que $N \not\equiv 0 \ (3)$.
2. Soit p un nombre premier divisant N.
a) Montrer que $p > q$.
b) Montrer que : $p \equiv 1 \ (4)$ ou $p \equiv 3 \ (4)$.
3. Soit $N = p_1^{\alpha_1} \times p_2^{\alpha_2} \times \ldots \times p_r^{\alpha_r}$, la décomposition de N en facteurs premiers.
a) Montrer en raisonnant par l'absurde qu'il existe un facteur premier p_i avec $i \in [\![1\,;r]\!]$ tel que : $p_i \equiv 3 \ (4)$.
b) En déduire qu'il existe une infinité de nombres premiers de la forme $4n + 3$.

Nombres premiers et suites

82 Soit A $= [\![1\,;46]\!]$.
1. On considère l'équation
$$(E) : 23x + 47y = 1$$
où x et y sont des entiers relatifs.
a) Donner une solution particulière $(x_0\,;y_0)$ de (E).
b) Déterminer l'ensemble des couples $(x\,;y)$ solutions de (E).
c) En déduire qu'il existe un unique entier x appartenant à A tel que $23x \equiv 1 \ (47)$.
2. Soit a et b deux entiers relatifs.
a) Montrer que si $ab \equiv 0 \ (47)$ alors $a \equiv 0 \ (47)$ ou $b \equiv 0 \ (47)$.
b) En déduire que si $a^2 \equiv 1 \ (47)$ alors $a \equiv 1 \ (47)$ ou $a \equiv -1 \ (47)$.
3. a) Montrer que pour tout entier p de A, il existe un entier relatif q tel que $pq \equiv 1 \ (47)$.
Pour la suite, on admet que pour tout entier p de A, il existe un unique entier, noté p^{-1} appartenant à A tel que $p \times p^{-1} \equiv 1 \ (47)$.
b) Quels sont les entiers p de A qui vérifient $p = p^{-1}$?
c) Montrer que $46! \equiv 1 \ (47)$.

83 On considère la suite (u_n) définie pour tout entier naturel n non nul par :
$$u_n = 2^n + 3^n + 6^n - 1.$$
1. Calculer les six premiers termes de la suite.
2. Montrer que, pour tout entier naturel n non nul, u_n est pair.
3. Montrer que, pour tout entier naturel n pair non nul, u_n est divisible par 4.
On note E l'ensemble des nombres premiers qui divisent au moins un terme de la suite (u_n).
4. Les entiers 2, 3, 5 et 7 appartiennent-ils à l'ensemble E ?
5. Soit p un nombre premier strictement supérieur à 3.
a) Montrer que : $6 \times 2^{p-2} \equiv 3 \ (p)$ et $6 \times 3^{p-2} \equiv 2 \ (p)$.
b) En déduire que $6u_{p-2} \equiv 0 \ (p)$.
6. Le nombre p appartient-il à l'ensemble (E) ?

84 On considère la suite (u_n) d'entiers naturels définie par : $u_0 = 1$ et, pour tout entier naturel n, $u_{n+1} = 10u_n + 21$.
1. Calculer u_1, u_2 et u_3.
2. a) Démontrer par récurrence que, pour tout entier naturel n :
$$3u_n = 10^{n+1} - 7$$
b) En déduire, pour tout entier naturel n, l'écriture décimale de u_n.
3. Montrer que u_2 est un nombre premier.
4. On se propose maintenant d'étudier la divisibilité des termes de la suite (u_n) par certains nombres premiers.
Démontrer que, pour tout entier naturel n, u_n n'est divisible ni par 2, ni par 3, ni par 5.
5. a) Démontrer que, pour tout entier naturel n :
$$3u_n \equiv 4 - (-1)^n \ (11).$$
b) En déduire que, pour tout entier naturel n, u_n n'est pas divisible par 11.
6. a) Démontrer l'égalité : $10^{16} \equiv 1 \ (17)$.
b) En déduire que, pour tout entier naturel k, u_{16k+8} est divisible par 17.

85 **1.** Calculer :
a) $(1 + \sqrt{6})^2$;
b) $(1 + \sqrt{6})^4$;
c) $(1 + \sqrt{6})^6$.
d) Décomposer en produit de facteurs premiers le nombre 847 et 342. Que peut-on en déduire ?
2. Soit n un entier naturel non nul. On note a_n et b_n les entiers naturels tels que :
$$(1 + \sqrt{6})^n = a_n + b_n \sqrt{6}.$$
a) Que valent a_1 et b_1 ? D'après la question **1. a)** donner d'autres valeurs de a_n et b_n.
b) Calculer a_{n+1} et b_{n+1} en fonction de a_n et b_n.
c) Démontrer que, si 5 ne divise pas $a_n + b_n$, alors 5 ne divise pas non plus a_{n+1} et b_{n+1}.
En déduire que, quel que soit $n \in \mathbb{N}^*$, 5 ne divise pas $a_n + b_n$.
d) Démontrer que, si a_n et b_n sont premiers entre eux, alors a_{n+1} et b_{n+1} sont premiers entre eux.
En déduire que, quel que soit $n \in \mathbb{N}^*$, a_n et b_n sont premiers entre eux.

Divisibilité et nombres premiers

86 On désigne par p un nombre entier premier supérieur ou égal à 7. Le but de l'exercice est de démontrer que l'entier naturel $n = p^4 - 1$ est divisible par 240, puis d'appliquer ce résultat.
1. Montrer que p est congru à -1 ou à 1 modulo 3.
En déduire que n est divisible par 3.
2. En remarquant que p est impair, prouver qu'il existe un entier naturel k tel que $p^2 - 1 = 4k(k + 1)$, puis que n est divisible par 16.
3. En considérant tous les restes possibles dans la division euclidienne de p par 5, démontrer que 5 divise n.
4. a) Soit a, b et c trois entiers naturels. Démontrer que si a et b divise c, avec a et b premiers entre eux, alors ab divise c.
b) Déduire de ce qui précède que 240 divise n.
5. Existe-t-il quinze nombres premiers $p_1, p_2, \ldots, p_{15}$ supérieurs ou égaux à 7 tels que l'entier $A = p_1^4 + p_2^4 + \ldots + p_{15}^4$ soit un nombre premier ?

87 Pour tout entier naturel n supérieur ou égal à 2, on pose $A(n) = n^4 + 1$. L'objet de l'exercice est l'étude des diviseurs premiers de $A(n)$.
1. a) Étudier la parité de l'entier $A(n)$.
b) Montrer que, quel que soit l'entier n, $A(n)$ n'est pas un multiple de 3.
c) Montrer que tout entier d diviseur de $A(n)$ est premier avec n.
d) Montrer que, pour tout entier d diviseur de $A(n)$:
$$n^8 \equiv 1 \ (d).$$
2. Soit d un diviseur de $A(n)$. On note s le plus petit des entiers naturels non nuls k tels que $n^k \equiv 1 \ (d)$.
a) Soit k un tel entier. En utilisant la division euclidienne de k par s, montrer que s divise k.
b) En déduire que s est un diviseur de 8.
c) Montrer que si, de plus, d est premier, alors s est un diviseur de $d - 1$.
3. Recherche des diviseurs premiers de $A(n)$ dans le cas où n est un entier pair. Soit p un diviseur premier de $A(n)$.
En examinant successivement les cas $s = 1$, $s = 2$ puis $s = 4$, conclure que p est congru à 1 modulo 8.
4. On donne la liste des nombres premiers congrus à 1 modulo 8 : 17, 41, 73, 89, 97, 113, 137 …
Appliquer ce qui précède à la recherche des diviseurs premiers de $A(12)$.

88 Soit n un entier relatif et A le nombre défini par :
$$A = n^4 - 12n^2 + 16.$$
1. En remarquant que $A = n^4 - 8n^2 + 16 - 4n^2$, factoriser A.
2. Montrer que si n est pair alors, A n'est pas premier.
3. On suppose que n est impair. On pose alors $n = 2k + 1$ avec $k \in \mathbb{Z}$.
a) Montrer que : $A = (4k^2 + 8k - 1)(4k^2 - 5)$.
b) En déduire les valeurs de n pour lesquelles A est nombre premier.

Exercices d'entraînement

89 Soit les définitions des « nombres croisés » suivant.

Horizontalement :

A. C'est un carré parfait.

B. Un nombre premier dont le produit de ses chiffres est 63 et sa somme 17.

C. Le produit de ses chiffres est 1.

D. Les chiffres de ce nombre, dans l'ordre, sont consécutifs.

E. Un multiple de 11. La somme de ses chiffres est supérieure de 1 à leur produit.

Verticalement :

a. C'est un cube parfait dont le produit de ses chiffres est 90.

b. Les chiffres, dans l'ordre, sont impairs consécutifs.

c. Un carré parfait, le produit de ses chiffres est 36.

d. Son premier chiffre et son dernier chiffre sont identiques, le produit de ses chiffres est 105.

e. La somme des chiffres est 7 et leur produit 6. Un multiple de 12.

D'après *Jeux et stratégie n°14*.

Produit de nombres premiers

90 On suppose que 250 507 n'est pas premier.

On se propose de chercher des couples d'entiers naturels $(a ; b)$ vérifiant la relation :
$$(E) : a^2 - 250\ 507 = b^2.$$

1. Soit n un entier naturel.

a) À l'aide d'un tableau de congruence donner les restes possibles de n^2 modulo 9.

b) Sachant que (E) est vérifiée, déterminer les restes possibles modulo 9 de $a^2 - 250\ 507$.

c) Montrer que les restes possibles modulo 9 de a sont 1 et 8.

2. Vérifier que si le couple $(a ; b)$ vérifie (E), alors $a > 501$.

3. On suppose que le couple $(a ; b)$ vérifie (E).

a) Démontrer que a est congru à 503 ou à 505 modulo 9.

b) Déterminer le plus petit entier naturel k tel que $(505 + 9k ; b)$ soit solution de (E), puis donner le couple solution correspondant.

4. a) Déduire de la question **3.** une écriture de 250 507 en un produit deux facteurs.

b) Cette écriture est-elle unique ?

91 On se propose de rechercher des nombres N dont la décomposition est $N = p_1 \times p_2 \times p_3$ où p_1, p_2, p_3 sont trois nombres premiers tels que $p_1 + p_2 = p_3$.

Par exemple : $286 = 2 \times 11 \times 13$ est un tel nombre.

1. Montrer que nécessairement $p_1 = 2$.

2. On suppose que $680 < N < 1\ 920$.

Déterminer p_2 puis déduire N.

3. On suppose que $6 \times 10^4 < N < 8 \times 10^4$.

Donner les valeurs possibles pour p_2 et en déduire les valeurs de N correspondantes.

👍 **Coup de pouce** Les nombres premiers de 100 à 200 sont :
101 103 107 109 113 127 131 137 139 149
151 157 163 167 173 179 181 191 193 197 199.

Équations et nombres premiers

92 **1.** On suppose que $a, b \in \mathbb{N}$ et que $a^2 - b^2$ est un nombre premier.

Quelle relation existe-t-il entre a et b ?

2. Montrer que 401 est premiers puis résoudre dans $\mathbb{N}^2$ l'équation :
$$x^2 - y^2 = 401.$$

93 Le but de cet exercice est de trouver tous les entiers relatifs x solutions de :
$$(E) : x^2 + x - 2 \equiv 0\ (13).$$

1. Trouver une solution particulière α de (E).

2. On pose $X = x - \alpha$, trouver alors toutes les solutions de (E).

94 Le but de cet exercice est de trouver tous les entiers relatifs x solutions de
$$(E) : x^2 - 2x + 2 \equiv 0\ (17)$$

1. Montrer que $\alpha = 5$ est une solution de (E).

2. On pose $X = x - \alpha$, trouver alors toutes les solutions de (E).

95 **1.** Montrer que pour tous réels x et y, on a :
$$x^3 - y^3 = (x - y)(x^2 + xy + y^2).$$

2. Résoudre alors dans $\mathbb{N}^2$ l'équation :
$$x^3 - y^3 = 127.$$

96 **1.** Décomposer en produit de facteurs premiers 8 633.

2. Résoudre dans $\mathbb{N}^2$, l'équation :
$$x^2 - 4y^2 = 8\ 633.$$

Travailler l'oral

97 Le problème de la cuve

La cuve est à peu près cubique. Sa base est carrée. Les dimensions de la cuve sont des nombres entiers de décimètres et son volume est égal à 1 450 litres à 2 litres près. Quelles sont les dimensions de la cuve ?

On expliquera la procédure suivie et l'on justifiera le choix retenu.

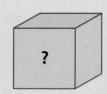

98 Nombres de Mersenne

Les nombres de la forme $2^n - 1$ où $n \in \mathbb{N}^*$ sont appelés nombres de Mersenne.
On s'intéresse au nombre de Mersenne : $2^{33} - 1$.

1. Un élève utilise sa calculatrice et obtient les résultats suivants :

```
NORMAL FLOTT AUTO RÉEL RAD MP          📱

(2³³-1)/3
                           2863311530
(2³³-1)/4
                           2147483648
(2³³-1)/12
                          715827882.6
```

Il affirme alors que 3 et 4 divise $2^{33} - 1$ mais pas 12.
a) En quoi cette affirmation contredit-elle le corollaire du théorème de Gauss ?
b) Montrer que 4 ne divise pas $2^{33} - 1$.
c) En remarquant que $2 \equiv -1\ (3)$, montrer que 3 ne divise pas $2^{33} - 1$.
2. a) Calculer la somme : $S = 1 + 2^3 + (2^3)^2 + (2^3)^3 + \dots + (2^3)^{10}$.
b) En déduire que 7 divise $2^{33} - 1$.

99 Nombres de Poulet

Histoire des Maths

Soit $n \in \mathbb{N}^*$, un entier impair tel que :
$$2^{n-1} \not\equiv 1\ (n).$$
1. Montrer que n n'est pas premier.
2. Quel est le reste de 2^{340} dans la division par 341 ?
Que cela signifie-t-il par rapport au petit théorème de Fermat ?
Un nombre comme 341 est appelé nombre de Poulet.

> Paul Poulet est un mathématicien belge né en 1887 et mort en 1946.
> Autodidacte, il apporta une contribution importante à la théorie des nombres.
> Il est notamment connu pour avoir exhibé des nombres quasi premiers.

3. Parmi les nombres entiers inférieurs à 25 milliards, 1 091 987 405 sont premiers et seulement 21 853 sont des nombres de Poulet (donc non premier).
On prend un nombre n au hasard parmi les entiers inférieurs à 25 milliards et l'on décide de déclarer, après avoir calculé 2^{n-1} modulo n :
• si $2^{n-1} \not\equiv 1\ (n)$, « n n'est pas premier »,
• si $2^{n-1} \equiv 1\ (n)$, « n est premier ».
a) Quelle est la probabilité d'énoncer un résultat faux ?
b) Quelle est la probabilité que le nombre soit premier sachant qu'il a été annoncé comme tel ?

100 Triplets pythagoriciens

On appelle triplet pythagoricien, noté TP, un triplet d'entiers naturels non nuls $(x\,;y\,;z)$ tels que : $x^2 + y^2 = z^2$.
Ainsi $(3\,;4\,;5)$ est un TP car $3^2 + 4^2 = 5^2$.

A ▸ Généralités

1. Démontrer que, si $(x\,;y\,;z)$ est un TP et p un entier naturel non nul, alors $(px\,;py\,;pz)$ est lui aussi un TP.
2. Démontrer que, si $(x\,;y\,;z)$ est un TP, alors x, y et z ne peuvent pas être tous les trois impairs.
3. On admet que tout $n \in \mathbb{N}^*$ peut s'écrire d'une façon unique sous la forme du produit d'une puissance de 2 par un entier impair :
$$n = 2^\alpha \times k \text{ où } \alpha, k \in \mathbb{N} \text{ et } k \text{ impair}.$$
Par exemple : $9 = 2^0 \times 9$ et $120 = 2^3 \times 15$.
a) Donner l'écriture en puissance de 2 de 192.
b) Soit x et z deux entiers naturels non nuls, tels que $x = 2^\alpha \times k$ et $z = 2^\beta \times m$.
Écrire en puissance de 2 des entiers $2x^2$ et z^2.
c) En examinant l'exposant de 2 dans la décomposition de $2x^2$ et z^2, montrer qu'il n'existe pas de couple d'entiers naturels non nuls $(x\,;z)$ tels que $2x^2 = z^2$.
d) En déduire qu'un TP est formé de trois entiers naturels x, y, z deux à deux distincts.

B ▸ Recherche d'un TP contenant 2 015

Tout TP $(x\,;y\,;z)$, est rangé dans l'ordre suivant :
$$x < y < z.$$
1. Décomposer 2 015 en produit de facteurs premier puis, en utilisant le TP$(3\,;4\,;5)$, déterminer un TP de la forme $(x\,;y\,;2015)$.
2. On admet que, pour tout entier naturel n :
$$(2n + 1)^2 + (2n^2 + 2n)^2 = (2n^2 + 2n + 1)^2.$$
Déterminer un TP de la forme $(2015\,;y\,;z)$.
3. a) En remarquant que $403^2 = 169 \times 961$, déterminer un couple d'entiers non nuls $(x\,;z)$ tel que :
$$z^2 - x^2 = 403^2, \text{ avec } x < 403.$$
b) En déduire un TP de la forme $(x\,;2015\,;z)$.

101 Écriture décimale

Soit E l'ensemble des entiers naturels écrits, en base 10, sous la forme $\overline{abba}$ où a est un chiffre supérieur ou égal à 2 et b est un chiffre quelconque.
Exemples : 2 002 , 3 773 , 9 119.
On cherche le nombre d'éléments de E ayant 11 comme plus petit facteur premier.
1. a) Décomposer 1 001 en produit de facteurs premiers.
b) Montrer que tout élément de E est divisible par 11.
2. a) Quel est le nombre d'éléments de E ?
b) Quel est le nombre d'éléments de E qui ne sont ni divisibles par 2 ni par 5 ?
3. Soit n un élément de E s'écrivant sous la forme $\overline{abba}$.
a) Montrer que : « n est divisible par 3 » équivaut à « $a + b$ est divisible par 3 ».
b) Montrer que : « n est divisible par 7 » équivaut à « b est divisible par 7 ».
4. Déduire des questions précédentes le nombre d'éléments de E qui admettent 11 comme plus petit facteur premier.

Exercices (bilan)

102 Fonctions modulo 227

1. Soit l'équation (E) : $109x - 226y = 1$.
où x et y sont des entiers relatifs.
a) Déterminer PGCD(109 , 226).
Que peut-on en conclure pour l'équation (E) ?
b) Montrer que l'ensemble solutions de (E) est l'ensemble des couples de la forme :
$141 + 226k$, $68 + 109k$, où $k \in \mathbb{Z}$.
c) En déduire qu'il existe un unique couple $(d ; e)$ d'entiers naturels non nuls tel que :
$d \leqslant 226$ et $109d = 1 + 226e$.
Donner les valeurs des entiers d et e.
2. Démontrer que 227 est un nombre premier.
3. On note A l'ensemble des 227 entiers naturels a tels que $a \leqslant 226$.
On définit deux fonctions f et g de A dans A telles que, à tout entier $a \in$ A :
• f associe le reste de la division euclidienne de a^{109} par 227,
• g associe le reste de la division euclidienne de a^{141} par 227.
a) Vérifier que $g[f(0)] = 0$.
b) Montrer que, quel que pour tout $a \in$ A non nul :
$a^{226} \equiv 1$ (227).
c) En utilisant **1. b)**, déduire que, pour tout $a \in$ A non nul, $g[f(a)] = a$.
d) Que peut-on dire de $f[g(a)]$?
Comment sont f et g l'une par rapport à l'autre ?

103 Conjecture de Goldbach

Soit la fonction F définie sur $\mathbb{N}^*$ qui vérifie les propriétés suivantes.
• $F(a \times b) = F(a) \times F(b)$ si PGCD$(a , b) = 1$.
• $F(p + q) = F(p) + F(q)$ si p et q premiers.
1. Justifier que $F(6) = F(2) \times F(3)$ et $F(6) = 2F(3)$.
En déduire $F(2)$.
2. a) Déterminer $F(4)$.
b) En utilisant plusieurs fois la 2e propriété, montrer que $F(12) = 2F(3) + 6$.
c) Justifier que $F(12) = 4F(3)$.
d) En déduire $F(3)$.
3. Montrer que $F(n) = n$ pour $1 \leqslant n \leqslant 17$.
4. a) Décomposer 2006 en produit de facteurs premiers.
b) Justifier que $F(59) = F(66) - 7$. En déduire que $F(59) = 59$.
c) Déterminer $F(2006)$.

◐ Remarque

Les calculs précédents incitent à penser que pour tout entier naturel non nul, $F(n) = n$. Mais cela reste une conjecture.
Pour démontrer cette conjecture, il faudrait que l'hypothèse de Goldbach soit vraie : « Tous les entiers pairs supérieurs ou égaux à 4 sont la somme de deux nombres premiers. »

104 Décompositions de 40

A ▶ 1. Donner deux nombres premiers x, et y tels que :
$$40 = x + y.$$
2. Soit l'équation $20x + 19y = 40$, où $x, y \in \mathbb{Z}$.
Résoudre cette équation.
3. On veut savoir si 40, peut s'écrire comme différence de deux carrés, soit savoir si l'équation $x^2 - y^2 = 40$, admet des couples solutions dans $\mathbb{N}^2$.
a) Donner la décomposition de 40 en produit de facteurs premiers.
b) Montrer que, si x et y désignent des entiers naturels, les nombres $(x - y)$ et $(x + y)$ ont la même parité.
c) Déterminer toutes les solutions de l'équation $x^2 - y^2 = 40$ où $x, y \in \mathbb{N}$.
B ▶ Certains nombres entiers peuvent se décomposer en somme ou différence de cubes d'entiers naturels. Par exemple :
$$13 = \quad 4^3 + 7^3 + 7^3 - 9^3 - 2^3$$
$$13 = -1^3 - 1^3 - 1^3 + 2^3 + 2^3$$
$$13 = \quad 1^3 + 7^3 + 10^3 - 11^3$$
Dans tout ce qui suit, on écrira pour simplifier « sommes » à la place de « somme ou différence ».
Les deux premiers exemples montrent que 13 peut se décomposer en « somme » de 5 cubes.
Le troisième exemple montre que 13 peut se décomposer en « somme » de 4 cubes.
1. a) En utilisant $13 = 1^3 + 7^3 + 10^3 - 11^3$, donner une décomposition de 40 en « somme » de 5 cubes.
b) On admet que pour tout entier naturel n on a :
$$6n = (n + 1)^3 + (n - 1)^3 - n^3 - n^3.$$
En déduire une décomposition de 48 en « somme » de 4 cubes, puis une décomposition de 40 en « somme » de 5 cubes, différente de celle donnée en **1. a)**
2. Le nombre 40 est une « somme » de 4 cubes :
$40 = 4^3 - 2^3 - 2^3 - 2^3$.
On veut savoir si 40 peut être décomposé en « somme » de 3 cubes.
a) Recopier et compléter sans justifier :

$n \equiv \dots$ (9)	0	1	2	3	4	5	6	7	8
$n^3 \equiv \dots$ (9)									

b) En déduire que, pour tout $n \in \mathbb{N}$, n^3 est congru à 0, 1, ou -1 modulo 9.
Prouver alors que 40 ne peut pas être décomposé en « somme » de 3 cubes.

D'après Bac Pondichéry 2019

CONTRÔLE CONTINU

Préparer le BAC L'essentiel

Nombres premiers

- Un nombre premier p est un entier naturel qui admet **exactement 2 diviseurs :** 1 et lui-même.
- Il est bon de mémoriser les quinze premiers de ces nombres : 2, 3, 5, 7, 11, 13, 17, 19, 23, 29, 31, 37, 41, 43, 47.
- Il y existe une **infinité** de nombre premiers.

(On peut le démontrer par l'absurde en supposant un nombre fini de nombres premiers).

Test de primalité ou critère d'arrêt

- Tout entier naturel $n \geqslant 2$ admet un diviseur premier

Si n n'est pas premier alors, il admet un diviseur premier p tel que :
$$2 \leqslant p \leqslant \sqrt{n}.$$

- Pour montrer qu'un nombre est premier, on utilise la contraposée :

Si n n'admet pas de diviseur premier $p \leqslant \sqrt{n}$, alors n est premier.

Théorème de Gauss appliqué aux nombres premiers

- **Si p premier divise ab alors p divise a ou b.**
- Si p divise un produit de facteurs premiers alors p est l'un d'entre d'eux.

Crible d'Ératosthène

Pour obtenir une liste de nombres premiers inférieurs à un entier n donné, on procède par **élimination des multiples stricts**, par ordre croissant des nombres sur la liste des entiers de 2 à n. Les entiers restants sont alors premiers.

	②	③	~~4~~	⑤	~~6~~	⑦	~~8~~	~~9~~	~~10~~
⑪	~~12~~	⑬	~~14~~	~~15~~	~~16~~	⑰	~~18~~	⑲	~~20~~
~~21~~	~~22~~	㉓	~~24~~	~~25~~	~~26~~	~~27~~	~~28~~	㉙	~~30~~
㉛	~~32~~	~~33~~	~~34~~	~~35~~	~~36~~	㊲	~~38~~	~~39~~	~~40~~
㊶	~~42~~	㊸	~~44~~	~~45~~	~~46~~	㊼	~~48~~	~~49~~	~~50~~
~~51~~	~~52~~	(53)	~~54~~	~~55~~	~~56~~	~~57~~	~~58~~	(59)	~~60~~
(61)	~~62~~	~~63~~	~~64~~	~~65~~	~~66~~	(67)	~~68~~	~~69~~	~~70~~
(71)	~~72~~	(73)	~~74~~	~~75~~	~~76~~	~~77~~	~~78~~	(79)	~~80~~
~~81~~	~~82~~	(83)	~~84~~	~~85~~	~~86~~	~~87~~	~~88~~	(89)	~~90~~
~~91~~	~~92~~	~~93~~	~~94~~	~~95~~	~~96~~	(97)	~~98~~	~~99~~	~~100~~

Théorème fondamental de l'arithmétique

Tout entier naturel $n \geqslant 2$ peut se décomposer de façon unique en produit de facteurs premiers :

$$n = p_1^{\alpha_1} \times p_2^{\alpha_2} \times \ldots \times p_m^{\alpha_m}$$

Diviseurs

- Tout diviseur d de $n \geqslant 2$ admet la décomposition :

$d = p_1^{\beta_1} \times p_2^{\beta_2} \times \ldots \times p_m^{\beta_m}$ *avec* $0 \leqslant \beta_i \leqslant \alpha_i$.

- Le nombre N de diviseurs de n vaut :

$$N = (\alpha_1 + 1)(\alpha_2 + 1) \ldots (\alpha_m + 1)$$

Petit théorème de Fermat

- Soit un nombre premier p et un naturel a **non multiple de p** alors : $a^{p-1} \equiv 1\ (p)$.
- Si a est un **entier naturel quelconque**, on a : $a^p \equiv a\ (p)$.

Préparer le BAC — Je me teste

Je dois être capable de...

	Méthode	Parcours d'exercices
▶ Déterminer si un nombre est premier	1 →	1, 2, 39, 40
▶ Utiliser le théorème de Gauss appliqué aux nombres premiers	2 →	3, 4, 47, 48
▶ Décomposer un nombre en produit de facteurs premiers	3 →	5, 6, 51, 52
▶ Trouver tous les diviseurs d'un entier	4 →	10, 11, 60, 61
▶ Appliquer le petit théorème de Fermat	5 →	12, 13, 66, 67
▶ Déterminer un entier conditionné par le nombre de ses diviseurs	6 →	14, 15, 73, 74
▶ Travailler modulo p avec p premier	7 →	21, 22, 80, 81

◉ EXOS
QCM interactifs
lienmini.fr/maths-e05-07

QCM — Pour les exercices suivants, choisir la (les) bonnes réponse(s).

	A	B	C	D
105 Lequel parmi ces nombres n'est pas premier ?	227	379	221	131
106 Pour établir la liste des nombres premiers inférieurs ou égaux à 4 000 à l'aide du crible d'Ératosthène, on raye les multiples des nombres premiers jusqu'à :	61	67	100	4 000
107 Le plus petit entier possédant 8 diviseurs est :	2^7	30	24	18
108 On considère le nombre $N = n + (n + 2) + n(n + 2)$ avec $n \in \mathbb{N}$. Le nombre N est premier :	si n est impair.	pour aucune valeur de n.	pour les 4 premières valeurs impaires de n.	si n est premier.
109 p premier supérieur à 2 différent de 7. L'entier $N = 7^{p-1} - 1$ est :	toujours divisible par p mais pas par $2p$.	toujours divisible par $2p$.	parfois divisible par $2p$.	jamais divisible par p.
110 Les entiers n et $(n + 2)$ sont premiers et $n > 3$. On peut avoir :	$n \equiv 2\ (3)$	$n \equiv 1\ (3)$	$n \equiv 2\ (6)$	$n^2 - 1 \equiv 0\ (6)$
111 Tout nombre premier strictement supérieur à 2 peut s'écrire :	$3k - 1$ ou $3k + 1$ avec $k \in \mathbb{N}^*$.	$4k - 1$ ou $4k + 1$ avec $k \in \mathbb{N}^*$.	$6k - 1$ ou $6k + 1$ avec $k \in \mathbb{N}^*$.	$6k - 3$ ou $6k + 3$ avec $k \in \mathbb{N}^*$.
112 Soit $x, y \in \mathbb{N}$. Le système $\begin{cases} x^2 - y^2 = 5\ 440 \\ \mathrm{PGCD}(x, y) = 8 \end{cases}$	possède un couple solution.	possède quatre couples solutions.	n'a pas de couple solution.	possède deux couples solutions.

113 Critère d'arrêt

Déterminer à l'aide du critère d'arrêt si les nombres suivants sont premiers ou non.
a) 157
b) 243
c) 427
d) 509
e) 671.

 p. 137

114 Décomposition

Décomposer en produit de facteurs premiers 5 940 et 27 720.
Combien ont-ils de diviseurs ?

Méthode **4** p. 141

115 Trouver un entier

1. Donner la décomposition en facteurs premiers de 2 016.
2. Déterminer, en expliquant la méthode choisie, la plus petite valeur de l'entier naturel k pour laquelle k^6 est un multiple de 2 016.

Méthode **4** p. 141

116 PGCD   Démo

Montrer qu'un nombre p est un nombre premier si, et seulement si, p est premier avec chacun des entiers 2, 3, 4, … , $p - 1$.

 p. 137

117 Nombre de diviseurs (1)

Un nombre n s'écrit $2^\alpha 3^\beta$.
Le nombre de diviseurs de $36n$ est le triple du nombre de diviseurs de n
Déterminer les valeurs de n possibles.

Méthode **6** p. 142

118 Nombre de diviseurs (2)

1. Décomposer 2 268 en produit de facteurs premiers.
En déduire les nombres de diviseurs de 2 268.
2. Déterminer les entiers naturels a et b avec $a < b$ tels que $ab = 2\ 268$ et ayant exactement six diviseurs communs.

Méthode **6** p. 142

119 Logique

Pour chacune des propositions suivantes, en justifiant, préciser si elle est vraie ou fausse puis énoncer sa réciproque en indiquant la véracité de celle-ci.
Proposition 1 Si n divise a^2, alors n divise a.
Proposition 2 Si n est premier, alors n est impair.
Proposition 3 Si p et q sont deux nombres premiers distincts, alors p et q sont premiers entre eux.
Proposition 4 Si p premier divise le produit ab, alors p divise a ou p divise b.
5. Proposition 5 p est un nombre premier Si $a \equiv p\ (p)$, alors a est premier.

Méthode **1** Méthode **2** p. 137

120 Autour de Fermat

1. Soit p un nombre premier impair.
a) Montrer qu'il existe un entier naturel k, non nul, tel que $2^k \equiv 1\ (p)$.
b) Soit k un entier naturel non nul tel que $2^k \equiv 1\ (p)$ et soit n un entier naturel.
Montrer que, si k divise n, alors $2^n \equiv 1\ (p)$.
c) Soit b tel que $2^b \equiv 1\ (p)$, b étant le plus petit entier non nul vérifiant cette propriété.
Montrer, en utilisant la division euclidienne de n par b, que si $2^n \equiv 1\ (p)$, alors b divise n.
2. Soit q un nombre premier impair et le nombre $A = 2^q - 1$.
On prend pour p un facteur premier de A.
a) Justifier que : $2^q \equiv 1\ (p)$.
b) Montrer que p est impair.
c) Soit b tel que $2^b \equiv 1\ (p)$, b étant le plus petit entier non nul vérifiant cette propriété.
Montrer, en utilisant **1.** que b divise q. En déduire que $b = q$.
d) Montrer que q divise $(p - 1)$, puis montrer que $p \equiv 1\ (2q)$.
3. Soit $A_1 = 2^{17} - 1$.
Voici la liste des nombres premiers inférieurs à 400 et qui sont de la forme $34\ m + 1$, avec m entier non nul :
103, 137, 239, 307.
En déduire que A_1 est premier.

Méthode **5** p. 141

121 Résolution d'équations

1. Résoudre l'équation dans $\mathbb{N}^2$:
$$x^2 - y^2 = 11.$$
2. D'une façon plus générale, soit p un nombre premier. Résoudre l'équation dans $\mathbb{N}^2$:
$$x^2 - y^2 = p.$$

122 Coordonnées entières des points d'un plan de l'espace

1. a) Soit p un entier naturel.
Montrer qu'un seul des trois nombres p, $(p + 10)$ et $(p + 20)$ est divisible par 3.
b) Les entiers naturels a, b et c sont dans cet ordre les trois premiers termes d'une suite arithmétique de raison 10. Déterminer ces trois nombres sachant qu'ils sont premiers.
2. Soit E l'ensemble des triplets d'entiers relatifs $(u\ ;\ v\ ;\ w)$ tels que :
$$3u + 13v + 23w = 0.$$
a) Montrer que pour un tel triplet $v \equiv w\ (3)$.
b) On pose $v = 3k + r$ et $w = 3k' + r$ où k, k' et r sont des entiers relatifs et $0 \leqslant r \leqslant 2$.
Montrer que les éléments de E sont de la forme :
$$(-13k - 23k' - 12r\ ,\ 3k + r\ ,\ 3k' + r).$$

Méthode **1** p. 137

Exercices (vers le supérieur)

123 Nombres premiers   **Démo**

Pour $n \in \mathbb{N}^*$, on note p_n le n-ième nombre premier :
$$p_1 = 2, p_2 = 3, \dots$$
Montrer que pour tout entier $n \geqslant 2$:
$$p_{n+1} < p_1 \times p_2 \times \dots \times p_n.$$

124 PGCD

Trouver le PGCD de $(3^{37} - 3)$ et de 1 221.

125 Autre démonstration du petit théorème de Fermat   **Démo**

1. Soit p un entier tel que $p \geqslant 2$.
Montrer que pour tout k avec $1 \leqslant k \leqslant p - 1$:
$$k \times \binom{p}{k} = p \times \binom{p-1}{k-1}$$

Dans la suite p est un nombre premier.

2. Montrer que p divise $\binom{p}{k}$ pour $1 \leqslant k \leqslant p - 1$.

3. À l'aide de la formule du binôme, déduire que pour a et b entiers :
$$(a + b)^p \equiv a^p + b^p \ (p).$$

4. Démontrer par récurrence que :
$$\text{pour tout } n \in \mathbb{N}^*, n^p \equiv n \ (p)$$
et retrouver ainsi le théorème de Fermat.

126 Nombres premiers de Sophie Germain

Sophie Germain

1. Un nombre premier p de Sophie Germain est tel que p et $2p + 1$ sont premiers.
• Le nombre $2p + 1$ est alors appelé nombre premier sûr.
• Une suite $(p, 2p + 1, 2(2p + 1)+ 1, \dots)$ de nombres premiers de Sophie Germain est appelée une chaîne de Cunningham.
a) Déterminer les nombres premiers de Sophie Germain inférieurs à 100.
b) Démontrer que 239 est un nombre premier de Sophie Germain et que 227 est un nombre premier sûr.
c) Déterminer une chaîne de Cunningham de 5 termes.
2. a) Montrer que, pour tout entier, on a l'égalité dite de « Sophie Germain » :
$$n^4 + 4m^4 = (n^2 + 2m^2 + 2mn)(n^2 + 2m^2 - 2mn).$$
b) n est un entier naturel, pour quelle(s) valeur(s) de n, $n^4 + 4$ est-il premier ?
c) Démontrer que $4^{545} + 545^4$ n'est pas premier.
3. Factoriser $n^4 + n^2 + 1$.
Pour quelle(s) valeur(s) de n, $n^4 + n^2 + 1$ est-il premier ?

127 Déterminer un nombre

Un professeur de mathématiques donne l'énoncé suivant :
« Déterminer un entier naturel n ayant 9 diviseurs s'écrivant sous la forme $n = 39p + 1$ où p est un nombre premier. »
En analysant l'ensemble des cas possible donner toutes les valeurs possibles de l'entier n.

128 Problème de lampes

On considère 1 000 lampes numérotées de 1 à 1 000 qui peuvent être allumées ou éteintes. Une lampe change d'état lorsqu'elle passe d'éteinte à allumée et réciproquement. Au départ toutes les lampes sont éteintes et l'on effectue les 1 000 étapes suivantes.

Étape 1 On allume toutes les lampes.
Étape 2 Seules les lampes où le numéro est multiple de 2 changent d'état.
Étape 3 Seules les lampes où le numéro est multiple de 3 changent d'état.
Ainsi de suite jusqu'à :
Étape 1 000 Seules les lampes où le numéro est multiple de 1 000 changent d'état.
Quels sont les numéros des lampes qui sont allumées après ces 1 000 étapes ?

129 L'âge du capitaine

Le capitaine dit à son fils :
« La cabine n° 1 abrite M. Dupont et ses deux filles. Le produit de leurs trois âges est 2 450 et la somme de leurs trois âges est égale à 4 fois le tien. Peux-tu trouver les âges des trois passagers ? »
Après un instant, le fils répond : « Non, il me manque une donnée. »
Le capitaine ajoute alors : « Je suis plus âgé que M. Dupont. »
Le fils du capitaine en déduit alors les trois réponses.
Quel est l'âge du capitaine ? de son fils ? de M. Dupont ? des deux filles ?

130 Le théorème de Wilson   **Démo**

Soit un nombre premier $p > 3$ et l'ensemble des naturels $A = [\![2 \, ; p - 2]\!]$.
1. Montrer que pour tout $x \in A$, p ne divise pas $x^2 - 1$.
2. a) Soit $x \in A$, montrer qu'il existe $u \in \mathbb{Z}$ tel que : $xu \equiv 1 \ (p)$.
b) En déduire l'existence d'un unique entier $r \in A$ distinct de x tel que $xr \equiv 1 \ (p)$.
c) Établir que : $2 \times 3 \times \dots \times (p - 2) \equiv 1 \ (p)$ puis que $(p - 1)! \equiv -1 \ (p)$.
3. Ce résultat est-il encore vrai pour $p = 2$ et $p = 3$?
4. Réciproquement, soit p un entier $(p \geqslant 2)$ tel que : $(p - 1) \equiv -1 \ (p)$.
En utilisant l'égalité de Bézout, montrer que p est premier.
5. En déduire le théorème de Wilson : « Un entier naturel n est premier si, et seulement si, $(n - 1)! + 1$ est divisible par n ».
6. Application : montrer que 13 est premier à l'aide du théorème de Wilson.
Ce théorème est-il judicieux comme test de primalité ?

131 Ristournes

Un magasin informatique effectue trois remises successives sur un ordinateur qui coûtait 300 € et qu'il vend alors 222,87 €.

Quels sont les pourcentages des trois remises sachant qu'elles s'expriment avec des nombres entiers ?

132 Tableau infini

On considère le tableau composé d'une infinité de lignes : $L_1, L_2, ..., L_k, ...$ où la ligne L_k est formée des termes de la suite arithmétique de premier terme $k(k + 1)$ et de raison $k + (k + 1)$.

L_1	2	5	8	11	14	...
L_2	6	11	16	21	26	...
L_3	12	19	26	33	40	...
...	...	...	...	...	...	...

Soit n un entier naturel non nul.

1. Montrer que n est dans le tableau si, et seulement si, il existe $k \in \mathbb{N}^*$ et $N \in \mathbb{N}$ tels que :
$$n = (2k + 1) N + k(k + 1).$$
2. En déduire que $(4n + 1)$ est premier si, et seulement si, n n'est pas dans le tableau.

133 Décomposition d'un nombre de 17 chiffres

Le nombre 333 667 est un nombre premier.
1. Décomposer 1 001 001 en produit de facteurs premiers.
2. a) Calculer 11^2, 111^2, 1111^2.
b) Conjecturer la valeur de $111\ 111\ 111^2$.
c) Démontrer cette conjecture.
3. Décomposer en produit de facteurs premiers, l'entier :
$$A = 12\ 345\ 678\ 987\ 654\ 321.$$

134 Nombre de Mersenne divisible par 343

1. Vérifier que $(2^{21} - 1)$ est divisible par 49.
2. Soit $x \in \mathbb{N}$ et $A = (1 + x)^7 - (1 + 7x)$.
Montrer que le nombre A est divisible par x^2.
3. En déduire que $(2^{147} - 1)$ est divisible par 343.

135 Décomposition impossible

1. On suppose qu'il existe des entiers naturels non nuls m, n et a tels que :
$$(4m + 3)(4n + 3) = 4a^2 + 1.$$
a) Soit p un nombre premier divisant $(4m + 3)$.
Montrer que p est impair et que :
$$(2a)^{p-1} \equiv (-1)^{\frac{p-1}{2}} (p).$$
b) À l'aide du théorème de Fermat, montrer que $p \equiv 1$ (4).
c) En utilisant la décomposition de $(4m + 3)$ en produit de facteurs premiers, obtenir une contradiction.
2. Soit $a \geqslant 1$. Montrer que le nombre $4a^2 + 1$ n'est pas premier si, et seulement si, il existe des entiers naturels m et n non nuls tels que :
$$4a^2 + 1 = (4m + 1)(4n + 1).$$

136 Le compte est bon

Combien faut-il de flèches pour faire un score de 100 points sur la cible ?

137 Nombres de Carmichaël

Un nombre de Carmichaël est un entier n non premier qui vérifie la propriété suivante :
« Pour tout entier a premier avec n, l'entier n est un diviseur de $(a^n - a)$. »

Carmichaël

1. Soit $n = 561$.
a) Décomposer n en produit de facteurs premiers.
b) Vérifier que pour tout facteur premier p de n, $(p - 1)$ divise $(n - 1)$.
c) En déduire que pour tout entier a premier avec n, on a : $a^{n-1} \equiv 1$ (n) et que n est un nombre de Carmichaël.
2. Reprendre les mêmes questions avec $n = 1\ 105$.
3. En quoi ces deux exemples montrent que la réciproque du petit théorème de Fermat n'est pas vérifiée ?

Travaux pratiques

1 Nombres générant des nombres premiers

A ▶ Les nombres de Mersenne

On appelle nombre de Mersenne, les nombres M_n de la forme :
$$M_n = 2^n - 1 \text{ avec } n \in \mathbb{N}^*.$$

1. Calculer les six premiers nombres de Mersenne.
Quels sont ceux qui sont premiers ?

2. Soit n un entier naturel non nul et a un entier.

a) Montrer la factorisation standard :
$$a^n - 1 = (a - 1)(a^{n-1} + a^{n-2} + \ldots + a + 1).$$

b) En déduire que si d est un diviseur de n, M_n est divisible par $2^d - 1$.

3. Montrer que si M_n est premier alors n est premier.
La réciproque est-elle vraie ?
Dans le cas où la réponse est négative, déterminer un contre-exemple.

4. Soit a et n deux entiers tels que : $a \geqslant 2$ et $n \geqslant 2$.
Montrer que si $a^n - 1$ est premier, alors $a = 2$ et n est premier.

5. Dans le but de déterminer un nombre de Mersenne premier, on veut montrer que
si n est un nombre premier impair, alors tout diviseur premier p de M_n est de la forme $p = 2kn + 1$, $k \in \mathbb{N}$.
Soit E l'ensemble des nombres non nuls s tels que $2^s \equiv 1 \ (p)$.
Soit s_0 son plus petit élément.

a) On divise un élément s de E par s_0 :
$$s = s_0 q + r \text{ avec } 0 \leqslant r < s_0.$$
Montrer que $r = 0$.

b) En déduire que s_0 divise n puis que $s_0 = n$.

c) À l'aide du petit théorème de Fermat, montrer que n divise $p - 1$ puis que $2n$ divise $p - 1$.
En déduire la forme du diviseur premier p de M_n.

d) Application : trouver un diviseur premier à M_{23}.

❯ Remarque
Le fait que les nombres de Mersenne génèrent des nombres premiers est utile pour en déterminer de plus grands,
cependant on doit tester avec n premier si M_n est premier.
Le plus grand nombre premier connu en 2018 était $M_{82\,589\,933}$ qui possède plus de 24 millions de chiffres !

B ▶ Les nombres de Fermat

1. a) Montrer que pour tout $x \in \mathbb{N}$ et $k \in \mathbb{N}^*$:
$$x^{2k+1} + 1 = (x + 1)(x^{2k} - x^{2k-1} + \ldots + x^2 - x + 1).$$

b) Montrer que si m est impair alors, $2^m + 1$ n'est pas premier.

c) Montrer que si m est un entier possèdant un diviseur strict impair alors, $2^m + 1$ est composé.

d) En déduire que les seuls nombres premiers de la forme $2^m + 1$ sont de la forme $2^{2^n} + 1$.

2. On appelle nombre de Fermat, un nombre noté F_n tel que :
$$F_n = 2^{2^n} + 1 \text{ avec } n \in \mathbb{N}.$$

a) Calculer F_0, F_1, F_2, F_3, F_4 et vérifier qu'ils sont tous premiers.

b) Fermat pensait que F_5 était également premier.
Qu'en pensez vous ?
On pourra utiliser un algorithme donnant la primalité d'un nombre.

3. Vérifier que pour tout $n \in \mathbb{N}$:
$$F_{n+1} = (F_n - 1)^2 + 1.$$
En déduire PGCD(F_n, F_{n+1})

4. Montrer par récurrence que tout nombre de Fermat pour $n \geqslant 2$ a une écriture décimale se terminant par 7.

2 Le système RSA

Le nom du système de cryptage RSA provient des initiales des noms de ses inventeurs américains en 1977 : Ronald **R**ivest (informaticien), Adi **S**hamir (informaticien) et Leaonard **A**dleman (mathématicien).

A ▸ Arithmétique du système RSA

Soit p et q deux nombres premiers impairs distincts.
On pose $n = pq$ et $m = (p - 1)(q - 1)$ et on désigne par e un entier tel que : $1 < e < m$ avec e et m premier entre eux.
1. Montrer qu'il existe un entier d unique tel que : $1 \leqslant d < m$ et $ed \equiv 1 \ (m)$.
2. Prouver que pour tout $a \in \mathbb{N}$, $a^{ed} \equiv a \ (n)$.
3. On choisit $p = 3$, $q = 11$ et $e = 7$. Calculer d

B ▸ Envoi d'un message

Alice veut transmettre un message à Bob.
Pour cela Bob diffuse à tout le monde (donc à Alice) les nombres n et e (clé publique).
Il garde pour lui les nombres p et q (clé privé) qui lui permettent de calculer d et déchiffrer un message.
Bob rend publique : $n = 33$ et $e = 7$.
Alice veut transmettre à Bob le mot : SALUT.
Alice transforme les 5 lettres à l'aide du tableau :

A	B	C	D	E	F	G	H	I	J	K	L	M
0	1	2	3	4	5	6	7	8	9	10	11	12
N	O	P	Q	R	S	T	U	V	W	X	Y	Z
13	14	15	16	17	18	19	20	21	22	23	24	25

Alice code ensuite ces nombres avec la fonction « trappe » de Bob : $b = f_B(a) \equiv a^e \ (n)$.
Ainsi pour la lettre S : $a_1 = 18 \rightarrow 18^7 \equiv 6 \ (33)$, on obtient alors $b_1 = 6$.

1. Rentrer cette fonction en **Python** 🐍 puis vérifier qu'Alice envoie à Bob les nombres suivants :
$$06 - 00 - 11 - 26 - 13.$$
2. Bob décode alors ces nombres avec sa fonction « trappe inverse » : $a = f_B^{-1}(b) \equiv b^d \ (n)$
Expliquer pourquoi cette fonction inverse permet de déchiffrer le message d'Alice.
3. La clé privée de Bob est $p = 3$ et $q = 11$.
Il reçoit un deuxième message d'Alice avec les nombres : $14 - 20 - 08 - 12 - 02 - 09 - 00 - 01 - 11 - 16$.

Rentrer la fonction inverse en **Python** 🐍 puis décoder le message d'Alice.

C ▸ Authentification

Le but de cette partie est de montrer comment Bob peut être sûr de recevoir un message d'Alice.
Alice dispose également d'une clé publique (fonction trappe f_A) et d'une clé privée (fonction trappe inverse f_A^{-1}).
Alice envoie à Bob un message contenant :
• ce qu'elle a à lui dire,
• une double signature : A, $f_A^{-1}(A)$.
Comment Bob peut-il s'assurer que le message vient bien d'Alice ?

⊙Remarque

La clé publique (n, e) permet donc à « tout public » de transmettre un message à Bob. La clé personnelle (p, q) n'est connue que de Bob et lui permet d'être le seul à pouvoir déchiffrer le message en calculant d.
La sécurité du système réside dans la construction de nombre premier p et q très grands (300 chiffres) et la difficulté de décomposer le nombre n en produit de 2 nombres premiers.

PARTIE 3

Graphes et matrices

Leonhard Euler
(1707-1783)

Arthur Cayley
(1821-1895)

James Joseph Sylvester
(1814-1897)

En 1736, Euler résout le problème des sept ponts de Königsberg. En 1771, Vandermonde étudie le problème du cavalier dans ses *Remarques sur des problèmes de situation*.
↳ **Dicomaths** **p. 238**

Au XIXᵉ siècle, Cayley est le premier à multiplier des matrices et Hamilton découvre les quaternions. Ils sont à l'origine du théorème de Cayley-Hamilton.
↳ **Dicomaths** **p. 237**

En 1850, Sylvester introduit le terme « matrice ». Il étudie les formes quadratiques, les invariants et les déterminants.
↳ **Dicomaths** **p. 241**

Mon parcours au lycée

Dans les classes précédentes...
• J'ai étudié les probabilités conditionnelles et certains algorithmes.

En Terminale...
• Je vais découvrir les matrices et leurs applications notamment en théorie des graphes.

**Ferdinand Frobenius
(1849–1917)**

**Andreï Markov
(1856–1922)**

**Lester S. Hill
(1891–1961)**

En 1878, Frobenius donne la première démonstration complète du théorème de Cayley-Hamilton. À la même époque, le mathématicien Jordan étudie les décompositions d'endomorphismes et leurs équivalents matriciels.

↪ Dicomaths **p. 239**

En 1902, Markov introduit la notion de chaîne de Markov afin de formaliser des problèmes de cryptage, notion généralisée par Kolmogorov en 1936.

↪ Dicomaths **p. 239**

En 1929, le chiffrement de Hill permet de (dé)chiffrer un message par bloc de deux lettres. Par la suite, les chaînes de Markov constituent les prémisses du calcul stochastique. Elles sont également liées en physique au mouvement brownien et modèlisent des processus en dynamique des populations ou en épidémiologie.

↪ Dicomaths **p. 239**

Domaines professionnels

- ✓ Un·e **statisticien·ne** étudie la dynamique des déménagements des personnes d'une région.
- ✓ Un·e **concepteur·trice** de GPS utilise des algorithmes de théorie des graphes pour calculer des itinéraires.
- ✓ Un·e **organisateur·trice de tourisme** optimise les trajets lors d'un circuit touristique.
- ✓ Un·e **ingénieur·e en télécommunication** combine réseaux et intelligence artificielle pour optimiser un système de communication.
- ✓ Un·e **chercheur·se dans le domaine de l'environnement** étudie l'équilibre d'un écosystème à travers des systèmes proie-prédateur.
- ✓ Un·e **expert-comptable** peut utiliser les matrices pour étudier le bilan d'une société.

6

Introduction au calcul matriciel et aux graphes

L es entreprises de vente doivent gérer de nombreux tableaux de données (prix unitaire par produit, nombre de commandes par produit, …) pour calculer leur dépense, leur recette, et prévoir des stocks suffisants.

Peut-on trouver des règles opératoires sur ces tableaux afin d'automatiser les calculs ?

↪ TP 2, p. 199

▶ VIDÉO WEB

Distribution : la rupture de stock.
lienmini.fr/maths-e06-01

1 Étudier des séries statistiques

On a consigné les résultats de trois élèves à une série d'épreuves, ainsi que les coefficients de chaque épreuve dans deux tableaux distincts.

	Épreuve 1	Épreuve 2	Épreuve 3
Camille	12	14	10
Antoine	13	10	12
Ana	16	9	13

	Épreuve 1	Épreuve 2	Épreuve 3
Coeff.	4	8	2

1. Calculer la moyenne de chaque élève sur l'ensemble des épreuves.
2. Quel élève a le mieux réussi la série d'épreuves ?

2 Manipuler des suites arithmétiques et géométriques

Soit les suites $(u_n)_{n \geqslant 0}$ et $(v_n)_{n \geqslant 1}$ définies par :

$$\begin{cases} u_0 = 3 \\ u_{n+1} = u_n - 2 \end{cases} \text{ pour tout } n \in \mathbb{N} \text{ et } \begin{cases} v_1 = -2 \\ v_{n+1} = \dfrac{v_n}{3} \end{cases} \text{ pour tout } n \in \mathbb{N}.$$

1. Déterminer les trois premiers termes de chaque suite.
2. Déterminer la nature des suites (u_n) et (v_n) et préciser leurs raisons.
3. En déduire l'expression de u_n et de v_n en fonction de n.

3 Résoudre des systèmes

Résoudre les systèmes suivants.

a) $\begin{cases} 2x + y = 14 \\ 4x - 3y = 8 \end{cases}$
b) $\begin{cases} 2x + 3y = 11 \\ -3x - 4y = -14 \end{cases}$
c) $\begin{cases} -3x + 7y = 52 \\ 9x - 8y = -65 \end{cases}$

4 Réaliser des transformations géométriques

1. Reproduire le repère ci-contre.
2. Relever les coordonnées des points A, B et C dans le repère $(O \, ; \vec{i} \, , \vec{j})$.
3. Tracer le point A', image de A par la translation de vecteur $\overrightarrow{BC}$.
4. Tracer le point B', image de B par la symétrie de centre A.
5. Tracer le point C', image de C par la rotation de centre O et d'angle $\dfrac{\pi}{4}$.
6. Relever graphiquement les coordonnées des points A', B' et C' dans le repère $(O \, ; \vec{i} \, , \vec{j})$.

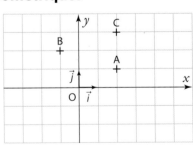

25 min

1 Découvrir le calcul matriciel

Une entreprise qui vend des fruits peut se fournir auprès de cinq marchés différents. Les tableaux ci-dessous détaillent les prix proposés par chacun des marchés (les prix sont au kg) ainsi que les commandes reçues de trois clients.

Nantes	
Orange	1,15 €
Citron	1,25 €
Pomme	0,65 €
Banane	1,2 €

Rungis	
Orange	1,2 €
Citron	1,4 €
Pomme	1 €
Banane	1 €

Lyon	
Orange	1,05 €
Citron	1,2 €
Pomme	0,95 €
Banane	1,15 €

Marseille	
Orange	1,05 €
Citron	1,3 €
Pomme	0,85 €
Banane	1,05 €

Lille	
Orange	1,15 €
Citron	1,6 €
Pomme	0,55 €
Banane	1,15 €

Client 1	
Orange	30 kg
Citron	30 kg
Pomme	70 kg
Banane	60 kg

Client 2	
Orange	50 kg
Citron	50 kg
Pomme	60 kg
Banane	50 kg

Client 3	
Orange	60 kg
Citron	10 kg
Pomme	70 kg
Banane	40 kg

A ▸ Représenter les matrices

1. Organiser les données des prix par marché sous la forme d'un tableau à double entrées.
Combien y-a-t-il de dispositions possibles pour ce type de tableau en gardant l'ordre de l'énoncé ?
En ne gardant que les valeurs de ce tableau, on obtient une matrice que l'on nommera P.
La matrice obtenue à partir de l'autre tableau est la matrice transposée de P, notée P^t.

2. Donner la matrice C représentant les commandes des trois clients (mettre les clients en colonne et dans l'ordre).

B ▸ Opérations

Pour la suite, on considérera la matrice $P = \begin{pmatrix} 1,15 & 1,25 & 0,65 & 1,2 \\ 1,2 & 1,4 & 1 & 1 \\ 1,05 & 1,2 & 0,95 & 1,15 \\ 1,05 & 1,3 & 0,85 & 1,05 \\ 1,15 & 1,6 & 0,55 & 1,15 \end{pmatrix}$. Soit la matrice $A = \begin{pmatrix} 10 & 10 & 10 \\ 0 & 20 & 10 \\ 10 & 0 & 10 \\ 0 & 10 & 20 \end{pmatrix}$.

1. Les clients ont chacun passé une nouvelle commande, consignée dans la matrice A.

a) Écrire la matrice C' représentant la commande totale par clients (clients en colonne).

Nous venons de faire une somme de matrices : $C + A = C'$.

b) Quelle règle peut-on établir pour la somme de deux matrices ?

2. P représente en réalité les prix de l'année précédente. Cette année les prix ont tous augmenté de 5 %.

a) Écrire la matrice P' représentant les nouveaux prix des produits par marché.

Nous venons de faire une multiplication de matrice par un nombre : $1,05 \times P = P'$.

b) Quelle règle peut-on établir pour le produit d'une matrice par un nombre réel ?

3. On souhaite savoir quel marché serait le plus économique.

a) Quel est le coût total pour l'entreprise si elle choisit le marché de Nantes pour satisfaire la commande du client 1 ? Et avec celui de Rungis ?

b) Écrire la matrice T représentant le coût total pour satisfaire la demande par marché et par client (écrire les clients en colonne). Nous venons de faire une multiplication de matrices : $P'C' = T$.

c) Quelle règle peut-on établir pour la multiplication de deux matrices ?

d) Quel marché peut-on conseiller à l'entreprise pour satisfaire la commande du client 1 ? Du client 2 ? Du client 3 ? Et si on prenait le même marché pour les 3 clients ?

➜ **Cours 1** p. 166 **et 2** p. 168

2 | Résoudre des systèmes à l'aide de matrices inversibles

1. Résoudre les systèmes suivants. $(S_1) : \begin{cases} 2x + 3y = 9 \\ 7x + 13y = 44 \end{cases}$ $(S_2) : \begin{cases} 6x + 4y = 1 \\ 3x + 2y = 0 \end{cases}$

Nous allons voir comment déterminer les solutions de ces systèmes par calcul matriciel.

A ▶ Représentation du système

1. Déterminer deux matrices $M_{x,y}$ et B de dimension 2×1 telles que (S_1) équivaut à $M_{x,y} = B$.

2. Donner deux matrices A et X, de dimensions respectives 2×2 et 2×1, telles que $M_{x,y} = AX$.

3. En déduire que résoudre le système (S_1) revient à résoudre l'équation $AX = B$, d'inconnue X.

B ▶ Inverse de matrice et résolution matricielle

1. Dans l'équation $2x = 5$, pourquoi multiplier les deux membres par 2^{-1} permet d'isoler x ?

La matrice identité est $I_2 = \begin{pmatrix} 1 & 0 \\ 0 & 1 \end{pmatrix}$. On cherche à déterminer s'il existe une matrice $A^{-1} = \begin{pmatrix} a & b \\ c & d \end{pmatrix}$ telle que $AA^{-1} = I_2$.

2. Montrer que trouver A^{-1} revient à résoudre les systèmes $\begin{cases} 2a + 3c = 1 \\ 7a + 13c = 0 \end{cases}$ et $\begin{cases} 2b + 3d = 0 \\ 7b + 13d = 1 \end{cases}$

3. Résoudre ces systèmes et en déduire A^{-1} (mettre les coefficients sous forme de fraction).

4. Exprimer les coefficients de A^{-1} en fonction de ceux de A.

En déduire une formule afin de déterminer la matrice inverse d'une matrice.

5. Multiplier à gauche les deux membres de $AX = B$ par A^{-1}. Retrouve-t-on les solutions de (S_1) ?

6. De même, mettre le système (S_2) sous la forme matricielle $CX = D$. Peut-on trouver C^{-1} ? Pourquoi ?

↪ **Cours 3** p. 170 et **4** p. 172

3 | Découvrir les chemins et les graphes

On considère un réseau ferroviaire composé des lignes : Paris-Strasbourg ; Paris-Lyon ; Paris-Marseille ; Paris-Rennes ; Lyon-Strasbourg ; Lyon-Marseille ; Lyon-Rennes ; Marseille-Nice ; Marseille-Bordeaux ; Rennes-Bordeaux et Bordeaux-Nice.

1. Faire un schéma du réseau ferroviaire en représentant les stations par leurs initiales et les lignes par un segment reliant les deux stations.
Nous venons de représenter le réseau par un graphe non orienté.

2. Quel est le plus court chemin pour faire Paris-Nice ? Quel nombre n de lignes a-t-on dû prendre ?
Le chemin déterminé est un chemin de longueur n.

3. Combien de chemins de longueur 3 relient Paris à Marseille ? Et Bordeaux à Lyon ?

4. Représenter le réseau par une matrice M de dimension 7×7 (dans l'ordre P/R/L/S/B/M/N) : les coefficients de la matrice sont 1 si la station ligne et la station colonne sont reliées et 0 sinon.

5. Calculer $M^3 = MMM$. Que retrouve-t-on en ligne 1 colonne 6 ? Et en ligne 5 colonne 3 ?

↪ **Cours 5** p. 174 et **6** p. 176

Cours

1 Notion de matrice

Définition Matrice

Une matrice A de dimension $n \times p$ est un tableau à **n lignes** et **p colonnes**, composé de nombres réels, appelés **coefficients** de la matrice.

De façon générale, on note $A = (a_{ij})$, a_{ij} étant le coefficient situé à la i^e ligne et j^e colonne.

L'ensemble des matrices de dimension $n \times p$ est $\mathcal{M}_{n,p}(\mathbb{R})$.

● Exemple

$A = \begin{pmatrix} \overset{\text{C1}}{\downarrow} & \overset{\text{C2}}{\downarrow} & \overset{\text{C3}}{\downarrow} \\ 1 & ② & -1 \\ 0 & 5 & ③ \end{pmatrix} \begin{matrix} \leftarrow \text{L1} \\ \leftarrow \text{L2} \end{matrix}$ est une matrice de dimension 2×3 ; on a $a_{12} = 2$ et $a_{23} = 3$.

Définition Matrices égales

Deux matrices $A = (a_{ij})$ et $B = (b_{ij})$ de même dimension $n \times p$ sont **égales** si, et seulement si :

$$a_{ij} = b_{ij} \quad \text{pour tout } i \in \{1 ; 2 ; ... ; n\} \text{ et } j \in \{1 ; 2 ; ... ; p\}.$$

Définition Matrices transposée

Soit $A = (a_{ij})$ une matrice de dimension $n \times p$. La matrice **transposée** de A est la matrice A^t de dimension $p \times n$:
$$A^t = (a_{ji}).$$
Les lignes de A correspondent aux colonnes de A^t.

● Exemple

Pour $A = \begin{pmatrix} 2 & 3 & 4 \\ 1 & 0 & 2 \end{pmatrix}$ on a $A^t = \begin{pmatrix} 2 & 1 \\ 3 & 0 \\ 4 & 2 \end{pmatrix}$.

Définitions Matrices particulières

① Une matrice de dimension $1 \times p$ est appelée **matrice ligne**.

Une matrice de dimension $n \times 1$ est appelée **matrice colonne**.

② Une matrice de dimension $n \times n$ est appelée **matrice carrée d'ordre n**.

L'ensemble des matrices carrées d'ordre n s'écrit $\mathcal{M}_n(\mathbb{R})$.

Pour une matrice carrée $A = (a_{ij})$ d'ordre n, $\{a_{ii} ; 1 \leq i \leq n\}$ est l'ensemble des coefficients de la diagonale **principale** de A.

③ Une **matrice diagonale d'ordre n** est une matrice carrée d'ordre n telle que tous ses coefficients hors de la diagonale principale valent 0.

● Exemples

① Si A est une matrice ligne, sa transposée est une matrice colonne.

② $B = \begin{pmatrix} 1 & -1 \\ -0,5 & -2 \end{pmatrix}$ est une matrice carrée d'ordre 2. Les coefficients de sa diagonale principale sont 1, et -2.

③ $C = \begin{pmatrix} 1 & 0 & 0 \\ 0 & -1 & 0 \\ 0 & 0 & 2 \end{pmatrix}$ est une matrice diagonale d'ordre 3.

EXOS
Méthodes
lienmini.fr/maths-e06-03

Les rendez-vous
Sésamath

Exercices résolus

Méthode 1 — Représenter une matrice

Énoncé

Soit la matrice $A = (a_{ij})$ avec $a_{ij} = j^2 - i$ à deux lignes et trois colonnes.

1. Donner la matrice A sous la forme d'un tableau de nombres. Préciser sa dimension.

2. Donner la matrice A^t.

3. Retrouver ce résultat à la calculatrice.

Solution

1. $A = \begin{pmatrix} 1^2-1 & 2^2-1 & 3^2-1 \\ 1^2-2 & 2^2-2 & 3^2-2 \end{pmatrix} = \begin{pmatrix} 0 & 3 & 8 \\ -1 & 2 & 7 \end{pmatrix}$ **1**

de dimension 2×3. **2**

2. $A = \begin{pmatrix} 0 & 3 & 8 \\ -1 & 2 & 7 \end{pmatrix}$ donc $A^t = \begin{pmatrix} 0 & -1 \\ 3 & 2 \\ 8 & 7 \end{pmatrix}$.

Conseils & Méthodes

1 Dans $A = (a_{ij})$ pour placer a_{ij}, c'est l'inverse du repérage : il faut repérer la i^e ligne de la matrice (on se déplace verticalement dans la matrice) puis la j^e colonne de la matrice (on se déplace horizontalement dans la matrice).

2 On donne d'abord le nombre de lignes, puis le nombre de colonnes.

3.

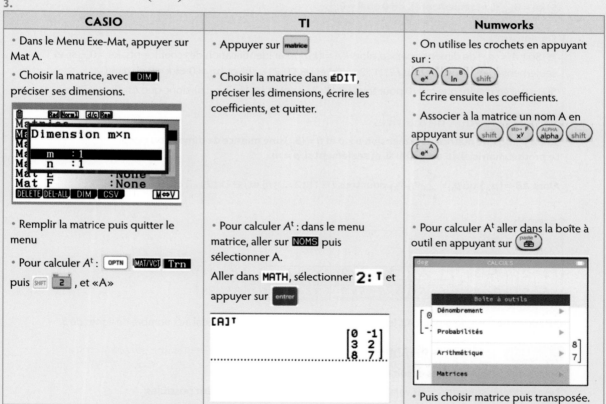

CASIO	TI	Numworks
• Dans le Menu Exe-Mat, appuyer sur Mat A. • Choisir la matrice, avec **DIM** préciser ses dimensions.	• Appuyer sur **matrice** • Choisir la matrice dans **ÉDIT**, préciser les dimensions, écrire les coefficients, et quitter.	• On utilise les crochets en appuyant sur : **shift** • Écrire ensuite les coefficients. • Associer à la matrice un nom A en appuyant sur **shift** **sto→ F** **ALPHA** **alpha** **shift**
• Remplir la matrice puis quitter le menu • Pour calculer A^t : **OPTN** **MAT/VCT** **Trn** puis **SHIFT** **2** , et «A»	• Pour calculer A^t : dans le menu matrice, aller sur **NOMS** puis sélectionner A. Aller dans **MATH**, sélectionner **2 : T** et appuyer sur **entrer** [A]ᵀ $\begin{bmatrix} 0 & -1 \\ 3 & 2 \\ 8 & 7 \end{bmatrix}$	• Pour calculer A^t aller dans la boîte à outil en appuyant sur **paste** • Puis choisir matrice puis transposée.

À vous de jouer !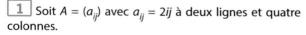

1 Soit $A = (a_{ij})$ avec $a_{ij} = 2ij$ à deux lignes et quatre colonnes.

1. Écrire A sous forme de tableau de nombres.

2. Déterminer A^t.

2 Soit $A = (a_{ij})$ avec $a_{ij} = \left(\dfrac{2ij}{i+j} \right)$ de dimension 4×1.

1. Écrire A sous forme de tableau de nombres.

2. Déterminer A^t.

↳ Exercices 34 à 38 p. 182

2 Algèbre des matrices

Définitions Somme de matrices et produit par un réel

• Deux matrices $A = (a_{ij})$ et $B = (b_{ij})$ sont **sommables** si, et seulement si, elles ont la **même dimension**.

Alors $A + B = (s_{ij})$ où $s_{ij} = a_{ij} + b_{ij}$ pour tout $i \in \{1 \, ; 2 \, ; \ldots ; n\}$ et $j \in \{1 \, ; 2 \, ; \ldots ; p\}$.

• Pour tout réel k, le produit $kA = (p_{ij})$ est défini par $p_{ij} = ka_{ij}$ pour tout $i \in \{1 \, ; 2 \, ; \ldots ; n\}$ et $j \in \{1 \, ; 2 \, ; \ldots ; p\}$.

Propriétés Règles sur la somme de matrices

Soit A, B et C trois matrices de même dimension $n \times p$, et soit k un nombre réel.

① L'addition est commutative : $A + B = B + A$.

② L'addition est associative : $(A + B) + C = A + (B + C) = A + B + C$.

③ Le produit par un réel est distributif : $k(A + B) = kA + kB$.

④ On note $0_{n,p}$ la matrice nulle de dimension $n \times p$ dont tous les coefficients sont nuls. On a $A + 0_{n,p} = A$.

⑤ $kA = 0_{n,p}$ si, et seulement si, $k = 0$ ou $A = 0_{n,p}$.

• Démonstration

⑤ Soit $A = (a_{ij})$ de dimension $n \times p$, alors $kA = (ka_{ij})$. Par identification des coefficients, $kA = 0_{n,p}$ si, et seulement si, $ka_{ij} = 0$ pour tous $i \in \{1 \, ; 2 \, ; \ldots ; n\}$ et $j \in \{1 \, ; 2 \, ; \ldots ; p\}$, or $ka_{ij} = 0 \Leftrightarrow k = 0$ ou $a_{ij} = 0$.

Si $k \neq 0$, il en résulte que $a_{ij} = 0$ pour tous $i \in \{1 \, ; 2 \, ; \ldots ; n\}$ et $j \in \{1 \, ; 2 \, , \ldots ; p\}$, donc que $A = 0_{n,p}$.

Définition Produit de matrices

Soit $A = (a_{ij})$ une matrice de dimension $n \times p$ et $B = (b_{ij})$ une matrice de dimension $m \times q$.
Le **produit matriciel** AB est défini si, et seulement si, $p = m$.

Alors $AB = (p_{ij})$ où $p_{ij} = \displaystyle\sum_{k=1}^{p} a_{ik} b_{kj}$ pour tous $i \in \{1 \, ; 2 \, ; \ldots ; n\}$ et $j \in \{1 \, ; 2 \, ; \ldots ; q\}$.

• Exemple

$$\begin{pmatrix} 1 & 2 \\ 6 & 5 \end{pmatrix} \begin{pmatrix} 7 & 3 \\ 9 & 4 \end{pmatrix} = \begin{pmatrix} 1 \times 7 + 2 \times 9 & 1 \times 3 + 2 \times 4 \\ 6 \times 7 + 5 \times 9 & 6 \times 3 + 5 \times 4 \end{pmatrix} = \begin{pmatrix} 25 & 11 \\ 87 & 38 \end{pmatrix}$$

▶**Remarque** Dans le produit AB, le nombre de colonnes de A doit être égal aux nombres de lignes de B.

Propriétés Règles sur la multiplication de matrices

Soit A, B et C trois matrices et soit k un nombre réel.

Les propriétés suivantes sont valables sous réserve que les calculs soient possibles.

① La multiplication est associative : $(AB)C = A(BC) = ABC$.

② La multiplication est distributive : $A(B + C) = AB + AC$ et $(A + B)C = AC + BC$.

③ $(kA)B = A(kB) = k(AB)$

④ $0_{n,p}A = A0_{n,p} = 0_{n,p}$.

▶**Remarque** Le produit de matrices n'est pas commutatif. En effet :

$$\begin{pmatrix} 1 & 2 \\ 3 & 4 \end{pmatrix}\begin{pmatrix} 1 & 3 \\ 0 & 4 \end{pmatrix} = \begin{pmatrix} 1 & 11 \\ 3 & 25 \end{pmatrix} \text{ et } \begin{pmatrix} 1 & 3 \\ 0 & 4 \end{pmatrix}\begin{pmatrix} 1 & 2 \\ 3 & 4 \end{pmatrix} = \begin{pmatrix} 10 & 14 \\ 12 & 16 \end{pmatrix}.$$

Méthode 2 Déterminer ou calculer le produit de deux matrices

Énoncé

Soit $A = \begin{pmatrix} 4 & 7 \\ 2 & 1 \end{pmatrix}$ et $B = \begin{pmatrix} -1 & 0 & 2 \\ 3 & 4 & -3 \end{pmatrix}$.

Calculer AB.

Solution

Le produit matriciel est bien défini. **1**

$AB = \begin{pmatrix} 4 & 7 \\ 2 & 1 \end{pmatrix} \begin{pmatrix} -1 & 0 & 2 \\ 3 & 4 & -3 \end{pmatrix}$

$= \begin{pmatrix} 4 \times (-1) + 7 \times 3 & 4 \times 0 + 7 \times 4 & 4 \times 2 + 7 \times (-3) \\ 2 \times (-1) + 1 \times 3 & 2 \times 0 + 1 \times 4 & 2 \times 2 + 1 \times (-3) \end{pmatrix}$ **2**

$= \begin{pmatrix} 17 & 28 & -13 \\ 1 & 4 & 1 \end{pmatrix}$

Conseils & Méthodes

1 On vérifie que le nombre de colonnes de A est égal au nombre de lignes de B.

2 On développe chaque ligne de A avec chaque colonne de B

À vous de jouer !

3 Soit $A = \begin{pmatrix} 3 & 2 & 4 \\ -1 & 0 & 3 \end{pmatrix}$ et $B = \begin{pmatrix} 2 & -3 \\ 4 & 5 \\ -6 & 1 \end{pmatrix}$.

Calculer AB.

4 Soit $A = \begin{pmatrix} 1 & 2 & -1 \\ 2 & 0 & 3 \\ 0 & 4 & -5 \end{pmatrix}$ et $B = \begin{pmatrix} 1 & 0 & 0 \\ -2 & 1 & 3 \\ -4 & -5 & 2 \end{pmatrix}$.

Calculer AB et BA.

➥ **Exercices 39 à 42** p. 182

Méthode 3 Calculer des produits successifs de matrices

Énoncé

Soit $M = \begin{pmatrix} 5 & -1 \\ 10 & -2 \end{pmatrix}$.

1. Montrer que $MM = 3M$.

2. En déduire MMM.

Solution

1. $MM = \begin{pmatrix} 5 & -1 \\ 10 & -2 \end{pmatrix} \begin{pmatrix} 5 & -1 \\ 10 & -2 \end{pmatrix} = \begin{pmatrix} 15 & -3 \\ 30 & -6 \end{pmatrix} = 3 \begin{pmatrix} 5 & -1 \\ 10 & -2 \end{pmatrix} = 3M.$ **1**

2. $MMM = M(MM) = M(3M) = 3 \times MM = 3 \times 3M = 9M = \begin{pmatrix} 45 & -9 \\ 90 & -18 \end{pmatrix}.$ **2**

Conseils & Méthodes

1 Le produit d'une matrice par elle-même n'est possible que si la matrice est carrée.

2 L'écriture matricielle étant lourde, commencer par simplifier les calculs par des développements, réductions ou factorisation.

À vous de jouer !

5 Soit $M = \begin{pmatrix} -1 & 1 \\ -5 & 5 \end{pmatrix}$.

1. Montrer que $MM = 4M$.

2. En déduire MMM.

6 Soit $M = \begin{pmatrix} -4 & 6 \\ -2 & 3 \end{pmatrix}$.

1. Montrer que $MM = -M$.

2. En déduire $MMMMM$.

➥ **Exercices 43 à 47** p. 182

③ Inverse de matrice

Propriétés Matrice identité

Il existe une **matrice identité** I_n telle que :
- $AI_n = A$ pour toute matrice A à n colonnes,
- $I_nA = A$ pour toute matrice A à n lignes.

I_n est la matrice carrée d'ordre n contenant des 1 sur sa diagonale principale et des 0 ailleurs.

● Exemples

$$I_1 = (1) \quad I_2 = \begin{pmatrix} 1 & 0 \\ 0 & 1 \end{pmatrix} \quad I_3 = \begin{pmatrix} 1 & 0 & 0 \\ 0 & 1 & 0 \\ 0 & 0 & 1 \end{pmatrix}$$

Définition Puissance de matrice

Si A est une matrice carrée d'ordre n, alors : $A^p = \underbrace{AA\ldots A}_{p \text{ facteurs}}$ si $p \neq 0$ et $A^0 = I_n$.

Définition Inverse d'une matrice

Une matrice carrée A d'ordre n est dite **inversible** s'il existe une matrice carrée B d'ordre n telle que :

$$AB = BA = I_n.$$

Dans ce cas B est unique et est appelée la **matrice inverse** de A ; on note $B = A^{-1}$.

● Exemple

Soit $A = \begin{pmatrix} 1 & 3 \\ 2 & 4 \end{pmatrix}$. A est inversible et $A^{-1} = \begin{pmatrix} -2 & 1{,}5 \\ 1 & -0{,}5 \end{pmatrix}$.

En effet $AA^{-1} = \begin{pmatrix} 1 \times (-2) + 3 \times 1 & 1 \times 1{,}5 + 3 \times (-0{,}5) \\ 2 \times (-2) + 4 \times 1 & 2 \times 1{,}5 + 4 \times (-0{,}5) \end{pmatrix} = \begin{pmatrix} 1 & 0 \\ 0 & 1 \end{pmatrix} = I_2$. De même $A^{-1}A = I_2$.

Définition Déterminant d'une matrice

Soit $A = \begin{pmatrix} a & b \\ c & d \end{pmatrix}$ une matrice carrée d'ordre 2. On appelle **déterminant de A** le nombre : $\det(A) = ad - bc$.

Proposition Matrice d'ordre 2 inversible

Soit $A = \begin{pmatrix} a & b \\ c & d \end{pmatrix}$ une matrice carrée d'ordre 2. A est **inversible** si, et seulement si, $\det(A) \neq 0$.

Alors : $A^{-1} = \dfrac{1}{\det(A)} \begin{pmatrix} d & -b \\ -c & a \end{pmatrix}$.

● Exemples

Soit $B = \begin{pmatrix} 1 & 2 \\ 3 & 4 \end{pmatrix}$ et $C = \begin{pmatrix} 3 & 2 \\ 6 & 4 \end{pmatrix}$.

$\det(B) = 1 \times 4 - 2 \times 3 = -2 \neq 0$ donc B est inversible. $B = \dfrac{1}{\det(B)} \begin{pmatrix} 4 & -2 \\ -3 & 1 \end{pmatrix} = \dfrac{1}{-2} \begin{pmatrix} 4 & -2 \\ -3 & 1 \end{pmatrix} = \begin{pmatrix} -2 & 1 \\ 1{,}5 & -0{,}5 \end{pmatrix}$.

$\det(C) = 3 \times 4 - 2 \times 6 = 0$ donc C n'est pas inversible.

● EXOS
Méthodes
lienmini.fr/maths-e06-03

Les rendez-vous
Sésamath

Exercices résolus

Méthode 4 Calculer l'inverse d'une matrice

Énoncé

Soit $A = \begin{pmatrix} 2 & 3 \\ -1 & 5 \end{pmatrix}$. Montrer que A est inversible et déterminer A^{-1}.

Solution

$\det(A) = 2 \times 5 - (-1) \times 3 = 13 \neq 0$ **1** donc A est inversible.

$A^{-1} = \dfrac{1}{\det(A)} \begin{pmatrix} 5 & -3 \\ -(-1) & 2 \end{pmatrix} = \dfrac{1}{13} \begin{pmatrix} 5 & -3 \\ 1 & 2 \end{pmatrix} = \begin{pmatrix} \dfrac{5}{13} & -\dfrac{3}{13} \\ \dfrac{1}{13} & \dfrac{2}{13} \end{pmatrix}$. **2**

Conseils & Méthodes

1 Pour montrer qu'une matrice de dimension 2×2 est inversible, calculer son déterminant.

2 L'inverse se calcule par la formule du cours.

À vous de jouer !

7 Soit $A = \begin{pmatrix} -1 & 0 \\ 2 & 3 \end{pmatrix}$.

Montrer que A est inversible et déterminer A^{-1}.

8 Soit $A = \begin{pmatrix} 4 & 5 \\ -5 & 10 \end{pmatrix}$.

Montrer que A est inversible et déterminer A^{-1}.

↳ Exercices 48 à 58 p. 123

Méthode 5 Appliquer l'inverse d'une matrice

Énoncé

Soit $A = \begin{pmatrix} 1 & 0 & 3 \\ 4 & 1 & -1 \\ 2 & 1 & 3 \end{pmatrix}$, $B = \begin{pmatrix} \dfrac{1}{2} & \dfrac{1}{4} & -\dfrac{1}{4} \\ -\dfrac{7}{4} & -\dfrac{1}{8} & \dfrac{9}{8} \\ \dfrac{1}{4} & -\dfrac{1}{8} & \dfrac{1}{8} \end{pmatrix}$ et $C = \begin{pmatrix} 1 & 0 & 2 \\ 3 & 4 & 6 \end{pmatrix}$.

Montrer que B est l'inverse de A et en déduire les solutions de l'équation $XA = C$.

Solution

On calcule $AB = I_3$ et $BA = I_3$ donc B est bien l'inverse de A. **1**

$XA = C \Leftrightarrow XAB = CB$ **2** **3**

$ \Leftrightarrow XI_3 = CB$

$ \Leftrightarrow X = CB$

Donc $X = CB = \begin{pmatrix} 1 & 0 & 0 \\ -4 & 0,5 & 4,5 \end{pmatrix}$ est la solution de l'équation.

Conseils & Méthodes

1 Pour montrer que deux matrices sont inverses l'une de l'autre, vérifier que leur produit donne la matrice identité.

2 On résout une équation matricielle comme une équation du 1er degré : on multiplie chaque membre de l'équation par une même matrice.

3 Attention à l'ordre : la multiplication n'est pas commutative.

À vous de jouer !

9 Soit $A = \begin{pmatrix} 1 & 2 & 3 \\ 0 & 1 & -1 \\ 0 & 0 & 1 \end{pmatrix}$ et $B = \begin{pmatrix} 1 & -2 & -5 \\ 0 & 1 & 1 \\ 0 & 0 & 1 \end{pmatrix}$.

1. Montrer que B est l'inverse de A.
2. En déduire les solutions de l'équation $XA = \begin{pmatrix} 1 & 1 & 2 \\ -2 & 1 & 3 \end{pmatrix}$.

10 Soit $A = \begin{pmatrix} -5 & 2 & 8 \\ 4 & -3 & 12 \\ -4 & 2 & 7 \end{pmatrix}$.

1. Montrer que A est sa propre inverse.
2. En déduire les solutions de l'équation $AX = \begin{pmatrix} 1 & 1 \\ 3 & 2 \\ 4 & 5 \end{pmatrix}$.

↳ Exercices 48 à 58 p. 183

Cours

4 Applications

Proposition   Résolution d'un système linéaire

Un système linéaire de la forme $\begin{cases} a_{11}x_1 + a_{12}x_2 + \ldots + a_{1n}x_n = b_1 \\ a_{21}x_1 + a_{22}x_2 + \ldots + a_{2n}x_n = b_2 \\ \ldots \\ a_{n1}x_1 + a_{n2}x_2 + \ldots + a_{nn}x_n = b_n \end{cases}$ est équivalent à l'équation $AX = B$

où $A = (a_{ij})$ est une matrice carrée d'ordre n, $X = (x_j)$ et $B = (b_j)$ sont deux matrices colonnes.

Si A est inversible, alors l'équation $AX = B$ admet pour unique solution $X = A^{-1}B$.

Proposition   Suites de matrices

On considère une **suite** (U_n) de matrices colonnes telle que $U_{n+1} = AU_n + B$ pour tout entier n.

① S'il existe une matrice X telle que $AX + B = X$ alors la suite (V_n) définie par $V_n = U_n - X$ vérifie :
$$V_{n+1} = AV_n \text{ pour tout entier } n.$$
Dans ce cas on a $U_n = A^n(U_0 - X) + X$ pour tout entier.

② Si (U_n) est une suite **convergente**, alors elle converge vers une matrice U vérifiant $AU + B = U$.

● **Démonstration**

Soit une suite (U_n) de matrices colonnes telles que $U_{n+1} = AU_n + B$ pour tout entier n.

① S'il existe une matrice X telle que $AX + B = X$, soit alors la suite (V_n) définie par $V_n = U_n - X$.
Alors $V_{n+1} = U_{n+1} - X = AU_n + B - (AX + B) = AU_n + B - AX - B = AU_n - AX = A(U_n - X) = AV_n$.
La suite (V_n) est donc une suite géométrique de raison A, donc $V_n = A^n V_0$ pour tout entier n
(la démonstration de cette propriété peut se faire par récurrence).
Or $V_0 = U_0 - X$ donc $V_n = A^n(U_0 - X)$ pour tout entier n.
$V_n = U_n - X$ donc $U_n = V_n + X = A^n(U_0 - X) + X$ pour tout entier n.

② Si (U_n) est une suite convergente, soit U sa limite.

D'une part, $\lim\limits_{n \to +\infty} U_{n+1} = \lim\limits_{n \to +\infty} U_n = U$.

D'autre part $U_{n+1} = AU_n + B$ donc $\lim\limits_{n \to +\infty} U_{n+1} = \lim\limits_{n \to +\infty} (AU_n + B) = A(\lim\limits_{n \to +\infty} U_n) + B = AU + B$.

Donc U vérifie bien $AU + B = U$.

Proposition   Transformations géométriques

Dans un repère $(O ; \vec{i}, \vec{j})$, soit deux points $A(x_A ; y_A)$ et $B(x_B ; y_B)$ et un vecteur $\vec{u}\begin{pmatrix} x_{\vec{u}} \\ y_{\vec{u}} \end{pmatrix}$.

• B est l'image de A par la **translation** de vecteur $\vec{u}$ si, et seulement si : $\begin{pmatrix} x_B \\ y_B \end{pmatrix} = \begin{pmatrix} x_A \\ y_A \end{pmatrix} + \begin{pmatrix} x_{\vec{u}} \\ y_{\vec{u}} \end{pmatrix}$.

• B est l'image de A par la **rotation** de centre O et d'angle θ si, et seulement si :
$$\begin{pmatrix} x_B \\ y_B \end{pmatrix} = \begin{pmatrix} \cos(\theta) & -\sin(\theta) \\ \sin(\theta) & \cos(\theta) \end{pmatrix} \times \begin{pmatrix} x_A \\ y_A \end{pmatrix}.$$

On appelle **matrice de rotation** de centre O et d'angle θ la matrice $\begin{pmatrix} \cos(\theta) & -\sin(\theta) \\ \sin(\theta) & \cos(\theta) \end{pmatrix}$.

• L'image de $\vec{u}$ par la **rotation** de centre O et d'angle θ est le vecteur $\begin{pmatrix} \cos(\theta) & -\sin(\theta) \\ \sin(\theta) & \cos(\theta) \end{pmatrix} \times \begin{pmatrix} x_{\vec{u}} \\ y_{\vec{u}} \end{pmatrix}$.

○ EXOS
Méthodes
lienmini.fr/maths-e06-03

Les rendez-vous
Sésamath

Exercices (résolus)

Méthode 6 — Résoudre un système d'équations

Énoncé

1. Mettre le système $\begin{cases} x + y + z = 2 \\ 2z - y = 0 \\ 3x + 2z + 4y = 7 \end{cases}$ **sous forme d'équation matricielle en justifiant.**

2. En déduire les solutions du système.

Solution

1. Le système $\begin{cases} x + y + z = 2 \\ 2z - y = 0 \\ 3x + 2z + 4y = 7 \end{cases}$ équivaut à $AX = B$

où $A = \begin{pmatrix} 1 & 1 & 1 \\ 0 & -1 & 2 \\ 3 & 4 & 2 \end{pmatrix}$, $X = \begin{pmatrix} x \\ y \\ z \end{pmatrix}$ et $B = \begin{pmatrix} 2 \\ 0 \\ 7 \end{pmatrix}$. **1**

En effet : $AX = \begin{pmatrix} 1 & 1 & 1 \\ 0 & -1 & 2 \\ 3 & 4 & 2 \end{pmatrix}\begin{pmatrix} x \\ y \\ z \end{pmatrix} = \begin{pmatrix} x + y + z \\ -y + 2z \\ 3x + 4y + 2z \end{pmatrix} = \begin{pmatrix} x + y + z \\ 2z - y \\ 3x + 4y + 2z \end{pmatrix}$.

Donc, par identification des coefficients, $AX = B$

si, et seulement si : $\begin{cases} x + y + z = 2 \\ 2z - y = 0 \\ 3x + 2z + 4y = 7 \end{cases}$

2. A est inversible et $A^{-1} = \begin{pmatrix} 10 & -2 & -3 \\ -6 & 1 & 2 \\ -3 & 1 & 1 \end{pmatrix}$. **2**

$AX = B \Leftrightarrow A^{-1} AX = A^{-1} B$ donc $X = A^{-1}B$. **3**

$X = A^{-1}B = \begin{pmatrix} 10 & -2 & -3 \\ -6 & 1 & 2 \\ -3 & 1 & 1 \end{pmatrix}\begin{pmatrix} 2 \\ 0 \\ 7 \end{pmatrix} = \begin{pmatrix} -1 \\ 2 \\ 1 \end{pmatrix}$. **4**

Donc le système a pour solution $x = -1$; $y = 2$ et $z = 1$. **5**

Conseils & Méthodes

1 Bien ranger les coefficients de A dans le même ordre que ceux de X (x, puis y, puis z).

2 Utiliser la calculatrice.

3 Résoudre l'équation matricielle *Méthode 5*.

4 Calculer le produit matriciel à la calculatrice ou à la main *Méthode 2*.

5 Ne pas oublier de conclure en donnant la solution.

À vous de jouer !

11 **1.** Mettre le système $\begin{cases} x - y + z = 3 \\ x - z + y = -1 \\ y - x + z = 5 \end{cases}$ sous forme d'équation matricielle en justifiant.

2. En déduire les solutions du système.

12 **1.** Mettre le système $\begin{cases} 2x + 6y - 5t + 2u = -27 \\ 3x - y - 7u + 2t = -3 \\ 5u - 3t + 8y = -13 \\ 6x + y - 2u + t = 0 \end{cases}$ sous forme d'équation matricielle en justifiant.

2. En déduire les solutions du système.

13 **1.** Mettre le système $\begin{cases} x + y = 15 \\ x - z = 10 \\ z - y = -5 \end{cases}$ sous forme d'équation matricielle en justifiant.

2. En déduire les solutions du système.

14 **1.** Mettre le système $\begin{cases} 2a + 3b + 2d = 65 - 2a + 6c \\ -5a - 3b + 3c = d + 3b - 49 \\ 4a + 3b + 2d = 5c - 3a + 52 \\ a + b + 3c + d = 11 + 3c \end{cases}$ sous forme d'équation matricielle en justifiant.

2. En déduire les solutions du système.

↳ **Exercices 59 à 61** p. 184

5 Graphes

Définitions Graphes non orienté et orienté

- Un **graphe non orienté d'ordre** *n* est un ensemble de *n* points : les **sommets**, reliés entre eux (ou non) par des lignes : les **arêtes**.
- Un **graphe orienté d'ordre** *n* est un ensemble de *n* points reliés entre eux (ou non) par des flèches : les **arcs**. Un sommet peut être relié à lui-même par une boucle.
- Un sommet est **adjacent** à un autre s'ils sont reliés par une arête ou un arc.
- Un sommet adjacent à aucun autre est dit **isolé**.
- Le **degré** d'un sommet est son nombre d'arêtes ou d'arcs (les boucles comptant deux fois).
- Un **graphe complet** est un graphe dans lequel tous les sommets sont adjacents entre eux.

Définitions Parcours dans un graphe

- Dans un graphe non orienté (resp. orienté), une **chaîne** (resp. un **chemin**) **de longueur** *n* est une succession de *n* arêtes (resp. arcs) telles que l'extrémité de chacune est l'origine de la suivante (sauf pour la dernière arête).
- Si l'origine de la première arête et l'extrémité de la dernière coïncident, on dit que la chaîne (resp. le chemin) est **fermé(e)**.
- Si la chaîne (resp. chemin) fermé(e) est composé(e) d'arêtes (resp. arcs) toutes distinctes, on parle alors de **cycle** (resp. **circuit**).

● Exemples

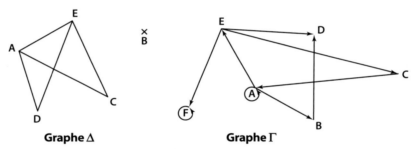

Graphe Δ **Graphe Γ**

① Le graphe Δ est un graphe non orienté d'ordre 5 avec les degrés suivants.

Sommet	A	B	C	D	E
Degré	3	0	2	2	3

B est un sommet isolé.

A-D-E-A-C est une chaîne de longueur 4 reliant A à C.

A-D-E-C-A est une chaîne fermée de longueur 4, c'est même un cycle de longueur 4.

② Le graphe Γ est un graphe orienté d'ordre 6 avec les degrés suivants.

Sommet	A	B	C	D	E	F
Degré	5	2	2	2	4	3

A et F possèdent une boucle, comptée deux fois dans leur degré.

A-E-D est un chemin de longueur 2 reliant A à D.

E-C-A-A-E est un circuit de longueur 4.

E-C-A-E est un circuit de longueur 3.

Proposition Somme des degrés

Dans un graphe, la somme des degrés de chaque sommet est égale au double du nombre d'arêtes.

▶ **Remarque** En conséquence, la somme des degrés des sommets d'un graphe est toujours paire.

EXOS
Méthodes
lienmini.fr/maths-e06-03

Les rendez-vous
Sésamath

Exercices (résolus)

Méthode 7 Déterminer les caractéristiques d'un graphe

Énoncé

On considère le graphe orienté ci-contre.

1. Déterminer l'ordre du graphe ainsi que le degré de chaque sommet.

2. En déduire par un calcul le nombre d'arcs de ce graphe.

3. Déterminer un chemin de longueur 5 reliant A à C.

4. Peut-on trouver un circuit d'origine A ?

5. Peut-on trouver un circuit d'origine C ?

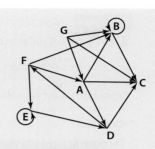

Solution

1. Le graphe est d'ordre 7 car il possède 7 sommets.

Le degré de chaque sommet est donné dans le tableau ci-dessous.

Sommet	A	B	C	D	E	F	G
Degré	5	6	4	4	4	4	3

1

2. La somme de tous les degrés vaut 5 + 6 + 4 + 4 + 4 + 4 + 3, soit 30.

$\frac{30}{2}$ = 15 donc ce graphe compte 15 arcs.

3. Un chemin de longueur 5 reliant A à C est A-D-F-B-B-C.

4. Un circuit d'origine A est, par exemple, A-D-F-A.

5. S'il existait un circuit d'origine C, alors C serait l'origine d'au moins un arc. **2**

Ce n'est pas le cas, donc il n'y a pas de circuit d'origine C.

Conseils & Méthodes

1 Ne pas oublier que, lorsque que l'on détermine le degré d'un sommet, une boucle compte double.

La somme de tous les degrés doit être paire.

2 Il faut faire attention au sens des flèches dans un graphe orienté.

À vous de jouer !

15 On considère le graphe orienté suivant.

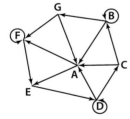

1. Déterminer l'ordre du graphe ainsi que le degré de chaque sommet.
2. En déduire par un calcul le nombre d'arcs de ce graphe.
3. Déterminer un chemin de longueur 5 reliant G à C.
4. Déterminer un circuit d'origine A.

16 Construire un graphe non orienté d'ordre 4 composé de 3 arêtes. Donner le degré de chaque sommet.

17 Construire un graphe non orienté d'ordre 4 composé de 5 arêtes. Donner le degré de chaque sommet.

18 Construire un graphe non orienté d'ordre 5 composé de 7 arêtes. Donner le degré de chaque sommet.

19 On considère le graphe non orienté suivant.

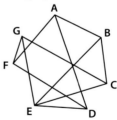

1. Déterminer l'ordre du graphe ainsi que le degré de chaque sommet.
2. En déduire par un calcul le nombre d'arêtes de ce graphe.
3. Déterminer une chaîne de longueur 8 reliant F à D.
4. Déterminer un cycle d'origine A.

20 Construire un graphe non orienté d'ordre 4 composé de 3 arêtes. Donner le degré de chaque sommet.

⮕ Exercices 62 à 69 p. 184

Cours

6 Matrices d'adjacence

Définition Matrice d'adjacence

À tout graphe G (orienté ou non) d'ordre p, dont les sommets sont notés s_1 ; s_2 ; ... ; s_p, on peut associer

une matrice carré d'ordre p : $M = (m_{ij})$ où m_{ij} est le nombre d'arcs ou d'arêtes reliant les sommets s_i et s_j.

Cette matrice est appelée **matrice d'adjacence associée à G**.

• **Exemple**

On note $M = (m_{ij})$ la matrice d'adjacence d'ordre 6 associée au graphe G_o

ci-contre (dans l'ordre alphabétique) : $M = \begin{array}{c} \\ A \\ B \\ C \\ D \\ E \\ F \end{array}\begin{array}{c} \begin{array}{cccccc} A & B & C & D & E & F \end{array} \\ \left(\begin{array}{cccccc} 1 & 1 & 0 & 0 & 1 & 0 \\ 0 & 0 & 0 & 1 & 0 & 0 \\ 1 & 0 & 0 & 0 & 0 & 0 \\ 0 & 0 & 0 & 0 & 0 & 0 \\ 0 & 0 & 1 & 1 & 0 & 1 \\ 0 & 0 & 0 & 0 & 0 & 1 \end{array}\right) \end{array}$

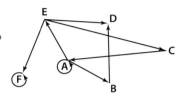

Théorème Nombre de chemins de longueur n

Soit G un graphe orienté d'ordre p (de sommets s_1 ; s_2 ; ... ; s_p) et M sa matrice d'adjacence d'ordre p.
Si on note $M^n = (m_{ij}^{(n)})$, alors $m_{ij}^{(n)}$ est le **nombre de chemins de longueur n** reliant s_i à s_j.

• **Démonstration**

On démontre par récurrence pour $n \in \mathbb{N}$ la proposition P_n : « $M^n = (m_{ij}^{(n)})$

où $m_{ij}^{(n)}$, est le nombre de chemins de longueur n reliant s_i à s_j ».

Initialisation : $M = (m_{ij})$ où m_{ij} est bien le nombre de chemins

de longueur 1, c'est-à-dire d'arcs, reliant s_i à s_j.

Hérédité : s'il existe un rang n tel que P_n est vraie, alors :

$$M^{n+1} = M^n \times M = (m_{i1}^{(n)}m_{1j} + m_{i2}^{(n)}m_{2j} + ... + m_{ip}^{(n)}m_{pj}).$$

▶ VIDÉO
Démonstration
lienmini.fr/maths-e06-04

Or, pour tout $k \in \{1 ; 2 ; ... ; p\}$ $m_{ik}^{(n)}$ représente le nombre de chemins de longueur n reliant s_i à s_k et m_{kj}
le nombre de chemins, de longueur 1 reliant s_k à s_j, donc $m_{ik}^{(n)}m_{kj}$ représente le nombre de chemins de
longueur $n + 1$ reliant s_i à s_j en passant par s_k à l'étape n.
En sommant ces quantités pour tous les sommets s_k, on obtient le nombre de chemins de longueur $n + 1$
reliant s_i à s_j. Donc P_{n+1} est vraie.

Conclusion : la proposition est vraie au rang $n = 1$. De plus, pour tout entier n non nul, si P_n est supposée
vraie, alors on a montré que P_{n+1} était vraie. Ainsi, d'après le principe de récurrence sur l'ensemble
des entiers naturels, P_n est vraie pour tout entier n non nul.

• **Exemple**

On reprend le graphe et la matrice d'adjacence de l'exemple précédent.

$M^5 = \begin{array}{c} \\ A \\ B \\ C \\ D \\ E \\ F \end{array}\begin{array}{c} \begin{array}{cccccc} A & B & C & D & E & F \end{array} \\ \left(\begin{array}{cccccc} 4 & 3 & 2 & 4 & 3 & 5 \\ 0 & 0 & 0 & 0 & 0 & 0 \\ 3 & 2 & 1 & 2 & 2 & 3 \\ 0 & 0 & 0 & 0 & 0 & 0 \\ 2 & 1 & 1 & 2 & 1 & 3 \\ 0 & 0 & 0 & 0 & 0 & 1 \end{array}\right) \end{array}$, il y a donc, par exemple, **3** chemins de longueur 5 reliant **C** à **F**.

EXOS
Méthodes
lienmini.fr/maths-e06-03

Les rendez-vous
Sésamath

Exercices résolus

Méthode 8 · Déterminer une utiliser la matrice d'adjacence

Énoncé

On considère le graphe orienté ci-contre.

1. Déterminer une matrice d'adjacence M de ce graphe.

2. Combien y-a-t-il de chemins de longueur 5 reliant A à C ?

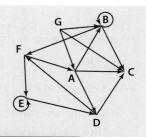

Solution

1. Une matrice d'adjacence (dans l'ordre alphabétique)

est $M = \begin{pmatrix} 0 & 1 & 1 & 1 & 0 & 0 & 0 \\ 0 & 1 & 1 & 0 & 0 & 1 & 0 \\ 0 & 0 & 0 & 0 & 0 & 0 & 0 \\ 0 & 0 & 1 & 0 & 0 & 1 & 0 \\ 0 & 0 & 0 & 1 & 1 & 0 & 0 \\ 1 & 0 & 0 & 0 & 1 & 0 & 0 \\ 1 & 1 & 1 & 0 & 0 & 0 & 0 \end{pmatrix}$ **1**

2. $M^5 = \begin{pmatrix} 1 & 4 & 8 & 4 & 4 & 7 & 0 \\ 4 & 4 & 7 & 4 & 7 & 6 & 0 \\ 0 & 0 & 0 & 0 & 0 & 0 & 0 \\ 3 & 1 & 2 & 1 & 4 & 2 & 0 \\ 1 & 2 & 5 & 4 & 4 & 4 & 0 \\ 2 & 4 & 5 & 7 & 6 & 2 & 0 \\ 2 & 6 & 8 & 7 & 6 & 5 & 0 \end{pmatrix}$, **2** $m_{13}^{(5)} = 8$ donc il y a 8 chemins de longueur 5 reliant A à C.

Conseils & Méthodes

1 Pour trouver cette matrice d'adjacence, on peut dresser ce tableau :

	A	B	C	D	E	F	G
A							
B							
C							
D							
E							
F							
G							

Pour remplir ce tableau, par exemple la case située à la ligne B colonne C, indiquer le nombre d'arêtes/arcs allant de B à C.

La matrice d'adjacence correspond aux coefficients du tableau.

2 Le calcul de M^5 s'obtient par calculatrice.

À vous de jouer !

21 On considère le graphe orienté suivant.

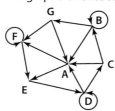

1. Déterminer une matrice d'adjacence M de ce graphe.
2. Combien y-a-t-il de chemins de longueur 6 reliant D à B ?

22 On considère le graphe non orienté suivant.

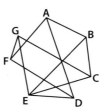

1. Déterminer une matrice d'adjacence M de ce graphe.
2. Combien y-a-t-il de chaînes de longueur 10 reliant E à F ?

↪ **Exercices 70 à 78** p. 185

Exercices (résolus)

● EXOS
Méthodes
lienmini.fr/maths-e06-03

Les rendez-vous
Sésamath

Méthode 9 — Manipuler des suites de matrices

→ Cours 4 p. 172

Énoncé

On considère une suite (U_n) de matrices de dimension 2×1 telle que :

$$U_{n+1} = AU_n + B,$$

avec $A = \begin{pmatrix} 1 & 3 \\ 0 & 2 \end{pmatrix}$ et $B = \begin{pmatrix} 6 \\ 2 \end{pmatrix}$, et $U_0 = \begin{pmatrix} 1 \\ -1 \end{pmatrix}$.

1. Déterminer une matrice X telle que $AX + B = X$.

2. Soit la suite (V_n) définie par $V_n = U_n - X$ pour tout entier n.

Montrer que $V_{n+1} = AV_n$ pour tout entier n.

3. En déduire l'expression de V_n, puis de U_n en fonction de n et A.

Solution

1. Soit $X = \begin{pmatrix} x \\ y \end{pmatrix}$, alors $AX + B = \begin{pmatrix} 1 & 3 \\ 0 & 2 \end{pmatrix}\begin{pmatrix} x \\ y \end{pmatrix} + \begin{pmatrix} 6 \\ 2 \end{pmatrix} = \begin{pmatrix} x + 3y \\ 2y \end{pmatrix} + \begin{pmatrix} 6 \\ 2 \end{pmatrix} = \begin{pmatrix} x + 3y + 6 \\ 2y + 2 \end{pmatrix}$.

Donc $AX + B = X \Leftrightarrow \begin{pmatrix} x + 3y + 6 \\ 2y + 2 \end{pmatrix} = \begin{pmatrix} x \\ y \end{pmatrix} \Leftrightarrow \begin{cases} x + 3y + 6 = x \\ 2y + 2 = y \end{cases} \Leftrightarrow \begin{cases} 3y = -6 \\ y = -2 \end{cases} \Leftrightarrow \begin{cases} y = -2 \\ y = -2 \end{cases}$. **2**

Donc, en choisissant arbitrairement $x = 0$ **3**, $X = \begin{pmatrix} 0 \\ -2 \end{pmatrix}$.

2. Soit $V_n = U_n - X$, alors $V_{n+1} = U_{n+1} - X = AU_n + B - X$.

Or $AX + B = X$ **4** donc :

$V_{n+1} = AU_n + B - (AX + B) = AU_n + B - AX - B = AU_n - AX = A(U_n - X)$.

De plus $V_n = U_n - X$ donc $V_{n+1} = AV_n$ pour tout entier n.

3. Pour tout entier n, $V_{n+1} = AV_n$.

De plus $V_0 = U_0 - X = \begin{pmatrix} 1 \\ -1 \end{pmatrix} - \begin{pmatrix} 0 \\ -2 \end{pmatrix} = \begin{pmatrix} 1 \\ 1 \end{pmatrix}$.

Donc $V_n = A^n V_0 = A^n \begin{pmatrix} 1 \\ 1 \end{pmatrix}$.

De plus $V_n = U_n - X$, donc $U_n = V_n + X = A^n \begin{pmatrix} 1 \\ 1 \end{pmatrix} + \begin{pmatrix} 0 \\ -2 \end{pmatrix}$.

Conseils & Méthodes

1 Poser X en notant tous ses coefficients avec une inconnue.

2 Traduire l'équation demandée sous la forme d'un système et le résoudre.

3 Le système admet plusieurs solutions, on demande de n'en retenir qu'une.

4 Ne pas oublier qu'une égalité fonctionne dans les deux sens.

À vous de jouer !

23 On considère une suite (U_n) de matrices de dimension 2×1 telle que :

$$U_{n+1} = AU_n + B,$$

avec $A = \begin{pmatrix} -1 & 2 \\ 4 & 0 \end{pmatrix}$ et $B = \begin{pmatrix} -16 \\ 11 \end{pmatrix}$ et $U_0 = \begin{pmatrix} 2 \\ 3 \end{pmatrix}$.

1. Déterminer une matrice X telle que $AX + B = X$.

2. Soit la suite (V_n) définie par $V_n = U_n - X$ pour tout entier n. Montrer que $V_{n+1} = AV_n$ pour tout entier n.

3. En déduire l'expression de V_n, puis de U_n en fonction de n et A.

24 On considère une suite (U_n) de matrices de dimension 2×1 telle que :

$$U_{n+1} = AU_n + B,$$

avec $A = \begin{pmatrix} 5 & -3 \\ 4 & -2 \end{pmatrix}$ et $B = \begin{pmatrix} -2 \\ -2 \end{pmatrix}$, et $U_0 = \begin{pmatrix} 0 \\ 1 \end{pmatrix}$.

1. Déterminer une matrice X telle que $AX + B = X$.

2. Soit la suite (V_n) définie par $V_n = U_n - X$ pour tout entier n. Montrer que $V_{n+1} = AV_n$ pour tout entier n.

3. En déduire l'expression de V_n, puis de U_n en fonction de n et A.

→ Exercices 99 à 101 p. 188

● EXOS
Méthodes
lienmini.fr/maths-e06-03

Les rendez-vous
Sésamath

Exercices (résolus)

Méthode 10 — Représenter des transformations géométriques

➡ Cours 4 p. 172

Énoncé

On considère, dans un plan muni d'un repère $(O\,;\vec{i}\,,\vec{j})$, le point $A(\sqrt{3}\,;7)$.

1. Soit $\vec{u}\begin{pmatrix}4\\-5\end{pmatrix}$, déterminer les coordonnées de B, l'image de A par la translation de vecteur $\vec{u}$.

2. Donner les coordonnées de C, l'image de A par la rotation de centre O et d'angle $\dfrac{\pi}{4}$.

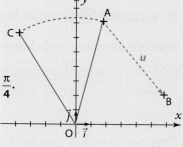

Solution

1. La matrice colonne représentant les coordonnées de A est $\begin{pmatrix}\sqrt{3}\\7\end{pmatrix}$ **1**,

celle représentant les coordonnées de $\vec{u}$ est $\begin{pmatrix}4\\-5\end{pmatrix}$. **2**

$\begin{pmatrix}\sqrt{3}\\7\end{pmatrix}+\begin{pmatrix}4\\-5\end{pmatrix}=\begin{pmatrix}4+\sqrt{3}\\2\end{pmatrix}$ donc B a pour coordonnées $(4+\sqrt{3}\,;2)$.

2. La matrice colonne représentant les coordonnées de A est $\begin{pmatrix}\sqrt{3}\\7\end{pmatrix}$, la matrice associée à la rotation de centre O

et d'angle $\dfrac{\pi}{4}$ est $\begin{pmatrix}\cos\left(\dfrac{\pi}{4}\right) & -\sin\left(\dfrac{\pi}{4}\right)\\[2mm]\sin\left(\dfrac{\pi}{4}\right) & \cos\left(\dfrac{\pi}{4}\right)\end{pmatrix}$. **3**

En utilisant les valeurs des cosinus et de sinus de référence,

on a $\begin{pmatrix}\cos(\theta) & -\sin(\theta)\\\sin(\theta) & \cos(\theta)\end{pmatrix}=\begin{pmatrix}\dfrac{\sqrt{2}}{2} & -\dfrac{\sqrt{2}}{2}\\[2mm]\dfrac{\sqrt{2}}{2} & \dfrac{\sqrt{2}}{2}\end{pmatrix}$.

$\begin{pmatrix}\dfrac{\sqrt{2}}{2} & -\dfrac{\sqrt{2}}{2}\\[2mm]\dfrac{\sqrt{2}}{2} & \dfrac{\sqrt{2}}{2}\end{pmatrix}\times\begin{pmatrix}\sqrt{3}\\7\end{pmatrix}=\begin{pmatrix}\dfrac{\sqrt{2}}{2}\times\sqrt{3}+\left(-\dfrac{\sqrt{2}}{2}\right)\times7\\[2mm]\dfrac{\sqrt{2}}{2}\times\sqrt{3}+\dfrac{\sqrt{2}}{2}\times7\end{pmatrix}=\begin{pmatrix}\dfrac{\sqrt{6}-7\sqrt{2}}{2}\\[2mm]\dfrac{\sqrt{6}+7\sqrt{2}}{2}\end{pmatrix}$ **4** donc $C\left(\dfrac{\sqrt{6}-7\sqrt{2}}{2}\,;\dfrac{\sqrt{6}+7\sqrt{2}}{2}\right)$.

Conseils & Méthodes

1 Attention à bien écrire les coordonnées des points dans une matrice colonne.

2 Pour déterminer l'image de A par la translation de vecteur $\vec{u}$, calculer la somme des matrices colonnes représentant les coordonnées de A et de $\vec{u}$.

3 Traduire l'énoncé par des matrices.

4 Pour calculer les coordonnées du point image, calculer le produit de la matrice associé à la rotation avec la matrice colonne représentant les coordonnées de A.

À vous de jouer !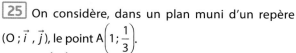

25 On considère, dans un plan muni d'un repère $(O\,;\vec{i}\,,\vec{j})$, le point $A\left(1\,;\dfrac{1}{3}\right)$.

1. Soit $\vec{u}\begin{pmatrix}-5\\4\end{pmatrix}$, déterminer les coordonnées de B l'image de A par la translation de vecteur $\vec{u}$.

2. Donner les coordonnées de C l'image de A par la rotation de centre O et d'angle $\dfrac{2\pi}{3}$.

26 On considère, dans un plan muni d'un repère $(O\,;\vec{i}\,,\vec{j})$, le point $A\left(\sqrt{2}\,;\dfrac{\sqrt{3}}{2}\right)$.

1. Soit $\vec{u}\begin{pmatrix}-1\\3\end{pmatrix}$, déterminer les coordonnées de B l'image de A par la translation de vecteur $\vec{u}$.

2. Donner les coordonnées de C l'image de A par la rotation de centre O et d'angle $-\dfrac{\pi}{2}$

➡ Exercices 102 à 106 p. 188

Exercices (apprendre à démontrer)

> Soit G un graphe orienté d'ordre p (de sommets s_1 ; s_2 ; ... ; s_p) et M sa matrice d'adjacence. Si on note $M^n = (m_{ij}^{(n)})$ alors $m_{ij}^{(n)}$ est le nombre de chemins de longueur n reliant s_i à s_j.

> On utilisera un raisonnement par récurrence.

▶ **VIDÉO**
Démonstration
lienmini.fr/maths-e06-04

ØLJEN
Les maths en finesse

▶ Comprendre avant de rédiger

Pour l'hérédité, un chemin de longueur $n + 1$ s'obtient en ajoutant un arc à un chemin de longueur n, ce qui permettra d'appliquer l'hypothèse de récurrence.

▶ Rédiger

Étape ❶

On précise l'affirmation que l'on démontre par récurrence.

→ **La démonstration rédigée**

Montrons par récurrence l'affirmation P_n :

« $M^n = (m_{ij}^{(n)})$ où $m_{ij}^{(n)}$ est le nombre de chemins de longueur n reliant s_i à s_j ».

Étape ❷

On valide l'initialisation en utilisant la définition de la matrice d'adjacence.

L'initialisation porte sur l'entier $n = 1$

→ **Initialisation** (pour $n = 1$) : $M^1 = M = (m_{ij})$

où, par définition, m_{ij} est le nombre d'arcs, donc le nombre de chemins de longueur 1, reliant s_i à s_j. Donc P_1 est vérifiée.

Étape ❸

On montre l'hérédité en exprimant M^{n+1} comme le produit $M^n M$.

Attention à ne pas se tromper dans les indices lors du produit

→ **Hérédité :** s'il existe un rang n tel que P_n est vraie, alors :
$M^{n+1} = M^n M = (q_{ij})$ où, pour tout i et j :
$q_{ij} = m_{i1}^{(n)} \times m_{1j} + m_{i2}^{(n)} \times m_{2j} + \ldots + m_{ip}^{(n)} \times m_{pj}$.

Étape ❹

En utilisant l'hypothèse de récurrence et la définition de la matrice d'adjacence, on décrit ce que représente chaque terme de la somme q_{ij}.

→ Or, pour tout entier $k \in \{1 ; 2 ; \ldots ; p\}$, par hypothèse de récurrence :

• $m_{ik}^{(n)}$ est le nombre de chemins de longueur n reliant s_i à s_k ;

• m_{kj} est le nombre d'arcs reliant s_k à s_j ;

donc $m_{ik}^{(n)} m_{kj}$ est le nombre de chemins de longueur $n+1$ reliant s_i à s_j en passant par s_k à l'étape n.

Étape ❺

On en déduit une interprétation de la somme q_{ij}, ce qui valide l'hérédité.

Préciser que l'on valide la proposition au rang $n + 1$

→ Un chemin de longueur $n + 1$ reliant s_i à s_j passant *a fortiori* par un sommet s_k pour $k \in \{1 ; 2 ; \ldots ; p\}$, q_{ij} représente donc la totalité des chemins de longueur $n + 1$ reliant s_i à s_j. Donc P_{n+1} est vérifiée.

Étape ❻

On conclut.

Conclure de façon détaillée.

→ **Conclusion :** la proposition est vraie au rang $n = 1$. De plus, pour tout entier n non nul, P_n est héréditaire. Ainsi, P_n est vérifiée pour tout entier n non nul.

▶ Pour s'entraîner

Soit A, B et P telles que P est inversible et $A = PBP^{-1}$. Montrer que, pour tout entier n, $A^n = PB^nP^{-1}$.

DIAPORAMA
Calculs et automatismes
lienmini.fr/maths-e06-05

Exercices · calculs et automatismes

27 Calcul matriciel

Les affirmations suivantes sont-elles vraies ou fausses ?

                           V   F

a) Si A a pour dimension 1×3 alors A est une matrice colonne. ☐ ☐

b) L'opération $A + B$ n'est possible que si les matrices ont la même dimension. ☐ ☐

c) L'opération AB n'est possible que si les matrices ont la même dimension. ☐ ☐

d) L'opération AB n'est possible que si A a autant de lignes que B a de colonnes. ☐ ☐

28 Somme de matrices

Effectuer les opérations suivantes.

a) $\begin{pmatrix} 1 & 2 \\ 1 & 3 \end{pmatrix} + \begin{pmatrix} 4 & 5 \\ 2 & -3 \end{pmatrix}$ **b)** $\begin{pmatrix} \frac{1}{2} & 2 \\ -1 & \frac{1}{3} \end{pmatrix} + \begin{pmatrix} 1 & \frac{1}{5} \\ \frac{1}{4} & 2 \end{pmatrix}$

c) $\begin{pmatrix} 1 & 4 \\ 2 & -3 \end{pmatrix} - \begin{pmatrix} -1 & -6 \\ 8 & 3 \end{pmatrix}$ **d)** $\begin{pmatrix} \frac{3}{7} & \frac{4}{3} \\ \frac{5}{2} & -\frac{1}{4} \end{pmatrix} - \begin{pmatrix} \frac{6}{4} & 4 \\ -1 & \frac{3}{8} \end{pmatrix}$

29 Produit de matrices

Effectuer les opérations suivantes.

a) $\begin{pmatrix} 1 & -1 & 4 \end{pmatrix} \begin{pmatrix} 2 \\ 3 \\ 5 \end{pmatrix}$ **b)** $\begin{pmatrix} 1 & -2 & -1 \\ 3 & 4 & 0 \end{pmatrix} \begin{pmatrix} 2 \\ -3 \\ -5 \end{pmatrix}$

c) $\begin{pmatrix} -2 & 3 \end{pmatrix} \begin{pmatrix} 1 & 4 \\ -5 & 2 \end{pmatrix}$ **d)** $\begin{pmatrix} 3 & -2 \\ 4 & 3 \end{pmatrix} \begin{pmatrix} -1 & 5 \\ 9 & -6 \end{pmatrix}$

30 Puissance de matrices

Soit la matrice $A = \begin{pmatrix} 1 & 2 \\ -1 & 3 \end{pmatrix}$.

Choisir la (les) bonne(s) réponse(s).

1. A^2 est égale à :

a $\begin{pmatrix} 1 & 4 \\ 1 & 9 \end{pmatrix}$ **b** $\begin{pmatrix} -1 & 8 \\ -4 & 7 \end{pmatrix}$ **c** $\begin{pmatrix} 5 & 5 \\ 2 & 13 \end{pmatrix}$

2. A^3 est égale à :

a $\begin{pmatrix} 1 & 8 \\ -1 & 27 \end{pmatrix}$ **b** $\begin{pmatrix} -31 & 48 \\ -24 & 17 \end{pmatrix}$ **c** $\begin{pmatrix} -9 & 22 \\ -11 & 13 \end{pmatrix}$

31 Inverse de matrices

Les affirmations suivantes sont-elles vraies ou fausses ?

                           V   F

a) $A = \begin{pmatrix} 1 & 2 \\ 3 & 4 \end{pmatrix}$ est inversible. ☐ ☐

b) $B = \begin{pmatrix} 6 & -9 \\ -4 & 6 \end{pmatrix}$ est inversible ☐ ☐

et $B^{-1} = \begin{pmatrix} 6 & 9 \\ 4 & 6 \end{pmatrix}$.

32 Matrice d'adjacence

Choisir la (les) bonne(s) réponse(s).

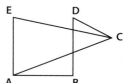

1. La matrice d'adjacence associée au graphe ci-contre est égale à :

a $\begin{pmatrix} 0 & 0 & 0 & 1 & 0 \\ 0 & 0 & 1 & 0 & 1 \\ 0 & 1 & 0 & 0 & 0 \\ 1 & 0 & 0 & 0 & 1 \\ 0 & 1 & 0 & 1 & 0 \end{pmatrix}$ **b** $\begin{pmatrix} 0 & 1 & 1 & 0 & 1 \\ 1 & 0 & 0 & 1 & 0 \\ 1 & 0 & 0 & 1 & 1 \\ 0 & 1 & 1 & 0 & 0 \\ 1 & 0 & 1 & 0 & 0 \end{pmatrix}$

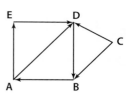

2. La matrice d'adjacence associée au graphe ci-contre est égale à :

a $\begin{pmatrix} 1 & 1 & 0 & 1 & 1 \\ 1 & 1 & 1 & 1 & 0 \\ 0 & 1 & 1 & 1 & 0 \\ 1 & 1 & 1 & 1 & 1 \\ 1 & 0 & 0 & 1 & 1 \end{pmatrix}$ **b** $\begin{pmatrix} 1 & 0 & 0 & 1 & 1 \\ 1 & 1 & 0 & 0 & 0 \\ 0 & 1 & 1 & 1 & 0 \\ 0 & 1 & 0 & 1 & 0 \\ 0 & 0 & 0 & 1 & 1 \end{pmatrix}$

c $\begin{pmatrix} 0 & 0 & 0 & 1 & 1 \\ 1 & 0 & 0 & 0 & 0 \\ 0 & 1 & 0 & 1 & 0 \\ 0 & 1 & 0 & 0 & 0 \\ 0 & 0 & 0 & 1 & 0 \end{pmatrix}$ **d** $\begin{pmatrix} 0 & 1 & 0 & 1 & 1 \\ 1 & 0 & 1 & 1 & 0 \\ 0 & 1 & 0 & 1 & 0 \\ 1 & 1 & 1 & 0 & 1 \\ 1 & 0 & 0 & 1 & 0 \end{pmatrix}$

33 Parcours dans un graphe

Soit un graphe à trois états A, B et C dont la matrice d'adjacence est $M = \begin{pmatrix} 0 & 1 & 0 \\ 1 & 0 & 1 \\ 1 & 1 & 0 \end{pmatrix}$ (dans l'ordre alphabétique).

Méthode Comment faire pour déterminer le nombre de chemins de longueur 3 reliant B à C ?

Exercices d'application

Représenter une matrice ^{Méthode} **1** p. 167

34 Soit la matrice $A = \begin{pmatrix} 1 & 4 & -1 & 2 \\ 10 & 3 & -7 & 0 \end{pmatrix}$.

1. Préciser la dimension de A.
2. Donner la valeur des coefficients a_{11}, a_{21} et a_{13} de la matrice A.

35 Soit la matrice $B = (b_{ij})$ avec $b_{ij} = (i - 2j)$ à trois lignes et quatre colonnes.
1. Préciser la dimension de B.
2. Donner la valeur des coefficients b_{33} et b_{23}.
3. Représenter B sous la forme d'un tableau de nombres.
4. Écrire B^t sous la forme d'un tableau de nombres.

36 Pour chacun des cas suivants, écrire la matrice $A = (a_{ij})$ de dimension $n \times p$ correspondante.

a) $n = 3$ et $p = 2$; $a_{ij} = i + 2j$
b) $n = 2$ et $p = 2$; $a_{ij} = \dfrac{i}{j}$
c) $n = 3$ et $p = 3$; $a_{ij} = \dfrac{j}{i}$
d) $n = 4$ et $p = 5$; $a_{ij} = 2i - 2j$

37 Soit les matrices $A = \begin{pmatrix} 1-x & 2+y & 3 \\ 0 & 4 & 3z \end{pmatrix}$ et
$B = \begin{pmatrix} 3 & -5 & 3 \\ 0 & 4 & 9 \end{pmatrix}$.
Déterminer les réels x, y et z tels que $A = B$.

38 Soit les matrices $C = \begin{pmatrix} x & y & 1 \\ y-2 & 2x+1 & 3 \\ 0 & x+y & 5 \end{pmatrix}$ et
$D = \begin{pmatrix} 2x+3 & 3y-2 & 1 \\ -1 & x-2 & 3 \\ 0 & x & 5 \end{pmatrix}$.
Peut-on avoir $C = D$?

Calculer une somme ou un produit de matrices ^{Méthode} **2** p. 169

39 Soit $A = \begin{pmatrix} 1 & -2 \\ 4 & 5 \end{pmatrix}$ et $B = \begin{pmatrix} 3 & -4 \\ 2 & 0 \end{pmatrix}$.
Effectuer les calculs suivants.
a) $A + B$
b) $2A - B$
c) $-\dfrac{1}{2}A + \dfrac{2}{3}B$

40 Déterminer si les calculs suivants sont possibles et donner le résultat le cas échéant.

a) $\begin{pmatrix} 1 & 2 \\ 3 & -4 \end{pmatrix}\begin{pmatrix} 6 \\ -5 \end{pmatrix}$
b) $\begin{pmatrix} 1 & 2 \\ 4 & -5 \\ 3 & 2 \end{pmatrix}\begin{pmatrix} 1 & 0 \\ -3 & 6 \\ 5 & -1 \end{pmatrix}$

c) $\begin{pmatrix} 3 \\ -4 \end{pmatrix}\begin{pmatrix} 1 & 2 \\ 3 & -4 \end{pmatrix}$
d) $\begin{pmatrix} 1 & 2 \\ 4 & -5 \\ 3 & 2 \end{pmatrix}\begin{pmatrix} 1 & -3 & 5 \\ 0 & 6 & -1 \end{pmatrix}$

41 On considère les matrices suivantes.

$A = (1 \quad 0 \quad 1)$ $B = \begin{pmatrix} 2 & -1 \\ 1 & 2 \\ 3 & 1 \end{pmatrix}$

$C = \begin{pmatrix} -1 & 1 \\ 1 & -1 \end{pmatrix}$ $D = \begin{pmatrix} -1 \\ 1 \end{pmatrix}$

$E = \begin{pmatrix} 1 & 1 & -1 \\ -2 & -1 & 4 \\ 2 & -3 & -2 \end{pmatrix}$

Déterminer quels sont les produits possibles entre ces matrices et les effectuer.

42 Effectuer les calculs suivants à la main
et contrôler les résultats à la calculatrice.

a) $\begin{pmatrix} 1 & -3 & 4 \\ 2 & 0 & 5 \\ 3 & 4 & 2 \end{pmatrix}\begin{pmatrix} 1 & 0 & -1 \\ 2 & 3 & -4 \\ 5 & 2 & 0 \end{pmatrix}$

b) $\begin{pmatrix} -2 & 5 & 8 \\ 4 & 0 & -3 \\ 0 & 0 & 1 \end{pmatrix}\begin{pmatrix} 2 & 2 & -3 \\ 3 & 4 & -4 \\ -1 & 2 & 3 \end{pmatrix}$

c) $\begin{pmatrix} -2 & -3 & 2 \\ 10 & 3 & -1 \\ 4 & 2 & 11 \end{pmatrix}\begin{pmatrix} 4 & -1 & 2 \\ 5 & -4 & -1 \\ -3 & 1 & 23 \end{pmatrix}$

Calculer la puissance de matrices ^{Méthode} **3** p. 169

43 Soit $A = \begin{pmatrix} 1 & 3 \\ -2 & 4 \end{pmatrix}$ et $B = \begin{pmatrix} 3 & 5 \\ 8 & -2 \end{pmatrix}$. Effectuer les calculs suivants.

a) AB **b)** A^2 **c)** A^5 **d)** B^2 **e)** B^5

44 Déterminer les matrices $A \in \mathcal{M}_2(\mathbb{R})$ telles que :
a) $A^2 = A$
b) $A^2 = I_2$
c) $AB = BA$ où $B = \begin{pmatrix} 2 & 1 \\ -1 & 1 \end{pmatrix}$.

45 On considère les matrices $A = \begin{pmatrix} 3 & -6 \\ 1 & -2 \end{pmatrix}$ et $B = \begin{pmatrix} -2 & 6 \\ -1 & 3 \end{pmatrix}$.

Effectuer les calculs suivants.

a) $A + B$ **b)** A^2 **c)** B^2 **d)** AB **e)** BA.

46 On considère les matrices $A = \begin{pmatrix} 0 & 0 & 1 \\ 0 & 1 & 0 \\ 1 & 0 & 0 \end{pmatrix}$ et $B = \begin{pmatrix} 0 & 1 & 0 \\ 0 & 0 & 1 \\ 1 & 0 & 0 \end{pmatrix}$.

1. Calculer A^2, A^3, B^2 et B^3. Que remarque-t-on ?
2. Que peut-on conjecturer pour les puissances de ces deux matrices ?

47 On considère les matrices $U = \dfrac{1}{3}\begin{pmatrix} 1 & 1 & 1 \\ 1 & 1 & 1 \\ 1 & 1 & 1 \end{pmatrix}$ et $V = I_3 - V$.

Effectuer les calculs suivants.

a) U^2 **b)** V^2 **c)** UV **d)** VU.

Calculer et appliquer l'inverse d'une matrice p. 171

48 Dans chaque cas, déterminer si A est inversible et préciser A^{-1} le cas échéant.

a) $A = \begin{pmatrix} 4 & 10 \\ 2 & 5 \end{pmatrix}$ **b)** $A = \begin{pmatrix} 4 & 5 \\ 2 & 3 \end{pmatrix}$

c) $A = \begin{pmatrix} 1 & 2 \\ -2 & 4 \end{pmatrix}$ **d)** $A = \begin{pmatrix} -0,5 & 4 \\ 0,25 & 2 \end{pmatrix}$

49 Calculer :

$A = \begin{pmatrix} 1 & 2 \\ 1 & 3 \end{pmatrix}\begin{pmatrix} 3 & -2 \\ -1 & 1 \end{pmatrix}$

$B = \begin{pmatrix} 3 & -2 \\ -1 & 1 \end{pmatrix}\begin{pmatrix} 1 & 2 \\ 1 & 3 \end{pmatrix}$.

Que peut-on en déduire sur ces deux matrices ?

50 On considère la matrice $A = \begin{pmatrix} 1 & 0 \\ 0 & 0 \end{pmatrix}$.

Supposons qu'il existe une matrice $B = \begin{pmatrix} a & b \\ c & d \end{pmatrix}$ telle que $AB = I_2$.

1. Effectuer le calcul AB.
2. Que peut-on en déduire quant à l'existence de B ?
3. La matrice A est-elle inversible ?

51 Montrer que les matrices suivantes sont inversibles et donner leurs matrices inverses.

$A = \begin{pmatrix} 5 & 2 \\ -3 & -1 \end{pmatrix}$ $B = \begin{pmatrix} -1 & -2 \\ 3 & -2 \end{pmatrix}$ $C = \begin{pmatrix} 1 & 1 \\ 1 & 2 \end{pmatrix}$.

52 On considère les matrices $A = \begin{pmatrix} 1 & 0 & 0 \\ 0 & 1 & 1 \\ 3 & 1 & 1 \end{pmatrix}$,

$B = \begin{pmatrix} 1 & 1 & 1 \\ 0 & 1 & 0 \\ 1 & 0 & 0 \end{pmatrix}$ et $C = \begin{pmatrix} 1 & 1 & 1 \\ 1 & 2 & 1 \\ 0 & -1 & -1 \end{pmatrix}$.

1. Effectuer les calculs AB et AC.
2. Pourquoi peut-on en déduire que la matrice A n'est pas inversible ?

53 On considère la matrice $N = \begin{pmatrix} 0 & 1 & 2 \\ 0 & 0 & 3 \\ 0 & 0 & 0 \end{pmatrix}$. Calculer les puissances de N. N est-elle inversible ?

54 On considère la matrice $A = \begin{pmatrix} 4 & 1 \\ 3 & 2 \end{pmatrix}$.

Calculer $6A - A^2$. En déduire que la matrice A est inversible et donner sa matrice inversible.

55 Soit $A = \begin{pmatrix} 5 & 2 \\ 7 & 7 \end{pmatrix}$. Calculer $12A - A^2$.

En déduire que la matrice A est inversible et donner sa matrice inverse.

56 On considère la matrice $A = \begin{pmatrix} -1 & 1 & 1 \\ 1 & -1 & 1 \\ 1 & 1 & -1 \end{pmatrix}$.

Montrer que $A^2 = 2I_3 - A$ et en déduire que A est inversible. Donner alors A^{-1}.

57 On considère la matrice $A = \begin{pmatrix} 0 & 1 & -1 \\ -1 & 2 & -1 \\ 1 & -1 & 2 \end{pmatrix}$.

Calculer $A^2 + 2I_3 - 3A$ et en déduire que A est inversible. Donner alors A^{-1}.

58 À l'aide de la calculatrice, déterminer si A est inversible et préciser A^{-1} le cas échéant.

a) $A = \begin{pmatrix} 1 & 0 & 3 \\ 4 & 5 & 6 \\ 7 & 8 & 9 \end{pmatrix}$

b) $A = \begin{pmatrix} 1 & 2 & 3 \\ 4 & 5 & 6 \\ 7 & 8 & 9 \end{pmatrix}$

Résoudre un système d'équations

 Méthode **6** p. 173

59 Traduire les systèmes ci-dessous sous forme matricielle.

a) $\begin{cases} x + 2y = 3 \\ x - 3y = 2 \end{cases}$

b) $\begin{cases} x + y + 1 = 3 \\ 3x - 6y - z + 2 = 2 \\ 3z + 4 - x + 2y = 1 \end{cases}$

60 Résoudre les systèmes suivants en utilisant le calcul matriciel.

a) $\begin{cases} x + y + z = 3 \\ z - x - y = -9 \\ 2y - x - z = 12 \end{cases}$

b) $\begin{cases} 2x + y + z = 1 \\ 2x - 5y - 2z = 2 \\ z - x + 4y = -1 \end{cases}$

61 Dans chaque cas, déterminer une matrice X de dimension 2×1 telle que $AX + B = X$.

a) $A = \begin{pmatrix} 2 & 3 \\ 1 & -2 \end{pmatrix}$ et $B = \begin{pmatrix} 8 \\ -10 \end{pmatrix}$
b) $A = \begin{pmatrix} 3 & 4 \\ 0 & 2 \end{pmatrix}$ et $B = \begin{pmatrix} 20 \\ 8 \end{pmatrix}$

Déterminer les caractéristiques d'un graphe

 Méthode **7** p. 175

62 Pour chaque graphe, indiquer son ordre, dresser le tableau des degrés de chaque sommet et en déduire par un calcul le nombre d'arêtes ou d'arcs du graphe.

a)
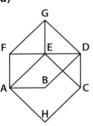

b)
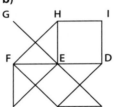

c)
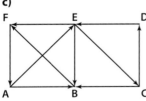

d)
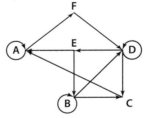

63 Quel est le nombre maximal d'arêtes d'un graphe d'ordre n non orienté ?

64 Construire lorsque c'est possible un graphe non orienté à cinq sommets de degrés :
a) 3 ; 2 ; 1 ; 3 ; 1　**b)** 3 ; 2 ; 2 ; 3 ; 1　**c)** 2 ; 1 ; 3 ; 3 ; 1.

65 Dans la Bretagne médiévale, trois clans s'affrontent dans un tournoi. Chaque clan envoie deux champions. Chaque guerrier doit affronter tous les guerriers des clans adverses. Construire un graphe modélisant les combats des six guerriers.

66 On donne sept noms de mathématiciens : J.L. Lagrange ; G. Cramer ; C. Jordan ; E. Galois ; C.F. Gauss ; A. Cayley et G.W. Leibniz. Faire une recherche et construire deux graphes permettant de modéliser les relations suivantes entre les sommets :
a) « est de la même époque que » ;
b) « a travaillé dans le même domaine que ».

67 *Rwanou* est un site de rencontre qui prend en compte quatre critères : aimer les mathématiques ; être sportif ; être sociable et aimer la montagne. Les personnes A, B, C, D et E sont inscrites sur ce site.
Leurs profils sont inscrits dans le tableau suivant.

	Aime la montagne	Aime les mathématiques	Aime le sport	Est sociable
A	oui	non	oui	non
B	non	non	oui	oui
C	non	oui	non	non
D	oui	non	oui	oui
E	oui	oui	oui	non

On dira que deux personnes sont compatibles si elles ont au moins deux affinités en commun.
Construire un graphe modélisant les compatibilités possibles entre les inscrits.

68 Le graphe ci-dessous modélise certaines routes d'un secteur en Auvergne.

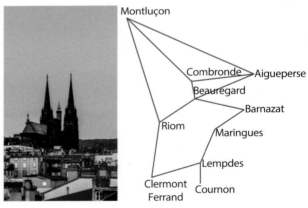

Donner : l'ordre de ce graphe ; le nombre d'arêtes ; le degré des sommets Clermont Ferrand, Montluçon et Beauregard ; deux sommets non adjacents.

69 Un berger veut faire traverser une rivière à sa poule, son chien et un renard. La barque est trop petite pour qu'il transporte les trois animaux en même temps, il ne peut en faire passer que deux à la fois.
Le renard et la poule ne peuvent pas rester seuls sur une rive et le chien et le renard non plus.
Comment fera le berger pour les faire tous traverser ? On pourra utiliser un graphe.

Déterminer et utiliser une matrice d'adjacence
Méthode **8** p. 177

70 Déterminer la matrice d'adjacence associée à chaque graphe.

a) **b)** **c)**

71 Tracer le graphe non orienté associé à chaque matrice d'adjacence suivante.

a) $M = \begin{pmatrix} 0 & 0 & 1 & 1 \\ 0 & 0 & 1 & 0 \\ 1 & 1 & 0 & 1 \\ 1 & 0 & 1 & 0 \end{pmatrix}$ **b)** $M = \begin{pmatrix} 0 & 0 & 1 & 0 \\ 0 & 0 & 1 & 1 \\ 1 & 1 & 0 & 1 \\ 0 & 1 & 1 & 0 \end{pmatrix}$

72 Tracer un graphe orienté et, si possible, un graphe non orienté dont la matrice d'adjacence serait M.

a) $M = \begin{pmatrix} 0 & 1 & 0 \\ 1 & 0 & 1 \\ 0 & 1 & 0 \end{pmatrix}$ **b)** $M = \begin{pmatrix} 1 & 0 & 1 & 0 \\ 1 & 1 & 0 & 0 \\ 1 & 0 & 0 & 0 \\ 1 & 1 & 1 & 1 \end{pmatrix}$

c) $M = \begin{pmatrix} 0 & 1 & 1 & 1 \\ 1 & 0 & 1 & 0 \\ 1 & 1 & 0 & 1 \\ 1 & 0 & 1 & 0 \end{pmatrix}$ **d)** $M = \begin{pmatrix} 1 & 0 & 1 & 0 & 1 \\ 0 & 1 & 1 & 1 & 0 \\ 1 & 1 & 1 & 0 & 1 \\ 0 & 1 & 0 & 1 & 0 \\ 1 & 0 & 1 & 0 & 1 \end{pmatrix}$

73 La matrice d'adjacence d'un graphe G est donnée par :

$$M = \begin{pmatrix} 1 & 1 & 0 & 0 & 0 \\ 1 & 0 & 1 & 1 & 1 \\ 0 & 1 & 0 & 1 & 0 \\ 1 & 1 & 0 & 1 & 0 \\ 0 & 0 & 1 & 0 & 0 \end{pmatrix}.$$

Construire un graphe G possible. Quel est l'ordre de G ? Calculer la somme des degrés des sommets du graphe. Quel est le nombre de ses arêtes ?

74 On considère le graphe non orienté suivant.

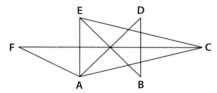

1. Donner la matrice d'adjacence M associée à ce graphe.
2. a) Calculer M^4.
b) En déduire le nombre de chemins de longueur 4 reliant A à C.

75 On considère le graphe suivant.

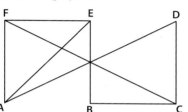

1. Donner une chaîne de longueur 4 reliant A à F.
2. Donner M la matrice d'adjacence de ce graphe.
3. a) À l'aide de la calculatrice, calculer M^5.
b) En déduire le nombre de chaîne de longueur 5 reliant B à F.

76 On considère le graphe suivant.

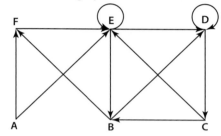

1. Donner un chemin de longueur 5 reliant A à E.
2. Donner M la matrice d'adjacence de ce graphe.
3. À l'aide de la calculatrice, calculer M^{10}.

77 On considère les matrices :

$$A = \begin{pmatrix} 0 & 1 & 1 & 1 \\ 1 & 0 & 0 & 1 \\ 1 & 0 & 0 & 0 \\ 1 & 1 & 0 & 0 \end{pmatrix} \text{ et } B = \begin{pmatrix} 0 & 1 & 1 & 0 \\ 0 & 0 & 1 & 0 \\ 1 & 0 & 0 & 1 \\ 1 & 0 & 0 & 0 \end{pmatrix}.$$

1. Construire les graphes associés aux deux matrices. Préciser s'il s'agit d'un graphe orienté ou non.
2. Calculer A^2 et B^2. En déduire pour chacun des graphes, le nombre de chaînes ou de chemins de longueur 2 reliant les sommets 2 et 4, ou allant du sommet 2 vers 4 dans le cas d'un graphe orienté.

78 La matrice d'adjacence d'un graphe G est donnée par :

$$M = \begin{pmatrix} 0 & 1 & 0 & 1 & 1 & 0 \\ 1 & 0 & 1 & 1 & 0 & 1 \\ 0 & 1 & 0 & 0 & 1 & 1 \\ 1 & 1 & 0 & 0 & 0 & 1 \\ 1 & 0 & 1 & 0 & 0 & 1 \\ 0 & 1 & 1 & 1 & 1 & 0 \end{pmatrix}.$$

1. Quel est l'ordre de G ?
2. Calculer la somme des degrés des sommets du graphe.
3. Quel est le nombre de ses arêtes ?

Notion de matrice

79 Soit $X = \begin{pmatrix} 1 & 2-x \\ 2x+3 & 3 \end{pmatrix}$.

Pour quelle valeur de x la matrice X est-elle égale à sa transposée ?

80 Pour chacun des cas suivants, écrire la matrice $A = (a_{ij})$ de dimension $n \times p$ correspondante.

a) $n = 1$ et $p = 6$; $a_{ij} = i + j$

b) $n = 5$ et $p = 5$; $a_{ij} = \begin{cases} i \text{ si } i > j \\ 0 \text{ sinon} \end{cases}$

c) $n = 3$ et $p = 2$; $a_{ij} = \begin{cases} i \text{ si } j \text{ est pair} \\ j \text{ sinon} \end{cases}$

d) $n = 10$ et $p = 10$; $a_{ij} = i - j$

e) $n = 5$ et $p = 5$; $a_{ij} = \begin{cases} 1 \text{ si } i = j \\ 0 \text{ sinon} \end{cases}$

81 Pour chacune des matrices $A = (a_{ij})$ suivantes, exprimer a_{ij} en fonction de i et j.

$A = \begin{pmatrix} 1 & 1 & 1 \\ 0 & 1 & 1 \\ 0 & 0 & 1 \end{pmatrix}$ $A = \begin{pmatrix} 1 & 0 & 0 \\ 0 & 2 & 0 \\ 0 & 0 & 3 \end{pmatrix}$

$A = \begin{pmatrix} 2 & 3 \\ 3 & 4 \\ 4 & 5 \end{pmatrix}$ $A = \begin{pmatrix} -1 & -3 & -5 \\ 0 & -2 & -4 \end{pmatrix}$

82 On appelle matrice symétrique **Démo**
une matrice égale à sa matrice transposée.

Vérifier que la somme de deux matrices symétriques est une matrice symétrique et que le produit d'une matrice symétrique par un nombre réel est encore une matrice symétrique.

Opérations sur les matrices

83 **1.** Soit $A = \begin{pmatrix} 3 & 2 \\ 6 & 4 \end{pmatrix}$ et $B = \begin{pmatrix} 6 & 9 \\ -4 & -6 \end{pmatrix}$.

a) Calculer AB et BA.
b) Quelles remarques peut-on faire ?

2. Soit $C = \begin{pmatrix} 6 & -10 \\ 2 & -3 \end{pmatrix}$ et $D = \begin{pmatrix} -19 & 40 \\ -8 & 17 \end{pmatrix}$

a) Calculer CD et DC
b) La remarque précédente est-elle une généralité ?

84 Démontrer que dans $\mathcal{M}_n(\mathbb{R})$ une matrice **Démo** diagonale, avec des cœfficients tous égaux, commute pour le produit avec toutes les autres matrices.

85 Pour la production de leurs nouveaux jouets, une poupée (P) et un vaisseau spatial (V), une usine se lance dans l'étude de ses besoins en composants pour satisfaire ses prévisions commerciales. Celles-ci sont données, en unités, dans le tableau suivant.

	P	V
Octobre	100	150
Novembre	150	100
Décembre	200	250

Les besoins en matières premières sont présentés dans l'arbre suivant :

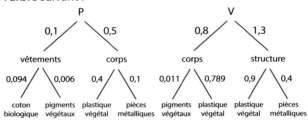

Chaque niveau de l'arbre représente les sous-matières premières nécessaires pour le niveau supérieur ; les nombres sur les branches désignent les quantités (en kg) d'un niveau nécessaires à la conception du niveau supérieur.

On note N_0 la matrice dont les lignes sont les jouets et les colonnes les matières de niveau 1. On note de même N_1 la matrice dont les lignes sont les matières de niveau 1 et les colonnes celles de niveau 2 ; les coefficients de la matrice sont les quantités en proportion nécessaires à la conception.

1. a) Donner les matrices N_0 et N_1.
b) On appelle matrice cumulée, notée N_c, le produit des deux matrices précédentes. Quel est le seul produit possible à réaliser ? Déterminer alors N_c.
2. a) Écrire le tableau des prévisions commerciales comme une matrice à trois lignes et deux colonnes, notée P_c.
b) Le calcul des besoins bruts du deuxième niveau s'effectue comme matrice du produit entre N_c et P_c. Quel est le seul produit possible ?
3. Déterminer alors la quantité de coton biologique pour la production du mois de décembre ainsi que la quantité de plastique pour le mois de novembre.

86 Soit a un réel non nul. On considère la matrice $A = \begin{pmatrix} 1 & a \\ 0 & 1 \end{pmatrix}$. Déterminer toutes les matrices carrées d'ordre 2 qui commutent avec A pour le produit.

87 Déterminer deux matrices A et B de $\mathcal{M}_2(\mathbb{R})$ telles que $AB = 0$ et $BA \neq 0$.

88 On considère la matrice $A = \begin{pmatrix} 1 & 2 & -1 \\ 0 & 1 & 2 \\ 0 & 0 & 1 \end{pmatrix}$.

1. En posant $X = \begin{pmatrix} x \\ y \\ z \end{pmatrix}$ et $Y = \begin{pmatrix} x' \\ y' \\ z' \end{pmatrix}$, à quelle condition sur A

a-t-on une unique solution au système $AX = Y$?
2. Résoudre « à la main » le système introduit en exprimant X en fonction de Y.
3. En déduire que A est inversible et donner son inverse.

89 On considère la matrice $A = \begin{pmatrix} 0 & 1 & -1 \\ -3 & 4 & -3 \\ -1 & 1 & 0 \end{pmatrix}$. Déterminer

les réels a et b tels que $A^2 = aA + bI_3$. En déduire que A est inversible.

90 On considère la matrice $A = \begin{pmatrix} 1 & 0 & 0 \\ 1 & -1 & -1 \\ -1 & 4 & 3 \end{pmatrix}$.

1. Déterminer la matrice J telle que $A = I_3 + J$.
2. Développer le produit $(I_3 + J)(I_3 - J + J^2)$.
3. En déduire que A est inversible et exprimer son inverse en fonction de J et I_3.

91 Soit $A = \begin{pmatrix} 14 & 4 \\ 7 & 6 \end{pmatrix}$ et $B = \begin{pmatrix} 11 & 1 \\ 8 & 9 \end{pmatrix}$.

Résoudre le système $\begin{cases} 2X + 3Y = A \\ 3X + 2Y = B \end{cases}$

92 On considère une matrice $A = \begin{pmatrix} 1 & a \\ 0 & 1 \end{pmatrix}$, avec a un réel.

Démontrer par récurrence que pour tout entier naturel n non nul, $A^n = \begin{pmatrix} 1 & na \\ 0 & 1 \end{pmatrix}$.

Démo

93 On considère, pour a, b, c des nombres

réels, la matrice $A = \begin{pmatrix} a & c \\ 0 & b \end{pmatrix}$.

1. On suppose que $a \neq b$. Démontrer par récurrence sur $n \in \mathbb{N}^*$ que $A^n = \begin{pmatrix} a^n & c\dfrac{a^n - b^n}{a - b} \\ 0 & b^n \end{pmatrix}$.

2. Si $a = b$, Calculer A^2, A^3 et conjecturer une expression de A^n.
Démontrer cette conjecture.

94 On considère les matrices $A = \begin{pmatrix} 4 & -6 \\ 1 & -1 \end{pmatrix}$ et $P = \begin{pmatrix} 3 & 2 \\ 1 & 1 \end{pmatrix}$.

1. Montrer que la matrice P est inversible et déterminer sa matrice inverse par la formule du cours. Retrouver le résultat en résolvant un système.
2. Montrer que la matrice $P^{-1} AP$ est une matrice diagonale que l'on notera D et dont on donnera une expression.
3. Montrer que pour tout entier naturel n non nul, on a
$D^n = \begin{pmatrix} 2^n & 0 \\ 0 & 1 \end{pmatrix}$.

4. Déduire des questions précédentes une expression de A^n en fonction de $n \in \mathbb{N}^*$.

95 On considère les matrices $A = \dfrac{1}{2}\begin{pmatrix} -1 & 1 & 3 \\ 5 & 3 & -3 \\ 10 & -2 & -2 \end{pmatrix}$ et

$P = \begin{pmatrix} 1 & -1 & 2 \\ 2 & 1 & 1 \\ 1 & 2 & 3 \end{pmatrix}$.

1. Donner P^{-1} et calculer $D = P^{-1}AP$.
2. Déterminer pour tout entier naturel n la matrice D^n. On pourra émettre une conjecture sur son expression puis la démontrer à l'aide d'un raisonnement par récurrence.
3. En déduire A^n pour $n \in \mathbb{N}$.

96 On considère une matrice $A = \begin{pmatrix} a & b \\ c & d \end{pmatrix} \in \mathcal{M}_2(\mathbb{R})$ telle

que $a + d = -1$ et $ad + bc = -2$.
On pose alors $E = \{\lambda A + \mu I_2 \, ; \lambda, \mu \in \mathbb{R}\}$.
1. Démontrer que la somme de deux matrices de l'ensemble E est une matrice de E.
2. Vérifier que $A^2 = -A + 2I_2$. En déduire que A^{-1} appartient à E.
3. Démontrer que le produit de deux matrices de E est une matrice de E.

97 On considère la matrice $P = \begin{pmatrix} 0 & 0 & 1 \\ 0 & 1 & 0 \\ 1 & 0 & 0 \end{pmatrix}$.

1. Soit $A = \begin{pmatrix} 1 & 1 & 3 \\ 2 & 3 & 2 \\ 3 & 2 & 1 \end{pmatrix}$.

a) Effectuer le produit PA.
b) Que remarquer sur les lignes de PA par rapport à celles de A ?

2. En posant $A = \begin{pmatrix} a & b & c \\ d & e & f \\ g & h & i \end{pmatrix}$, généraliser la remarque pré-

cédente. On dit que la matrice P est une matrice de permutation.

3. La matrice $P = \begin{pmatrix} 0 & 1 & 0 \\ 1 & 0 & 0 \\ 0 & 0 & 1 \end{pmatrix}$ est-elle une matrice de permu-

tation ? Quelles lignes permute-t-elle ?
4. Écrire une matrice qui permute toutes les lignes d'une matrice.

98 On considère la matrice $J = \begin{pmatrix} 0 & 1 & 0 \\ 0 & 0 & 1 \\ 1 & 0 & 0 \end{pmatrix}$.

1. Calculer J^2.

2. On note $E = \{M \in \mathcal{M}_3(\mathbb{R}) ; MJ = JM\}$.

a) Montrer que $M \in E$ si, et seulement si, M est de la forme $\begin{pmatrix} a & b & c \\ c & a & b \\ b & c & a \end{pmatrix}$ où a, b et c sont des réels.

b) En déduire que $E = \{aI_3 + bJ + cJ^2 ; a, b, c \in \mathbb{R}\}$.

Suites de matrices
Méthode **9** p. 178

99 On considère les suites (a_n) et (b_n) définies par
$\begin{cases} a_0 = 1 \\ a_{n+1} = 2a_n - 3b_n \text{ pour } n \in \mathbb{N} \end{cases}$

et $\begin{cases} b_0 = 2 \\ b_{n+1} = a_n + 5b_n \text{ pour } n \in \mathbb{N} \end{cases}$

Soit (U_n) définie par $U_n = \begin{pmatrix} a_n \\ b_n \end{pmatrix}$ pour tout $n \geqslant 0$.

1. Déterminer une matrice A telle que $U_{n+1} = AU_n$.

2. Calculer U_1 et U_2. En déduire les valeurs de a_1, a_2, b_1 et b_2.

100 On considère la suite (U_n) définie par $U_0 = \begin{pmatrix} 2 \\ -1 \end{pmatrix}$ et $U_{n+1} = AU_n$ où $A = \begin{pmatrix} 2 & 0 \\ 3 & 1 \end{pmatrix}$, pour $n \in \mathbb{N}$.

1. Exprimer U_n en fonction de U_0, A et n.

2. a) Calculer A^2 et A^3.

b) En déduire les valeurs de U_1, U_2 et U_3.

101 On considère les matrices :
$$A = \begin{pmatrix} 0,2 & 0,1 \\ 0,2 & 0,3 \end{pmatrix} \text{ et } B = \begin{pmatrix} 0,2 \\ 0,1 \end{pmatrix}.$$

On définit la suite de matrices colonnes (U_n) par la relation $U_{n+1} = AU_n + B$, pour tout entier naturel n et par son premier terme $U_0 = \begin{pmatrix} 0,1 \\ 0,2 \end{pmatrix}$.

1. Déterminer la matrice colonne C telle que $C = AC + B$.

2. On pose pour tout entier n, $V_n = U_n - C$.

a) Démontrer que pour tout $n \in \mathbb{N}$, $V_{n+1} = AV_n$.

b) En déduire par un raisonnement par récurrence que $V_n = A^n V_0$, pour tout entier n.

3. Démontrer par récurrence que pour tout entier naturel n, on a :

$$A^n = \begin{pmatrix} \dfrac{0,4^n}{3} + 2 \times \dfrac{0,1^n}{3} & \dfrac{0,4^n}{3} - \dfrac{0,1^n}{3} \\ 2 \times \dfrac{0,4^n}{3} - 2 \times \dfrac{0,1^n}{3} & 2 \times \dfrac{0,4^n}{3} + \dfrac{0,1^n}{3} \end{pmatrix}.$$

4. En déduire la valeur de U_n en fonction de n.

Transformations géométriques
Méthode **10** p. 179

102 Pour chaque cas, déterminer l'opération matricielle associée à la transformation et calculer les coordonnées de l'image demandée.

a) A' l'image de A(3 ; 7) par la translation de vecteur $\vec{u}\begin{pmatrix} 2 \\ -3 \end{pmatrix}$.

b) B' l'image de $B\left(\dfrac{1}{2} ; -\dfrac{2}{6}\right)$ par la translation de vecteur $\vec{u}\begin{pmatrix} -\dfrac{2}{5} \\ \dfrac{1}{3} \end{pmatrix}$.

c) C' l'image de C(1 ; $\sqrt{3}$) par la rotation de centre O et d'angle $\dfrac{\pi}{3}$

d) D' l'image de $D\left(-\dfrac{1}{\sqrt{2}} ; \dfrac{\sqrt{3}}{\sqrt{2}}\right)$ par rotation de centre O et d'angle $-\dfrac{3\pi}{4}$

103 Dans un plan muni d'un repère orthonormé $(O ; \vec{i}, \vec{j})$, soit deux points A(1 ; 1), B(2 ; 1). Déterminer les coordonnées des points A' et B', image de A et B par la rotation de centre O et d'angle $\dfrac{2\pi}{5}$ (arrondir au centième près).

104 Déterminer dans le plan muni d'un repère orthonormé, l'image du vecteur $\vec{u}(3 ; 2)$ par la rotation de centre l'origine du repère et d'angle $\dfrac{\pi}{6}$.

105 D($-4\sqrt{3}$; -2) est l'image de A($\sqrt{3}$; 7) par une rotation de centre O. Quel est l'angle de rotation ?

106 On munit le plan d'un repère orthonormé $(O ; \vec{i}, \vec{j})$. On identifiera chaque vecteur du plan $\vec{X}(x ; y) \in \mathbb{R}^2$ à la matrice colonne $X = \begin{pmatrix} x \\ y \end{pmatrix}$.

1. On considère la matrice $P = \begin{pmatrix} 1 & 0 \\ 0 & 0 \end{pmatrix}$. Effectuer le produit $Y = PX$. Que peut-on dire du vecteur Y par rapport au vecteur X ? À quelle transformation du plan correspond la matrice P ?

2. On s'intéresse à la projection orthogonale de vecteurs sur l'axe des ordonnées.

a) Si $X = \begin{pmatrix} x \\ y \end{pmatrix}$ est un vecteur du plan, donner le vecteur Y image de cette projection.

b) On admet qu'une telle transformation du plan peut être donnée par une matrice carrée d'ordre 2, que l'on notera P. En étudiant l'équation $Y = PX$ d'inconnue P, déterminer la matrice P représentative de la projection considérée.

3. En appliquant la méthode de la question précédente, déterminer la matrice $P \in \mathcal{M}_2(\mathbb{R})$ correspondant à la projection sur la première bissectrice.

Graphes

107 Au cours d'un week-end, un tournoi de jeux de plateau est organisé par équipe. Les organisateurs prévoient que 4, 5, 6 ou 7 équipes peuvent être engagées dans ce tournoi et ils doivent élaborer des affrontements dans chacune des configurations.

1. Quatre équipes. On note A, B, C et D ces équipes et on représente les rencontres du tournoi par le graphe ci-contre.
a) Combien d'affrontements devront disputer chaque équipe ?
b) Combien d'affrontements seront disputés au cours de ce week-end ?
2. Cinq équipes. On note E la cinquième équipe engagée.
a) Représenter les rencontres du tournoi par un graphe de façon à ce que chaque équipe dispute quatre affrontements.
b) Combien d'affrontements seront alors disputés ?
c) Pourquoi n'aurait-on pas pu organiser le tournoi de telle façon que chaque équipe ne joue que trois affrontements ?
3. Les deux graphes précédents sont-ils complets ?
4. Six équipes. On note F la sixième équipe engagée.
a) Représenter les rencontres du tournoi par un graphe de façon à ce que chaque équipe dispute trois affrontements.
b) Ce graphe est-il complet ?
c) Combien d'affrontements seront alors disputés ?
5. Sept équipes. On note H la septième équipe engagée.
a) Est-il possible d'organiser le tournoi de telle façon que chaque équipe joue exactement quatre affrontements ? cinq ?
b) Représenter une telle situation par un graphe lorsque c'est possible. Combien d'affrontements seront alors disputés ?

108 On appelle « mot » en langage binaire une suite ordonnée de « lettres » 0 et 1. Par exemple : 0110 est un mot en langage binaire de longueur 4.
1. Dénombrer les mots en langage binaire de longueur n, pour $n \in \{1 ; 2 ; 3 ; 4\}$.
2. Donner tous les mots en langage binaire de longueur 3.
3. On considère X et Y deux mots de longueur 3. Représenter par un graphe la relation : « les deux mots ne diffèrent que d'une lettre ».
4. On souhaite transmettre des mots dans ce langage. La transmission choisie a un défaut : il est possible de confondre deux mots qui ne diffèrent que d'une lettre. Déterminer les mots de longueur 3 qui ne pourront pas être confondus lors de cette transmission.

109 Parmi huit élèves volontaires, un professeur de maths doit constituer un groupe de trois personnes pour faire une interrogation orale. Le professeur doit faire attention aux relations entre les élèves :
Erwan ne supporte pas Thibault ;
Jordan refuse de travailler avec Gwendoline ;
Thibault n'arrive jamais à rester sérieux avec Alexis ;
Élodie n'apprécie ni Gwendoline, ni Alim, ni Aya ;
Alim a du mal à travailler avec Alexis et Aya ;
Alexis ne veut pas travailler avec Erwan ;
Aya ne supporte ni Jordan, ni Alim.
1. Construire un graphe non orienté traduisant la situation.
2. Construire un groupe contenant Erwan, qui est le plus doué en maths.
3. Construire un autre groupe qui ne contient pas Erwan.

110 À la fin d'un semestre les examens de licence proposent six options : calcul différentiel ; géométrie euclidienne ; théorie des nombres ; algèbre linéaire ; probabilités et statistique. Un candidat a pu choisir deux ou trois de ces options. Certains ont choisi la théorie des nombres et l'algèbre linéaire ; d'autres le calcul différentiel, les probabilités et la statistique ; d'autres finalement ont choisi la géométrie euclidienne et la théorie des nombres. Les étudiants passent au plus une épreuve chaque jour. Combien peut-on programmer d'épreuves au maximum dans une journée ?

111 On a représenté une partie du métro londonien par le graphe ci-dessous (un sommet par station).

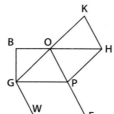

B : Bond Street
E : Embankment
G : Green Park
H : Holborn
K : King's Cross St Pancras
O : Oxford Circus
P : Piccadilly Circus
W : Westminster

1. Déterminer le nombre de trajets possibles pour se rendre de Westminster à King's Cross en passant par trois stations (sans compter celles de départ et d'arrivée).
2. Déterminer le nombre de trajets possibles pour se rendre de Bond Street à Embankment en passant par quatre stations (sans compter celles de départ et d'arrivée).

112 Éviter tout débordement

Un artiste doit installer une œuvre aquatique constituée de deux bassins A et B ainsi que d'une réserve filtrante R. Au départ les deux bassins contiennent chacun 100 litres d'eau.

Un système de canalisations devra permettre de réaliser, toutes les heures et dans cet ordre, les transferts d'eau suivants :

• dans un premier temps, la moitié du bassin A se vide dans la réserve R ;

• ensuite les trois quarts du bassin B se vident dans le bassin A ;

• enfin, on ajoute 200 litres d'eau dans le basin A et 300 litres d'eau dans le bassin B.

On considère les suites (a_n) et (b_n) désignant les quantités d'eau en centaines de litres qui seront respectivement contenues dans les bassins A et B au bout de n heures.

On suppose pour cette étude que les bassins sont *a priori* suffisamment grand pour éviter tout débordement.

Pour tout entier n, on note $U_n = \begin{pmatrix} a_n \\ b_n \end{pmatrix}$.

Ainsi $U_0 = \begin{pmatrix} 1 \\ 1 \end{pmatrix}$.

1. Justifier que, pour tout entier naturel n, $U_{n+1} = M U_n + C$

où $M = \begin{pmatrix} 0,5 & 0,75 \\ 0 & 0,25 \end{pmatrix}$ et $C = \begin{pmatrix} 2 \\ 3 \end{pmatrix}$.

2. On considère la matrice $P = \begin{pmatrix} 1 & 3 \\ 0 & -1 \end{pmatrix}$.

a) Calculer P^2. En déduire que P est inversible et préciser son inverse.

b) Montrer que PMP est une matrice diagonale D que l'on précisera.

c) Démontrer par récurrence que, pour tout entier naturel n, $M^n = PD^nP$.

d) En déduire que $M^n = \begin{pmatrix} 0,5^n & 3 \times 0,5^n - 3 \times 0,25^n \\ 0 & 0,25^n \end{pmatrix}$ pour

tout $n \geqslant 1$.

3. Montrer que la matrice $X = \begin{pmatrix} 10 \\ 4 \end{pmatrix}$ vérifie $X = MX + C$.

4. Pour tout entier naturel n, on définit la matrice V_n par $V_n = U_n - X$.

a) Montrer que, pour tout entier naturel n, $V_{n+1} = MV_n$.

b) On admet que $V_n = M^nV_0$ pour tout $n \geqslant 1$.

Montrer que $U_n = \begin{pmatrix} -18 \times 0,5^n + 9 \times 0,25^n + 10 \\ -3 \times 0,25^n + 4 \end{pmatrix}$ pour

tout $n \geqslant 1$.

5. a) Montrer que la suite (b_n) est croissante et majorée. Déterminer sa limite.

b) Déterminer la limite de la suite (a_n).

c) On admet que la suite (a_n) est croissante. En déduire la contenance des deux bassins A et B qui est à prévoir pour éviter tout débordement.

D'après Bac S, Liban 2019

113 Randonnée en montagne

Un guide de randonnée en montagne décrit les itinéraires possibles autour d'un pic rocheux. La description des itinéraires est donnée par le graphe ci-dessous.

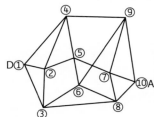

① Départ   ② Passerelle
③ Roche Percée   ④ Col bleu
⑤ Pic rouge   ⑥ Refuge
⑦ Col vert   ⑧ Pont
⑨ Cascade   ⑩ Arrivée

1. a) Dresser un tableau décrivant les degrés de chaque sommet du graphe.

b) En déduire le nombre d'arêtes de ce graphe.

2. Donner un itinéraire allant de D à A passant par tous les sommets du graphe une seule fois mais n'empruntant pas forcément tous les sentiers

3. Donner un itinéraire allant de D à A passant une seule fois par tous les sentiers.

4. a) Donner la matrice d'adjacence M de ce graphe (dans l'ordre croissant des sommets).

b) En déduire le nombre d'itinéraires allant de D à A en empruntant cinq sentiers.

Citer un tel itinéraire passant par le Pic rouge.

D'après bac ES, Antilles-Guyane 2013

114 Circuit touristique

Une exposition est organisée dans un parc. On décide d'y instaurer un plan de circulation : certaines allées sont à sens unique, d'autres sont à double sens. Le graphe ci-dessous modélise la situation.

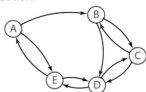

1. Donner la matrice d'adjacence M de ce graphe (dans l'ordre alphabétique).

2. Combien y-a-t-il de chemins de longueur 5 permettant de rendre de D à B ? Les donner tous.

3. Montrer qu'il n'existe qu'un seul circuit de longueur 5 passant par le sommet A.

Quel est ce cycle ? En est-il de même pour B ?

D'après bac ES, Liban 2006

Matrices

- Une **matrice** est un tableau de nombres

$$A = \begin{pmatrix} 1 & 2 & -1 & 4 \\ 0 & 5 & 3 & 2 \\ -6 & 8 & 4 & 2 \end{pmatrix} \begin{matrix} \leftarrow L1 \\ \leftarrow L2 \\ \leftarrow L3 \end{matrix}$$

avec C1 C2 C3 C4

- **Transposée**

$$A^t = \begin{pmatrix} 1 & 0 & -6 \\ 2 & 5 & 8 \\ -1 & 3 & 4 \\ 4 & 2 & 2 \end{pmatrix} \begin{matrix} \leftarrow L1 \\ \leftarrow L2 \\ \leftarrow L3 \\ \leftarrow L4 \end{matrix}$$

avec C1 C2 C3

Opérations sur les matrices

$$\begin{pmatrix} a & b \\ c & d \end{pmatrix} + \begin{pmatrix} x & y \\ z & t \end{pmatrix} = \begin{pmatrix} a+x & b+y \\ c+z & d+t \end{pmatrix}$$

$$\begin{array}{c|c|c} & x & y \\ & z & t \\ \hline \begin{matrix} a & b \\ c & d \end{matrix} & \begin{matrix} ax+bz \\ cx+dz \end{matrix} & \begin{matrix} ay+bt \\ cy+dt \end{matrix} \end{array}$$

Suites de matrices

Soit (U_n) définie par $U_{n+1} = AU_n + B$.

S'il existe une matrice X telle que $AX + B = X$, alors $U_n - X = A^n(U_0 - X)$.

Matrices inversibles

- A est inversible s'il existe une matrice B telle que $AB = BA = I_n$.

- $A = \begin{pmatrix} a & b \\ c & d \end{pmatrix}$ est **inversible** si $\det(A) = ad - bc \neq 0$.

- Dans ce cas $A^{-1} = \dfrac{1}{\det(A)} \begin{pmatrix} d & -b \\ -c & a \end{pmatrix}$.

Transformations géométriques

- $B(x_B\,;\,y_B)$ est l'image de $A(x_A\,;\,y_A)$ par la **translation** de vecteur $\vec{u}\begin{pmatrix} x_{\vec{u}} \\ y_{\vec{u}} \end{pmatrix}$ si $\begin{pmatrix} x_B \\ y_B \end{pmatrix} = \begin{pmatrix} x_A \\ y_A \end{pmatrix} + \begin{pmatrix} x_{\vec{u}} \\ y_{\vec{u}} \end{pmatrix}$.

- $B(x_B\,;\,y_B)$ est l'image de $A(x_A\,;\,y_A)$ par la **rotation** d'angle θ si $\begin{pmatrix} x_B \\ y_B \end{pmatrix} = \begin{pmatrix} \cos\theta & -\sin\theta \\ \sin\theta & \cos\theta \end{pmatrix} \begin{pmatrix} x_A \\ y_A \end{pmatrix}$.

Graphe

- Un graphe non orienté est composé d'**arêtes** et de **sommets** :

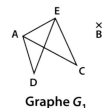

Graphe G_1

- Un graphe orienté est composé d'**arcs** et de **sommets** :

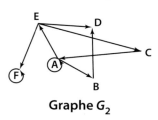

Graphe G_2

Matrice d'adjacence

- La **matrice d'adjacence** de G_1 (dans l'ordre alphabétique) est :

$$M = \begin{array}{c} \\ A \\ B \\ C \\ D \\ E \end{array}\!\!\begin{pmatrix} 0 & 0 & 1 & 1 & 1 \\ 0 & 0 & 0 & 0 & 0 \\ 1 & 0 & 0 & 0 & 1 \\ 1 & 0 & 0 & 0 & 1 \\ 1 & 0 & 1 & \textcircled{1} & 0 \end{pmatrix}$$

avec colonnes A B C D E

nombre d'arêtes reliant E à D

- La **matrice d'adjacence** de G_2 (dans l'ordre alphabétique) est :

$$M = \begin{array}{c} A \\ B \\ C \\ D \\ E \\ F \end{array}\!\!\begin{pmatrix} 1 & 1 & 0 & 0 & 1 & 0 \\ 0 & 0 & 0 & \textcircled{1} & 0 & 0 \\ 1 & 0 & 0 & 0 & 0 & 0 \\ 0 & 0 & 0 & 0 & 0 & 0 \\ 0 & 0 & 0 & 1 & 0 & 1 \\ 0 & 0 & 0 & 0 & 0 & 1 \end{pmatrix}$$

avec colonnes A B C D E F

nombre d'arcs reliant B à D

- Le coefficient $m_{ij}^{(n)}$ de M^n correspond au nombre de chaînes/chemins de longueur n reliant le sommet s_i au sommet s_j.

Caractéristiques d'un graphe

- L'**ordre** d'un graphe correspond au nombre de sommets de ce graphe.

- Le **degré** d'un sommet correspond au nombre d'arêtes/arcs le composant (les boucles comptant double).

Je dois être capable de...

	Méthode		Parcours d'exercices
▶ Représenter une matrice	**1**	→	1, 2, 34, 35
▶ Effectuer un calcul matriciel (somme, produit, puissance)	**2** **3**	→	3, 4, 39, 40, 5, 6, 43, 44
▶ Déterminer et utiliser l'inverse d'une matrice carrée	**4** **5**	→	7, 8, 9, 10, 48, 49
▶ Résoudre un système d'équations en utilisant le calcul matriciel	**6**	→	11, 12, 59, 60
▶ Déterminer les caractéristiques d'un graphe (orienté ou non)	**7**	→	15, 16, 62, 63
▶ Utiliser une matrice d'adjacence	**8**	→	21, 22, 70, 71
▶ Manipuler des suites de matrices	**9**	→	23, 24, 99, 100
▶ Représenter des transformations géométriques.	**10**	→	25, 26, 102, 103

◉ EXOS
QCM interactifs
lienmini.fr/maths-e06-06

QCM Pour les exercices suivants, choisir la (les) bonnes réponse(s).

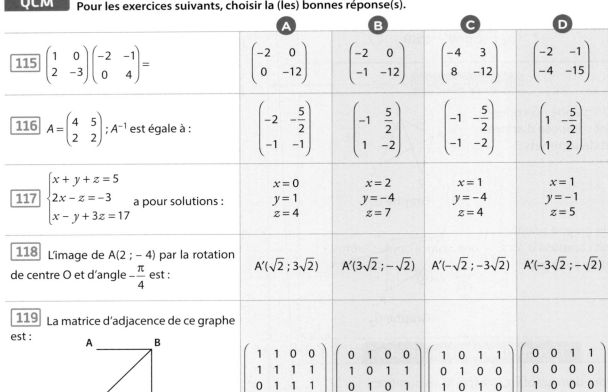

	A	B	C	D
115 $\begin{pmatrix} 1 & 0 \\ 2 & -3 \end{pmatrix}\begin{pmatrix} -2 & -1 \\ 0 & 4 \end{pmatrix} =$	$\begin{pmatrix} -2 & 0 \\ 0 & -12 \end{pmatrix}$	$\begin{pmatrix} -2 & 0 \\ -1 & -12 \end{pmatrix}$	$\begin{pmatrix} -4 & 3 \\ 8 & -12 \end{pmatrix}$	$\begin{pmatrix} -2 & -1 \\ -4 & -15 \end{pmatrix}$
116 $A = \begin{pmatrix} 4 & 5 \\ 2 & 2 \end{pmatrix}$; A^{-1} est égale à :	$\begin{pmatrix} -2 & -\frac{5}{2} \\ -1 & -1 \end{pmatrix}$	$\begin{pmatrix} -1 & \frac{5}{2} \\ 1 & -2 \end{pmatrix}$	$\begin{pmatrix} -1 & -\frac{5}{2} \\ -1 & -2 \end{pmatrix}$	$\begin{pmatrix} 1 & -\frac{5}{2} \\ 1 & 2 \end{pmatrix}$
117 $\begin{cases} x + y + z = 5 \\ 2x - z = -3 \\ x - y + 3z = 17 \end{cases}$ a pour solutions :	$x = 0$ $y = 1$ $z = 4$	$x = 2$ $y = -4$ $z = 7$	$x = 1$ $y = -4$ $z = 4$	$x = 1$ $y = -1$ $z = 5$
118 L'image de A(2 ; – 4) par la rotation de centre O et d'angle $-\frac{\pi}{4}$ est :	$A'(\sqrt{2} ; 3\sqrt{2})$	$A'(3\sqrt{2} ; -\sqrt{2})$	$A'(-\sqrt{2} ; -3\sqrt{2})$	$A'(-3\sqrt{2} ; -\sqrt{2})$
119 La matrice d'adjacence de ce graphe est :	$\begin{pmatrix} 1 & 1 & 0 & 0 \\ 1 & 1 & 1 & 1 \\ 0 & 1 & 1 & 1 \\ 0 & 1 & 1 & 1 \end{pmatrix}$	$\begin{pmatrix} 0 & 1 & 0 & 0 \\ 1 & 0 & 1 & 1 \\ 0 & 1 & 0 & 1 \\ 0 & 1 & 1 & 0 \end{pmatrix}$	$\begin{pmatrix} 1 & 0 & 1 & 1 \\ 0 & 1 & 0 & 0 \\ 1 & 0 & 1 & 0 \\ 1 & 0 & 0 & 1 \end{pmatrix}$	$\begin{pmatrix} 0 & 0 & 1 & 1 \\ 0 & 0 & 0 & 0 \\ 1 & 0 & 0 & 0 \\ 1 & 0 & 0 & 0 \end{pmatrix}$

120 Matrices

Soit $A = \begin{pmatrix} 3 & 2 & -1 \\ -2 & 4 & 6 \end{pmatrix}$.

1. Donner la dimension de A.
2. Que vaut a_{12} ?
3. Déterminer A^t.

 p. 167

121 Calcul matriciel

Les produits matriciels suivants sont-ils possibles ? Effectuer les produits lorsque c'est le cas.

a) $\begin{pmatrix} 1 \\ 2 \end{pmatrix} \begin{pmatrix} 1 & 1 \\ 1 & 1 \end{pmatrix}$ **b)** $\begin{pmatrix} 1 & 1 \\ 1 & 1 \end{pmatrix} \begin{pmatrix} 1 \\ 2 \end{pmatrix}$

c) $\begin{pmatrix} 1 & 2 & 1 \\ 3 & 2 & -1 \\ -3 & 3 & -1 \end{pmatrix} \begin{pmatrix} 1 \\ 2 \\ 3 \end{pmatrix}$

d) $\begin{pmatrix} 1 & 3 \\ 2 & -1 \\ 3 & 2 \end{pmatrix} \begin{pmatrix} 1 & 2 & -1 \\ -1 & 1 & 1 \end{pmatrix}$

 p. 169

122 Matrice inversible

1. Choisir la(les) bonne(s) réponse(s).

Si une matrice A est inversible, alors il existe une matrice B telle que :

a $AB = 0$ **b** $A + B = 0$
c $AB = I_n$ **d** $A + B = I_n$

2. Calculer l'inverse des matrices suivantes.

a) $\begin{pmatrix} 3 & 2 & 4 \\ 1 & 0 & 5 \\ 0 & 1 & -6 \end{pmatrix}$

b) $\begin{pmatrix} 6 & 1 & 0 \\ 1 & 0 & 1 \\ 0 & 1 & 6 \end{pmatrix}$

3. Soit $A = \begin{pmatrix} -a & b \\ c & -d \end{pmatrix}$ une matrice carrée d'ordre 2.

Choisir la(les) bonne(s) réponse(s).

det(A) est égal à :
a $ad - bc$ **b** $ab - cd$
c $bc - ad$ **d** $ab + cd$

4. Calculer, en justifiant lorsque c'est possible et sans la calculatrice les inverses des matrices suivantes.

a) $\begin{pmatrix} 1 & 2 \\ 4 & -5 \end{pmatrix}$ **b)** $\begin{pmatrix} 1 & 3 \\ 2 & 6 \end{pmatrix}$

c) $\begin{pmatrix} 1 & 2 \\ -3 & 5 \end{pmatrix}$ **d)** $\begin{pmatrix} -5 & 1 \\ -1 & 2 \end{pmatrix}$

 p. 171

123 Systèmes d'équations

1. Le système $\begin{cases} 2x - 3y + z = 8 \\ 3x + z + y = 1 \\ 4z + 2y + x = -3 \end{cases}$ a pour solutions :

a $x = 0$; $y = -2$; $z = 1$ **b** $x = 1$; $y = -2$; $z = 0$

2. Résoudre le système suivant en déterminant l'inverse d'une certaine matrice.

$\begin{cases} 3x - 2y = 2 \\ -x + y = 1 \end{cases}$

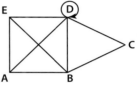 p. 173

124 Graphes

On considère le graphe suivant.

Choisir la(les) bonne(s) réponse(s).
1. La matrice d'adjacence de ce graphe est égale à :

a $A = \begin{pmatrix} 0 & 1 & 0 & 1 & 1 \\ 1 & 0 & 1 & 1 & 1 \\ 0 & 1 & 0 & 1 & 0 \\ 1 & 1 & 1 & 1 & 1 \\ 1 & 1 & 0 & 1 & 0 \end{pmatrix}$ **b** $A = \begin{pmatrix} 0 & 1 & 0 & 1 & 0 \\ 0 & 0 & 1 & 0 & 0 \\ 0 & 0 & 0 & 1 & 0 \\ 0 & 0 & 0 & 1 & 0 \\ 1 & 1 & 0 & 1 & 0 \end{pmatrix}$

2. Le nombre de chemins de longueur 5 reliant A à D est :
a 74   **b** 155   **c** 5   **d** 42   **8** p. 177

125 Suite de matrices

On considère deux suites définies par $\begin{cases} a_{n+1} = 2a_n + 4b_n \\ b_{n+1} = 5b_n - 3a_n \end{cases}$ pour tout entier n.

Soit $X_n = \begin{pmatrix} a_n \\ b_n \end{pmatrix}$ pour tout entier n.

1. Donner la matrice A telle que $X_{n+1} = AX_n$.

2. Si $X_0 = \begin{pmatrix} 2 \\ 3 \end{pmatrix}$, donner alors a_1.   **9** p. 178

126 Transformations géométriques

Soit A(2 ; –3) un point du plan, muni d'un repère d'origine O.

1. Déterminer l'image de A par la translation de vecteur $\vec{u}\begin{pmatrix} -4 \\ -1 \end{pmatrix}$.

2. Déterminer l'image de A par la rotation de centre O d'angle $-\dfrac{3\pi}{4}$.   **10** p. 179

Exercices · vers le supérieur

127 Les sept ponts de Königsberg

La ville de Königsberg, aujourd'hui appelée Kaliningrad, en Russie possède sept ponts reliant les quatre parties de la ville.

Le problème est le suivant : peut-on, depuis une partie de la ville, passer par tous les ponts une et une seule fois ?

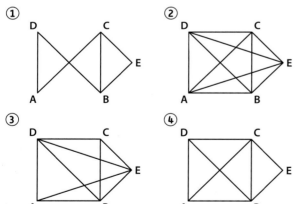

Les ponts de Kœnigsberg en 1759.

A ▶ Étude d'exemples

1. Représenter la ville de Kaliningrad par un graphe non orienté : un sommet par partie de ville et une arête par pont. Le problème revient donc à déterminer une chaîne passant un et une seule fois par toutes les arêtes : on appelle une telle chaîne, une chaîne eulérienne. On appelle cycle eulérien une chaîne eulérienne où les sommets de départ et d'arrivée sont confondus.

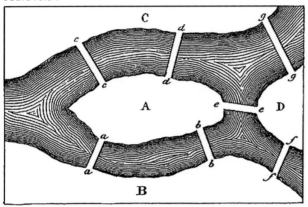

2. a) Déterminer une chaîne eulérienne pour les graphes ① et ③.
b) Déterminer un cycle eulérien pour le graphe ②
c) Peut-on trouver une chaîne eulérienne ou un cycle eulérien pour le graphe ④ ?
3. a) Dresser le tableau des degrés de chaque graphe.
b) En déduire une conjecture sur l'existence de chaîne ou cycle eulérien dans un graphe.

B ▶ Théorème et conclusion

Théorème d'Euler. Un graphe connexe :
• possède un cycle eulérien si tous ses sommets sont de degré pair,
• possède une chaîne eulérienne si exactement deux de ses sommets sont de degré impair.

Nous allons démontrer ce théorème dans le cas du cycle : considérons un graphe connexe G ; pour un sommet s, nous noterons s_O le nombre d'arête dont s est l'origine et s_E le nombre d'arête dont s est l'extrémité.

1. Exprimer le degré d'un sommet s en fonction de s_E et s_O
2. Supposons qu'un cycle eulérien existe, justifier que pour tout sommet s, on a $s_E = s_O$.
En déduire que le degré de s est nécessairement pair.
3. On admet la propriété suivante : « Si tous les degrés des sommets d'un graphe sont pairs, alors tout sommet a un cycle ». Supposons que tous les degrés de G soient pairs et qu'il n'existe pas de cycle eulérien, soit alors C un cycle de longueur maximale.
a) Soit G' le graphe G auquel on a enlevé toutes les arêtes de C. Montrer que tous les sommets de G sont de degré pair.
b) Montrer qu'il existe un sommet s de C de degré non nul dans G'

> 👍 **Coup de pouce** Raisonner par l'absurde et utiliser la connexité de G.

c) En déduire que s admet un cycle dans G', puis construire un cycle plus long que C.
d) Conclure sur l'existence d'un cycle eulérien.
4. On admet l'intégralité du théorème d'Euler.
Conclure sur le problème des ponts de Königsberg

128 Suites et matrices

On considère les matrices $A = \dfrac{1}{2}\begin{pmatrix} 0 & 1 & 1 \\ 1 & 0 & 1 \\ 1 & 1 & 0 \end{pmatrix}$ et $P = \begin{pmatrix} 1 & -1 & -1 \\ 1 & 1 & 0 \\ 1 & 0 & 1 \end{pmatrix}$.

1. En résolvant le système $PX = Y$ avec $X = \begin{pmatrix} x \\ y \\ z \end{pmatrix}$ et $Y = \begin{pmatrix} a \\ b \\ c \end{pmatrix}$, montrer que P est inversible et donner son inverse.
2. Calculer $P^{-1} AP$.
3. Déterminer A^n pour tout entier naturel n.
On considère les trois suites réelles (u_n), (v_n) et (w_n) définies par récurrence, pour u_0, v_0 et w_0 des réels, par :

$$\begin{cases} u_{n+1} = \dfrac{v_n + w_n}{2} \\ v_{n+1} = \dfrac{u_n + w_n}{2} \; ; n \in \mathbb{N}. \\ w_{n+1} = \dfrac{u_n + v_n}{2} \end{cases}$$ On pose $U_n = \begin{pmatrix} u_n \\ v_n \\ w_n \end{pmatrix}$ pour $n \in \mathbb{N}$.

a) Déterminer une relation matricielle entre U_{n+1} et U_n pour tout entier n.
b) En déduire les limites des trois suites.

129 Diagonaliser une matrice

A ▶ Un premier exemple

On considère la matrice $A = \begin{pmatrix} 1 & 2 \\ -1 & 4 \end{pmatrix}$.

1. Pour x un nombre réel, on pose $f(x) = \det(A - xI_2)$.
a) Démontrer que f est une fonction polynomiale de degré 2.
b) Déterminer les racines λ_1 et λ_2 de $f(x)$, avec $\lambda_1 < \lambda_2$.

2. Soit $X = \begin{pmatrix} x \\ y \end{pmatrix} \in \mathbb{R}^2$.

a) Justifier que les systèmes $(A - \lambda_1 I_2)X = 0$ et $(A - \lambda_2 I_2)X = 0$ admettent une infinité de solutions.
b) Déterminer alors une solution X_1 et une solution X_2 de chacun de ces systèmes.

3. On forme alors la matrice P, dont la première colonne est la matrice X_1 et la deuxième la matrice X_2.
a) Démontrer que la matrice P est inversible et donner son inverse.
b) Déterminer la matrice $D = P^{-1}AP$.

4. Démontrer par récurrence que pour tout entier naturel n,
$D^n = \begin{pmatrix} 2^n & 0 \\ 0 & 3^n \end{pmatrix}$.

5. En déduire une expression de A^n pour $n \in \mathbb{N}$.

B ▶ Un deuxième exemple

On s'intéresse à la matrice $A = \begin{pmatrix} -1 & 1 & 1 \\ 1 & -1 & 1 \\ 1 & 1 & -1 \end{pmatrix}$

et on pose $\lambda_1 = -2$ et $\lambda_2 = 1$.

6. Si $X = \begin{pmatrix} x \\ y \\ z \end{pmatrix} \in \mathbb{R}^3$, on considère le système $(A - \lambda_1 I_2)X = 0$.

a) Établir que ce système est équivalent à $x + y + z = 0$.
b) Comment interpréter cette dernière équation dans l'espace $\mathbb{R}^3$?
c) Donner alors deux vecteurs sous forme de matrices colonnes engendrant le plan d'équation $x + y + z = 0$. On les notera X_1 et X_2.

7. Si $X = \begin{pmatrix} x \\ y \\ z \end{pmatrix} \in \mathbb{R}^3$, on considère le système $(A - \lambda_2 I_2)X = 0$.

a) Justifier que ce système admet une infinité de solutions.
b) Déterminer alors une solution X_3 de ce système.

8. On forme alors la matrice P, dont la première colonne est la matrice X_1, la deuxième la matrice X_2 et la troisième la matrice X_3.
a) Démontrer que la matrice P est inversible et donner son inverse.
b) Déterminer la matrice $D = P^{-1}AP$.
On a ainsi pu écrire $A = PDP^{-1}$ où D est une matrice diagonale et P une matrice inversible. On dit que l'on a diagonalisé la matrice A. Cette diagonalisation n'est pas toujours possible.

130 Trianguariser une matrice

On considère la matrice $A = \begin{pmatrix} -1 & -1 \\ 4 & 3 \end{pmatrix}$.

1. Pour x un nombre réel, on pose $f(x) = \det(A - xI_2)$.
a) Démontrer que f est une fonction polynomiale de degré 2.
b) Résoudre alors $f(x) = 0$.
2. Déduire de la question précédente que le système $(A - I_2)X = 0$ admet une infinité de solutions. Déterminer une solution X.

3. On pose $P = \begin{pmatrix} -1 & 0 \\ 2 & 1 \end{pmatrix}$.

a) Montrer que P est inversible et déterminer P^{-1}.
b) Montrer que le calcul $P^{-1}AP$ donne une matrice triangulaire. On notera cette matrice T.
4. Calculer T^2, T^3 et conjecturer une expression de T^n pour tout entier naturel n non nul. Démontrer cette conjecture.
5. Déduire des questions précédentes la valeur de A^n pour $n \in \mathbb{N}^*$.

131 Quaternions   Démo

On considère l'ensemble des matrices carrées d'ordre 2 à coefficients complexes, noté $\mathcal{M}_2(\mathbb{C})$. On note $I = \begin{pmatrix} 1 & 0 \\ 0 & 1 \end{pmatrix}$;

$J = \begin{pmatrix} 0 & -1 \\ 1 & 0 \end{pmatrix}$; $K = \begin{pmatrix} 0 & i \\ i & 0 \end{pmatrix}$ et $L = \begin{pmatrix} i & 0 \\ 0 & -i \end{pmatrix}$.

À tout couple de nombres complexes $(z_1 ; z_2)$, on associe la

matrice $M(z_1 ; z_2) = \begin{pmatrix} z_1 & -\overline{z_2} \\ z_2 & \overline{z_1} \end{pmatrix}$. On désigne par H l'ensemble

des matrices $M(z_1 ; z_2)$ pour tout couple de complexes $(z_1 ; z_2)$.
1. Montrer que toute matrice de H peut s'écrire de manière unique sous la forme $aI + bJ + cK + dL$, où a, b, c et d sont des réels.
2. Montrer que le produit de deux matrices de H est une matrice de H.
3. Le produit matriciel dans H est-il commutatif ?

132 Ensemble des nombres complexes

1. On considère la matrice $i = \begin{pmatrix} 0 & -1 \\ 1 & 0 \end{pmatrix}$.
Calculer i^2 et i^{-1}.

2. On note $\mathbb{C}$ l'ensemble des matrices de la forme $\begin{pmatrix} a & -b \\ b & a \end{pmatrix}$,

où a et b sont des réels. On notera $\mathbb{C}^*$ l'ensemble des matrices de $\mathbb{C}$ privé de la matrice nulle.
a) Vérifier que les matrices i et I_2 appartiennent à $\mathbb{C}$.
b) Montrer que toute matrice de $\mathbb{C}$ peut s'écrire de la forme $aI_2 + bi$, avec a et b réels.

3. a) Soit Z et Z' deux éléments de $\mathbb{C}$. Donner une condition nécessaire et suffisante pour que $Z = Z'$.
b) Démontrer que le produit matriciel sur $\mathbb{C}^*$ est commutatif.
c) Démontrer que tout élément de $\mathbb{C}^*$ est inversible et déterminer son inverse.

133 Équations différentielles

On s'intéresse à trois fonctions du temps t : x_1, x_2 et x_3, toutes trois dérivables. On considère le système différentiel suivant :

$$\begin{cases} x_1'(t) = 2x_2(t) - x_3(t) \\ x_2'(t) = 3x_1(t) - 2x_2(t) \\ x_3'(t) = -2x_1(t) + 2x_2(t) + x_3(t) \end{cases}$$

1. En posant $X = \begin{pmatrix} x_1(t) \\ x_2(t) \\ x_3(t) \end{pmatrix}$ et $X' = \begin{pmatrix} x_1'(t) \\ x_2'(t) \\ x_3'(t) \end{pmatrix}$, écrire le système

différentiel sous forme de système matriciel $X' = AX$, où l'on explicitera A.

2. On pose $P = \begin{pmatrix} 1 & 4 & 2 \\ 1 & 3 & -3 \\ 1 & -2 & 2 \end{pmatrix}$.

a) Justifier que P est inversible et donner sa matrice inverse.
b) Calculer $D = P^{-1}AP$.

3. On introduit la matrice colonne $Y = P^{-1}X$.
a) Démontrer alors en dérivant chaque fonction coefficient que l'on obtient $Y' = DY$.
b) Trouver alors les solutions de ce système en intégrant. Le fait ici d'avoir une matrice D diagonale rend le calcul plus facile.

4. En déduire les fonctions solutions X.

134 Matrices magiques

On appelle matrice magique une matrice carrée telle que la somme des coefficients par lignes et par colonnes est constante.

1. Vérifier que la matrice $\begin{pmatrix} 0 & -1 & 1 \\ -1 & 1 & 0 \\ 1 & 0 & -1 \end{pmatrix}$ est magique.

2. Donner une autre matrice magique de $M \in \mathcal{M}_3(\mathbb{R})$.
3. Justifier si les affirmations suivantes sont vraies ou fausses.
Affirmation 1 La somme de deux matrices magiques est magique.
Affirmation 2 Le produit de deux matrices magiques est magique.

135 Sous-groupe de matrice (1) (MPSI) (PSCI)

On note E l'ensemble des matrices d'ordre 2 de la forme $\begin{pmatrix} a+b & b \\ -b & a-b \end{pmatrix}$, où a et b sont des réels.

1. Montrer que le produit de deux éléments de E reste dans E.

2. Si $A = \begin{pmatrix} a+b & b \\ -b & a-b \end{pmatrix} \in E$, montrer que A est inversible si, et seulement si, $a \neq 0$.

136 Sous-groupe de matrice (2) (MPSI)

Soit a un réel, on considère la matrice :
$$R(a) = \begin{pmatrix} \cos(a) & -\sin(a) \\ \sin(a) & \cos(a) \end{pmatrix}.$$

On définit l'ensemble E = $\{R(a) \; ; \; a \in \mathbb{R}\}$.
1. Comment interpréter $R(a)$ de manière géométrique ?
2. Calculer $R(a)R(b)$ pour $a, b \in \mathbb{R}$. En déduire que tout produit de matrices de E appartient encore à E. Comment interpréter ce résultat de manière géométrique ?
3. En utilisant la question précédente, démontrer que pour tout $a \in \mathbb{R}$, $R(a)$ est inversible. Calculer son inverse et l'interpréter de manière géométrique.

137 Interpolation polynomiale (Démo)

On considère un certain nombre de points dans le plan muni d'un repère orthonormé. On souhaite dans cet exercice déterminer une fonction polynomiale dont la courbe passe par tous les points considérés.

A ▶ Un cas trivial
Expliquer ce qu'il se passe lorsque l'on ne considère que deux points du plan : quel est le degré de la fonction polynomiale à considérer ? Quelle formule peut-on avoir dans ce cas ?

B ▶ Un premier exemple
On considère les points du plan $(-1 \; ; 2)$, $(1 \; ; -2)$ et $(4 \; ; 7)$. On admet qu'il existe une fonction polynomiale du second degré de la forme $f(x) = ax^2 + bx + c$ dont la courbe contient les trois points.
1. Écrire les différentes conditions sous forme d'égalités que doivent réaliser les trois réels a, b et c.
2. Écrire le système ainsi obtenu sous forme d'une égalité matricielle.
3. Résoudre le système et donner la fonction polynomiale obtenue. Que peut-on dire quant à l'unicité de cette fonction ?

C ▶ Vers un cas général
On admet que si l'on considère $n + 1$ points du plan distincts, il existe une fonction polynomiale de degré n de la forme
$$f(x) = a_n x^n + a_{n-1} x^{n-1} + \ldots + a_1 x^1 + a_0.$$
On note $(x_i \; ; y_i)$ les points du plan pour $i \in \{0 \; ; \ldots ; n\}$.
1. Écrire le système de $n + 1$ équations dont les $n + 1$ inconnues sont les coefficients de f. En déduire son écriture matricielle :

$$V \begin{pmatrix} a_0 \\ \vdots \\ a_n \end{pmatrix} = \begin{pmatrix} y_0 \\ \vdots \\ y_n \end{pmatrix}.$$

2. Les matrices de la forme de V sont appelées matrices de Vandermonde. On admet qu'elles sont toujours inversibles. Que peut-on en déduire sur la fonction polynomiale de l'interpolation ?

D ▶ Un deuxième exemple
Déterminer la fonction polynomiale dont la courbe passe par les points $(-2 \; ; 10)$, $(0 \; ; 2)$, $(1 \; ; 4)$ et $(3 \; ; 12)$.

138 **Sous-groupe de matrice (3)** [MPSI]

Pour un réel a, on pose $M(a) = \begin{pmatrix} e^a & 0 & 0 \\ 0 & 1 & a \\ 0 & 0 & 1 \end{pmatrix}$ et on considère

l'ensemble $E = \{M(a) \; ; \; a \in \mathbb{R}\}$.

1. Calculer pour a et b des réels le produit matriciel $M(a)M(b)$.
2. En déduire que E est stable par produit.
3. Montrer qu'une matrice $M(a)$ est inversible pour tout réel a et donner son inverse.
4. Déterminer, pour tout entier naturel n, la matrice $M(a)^n$. On pourra émettre une conjecture et la démontrer à l'aide d'un raisonnement pas récurrence.

139 **Espace vectoriel matriciel** [BCPST]

On considère les matrices carrées d'ordre 2 suivantes :

$A = \begin{pmatrix} 0 & 1 \\ 0 & 1 \end{pmatrix}$, $B = \begin{pmatrix} 0 & 0 \\ 0 & 1 \end{pmatrix}$ et $C = \begin{pmatrix} 1 & 0 \\ 0 & 0 \end{pmatrix}$. On s'intéresse à l'ensem-

ble $E = \{M \in \mathcal{M}_2(\mathbb{R}) \; ; \; AM = MB\}$.

1. Soit M_1 et M_2 deux matrices de E et $\lambda \in \mathbb{R}$.
Montrer que :
a) la matrice nulle appartient à E.
b) $\lambda M_1 \in E$.
c) $M_1 + M_2 \in E$.

2. a) Vérifier que la matrice $M = \begin{pmatrix} 2 & -1 \\ 0 & -1 \end{pmatrix}$ est un élément de E.

b) Montrer que $M = \begin{pmatrix} a & b \\ c & d \end{pmatrix}$ appartient à E si, et seulement

si, $c = 0$ et $b = d$.

Calculer le produit AC. Cette matrice appartient-elle à E ?

140 **Équation matricielle de degré 2** [MPSI]

On s'intéresse à la résolution dans $\mathcal{M}_2(\mathbb{R})$ de l'équation

$X^2 = A$, où $A = \begin{pmatrix} 4 & -6 \\ -1 & 1 \end{pmatrix}$.

1. On considère la matrice $D = \begin{pmatrix} 2 & 0 \\ 0 & 1 \end{pmatrix}$ et $M \in \mathcal{M}_2(\mathbb{R})$ telle

que $M^2 = D$.
a) Montrer que $MD = DM$.

b) En posant $M = \begin{pmatrix} a & b \\ c & d \end{pmatrix}$, montrer alors que M est diagonale.

c) En déduire les valeurs possibles des coefficients de M. Expliciter les quatre matrices solutions de $M^2 = D$.

2. On pose $P = \begin{pmatrix} 3 & 2 \\ 1 & 1 \end{pmatrix}$.

a) Montrer que la matrice P est inversible et déterminer P^{-1}.
b) Vérifier que $A = PDP^{-1}$.
c) Montrer que $X^2 = A \Leftrightarrow M^2 = D$.
d) En déduire la forme des solutions X de l'équation $X^2 = A$. Donner ensuite les quatre solutions explicites de cette équation.
e) Calculer leur somme et leur produit.

141 **Matrices nilpotentes** [MPSI]

On considère l'ensemble des matrices carrées d'ordre n $\mathcal{M}_n(\mathbb{R})$ et on note I son élément unité. On dit que $A \in \mathcal{M}_n(\mathbb{R})$ est nilpotente d'indice 3 si $A^2 \neq 0$ et $A^3 = 0$. On considère ainsi dans la suite une telle matrice A.
Pour un réel x, on pose :

$$E(x) = I + xA + \frac{x^2}{2} A^2.$$

1. Montrer que pour tous réels x et y :
$$E(x + y) = E(x) \, E(y).$$

2. En déduire que pour tout entier naturel n et tout réel x, on a :
$$E(nx) = E(x)^n.$$

3. Démontrer que pour tout $x \in \mathbb{R}$, $E(x)$ est inversible et donner son inverse.

4. On considère la matrice $A = \begin{pmatrix} 0 & 1 & 1 \\ 0 & 0 & 1 \\ 0 & 0 & 0 \end{pmatrix}$.

a) Vérifier que A est nilpotente d'indice 3.
b) Déterminer alors la matrice $E(x)$ pour $x \in \mathbb{R}$.

Démo

142 **Matrices antisymétrique** [MPSI]

On dit qu'une matrice A de $\mathcal{M}_n(\mathbb{R})$ est antisymétrique si $A^t = -A$.

1. a) Que dire de la transposée d'une colonne ?
b) Soit $A \in \mathcal{M}_n(\mathbb{R})$ et $X \in \mathcal{M}_{n,1}(\mathbb{R})$. Justifier pourquoi le produit $X^t AX$ est possible.

2. Démontrer que A de $\mathcal{M}_n(\mathbb{R})$ est antisymétrique si, et seulement si, pour toute matrice $X \in \mathcal{M}_{n,1}(\mathbb{R})$, $X^t AX = 0$.

143 **Trace de matrice** [MPSI]

On considère une matrice $A \in \mathcal{M}_n(\mathbb{R})$. On note $Tr(A)$ la somme des coefficients diagonaux de A.

1. a) On pose $A = \begin{pmatrix} 2 & -2 \\ 4 & -7 \end{pmatrix}$. Calculer $Tr(A)$.

b) On pose $A = \begin{pmatrix} -1 & 7 & -2 \\ 6 & 4 & -2 \\ 1 & 7 & 3 \end{pmatrix}$. Calculer $Tr(A)$.

c) Calculer $Tr(I_n)$.

2. Si $A = (a_{ij})$, on écrit formellement $Tr(A) = \sum_{i=1}^{n} a_{ii}$.

a) Démontrer que, pour toutes matrices A et B dans $\mathcal{M}_n(\mathbb{R})$:
$$Tr(A + B) = Tr(A) + Tr(B).$$
b) En écrivant formellement les coefficients du produit matriciel, démontrer que, pour toutes matrices A et B dans $\mathcal{M}_n(\mathbb{R})$:
$$Tr(AB) = Tr(BA).$$

3. Démontrer, en utilisant les questions précédentes, que l'on ne peut pas trouver de matrices A et B tels que :
$$AB - BA = I_n.$$

Travaux pratiques

1 Modèle proie-prédateur

Le modèle proie-prédateur est proposé en 1926, indépendamment par Lotka et Volterra, pour décrire la dynamique d'un système biologique dans lequel seules une espèce « proie » et une espèce « prédateur » interagissent (par exemple : des lièvres et des lynx).

Ici on va s'intéresser au modèle discret : soit (u_n) et (v_n) respectivement le nombre de proies et de prédateurs à l'instant n. On a les relations suivantes :

$$\begin{cases} u_{n+1} = (a + 1 - bv_n)u_n \\ v_{n+1} = (-c + 1 + du_n)v_n \end{cases}$$

où a désigne le taux de reproduction des proies ;
c désigne le taux de mortalité des prédateurs (ces deux taux sont supposés constants) ;

bv_n désigne le taux de mortalité des proies dû aux prédateurs (supposé proportionnel au nombre de prédateurs) ;
du_n désigne le taux de reproduction des prédateurs (supposé proportionnel au nombre de proies).
On va considérer les valeurs suivantes : $a = 0{,}09$, $b = 0{,}00001$, $c = 0{,}25$ et $d = 0{,}000005$.

A ▸ Modélisation sur tableur

1. Ouvrir un tableur et créer le tableau ci-contre.
2. Renseigner les valeurs de a, b, c et d dans les cellules correspondantes.
3. Soit $u_0 = 50\,000$ et $v_0 = 9\,000$.
a) Renseigner ces valeurs dans les cases correspondantes.
b) En D2 et E2, écrire une formule pour calculer u_1 et v_1, puis étirer ces formules jusqu'à 300.
Le couple (50 000 ; 9 000) est appelé point d'équilibre du système.
4. Créer un nuage de point représentant (u_n) et (v_n).
a) Comment évolue les deux populations lorsque celle des proies s'éloigne du point d'équilibre ?
b) Comment évolue les deux populations lorsque celle des prédateurs s'éloigne du point d'équilibre ?

	A	B	C	D	E
1	a		n	u(n)	v(n)
2	b		0		
3	c		1		
4	d		2		
5			3		
6			4		

B ▸ Expression des suites (u_n) et (v_n)

1. Déterminer en fonction de a, b, c et d le point d'équilibre, c'est-à-dire le couple $(U ; V)$ tel que, pour $u_0 = U$ et $v_0 = V$, on a $u_{n+1} = u_n$ et $v_{n+1} = v_n$.

2. Soit les suites (t_n) et (s_n) définies par $t_n = u_n - U$ et $s_n = v_n - V$ pour tout entier n.

a) Montrer que $t_{n+1} = t_n - \dfrac{bc}{d}s_n - bt_ns_n$ et $s_{n+1} = s_n + \dfrac{ad}{b}t_n + dt_ns_n$ pour tout entier n.

b) Reprendre la page tableur et créer les suites (t_n) et (s_n) aux colonnes F et G, puis calculer bt_ns_n et dt_ns_n aux colonnes H et I.

Sur le tableur, on peut constater que, pour $(u_0 ; v_0)$ proche de $(U ; V)$, les valeurs de bt_ns_n et dt_ns_n sont négligeables devant celles de t_n et s_n. On va donc considérer $\begin{cases} t_{n+1} = t_n - \dfrac{bc}{d}s_n \\ s_{n+1} = s_n + \dfrac{ad}{b}t_n \end{cases}$

3. Soit $T_n = \begin{pmatrix} t_n \\ s_n \end{pmatrix}$ et $X_n = \begin{pmatrix} u_n \\ v_n \end{pmatrix}$. Exprimer T_{n+1} en fonction de T_n, puis X_{n+1} en fonction de X_n.

2 Gestion de stocks

Une entreprise créant des jeux de sociétés souhaite changer de fournisseur de matières premières.
Ayant besoin de carton, plastique et papier, elle a le choix entre deux fournisseurs.
• Le fournisseur A propose les prix unitaires suivants : carton : 2,99 € ; papier : 0,05 € ; plastique : 3,79 €.
• Le fournisseur B propose les prix unitaires suivants : carton : 3,11 € ; papier : 0,03 € ; plastique : 3,29 €.
Pour pouvoir faire le choix, la responsable dresse la feuille de tableur suivante avec les données déjà acquises (commandes des clients, coût de main d'œuvre, prix de vente par jeu).

 TICE
Fichier Excel
lienmini.fr/maths-e06-07

	A	B	C	D	E	F	G	H	I	J	K
1	quantité de matière première nécessaire par jeu						quantité de jeux par commande client				
2	Qm	jeu 1	jeu 2	jeu 3	jeu 4		Qc	client 1	client 2	client 3	
3	carton	5	10	6	8		jeu 1	30	10	80	
4	papier	2	1	3	4		jeu 2	40	50	30	
5	plastique	3	1	0	4		jeu 3	100	30	50	
6	coût unitaire par matière première						jeu 4	50	30	60	
7	Cm	carton	papier	plastique							
8	coût unitaire										
9	coût unitaire de main d'œuvre										
10	Co	jeu 1	jeu 2	jeu 3	jeu 4						
11	coût										
12	coût unitaire par jeu						prix de vente unitaire par jeu				
13	Cj	jeu 1	jeu 2	jeu 3	jeu 4		V	jeu 1	jeu 2	jeu 3	jeu 4
14	coût unitaire						prix de vente unitaire	40	55	32	55
15	coût unitaire par matière première						recette par commande				
16	C	client 1	client 2	client 3			R	client 1	client 2	client 3	
17	coût						coût				
18											
19	coût total						recette totale				
20				bénéfice							

Avec cette feuille, on définit les matrices Q_m, Q_c, C_m, C_o, C_j, C, V et R.

1. a) Le coût d'un jeu s'obtient en sommant le coût des différentes matières premières nécessaire avec le coût de main d'œuvre. Comment obtenir la matrice C_j en fonction de Q_m, C_m et C_o ?

b) Comment obtenir la matrice C en fonction de C_j et Q_c ?

c) Comment obtenir la matrice R en fonction de Q_c et V ?

2. a) Dans un tableur recopier la feuille ci-dessus en précisant dans le tableau «coût unitaire par matière première » les coûts pratiqués par le fournisseur A.

b) En utilisant le calcul matriciel fourni par le tableur ➥ **Dicomaths** p. 246, compléter les tableaux « coût unitaire par jeu», «coût par commande» et «recette par commande».

c) Le coût total correspond au coût de toute les commandes de clients, de même la recette totale correspond à la recette de toutes les commandes. Le bénéfice correspond à la différence entre la recette et le coût.
Compléter les cases « coût total », «recette totale» puis «bénéfice».

d) En modifiant le tableau « coût unitaire par matière première », déterminer quel fournisseur l'entreprise devrait prendre pour avoir le plus de bénéfices.

3. Déterminer quel fournisseur choisir dans les cas suivants.

a) L'entreprise reçoit la commande d'un nouveau client désirant : 50 jeux 1, 70 jeux 3 et 90 jeux 4.

b) L'entreprise décide de créer un nouveau jeu (jeu 5) nécessitant 10 feuilles de carton, 10 plaques de plastique et 30 billes en verre. Les fournisseurs A et B peuvent fournir des billes au prix unitaire de 0,05 € pour A et 0,13 € pour B.
Le jeu 5 coûterait 89 € et tous les clients souhaiterait en commander 15 chacun.

7

Chaînes de Markov

Internet est un réseau de réseaux : une multitude de machines (clients et serveurs) reliées entre elles principalement par des câbles. Lorsque l'on entre l'adresse d'un site Internet, l'information circule à travers les câbles *via* les routeurs jusqu'au serveur contenant la page demandée.

Dans le moteur de recherche *Google*, les mots clés inscrits permettent d'obtenir une grande quantité de liens vers des pages du web.

Comment trouver les pages web qui correspondent à la requête d'un utilisateur ?

↳ TP 1 p. 234

▶ **VIDÉO**

Au cœur de Google : *PageRank*

lienmini.fr/maths-e07-01

Pour prendre un bon départ

EXO
Prérequis
lienmini.fr/maths-e07-02

Les rendez-vous
Sésamath

1 Effectuer un calcul matriciel

1. Soit $A = \begin{pmatrix} 2 & 3 \\ -1 & 0 \end{pmatrix}$ et $B = \begin{pmatrix} 4 & -5 \\ 2 & 3 \end{pmatrix}$. Calculer $A + B$; $A - B$ et $2A - 3B$.

2. Calculer $\begin{pmatrix} 2 & 3 \\ -5 & 2 \end{pmatrix}\begin{pmatrix} 2 \\ -1 \end{pmatrix}$; $\begin{pmatrix} 3 & -2 & 4 \end{pmatrix}\begin{pmatrix} 1 & 0 & 2 \\ 3 & 4 & -2 \\ 4 & 5 & 3 \end{pmatrix}$ et $\begin{pmatrix} -1 & 10 \\ \dfrac{1}{2} & 2 \end{pmatrix}\begin{pmatrix} 1 & -4 \\ 3 & \dfrac{1}{3} \end{pmatrix}$.

2 Résoudre un système

Résoudre les systèmes suivants par la méthode de son choix.

a) $\begin{cases} 2x + 3y = 11 \\ 4y - 8y = 36 \end{cases}$

b) $\begin{cases} 2x + 3y - 2z = 5 \\ 6y - 3x - 2z = 11 \\ 8z + 7y + 4x = 18 \end{cases}$

3 Calculer une probabilité

Soit deux événements A et B tels que $P(A) = \dfrac{1}{3}$, $P_A(B) = \dfrac{1}{2}$
et $P(\overline{A} \cap B) = \dfrac{5}{9}$.

1. Compléter l'arbre de probabilité pondéré ci-contre.
2. Déterminer $P(A \cap B)$ et $P(B)$.
3. En déduire $P_B(A)$.

4 Appliquer la formule de la probabilité totale

Dans une population, on estime la probabilité de naissance d'une fille à 0,48. Des statistiques portant sur une maladie dénotent que 2 % des filles et 1% des garçons présentent à la naissance cette maladie. On choisit au hasard un nouveau-né dans cette population ; on note M l'événement « l'enfant choisi est malade » et F l'événement « l'enfant choisi est une fille ».
1. Calculer les probabilités $P(M \cap F)$ et $P(M \cap \overline{F})$.
2. On rappelle qu'un système complet d'événements de l'univers est une famille d'événements deux à deux disjoints et dont la réunion donne l'univers. Justifier que les événements F et $\overline{F}$ forment un système complet de l'univers.
3. Si une famille d'événements $(A_i)_{1 \leqslant i \leqslant n}$ forme un système complet d'événements et B un événement, le théorème de la probabilité totale énonce l'égalité :
$$P(B) = P(B \cap A_1) + P(B \cap A_2) + ... + P(B \cap A_n).$$
Calculer la probabilité que l'enfant choisi soit malade.

5 Manipuler des graphes orientés

On considère le graphe G ci-contre.
1. a) Donner l'ordre et dresser le tableau des degrés des sommets de G.
b) En déduire le nombre d'arcs de G.
2. a) Déterminer un chemin de longueur 4 reliant A à F.
b) Déterminer un circuit de longueur 7.
3. Déterminer la matrice d'adjacence associée à G.

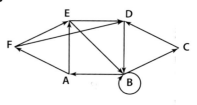

Algo 45 min

1 Parcourir des chemins dans un graphe pondéré

A ▶ Graphe pondéré

On considère le réseau Internet ci-contre.
Chaque sommet correspond à une ville, abritant au moins un serveur et un routeur.
On connaît de plus les temps de transmission par ligne :
- 1 ms pour les lignes S-D, LA-D et P-I,
- 2 ms pour S-LA ; 4 ms pour C-M et NY-C,
- 5 ms pour C-D ; 7 ms pour I-NY,
- 8 ms pour LA-M et 10 ms pour P-M.

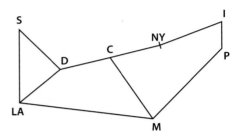

1. Dans le graphe, où serait-il pertinent de placer les temps de transmission ? Les placer.

2. De Paris (P), un utilisateur souhaite accéder à une page contenue dans un des serveurs à Seattle (S).

a) Faire une liste de tous les chemins possible (sans passer deux fois par la même ligne) de P à S.

b) Pour chacun d'entre eux, noter le temps total de transmission. Quel est le chemin optimal ?

B ▶ Algorithme de Dijkstra-Moore : recherche du plus court chemin

On considère le graphe ci-contre et on cherche le plus court chemin entre **P** et **S**. L'algorithme de Dijkstra-Moore réduit le temps de recherche par rapport à la méthode utilisée dans la partie **A**.
Le début de l'algorithme est consigné dans le tableau ci-dessous.
L'origine du chemin est **P**.

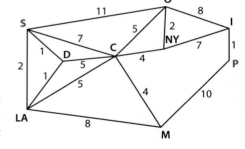

- **Ligne 1 :** pour chaque sommet adjacent à P, écrire le poids de l'arête et P entre parenthèses ; si le sommet n'est pas adjacent à P, écrire ∞.
- **Ligne 2 :** remplacer P par le sommet adjacent de poids minimal de la ligne 1 : I. Écrire le poids total du chemin depuis P et I entre parenthèses pour chaque sommet adjacent à I ; écrire ∞ si le sommet n'est pas adjacent à I.
- **Ligne 3 :** écrire le minimum de chaque colonne.

1. a) Pourquoi a-t-on choisi de passer par I à la ligne 2 ? À quoi correspond le nombre 9 dans la case «9(I)» ?

b) À la ligne 5, pourquoi a-t-on conservé «9(I)» plutôt que «10(NY)» pour la colonne du sommet O ?

c) Quel sommet va-t-on choisir pour la ligne 6 ? Pourquoi ?

2. Recopier ce tableau puis le terminer pour obtenir le chemin le plus court entre **P** et **S**.

	Sommet	P	I	O	NY	C	D	M	LA	S
1	Depuis **P**		1(P)	∞	∞	∞	∞	10(P)	∞	∞
2	Depuis **P** en passant par **I**			9(I)	8(I)	∞	∞	∞	∞	∞
3	Minimum depuis P			9(I)	8(I)	∞	∞	10(P)	∞	∞
4	Depuis **P** en passant par **I** et **NY**			10(NY)		12(NY)	∞	∞	∞	∞
5	Minimum depuis **P**			9(I)		12(NY)	∞	10(P)	∞	∞
6		...	...	...	...	...	...	...	...	...

↪ Cours 1 p. 204

2 Modéliser l'évolution d'une épidémie

On s'intéresse à l'évolution d'une maladie dans une population. Cette population se répartit en trois états : les individus sains et non immunisés (état 1) ; les individus immunisés (état 2) et les individus malades (état 3). On discrétise le temps pour s'intéresser aux instants : 0, 1, 2, ..., n, ... avec $n \in \mathbb{N}$.

• La moitié des individus de l'état 1 à l'instant n reste saine à l'instant $n + 1$; alors que l'autre moitié tombe malade.

• Parmi ceux qui sont immunisés à l'instant n, 5 % se retrouve dans l'état 1 l'instant d'après et les autres restent immunisés. 25 % des malades restent dans cet état de l'instant n à l'instant $n + 1$. Les autres guérissent et deviennent immunisés.

• Avant l'épidémie, à l'instant 0, tous les individus sont supposés sains.

À chaque instant n, on choisit au hasard un individu dans la population et on note X_n l'état dans lequel cet individu se trouve.

1. Les ensembles images des variables aléatoires X_n dépendent-ils de n ? Donner alors cet ensemble.

2. Préciser toutes les probabilités conditionnelles qui interviennent dans l'énoncé.

3. Représenter le modèle d'évolution par un graphe pondéré de sommets 1, 2 et 3.

4. Pour $n \in \mathbb{N}$, on note π_n la matrice ligne donnée par $\pi_n = \begin{pmatrix} P(X_n = 1) & P(X_n = 2) & P(X_n = 3) \end{pmatrix}$. Cette matrice correspond ainsi à la loi de la variable aléatoire X_n.

a) Préciser la matrice π_0.

b) En utilisant la formule de la probabilité totale donner $P(X_{n+1} = 1)$, $P(X_{n+1} = 2)$ et $P(X_{n+1} = 3)$, chacune en fonction de $P(X_n = 1)$, $P(X_n = 2)$ et $P(X_n = 3)$.

c) En déduire une relation entre π_{n+1} et π_n que l'on écrira sous forme matricielle.

➥ **Cours 2 p. 206, 3 p. 208 et 4 p. 210**

3 Prévoir grâce aux états invariants

Des employés d'une entreprise ont le choix entre trois navigateurs Internet : *SearchPlus*, *FastFound* et *EasyNavig*. D'après une étude réalisée sur les années antérieures il apparaît que, chaque année :

• parmi les employés ayant choisi *SearchPlus*, 10 % d'entre eux restent sur ce navigateur et 60 % changent pour *FastFound* ;

• parmi ceux ayant choisi *FastFound*, 20 % changent pour *SearchPlus* et 40 % prennent *EasyNavig* ;

• parmi ceux ayant choisi *EasyNavig*, 75 % ne changent pas et 20 % prennent *FastFound*.

A ▶ État initial particulier

En 2019, 10 % des employés utilisent *SearchPlus* et 30 % des employés utilisent *FastFound*.

1. Justifier que la présente situation peut être modélisée par une chaîne de Markov et donner sa matrice de transition Q dans l'ordre des états.

2. Tracer le graphe probabiliste associé, puis donner l'état initial π_0.

3. Quelle sera la répartition des navigateurs en 2020 ? En 2021 ? Que constate-t-on ?

4. Le constat est-il le même si l'état initial est $r = (0{,}2 \quad 0{,}5 \quad 0{,}3)$? Cet état est appelé état invariant pour la distribution.

B ▶ Observation sur le long terme

En 2019, dans une entreprise similaire avec les mêmes observations, 40 % des employés utilisent *SearchPlus* et 50 % des employés utilisent *FastFound*.

1. Observer la répartition sur les années 2020, 2025, 2030 et 2040. Que remarque-t-on ?

2. Effectuer les mêmes observations avec la distribution initiale $(a \quad b \quad c)$, où $a + b + c = 1$.
A-t-on le même constat ? Quelle conjecture peut-on faire sur l'évolution des états à long terme ?

➥ **Cours 6 p. 214**

1 Graphe pondéré

Définitions Parcours dans un graphe pondéré

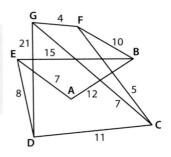

• On dit qu'un graphe est **pondéré** si chacun(e) de ses arêtes (ou arcs) est affecté(e) d'un nombre positif.

• Dans un graphe pondéré, le poids d'une chaîne (resp. d'un chemin) est la **somme des poids des arêtes** (resp. **arcs**) qui composent la chaîne (resp. le chemin).

● **Exemple**

Dans le graphe ci-contre, la chaîne G-F-C-D-E est une chaîne reliant G à E de poids 4 + 5 + 11 + 8, soit 28.

Propriété Algorithme de Dijkstra-Moore

On cherche le plus court chemin entre une origine D et un autre sommet du graphe. Chaque sommet est marqué par le poids du plus court chemin conduisant de l'origine à ce sommet.

1. Initialisation. On fixe la marque de D à 0.
Marquer chacun des sommets adjacents à D par le poids de l'arête joignant ce sommet à D.
Marquer les autres sommets par ∞.

2. Marquage. Regarder tous les sommets de marque non fixée et repérer celui qui a la plus petite marque pour la fixer : on note X ce sommet.

3. Exploration. Pour chaque sommet Y de marque non fixée adjacent à X, calculer la somme de la marque de X avec le poids de l'arête reliant X à Y.

4. Décision. Si cette somme est inférieure à la marque Y, remplacer la marque de Y par cette somme en indiquant entre parenthèses la provenance de cette nouvelle marque optimale.

5. Itération. Recommencer à partir de **2.** jusqu'à avoir parcouru tous les sommets et exploré tout le graphe.

6. Fin de l'algorithme. Toutes les marques étant optimales, la marque fixée du sommet Y est le poids d'une plus courte chaîne reliant D à Y.

▶**Remarque** On peut placer les itérations successives au fur et à mesure dans un tableau. On peut aussi dessiner sur le graphe les marques au fur et à mesure de l'avancée dans l'algorithme.

● **Exemple**

Sur le graphe ci-contre, on cherche le chemin de poids minimal reliant D à T.

Sur la première ligne : ▮1 D le point traité est marqué à 0 ;
▮2 I est lié à D par un chemin de poids 8 d'où «8(D)» dans la colonne I ; ▮3 K et D ne sont pas adjacent, d'où « ∞ » dans la colonne K.

Sur la deuxième ligne : ▮4 on traite le sommet de coefficient minimal sur la ligne précédente soit I.
▮5 On a fixé la marque de J.
▮6 22 est un poids plus petit que 23

	D	I	J	K	S	T
Depuis D(0)	0 ▮1	8(D) ▮2	10(D)	∞ ▮3	∞	∞
Depuis I(8) ▮4			▮5	23(I)	∞	∞
Depuis J(10)					17(J)	∞
Depuis S(17)				22(S)		25(S)
Depuis K(22)	0	8(D)	10(D)	22(S) ▮6	17(J)	25(S)

● EXOS
Méthodes
lienmini.fr/maths-e07-03

Les rendez-vous
Sésamath

Exercices (résolus)

Méthode

1 Déterminer un plus court chemin

Énoncé

On considère le graphe ci-contre.

Déterminer le chemin de poids minimal reliant D à T.

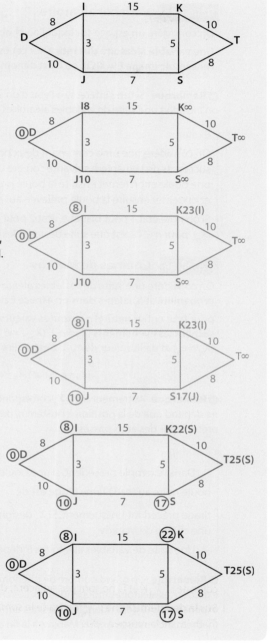

Solution

On applique l'algorithme de Dijkstra-Moore.

1. Initialisation. Fixer la marque en entourant le poids (c'est-à-dire la marque fixée à 0) pour le sommet de départ.

Marquer chacun des sommets adjacents à D par le poids de l'arête joignant ce sommet à D : écrire la marque de I à 8, de J à 10.

Marquer les autres sommets par ∞ : K, S et T.

2. Marquage. Regarder tous les sommets de marque non fixée (non entourée), et repérer celui qui a la plus petite marque pour la fixer : ici c'est I, donc pour fixer la marque, on entoure la marque de I.

3. Exploration. Pour chaque sommet de marque non fixée, adjacent à I, calculer la somme de la marque de I avec le poids de l'arête le reliant à I.

J : 8 + 3 = 11, moins bon que 10 déjà marqué : donc on ne fait rien sur J.

K : 8 + 15 = 23, on écrit 23(I).

4. Décision. Si cette somme est inférieure à la marque jusque-là inscrite, remplacer la marque du sommet par cette somme en indiquant entre parenthèse la provenance de cette nouvelle marque optimale.

5. Itérations. On recommence à partir de **2.** jusqu'à avoir parcouru tous les sommets et exploré tout le graphe.

    2. Marquage. On fixe la marque de J à 10.

    3. Exploration. Sommets adjacents à J de marque non fixée :

    4. Décision. S : 10 + 7 = 17, on écrit 17(J).

    2. Marquage. On fixe la marque de S à 17.

    3. Exploration. Sommets adjacents à S de marque non fixée:

    4. Décision. K : 17 + 5 = 22, mieux que 23, on écrit 22(S).

    T : 17 + 8 = 25, on écrit 25(S).

    2. Marquage. On fixe la marque de K à 22.

    3. Exploration. Sommets adjacents à K de marque non fixée : T.

    4. Décision T : 22 + 10 = 32, moins bon que 25 : on ne fait rien.

6. Fin de l'algorithme. Ainsi, le plus court chemin entre les sommets D et T a pour poids 25 obtenue par la trajectoire DJST, en lisant les schémas dans le sens inverse avec les sommets notés entre parenthèses.

À vous de jouer !

Pour les exercices **1** et **2**, on considère le graphe ci-contre.

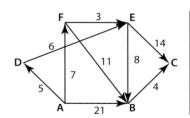

1 Déterminer dans le graphe ci-contre le chemin de poids minimal reliant A à C.

2 Déterminer dans le graphe ci-contre le chemin de poids minimal reliant D à C.

↪ **Exercices 30 à 32 p. 220**

Cours

2 Chaînes de Markov

Définition Variable aléatoire

On considère un espace sur lequel on choisit une probabilité P.

Une **variable aléatoire discrète** X sur cet espace est une fonction de l'univers des possibles Ω dans l'ensemble image $E = X(\Omega)$, où E est dénombrable.

▶ **Remarque** Si l'on s'intéresse à l'état d'un système en fonction du temps, étudié en certains instants, on introduit une suite de variables aléatoires (X_n), pour $n \in \mathbb{N}$, où X_n désigne l'état du système à l'instant n.

● **Exemple**

On considère une urne contenant deux boules noires et deux boules blanches. On effectue des tirages successifs de la manière suivante : on tire une boule au premier tirage, puis au deuxième tirage on prélève une boule et on remet ensuite la boule prélevée au premier tirage ; au n-ième tirage, on prélève une boule et on remet ensuite la boule prélevée au $(n-1)$-ième tirage.

Si on note état 1 pour blanche, état 2 pour noire et X_n l'état de la boule prélevée au n-ième tirage, alors la suite (X_n), pour $n \in \mathbb{N}$, est une suite de variables aléatoires à valeurs dans le même ensemble image $E = \{1 ; 2\}$.

Définition Chaînes de Markov

On considère une suite de variables aléatoires (X_n) définies sur un même espace fini muni d'une probabilité et à valeurs dans un espace E fini. On dit que la suite (X_n) définit une **chaîne de Markov** si :

pour tout entier naturel n et toutes valeurs $e_0, e_1, e_2, ..., e_{n+1} \in E$, la probabilité de l'événement $(X_{n+1} = e_{n+1})$ sachant les événements $(X_n = e_n)$, $(X_{n-1} = e_{n-1})$, ..., $(X_0 = e_0)$ ne peut dépendre que de l'événement $(X_n = e_n)$ et de la valeur de e_{n+1}, c'est-à-dire des valeurs de n, e_n et e_{n+1} :

$$P_{(X_n = e_n) \cap ... \cap (X_0 = e_0)}\left(X_{n+1} = e_{n+1}\right) = P_{(X_n = e_n)}\left(X_{n+1} = e_{n+1}\right).$$

▶ **Remarque** Autrement dit si X_n correspond à la position d'un système à l'instant n, alors la position suivante ne dépend que de la position à l'instant n, pas de ses positions passées. L'état futur ne dépend que de l'état présent, pas des états passés.

● **Exemples**

① Dans l'exemple précédent, si une boule noire a été prélevée au n-ième tirage, la probabilité de tirer une boule noire au $(n+1)$-ième tirage est de $\dfrac{1}{3}$; on connait ce que contient l'urne au $(n+1)$-ième tirage de par le tirage précédent uniquement. Si X_n désigne l'état de la boule au n-ième tirage, alors la suite (X_n) définit ainsi une chaîne de Markov.

② Une suite de variables aléatoires indépendantes est une chaîne de Markov.

▶ **Remarque** Un grand nombre de phénomènes sur un système ne peuvent pas être modélisés par des expériences aléatoires indépendantes. Les chaînes de Markov permettent d'étendre des résultats à des expériences qui dépendent les unes des autres dans une moindre mesure. Leur introduction est due au mathématicien russe Andreï Markov, à la fin du XIXe siècle.

Définition Espace d'états

On appelle **espace d'états** d'une chaîne de Markov (X_n), l'espace image E des variables aléatoires X_n.

● **Exemple**

Sur un plateau un certain nombre N de boules noires et blanches roulent. Dès que deux d'entres elles se touchent, elles changent de couleur. Pour tout $n \in \mathbb{N}$, on suppose qu'entre chaque instant n et $n+1$, exactement deux boules se touchent. Le nombre de boules noires à l'instant n, X_n, est une variable aléatoire et la suite (X_n) est une chaîne de Markov d'espace d'états $E = \{0 ; 1 ; ... ; N\}$.

EXOS
Méthodes
lienmini.fr/maths-e07-03

Les rendez-vous
Sésamath

Exercices (résolus)

Méthode 2 Justifier le caractère markovien d'une suite de variables aléatoires

Énoncé

1. Un poisson nage dans un aquarium. Celui-ci est constitué de deux bocaux numérotés 1 et 2. On discrétise le temps afin de déterminer la position X_n du poisson à l'instant n, pour $n \in \mathbb{N}$.

On suppose que, s'il se trouve dans le bocal 1, il y reste l'instant suivant avec une probabilité de 0,4. S'il se trouve dans le bocal 2, il y reste l'instant suivant avec probabilité de 0,7.

Justifier que la suite (X_n) est une chaîne de Markov dont on précisera l'espace d'états. Donner les probabilités conditionnelles qui interviennent.

2. Pour s'entraîner, un sportif effectue des allers-retours vers trois points possibles de son origine. Cela lui donne trois parcours numérotés de 1 à 3 dans l'ordre de longueur.

Il court de la manière suivante : s'il effectue le parcours le plus long, il choisira la fois d'après l'un des deux autres de manière équiprobable On note X_n le parcours choisi au n-ième aller-retour.

a) Justifier que la suite (X_n) est une chaîne de Markov dont on précisera l'espace d'états.

b) On prend en compte la fatigue : plus n devient grand, plus la probabilité de choisir un chemin court est grande. Le modèle de chaîne de Markov reste-t-il pertinent ?

c) À présent, si le sportif a pris trois fois de suite le parcours le plus long, il choisit de manière équiprobable l'un des deux autres et s'il a choisi le chemin numéro 2 trois fois de suite, alors il choisit avec certitude le chemin le plus court la fois d'ensuite. Peut-on encore parler de chaîne de Markov ?

Solution

1. Pour tout $n \in \mathbb{N}$, l'ensemble image de X_n est $\{1 ; 2\}$.

Les probabilités que, dans le futur, le poisson se trouve dans un bocal ne dépendent que de sa position à l'instant présent, et ce de la manière suivante : **1**

pour un entier n, $P_{(X_n = 1)}(X_{n+1} = 1) = 0,4$; $P_{(X_n = 1)}(X_{n+1} = 2) = 0,6$;

$P_{(X_n = 2)}(X_{n+1} = 2) = 0,7$ et $P_{(X_n = 2)}(X_{n+1} = 1) = 0,3$. (X_n) est bien une chaîne de Markov.

2. a) Quel que soit $n \in \mathbb{N}$, les valeurs possibles de la variable aléatoire sont les valeurs de l'ensemble $\{1 ; 2 ; 3\}$.

Les probabilités de choisir un parcours au $(n + 1)$-ième aller-retour ne dépendent que du choix du n-ième parcours. (X_n) est donc une chaîne de Markov d'espace d'états $\{1 ; 2 ; 3\}$.

b) Les probabilités dépendent maintenant de l'indice n, mais elles restent indépendantes des choix de chemins précédents, on peut toujours parler de chaîne de Markov. **2**

c) Les probabilités de choisir un parcours au $(n + 1)$-ième aller-retour dépendent du choix des trois parcours précédents et non pas uniquement du choix du n-ième : ce n'est plus une chaîne de Markov.

> **Conseils & Méthodes**
>
> **1** Le caractère markovien d'une suite de variables dépend des hypothèses sur les probabilités.
>
> **2** Les probabilités dans une chaîne de Markov peuvent dépendre de l'entier n.

À vous de jouer !

3 Tous les jours, Noé envoie un message à l'un de ses trois amis, jamais deux fois de suites au même mais de manière équiprobable aux deux autres. Justifier que l'on peut parler d'une chaîne de Markov.

4 Un élève doit répondre à une série de questions. À chaque fois, il peut tricher. S'il triche une fois, il recommence la fois d'après avec une probabilité de $\frac{2}{3}$; s'il ne triche pas, il continue avec une probabilité de 0,5. Peut-on adopter le modèle de Markov ?

5 Une montre est détraquée. À chaque seconde, l'aiguille passe d'un chiffre à un chiffre voisin de manière équiprobable. On note X_n la position de l'aiguille après n secondes. Peut-on parler de chaîne de Markov ?

6 Un élève révise une leçon tous les jours, de manière aléatoire mais sans jamais reprendre deux jours de suite la même. Peut-on adopter un modèle de Markov ? Donner des conditions sur la situation pour perdre le caractère markovien de cette situation.

→ Exercices 33 à 35 p. 220

3 Matrice de transition d'une chaîne de Markov

Définition Chaînes homogènes

On considère une chaîne de Markov (X_n) d'espace d'états $E = \{e_i ; 1 \leqslant i \leqslant N\}$.

On dit que (X_n) est **homogène** si, pour tout entier naturel n et tous $1 \leqslant i, j \leqslant N$, la probabilité de l'événement $(X_{n+1} = e_j)$ sachant l'événement $(X_n = e_i)$ est **indépendante de n**.

Définition Matrice de transition

Si le nombre $P_{(X_n = e_i)}(X_{n+1} = e_j)$ ne dépend pas de n, on le note $Q(i, j)$ et on l'appelle probabilité de transition de la chaîne homogène (X_n).

La matrice $Q = Q(i, j)$ d'ordre N est appelée **matrice de transition** de la chaîne de Markov.

▶**Remarque** La probabilité que la chaîne de Markov passe de l'état e_i à l'état e_j est donc égale au coefficient (i, j) de la matrice de transition.

● **Exemples**

① Une puce se déplace sur les sommets d'un triangle sans rester statique. À chaque saut elle se retrouve sur un autre sommet de manière équiprobable. Si X_n désigne la position de la puce après n sauts, alors la suite (X_n) est une chaîne de Markov dont les trois états sont les sommets du triangle et de matrice de transition Q ci-contre.

$$Q = \begin{pmatrix} 0 & \dfrac{1}{2} & \dfrac{1}{2} \\ \dfrac{1}{2} & 0 & \dfrac{1}{2} \\ \dfrac{1}{2} & \dfrac{1}{2} & 0 \end{pmatrix}.$$

② Soit une chaîne de Markov modélisant l'évolution d'une particule possédant deux états dont la matrice de transition est $\begin{pmatrix} 0{,}75 & 0{,}25 \\ 0{,}25 & 0{,}75 \end{pmatrix}$.

Alors la probabilité que la particule change d'état entre deux instants successifs donnés est $0{,}25$.

Définition Matrice stochastique

On appelle **matrice stochastique** d'ordre n toute matrice carrée de taille n dont la somme des coefficients de chaque ligne est égale à 1.

Propriété Caractérisation d'une matrice de transition

La matrice de transition d'une chaîne de Markov est une **matrice stochastique**.

● **Démonstration**

On fixe $i \in \{1 ; \dots ; N\}$. $\displaystyle\sum_{j=1}^{N} Q(i, j) = \sum_{j=1}^{N} P_{(X_n = e_i)}(X_{n+1} = e_j) = \sum_{j=1}^{N} \dfrac{P\big((X_n = e_i) \cap (X_{n+1} = e_j)\big)}{P(X_n = e_i)}$

De plus, la famille $\big((X_{n+1} = e_j)\big)_{1 \leqslant j \leqslant N}$ forme une partition de l'univers, ainsi, d'après la formule de la probabilité totale, on a $P(X_n = e_i) = \displaystyle\sum_{j=1}^{N} P\big((X_n = e_i) \cap (X_{n+1} = e_j)\big)$.

Finalement, $\displaystyle\sum_{j=1}^{N} Q(i, j) = \dfrac{1}{P(X_n = e_i)} \sum_{j=1}^{N} P\big((X_n = e_i) \cap (X_{n+1} = e_j)\big) = 1$.

Définition Distribution initiale

On appelle **distribution initiale** de la chaîne de Markov la loi de la variable aléatoire X_0.

Notée π_0, on la représente par une matrice ligne : $\pi_0 = \big(P(X_0 = e_1) \quad P(X_0 = e_2) \quad \dots \quad P(X_0 = e_N)\big)$.

● EXOS
Méthodes
lienmini.fr/maths-e07-03

Les rendez-vous
Sésamath

Exercices résolus

Méthode 3 — Déterminer une matrice de transition d'une chaîne de Markov

Énoncé

Dans un lycée, la salle de reprographie contient deux photocopieuses pouvant tomber en panne de manière indépendante l'une de l'autre dans la journée avec une probabilité $\frac{1}{3}$. On suppose que si une machine tombe en panne, elle est réparée dans la nuit mais que l'on ne peut réparer qu'une seule photocopieuse en une nuit. On note X_n le nombre de photocopieuses encore en panne au matin du n-ième jour.

1. Justifier que la suite (X_n) forme une chaîne de Markov homogène.

2. Déterminer sa matrice de transition.

Solution

1. Le nombre de photocopieuses en panne le lendemain matin $(n + 1)$ ne dépend que de ce nombre le matin même (n) ainsi que des pannes éventuelles dans la journée (n).

De plus, les probabilités conditionnelles ne dépendent pas du nombre de jours passés. (X_n) est donc une chaîne de Markov homogène $(n + 1)$ **1**

L'espace d'états de cette chaîne est E = {0 ; 1} ; **2** en effet, si dans une journée les deux photocopieuses tombent en panne, l'une sera réparée le lendemain matin.

> **Conseils & Méthodes**
>
> **1** Une chaîne (X_n) est homogène lorsque les probabilités conditionnelles ne dépendent pas de n.
>
> **2** Lorsque la chaîne admet deux états (resp. 3 états), la matrice de transition est de taille 2×2 (resp. 3×3).

2. Calculons les probabilités conditionnelles au matin $n + 1$.

• **Sachant qu'aucune photocopieuse n'est en panne le matin n.**

– Probabilité qu'aucune photocopieuse ne soit en panne le matin $n + 1$: soit une seule photocopieuse est tombée en panne dans la journée n et a été réparée dans la nuit, soit aucune photocopieuse n'est tombée en panne dans la journée n :

$$P_{(X_n = 0)}(X_{n+1} = 0) = 2 \times \frac{2}{3} \times \frac{1}{3} + \frac{2}{3} \times \frac{2}{3} = \frac{4}{9} + \frac{4}{9} = \frac{8}{9}.$$

– Probabilité qu'une seule photocopieuse soit en panne le matin $n + 1$: les deux photocopieuses sont tombées en panne la journée n, une seule est réparée :

$$P_{(X_n = 0)}(X_{n+1} = 1) = \frac{1}{3} \times \frac{1}{3} = \frac{1}{9}.$$

• **Sachant qu'une photocopieuse est en panne le matin n.**

– Probabilité qu'aucune photocopieuse ne soit en panne le matin $n + 1$: l'autre n'est pas tombée en panne la journée n :

$$P_{(X_n = 1)}(X_{n+1} = 0) = \frac{2}{3}.$$

– Probabilité qu'une seule photocopieuse soit en panne le matin $n + 1$: l'autre est tombée en panne la journée n :

$$P_{(X_n = 1)}(X_{n+1} = 1) = \frac{1}{3}.$$

Finalement, la matrice de transition de (X_n) est $Q = \begin{pmatrix} \dfrac{8}{9} & \dfrac{1}{9} \\ \dfrac{2}{3} & \dfrac{1}{3} \end{pmatrix}$.

À vous de jouer !

7 Reprendre l'énoncé de Méthode **3** en supposant cette fois qu'une machine n'est réparée que le lendemain matin.

8 On considère une chaîne de Markov (X_n) d'espace d'états {1 ; 2} et dont la matrice de transition est donnée par $Q = \begin{pmatrix} 0,5 & 0,5 \\ 0,2 & 0,8 \end{pmatrix}$. Donner les probabilités $P_{(X_n = 1)}(X_{n+1} = 2)$ et $P_{(X_n = 2)}(X_{n+1} = 1)$.

9 On considère une chaîne de Markov (X_n) d'espace d'états {1 ; 2 ; 3} et dont la matrice de transition est donnée par $Q = \begin{pmatrix} 0,2 & 0,3 & 0,5 \\ 0,4 & 0,2 & 0,4 \\ 0,1 & 0,7 & 0,2 \end{pmatrix}$. Donner les probabilités $P_{(X_n = 1)}(X_{n+1} = 3)$, $P_{(X_n = 3)}(X_{n+1} = 1)$ et $P_{(X_n = 2)}(X_{n+1} = 2)$.

➔ Exercices 36 à 42 p. 220

4 Graphe associé à une chaîne de Markov

Définition Graphe probabiliste

Un **graphe probabiliste** est un graphe orienté et pondéré tel que, pour chaque sommet, la somme des poids des arcs issus de ce sommet vaut 1.

Définition Graphe associé à une chaîne de Markov

On considère une chaîne de Markov homogène (X_n) d'espace d'états $E = \{e_i ; 1 \leqslant i \leqslant N\}$.

Si Q est la matrice de transition de (X_n), on peut associer à cette chaîne de Markov un graphe probabiliste : les sommets de ce graphe sont les états e_i et, pour $1 \leqslant i, j \leqslant N$, l'arc $\overrightarrow{e_i e_j}$ est affecté du **poids** $Q(i, j)$.

▶ **Remarque** On peut définir une chaîne de Markov par son graphe et en déduire ensuite la matrice de transition.

● **Exemples**

① On dispose de deux urnes A et B. L'urne A contient au départ deux boules : une noire et une blanche.

À chaque étape, on choisit au hasard une boule et on déplace la boule choisie dans l'autre urne.

On désigne par X_n la variable aléatoire représentant le nombre de boule dans l'urne A à l'instant n.

(X_n) est bien une chaîne de Markov car le nombre de boules dans l'urne A à l'instant $n + 1$ ne dépend que du nombre de boules dans l'urne A à l'instant n. L'espace d'états de cette chaîne est $E = \{0 ; 1 ; 2\}$.

• Si à l'instant n, l'urne A ne contient pas de boule, elle en contiendra une à l'instant $n + 1$.

• Si à l'instant n, l'urne A contient une boule, elle en contiendra soit aucune (avec une probabilité 0,5) soit deux (avec une probabilité 0,5) à l'instant $n + 1$.

• Si à l'instant n, l'urne A contient deux boules, elle en contiendra une à l'instant $n + 1$.

Ces probabilités ne dépendant pas de l'instant n, (X_n) est une chaîne de Markov homogène.

La distribution initiale de cette chaîne est $\pi_0 = (0 \quad 0 \quad 1)$ car l'urne A contient les deux boules au départ.

Les hypothèses se traduisent en termes de probabilités conditionnelles de la manière suivante :

$P_{(X_n = i)}(X_{n+1} = i) = 0$ pour tout $i \in \{0 ; 1 ; 2\}$; $P_{(X_n = 0)}(X_{n+1} = 1) = 1$; $P_{(X_n = 1)}(X_{n+1} = 0) = \dfrac{1}{2}$; $P_{(X_n = 2)}(X_{n+1} = 1) = 1$.

On en déduit que (X_n) a pour matrice de transition $Q = \begin{pmatrix} 0 & 1 & 0 \\ 0,5 & 0 & 0,5 \\ 0 & 1 & 0 \end{pmatrix}$.

La description des transitions précédente peut se résumer par le graphe ci-dessous :

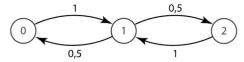

② On considère le graphe probabiliste ci-contre.

On note X_n la variable aléatoire correspondant au sommet du graphe à l'instant n.

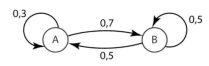

Les sommets A et B sont les états de la chaîne de Markov (X_n).
On considère la matrice de transition de (X_n), dans l'ordre A, B.
Chaque arc correspond donc aux probabilités conditionnelles suivantes :

$Q(1, 1) = P_{(X_n = A)}(X_{n+1} = A) = 0,3$; $Q(1, 2) = P_{(X_n = A)}(X_{n+1} = B) = 0,7$; $Q(2, 1) = P_{(X_n = B)}(X_{n+1} = A) = 0,5$

et $Q(2, 2) = P_{(X_n = B)}(X_{n+1} = B) = 0,5$. Finalement, on obtient $Q = \begin{pmatrix} 0,3 & 0,7 \\ 0,5 & 0,5 \end{pmatrix}$.

EXOS
Méthodes
lienmini.fr/maths-e07-03

Les rendez-vous
Sésamath

Exercices résolus

Méthode 4 — Manipuler un graphe et une matrice de transition

Énoncé

1. Donner, pour chacun des cas suivants, le graphe associé à la matrice de transition Q.

a) Q est la matrice de transition d'une chaîne de Markov

à deux états : $e_1 = A$ et $e_2 = B$. $Q = \begin{pmatrix} 0,65 & 0,35 \\ 0,20 & 0,80 \end{pmatrix}$.

b) Q est la matrice de transition d'une chaîne de Markov à trois états :

$e_1 = 0$, $e_2 = 1$ et $e_3 = 2$. $Q = \begin{pmatrix} 0 & 1 & 0 \\ 0,6 & 0 & 0,4 \\ 0 & 1 & 0 \end{pmatrix}$.

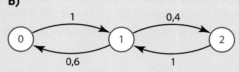

2. Le graphe ci-dessus représente une chaîne de Markov. Préciser son espace d'états et donner sa matrice de transition.

Solution

1. Les sommets des graphes sont les états **1** et on construit les arêtes $\overrightarrow{e_i e_j}$ de poids $Q(i, j)$. **2**

a)

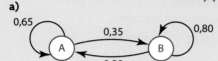

b)

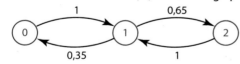

2. Le graphe représente une chaîne de Markov à trois états : A, B et C.
Si l'on note Q la matrice de transition dans l'ordre A, B et C
on a alors : $Q(1, 1) = P_{(X_n = A)}(X_{n+1} = A) = 0$; **3**

$Q(1, 2) = P_{(X_n = A)}(X_{n+1} = B) = 0,50$; $Q(1, 3) = P_{(X_n = A)}(X_{n+1} = C) = 0,50$;

$Q(2, 1) = P_{(X_n = B)}(X_{n+1} = A) = 0,25$; $Q(2, 2) = P_{(X_n = B)}(X_{n+1} = B) = 0,60$;

$Q(2, 3) = P_{(X_n = B)}(X_{n+1} = C) = 0,15$; $Q(3, 1) = P_{(X_n = C)}(X_{n+1} = A) = 0,20$;

$Q(3, 2) = P_{(X_n = C)}(X_{n+1} = B) = 0$; $Q(3, 3) = P_{(X_n = C)}(X_{n+1} = C) = 0,80$.

D'où $Q = \begin{pmatrix} 0 & 0,5 & 0,5 \\ 0,25 & 0,6 & 0,15 \\ 0,20 & 0 & 0,80 \end{pmatrix}$.

Conseils & Méthodes

1 La taille de la matrice nous indique le nombre de sommets du graphe.

2 Lorsqu'une probabilité est nulle, il n'y a pas d'arête reliant les sommets.

3 Les poids sur les arêtes du graphe correspondent aux probabilités conditionnelles.

À vous de jouer !

10 Donner la matrice de transition associée à la chaîne de Markov dont les états sont 0, 1, 2 et dont le graphe est :

11 On considère une chaîne de Markov (X_n) d'espace d'états $\{A ; B ; C\}$ et dont la matrice de transition est donnée par $Q = \begin{pmatrix} 0,2 & 0,3 & 0,5 \\ 0,4 & 0,2 & 0,4 \\ 0,1 & 0,7 & 0,2 \end{pmatrix}$.

Dresser le graphe associé à cette chaîne de Markov.

12 Soit une chaîne de Markov pour laquelle sont donnés la matrice de transition Q et le graphe ci-dessous, tous deux incomplets. Utiliser les informations présentes pour les compléter. $Q = \begin{pmatrix} \ldots & 0,4 & \ldots \\ \ldots & 0,2 & \ldots \\ \ldots & \ldots & \ldots \end{pmatrix}$.

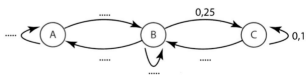

➡ Exercices 43 à 46 p. 221

5 Distribution de transition

Propriété   Distribution de transition en m étapes

(X_n) est une chaîne de Markov homogène de matrice de transition Q et avec $E = \{e_i\,;\, 1 \leqslant i \leqslant N\}$.

Soit $m \in \mathbb{N}^*$. La probabilité que la chaîne de Markov passe de l'état e_i à l'état e_j en m **étapes** est égale à la probabilité de passer de l'état e_i à un état e_k en **une étape** puis de passer de e_k à e_j en $m - 1$ **étapes**.

Pour tout $n \in \mathbb{N}$: $P_{(X_n = e_i)}(X_{n+m} = e_j) = \displaystyle\sum_{k=1}^{N} Q(i\,,\,k) P_{(X_n = e_k)}(X_{n+m-1} = e_j)$.

● **Démonstration**

On montre par récurrence sur $m \in \mathbb{N}^*$ que la probabilité de passer de l'état e_i à l'état e_j en m étapes ne dépend que de i, j et m.

Initialisation : si $m = 1$, c'est la définition d'une chaîne de Markov homogène.

Hérédité : supposons que pour $m \geqslant 1$, la propriété soit vraie.

D'après la formule de la probabilité totale, la probabilité de passer de l'état e_i à l'état e_j en $m + 1$ étapes se décompose comme somme sur les différents états e_k des termes $Q(i, k)$ multipliés par la probabilité de passer de l'état e_k à l'état e_j en m étapes.

Ce dernier terme ne dépend par hypothèse de récurrence que de k, j et m, on peut le noter $P_{(X_n = e_k)}(X_{n+m} = e_j)$.
On obtient la formule de récurrence.

Conclusion : la propriété est vraie au rang $m = 1$ et pour tout entier naturel non nul, elle est héréditaire. Ainsi la propriété est vrai pour tout $m \in \mathbb{N}^*$.

> ▶ VIDÉO
>
> Démonstration
> Lienmini.fr/maths-e07-04
>
> ØLJEN
> *Les maths en finesse*

Propriété   Distribution en m étapes et matrice de transition

Soit $m \in \mathbb{N}^*$. Pour tout $n \in \mathbb{N}$ et tous états e_i et e_j, la probabilité $P_{(X_n = e_i)}(X_{n+m} = e_j)$ est le coefficient $(i\,,\,j)$ de la matrice Q^m.

Définition   Distribution

On appelle **distributions** de la chaîne de Markov (X_n) les matrices lignes donnant la loi des variables aléatoires X_n pour $n \in \mathbb{N}$. On note :
$$\pi_n = \begin{pmatrix} P(X_n = e_1) & P(X_n = e_2) & \dots & P(X_n = e_N) \end{pmatrix}.$$

Propriété   Calcul de distribution

Les distributions de la chaîne de Markov (X_n) vérifient la relation de récurrence $\pi_{n+1} = \pi_n Q$ pour tout entier naturel n, où π_0 est la distribution initiale.

On a alors $\pi_n = \pi_0 Q^n$ pour tout $n \in \mathbb{N}$.

● **Démonstration**

La famille $\big((X_0 = e_i)\big)_{(1 \leqslant i \leqslant N)}$ forme une partition de l'univers.

Donc d'après la formule de la probabilité totale, on a :
$$P(X_n = e_j) = \sum_{i=1}^{N} P_{(X_0 = e_i)}(X_n = j) P(X_0 = e_i).$$
Le j-ième coefficient de π_n est donc le j-ième coefficient du produit de π_0 avec la matrice Q^n d'après la propriété précédente.

● EXOS
Méthodes
lienmini.fr/maths-e07-03

Les rendez-vous
Sésamath

Exercices (résolus)

Méthode 5 Construire une relation entre les distributions et déterminer une probabilité

Énoncé

On s'intéresse à la marche aléatoire d'un hamster dans un parcours constitué de trois boîtes numérotées reliées par des tubes.

Pour $k \in \mathbb{N}$, X_k désigne le numéro de la boîte où se trouve le hamster à l'instant k.
D'un instant au suivant, le hamster se déplace d'une boîte à une autre de manière équiprobable.
À l'instant $k = 0$, il se trouve dans la boîte 1.

On note π_k la matrice ligne $\begin{pmatrix} P(X_k = 1) & P(X_k = 2) & P(X_k = 3) \end{pmatrix}$.

1. En utilisant la formule de la probabilité totale, exprimer $P(X_{k+1} = 1)$ en fonction de $P(X_k = i)$, pour $1 \leqslant i \leqslant 3$.

2. En raisonnant de manière analogue pour $P(X_{k+1} = 2)$ et $P(X_{k+1} = 3)$, expliciter une relation entre les distributions π_{k+1} et π_k pour tout entier naturel k et l'écrire sous forme matricielle.

3. Dans quelle boîte le hamster a-t-il le plus de chance de se trouver à l'instant 3 ?

Solution

1. La famille $\big((X_k = 1) ; (X_k = 2) ; (X_k = 3)\big)$ forme un système complet d'événements. **1**

Ainsi, d'après la formule de la probabilité totale :
$P(X_{k+1} = 1) = 0{,}5 P(X_k = 2) + 0{,}5 P(X_k = 3)$.

2. De même : $P(X_{k+1} = 2) = 0{,}5 P(X_k = 1) + 0{,}5 P(X_k = 3)$;
$P(X_{k+1} = 3) = 0{,}5 P(X_k = 1) + 0{,}5 P(X_k = 2)$.

On obtient la relation $\pi_{k+1} = \pi_k Q$ où $Q = \begin{pmatrix} 0 & 0{,}5 & 0{,}5 \\ 0{,}5 & 0 & 0{,}5 \\ 0{,}5 & 0{,}5 & 0 \end{pmatrix}$. **2**

3. Pour $k \in \mathbb{N}$, $\pi_k = \pi_0 Q^k$. D'après l'énoncé, $\pi_0 = \begin{pmatrix} 1 & 0 & 0 \end{pmatrix}$. Avec la calculatrice, on obtient : $Q^3 = \begin{pmatrix} 0{,}25 & 0{,}375 & 0{,}375 \\ 0{,}375 & 0{,}25 & 0{,}375 \\ 0{,}375 & 0{,}375 & 0{,}25 \end{pmatrix}$.

Donc : $\pi_3 = \begin{pmatrix} 1 & 0 & 0 \end{pmatrix} \begin{pmatrix} 0{,}25 & 0{,}375 & 0{,}375 \\ 0{,}375 & 0{,}25 & 0{,}375 \\ 0{,}375 & 0{,}375 & 0{,}25 \end{pmatrix} = \begin{pmatrix} 0{,}25 & 0{,}375 & 0{,}375 \end{pmatrix}$.

Finalement, le hamster a plus de chance de se trouver dans la boîte 2 ou la boîte 3 à l'instant $k = 3$.

Conseils & Méthodes

1 Il faut identifier le système complet d'événements afin d'utiliser le théorème de la probabilité totale.

2 Les trois égalités donnent une relation de récurrence sur les distributions que l'on peut écrire avec une matrice.

À vous de jouer !

13 On considère que $Q = \begin{pmatrix} 0{,}1 & 0{,}9 \\ 0{,}5 & 0{,}5 \end{pmatrix}$ est la matrice de transition d'une chaîne de Markov a deux états A et B. Écrire la relation reliant les distributions de cette chaîne de Markov.

14 On considère une chaîne de Markov de matrice de transition $Q = \begin{pmatrix} 0 & 1 \\ 1 & 0 \end{pmatrix}$.

Calculer Q^n pour tout entier naturel n et donner alors les distributions de cette chaîne en fonction de n et de la distribution initiale.

15 Un fumeur décide un jour 0 d'arrêter de fumer. Au jour $n \in \mathbb{N}$, s'il ne fume pas, alors le jour suivant, il fumera avec une probabilité de 0,2 ; s'il fume, il fumera le jour suivant avec une probabilité de 0,75. En justifiant la modélisation par une chaîne de Markov, déterminer la probabilité p_2 que le fumeur ne fume pas au jour 2.

16 On considère que $Q = \begin{pmatrix} 0{,}6 & 0{,}4 \\ 0{,}2 & 0{,}8 \end{pmatrix}$ est la matrice de transition d'une chaîne de Markov à deux états A et B. Déterminer la probabilité qu'au bout de trois étapes, on passe de l'état A à l'état B.

➜ Exercices 47 à 49 p. 222

6 Distribution invariante

Définition Vecteur invariant

Soit M une matrice stochastique d'ordre N.

La matrice ligne X de dimension $1 \times N$ est un **vecteur invariant** de M si elle vérifie la relation : $XM = X$.

Proposition Vecteur invariant non trivial

Si $M - I_N$ est **inversible**, alors M n'admet par d'autre vecteur invariant que $0_{1,N}$.

Définition Distribution invariante

Soit une chaîne de Markov homogène (X_n) de matrice de transition Q.

π_I est une **distribution invariante** pour cette chaîne si la matrice ligne associée est un vecteur invariant de Q, autrement dit si $\pi_\text{I} Q = \pi_\text{I}$.

▶ **Remarque** Une distribution étant non nulle, π_I n'existe pas si $Q - I_n$ est inversible.

Théorème Existence et unicité de la distribution invariante (admis)

Soit une chaîne de Markov homogène (X_n) dont l'ensemble d'états $E = \{e_i \,;\, 1 \leqslant i \leqslant N\}$ est fini.

Si sa matrice de transition Q ne possède aucun coefficient non nul, à l'exception des coefficients de sa diagonale principale, alors (X_n) admet une **unique distribution invariante**.

● **Exemple**

Si $Q = \begin{pmatrix} 0 & 1 \\ 1 & 0 \end{pmatrix}$, alors (X_n) admet une distribution invariante, il s'agit de $\pi_\text{I} = \begin{pmatrix} \dfrac{1}{2} & \dfrac{1}{2} \end{pmatrix}$.

Proposition Convergence des distributions

Soit une chaîne de Markov homogène (X_n) et soit (π_n) la suite de ses distributions.

Si (π_n) est convergente alors elle converge vers une **distribution invariante** π_I.

Théorème Convergence des chaînes de Markov à deux états

Si une chaîne de Markov homogène (X_n) à deux états admet une unique distribution invariante π_I, alors, quel que soit l'état initial, la suite des distributions (π_n) **converge vers** π_I.

● **Démonstration**

Soit $Q = \begin{pmatrix} 1-p & p \\ q & 1-q \end{pmatrix}$ la matrice de transition de (X_n) avec p et q dans $]0\,;1[$. On pose, pour deux réels x et y

avec $x + y = 1$, $\pi = (x \quad y)$. L'équation $\pi = \pi Q$ admet une unique solution $\pi_\text{I} = \begin{pmatrix} \dfrac{q}{p+q} & \dfrac{p}{p+q} \end{pmatrix}$.

On considère les suites (a_n) et (b_n) avec $a_n + b_n = 1$ telles que, pour tout entier naturel, $\pi_n = (a_n \quad b_n)$.
De la relation $\pi_{n+1} = \pi_n Q$, on tire pour $n \in \mathbb{N}$, $a_{n+1} = a_n(1-p-q) + q$. La suite (a_n) est donc arithmético-géométrique. On pose pour $n \in \mathbb{N}$, $u_n = a_n - \dfrac{q}{p+q}$. La suite (u_n) est géométrique de raison $(1-p-q)$.

Or $0 < p + q < 2$ d'où $(1-p-q) \in\,]-1\,;1[$. Ainsi (u_n) converge vers 0 et (a_n) converge vers $\dfrac{q}{p+q}$.

Finalement, (b_n) converge vers $\dfrac{p}{p+q}$. La suite des distribution converge alors vers $\pi_\text{I} = \begin{pmatrix} \dfrac{q}{p+q} & \dfrac{p}{p+q} \end{pmatrix}$.

 EXOS
Méthodes
lienmini.fr/maths-e07-03

Les rendez-vous
Sésamath

Exercices (résolus)

Méthode 6 — Déterminer une distribution invariante

Énoncé

1. Soit une chaîne de Markov admettant $M = \begin{pmatrix} 0,6 & 0,4 \\ 0,1 & 0,9 \end{pmatrix}$ pour matrice de transition.

Vérifier que $A = (0,2 \quad 0,8)$ est une distribution invariante pour cette chaîne et montrer qu'elle est unique.

2. On considère une chaîne de Markov (X_n) associé au graphe ci-contre et de distribution initiale $\pi_0 = (0,5 \quad 0,5)$.

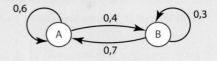

a) Déterminer la matrice de transition M associée à (X_n).

b) Calculer π_5 et π_{10}. Que peut-on conjecturer ?

c) Montrer que (X_n) admet une distribution invariante π_I et déterminer sa valeur.

Solution

1. Tout d'abord, $0,2 + 0,8 = 1$ donc A est bien une distribution.

De plus $AM = (0,2 \quad 0,8) \begin{pmatrix} 0,6 & 0,4 \\ 0,1 & 0,9 \end{pmatrix} = (0,2 \quad 0,8) = A$.

Donc A est bien une distribution invariante pour cette chaîne

Soit $B = (p \quad 1-p)$ une distribution invariante pour la chaîne **1**.
Alors $BM = B$.

Or $BM = (p \quad 1-p) \begin{pmatrix} 0,6 & 0,4 \\ 0,1 & 0,9 \end{pmatrix} = (0,6p + 0,1(1-p) \quad 0,4p + 0,9(1-p))$.

$= (0,5p + 0,1 \quad 0,9 - 0,5p)$

Donc $BM = B \Leftrightarrow (0,5p+0,1 \quad 0,9-0,5p) = (p \quad 1-p) \Leftrightarrow \begin{cases} 0,5p + 0,1 = p \\ 0,9 - 0,5p = 1 - p \end{cases} \Leftrightarrow \begin{cases} -0,5p = -0,1 \\ 0,5p = 0,1 \end{cases} \Leftrightarrow p = \dfrac{0,1}{0,5} = 0,2.$

Donc $B = (0,2 \quad 1-0,2) = (0,2 \quad 0,8) = A$, il s'agit donc de l'unique distribution invariante.

2. a) La matrice de transition associée à (X_n) est $M = \begin{pmatrix} 0,6 & 0,4 \\ 0,7 & 0,3 \end{pmatrix}$. **3**

b) À la calculatrice, $\pi_5 = \pi_0 M^5 \approx (0,6364 \quad 0,3636)$ et $\pi_{10} = \pi_0 M^{10} \approx (0,6364 \quad 0,3636) \approx \pi_5$. On peut donc conjecturer que la suite (π_n) converge vers une distribution invariante pour (X_n).

c) Les coefficients hors de la diagonale principale de M sont non nuls, donc (X_n) admet une distribution invariante.

Soit $\pi_I = (x \quad y)$ une telle distribution, alors on a les relations suivantes :

• $\pi_I M = \pi_I \Leftrightarrow (x \quad y) \begin{pmatrix} 0,6 & 0,4 \\ 0,7 & 0,3 \end{pmatrix} = (x \quad y) \Leftrightarrow \begin{cases} 0,6x + 0,7y = x \\ 0,4x + 0,3y = y \end{cases} \Leftrightarrow \begin{cases} -0,4x + 0,7y = 0 \\ 0,4x - 0,7y = 0 \end{cases} \Leftrightarrow 0,4x = 0,7y$

• $x + y = 1$ car π_I est une distribution. **2**

On résout : $\begin{cases} 0,4x = 0,7y \\ x + y = 1 \end{cases} \Leftrightarrow \begin{cases} x = \dfrac{7}{4}y \\ \dfrac{7}{4}y + y = 1 \end{cases} \Leftrightarrow \begin{cases} x = \dfrac{7}{4}y \\ \dfrac{13}{4}y = 1 \end{cases} \Leftrightarrow \begin{cases} x = \dfrac{7}{4} \times \dfrac{4}{13} = \dfrac{7}{13} \\ y = \dfrac{4}{13} \end{cases}$. Donc $\pi_I = \left(\dfrac{7}{13} \quad \dfrac{4}{13} \right)$.

Conseils & Méthodes

1 Ne pas oublier cette relation issue de la définition d'une distribution !

2 Montrer l'unicité de A, c'est montrer que toute distribution vérifiant l'invariance vaut *a fortiori* A.

3 Le graphe a deux sommets, sa matrice sera une matrice 2×2.

À vous de jouer !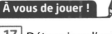

17 Déterminer l'unique distribution invariante de la chaîne de Markov admettant $Q = \begin{pmatrix} 0,5 & 0,5 \\ 0,4 & 0,6 \end{pmatrix}$ pour matrice de transition.

18 Soit une chaîne de Markov admettant $M = \begin{pmatrix} 0,5 & 0,5 \\ 1 & 0 \end{pmatrix}$ pour matrice de transition. Vérifier que $A = (0,6 \quad 0,4)$ est une distribution invariante pour cette chaîne et montrer qu'elle est unique.

➥ Exercices 50 à 56 p. 222

Exercices (résolus)

EXOS
Méthodes
Lienmini.fr/maths-e07-03

Les rendez-vous
Sésamath

Méthode 7 — Déterminer la loi d'une chaîne de Markov

→ Cours 2 p. 206, 3 p. 208 et 5 p. 212

Énoncé

Un mini réseau Internet comprend trois pages web : 1, 2 et 3. Un individu navigue de manière aléatoire sur ce réseau. À chaque clic, il choisit de façon équiprobable un des liens présents sur la page. Après n clics, on note X_n la variable aléatoire donnant la page sur laquelle se trouve le surfeur.

1. Justifier que (X_n) forme une chaîne de Markov et donner sa matrice de transition Q.

2. a) On considère la matrice $P = \begin{pmatrix} 1 & 1 & 2 \\ 1 & 1 & -4 \\ 1 & -2 & 4 \end{pmatrix}$. Vérifier par le calcul que $P^{-1} = \dfrac{1}{18}\begin{pmatrix} 4 & 8 & 6 \\ 8 & -2 & -6 \\ 3 & -3 & 0 \end{pmatrix}$.

b) Calculer le produit $M = P^{-1}QP$ et donner l'expression de Q^n en fonction de n, P et M.

c) On admet que $M^n = \begin{pmatrix} 1 & 0 & 0 \\ 0 & (-0,5)^n & n(-0,5)^{n-1} \\ 0 & 0 & (-0,5)^n \end{pmatrix}$. En déduire la distribution π_3.

Solution

1. La position de l'individu sur le réseau Internet dans le futur ne dépend que de sa position à l'instant présent. Pour tout entier naturel, l'ensemble image de la variable aléatoire X_n est $\{1 ; 2 ; 3\}$. La suite (X_n) forme donc une chaîne de Markov dont l'ensemble d'états est $E = \{1 ; 2 ; 3\}$. La chaîne est homogène car les probabilités ne dépendent pas de l'instant n.

On peut alors donner sa matrice de transition : pour $i, j \in \{1 ; 2 ; 3\}$, avec $i \neq j$, $P_{(X_n=i)}(X_{n+1} = i) = 0$ et $P_{(X_n=i)}(X_{n+1} = j) = 0,5$.

D'où : $Q = \begin{pmatrix} 0 & 0,5 & 0,5 \\ 0,5 & 0 & 0,5 \\ 0,5 & 0,5 & 0 \end{pmatrix}$.

Conseils & Méthodes

1 Vérifier que $P^{-1}P = I_3$ et $PP^{-1} = I_3$.

2. a) On vérifie que : $\dfrac{1}{18}\begin{pmatrix} 1 & 1 & 2 \\ 1 & 1 & -4 \\ 1 & -2 & 4 \end{pmatrix}\begin{pmatrix} 4 & 8 & 6 \\ 8 & -2 & -6 \\ 3 & -3 & 0 \end{pmatrix} = \begin{pmatrix} 1 & 0 & 0 \\ 0 & 1 & 0 \\ 0 & 0 & 1 \end{pmatrix}$ et **1** $\dfrac{1}{18}\begin{pmatrix} 4 & 8 & 6 \\ 8 & -2 & -6 \\ 3 & -3 & 0 \end{pmatrix}\begin{pmatrix} 1 & 1 & 2 \\ 1 & 1 & -4 \\ 1 & -2 & 4 \end{pmatrix} = \begin{pmatrix} 1 & 0 & 0 \\ 0 & 1 & 0 \\ 0 & 0 & 1 \end{pmatrix}$.

b) Par multiplication matricielle, on obtient $M = \begin{pmatrix} 1 & 0 & 0 \\ 0 & -0,5 & 1 \\ 0 & 0 & -0,5 \end{pmatrix}$ M est telle que $M = P^{-1}QP$.

Ainsi, $Q = PMP^{-1}$ d'où, pour tout entier naturel n, $Q^n = PMP^{-1}\,PMP^{-1} \ldots PMP^{-1} = PM^n P^{-1}$.

c) On a $\pi_3 = \pi_0 Q^3$ avec $\pi_0 = \left(\dfrac{1}{3} \quad \dfrac{1}{3} \quad \dfrac{1}{3}\right)$ et $Q^3 = PM^3P^{-1} = \dfrac{1}{18}\begin{pmatrix} 0 & 11,25 & 6,75 \\ 2,25 & 9 & 6,75 \\ 9 & 4,5 & 4,5 \end{pmatrix}$. D'où : $\pi_3 = \dfrac{1}{18}(3,75 \quad 8,25 \quad 6)$.

À vous de jouer !

19 Une chaîne de Markov à deux états A, B admet la matrice de transition suivante : $Q = \begin{pmatrix} a & 1-a \\ 1-a & a \end{pmatrix}$.

On pose $P = \begin{pmatrix} 1 & 1 \\ 1 & -1 \end{pmatrix}$.

1. Calculer l'inverse de P. Vérifier que $Q = P\begin{pmatrix} 1 & 0 \\ 0 & 2a-1 \end{pmatrix}P^{-1}$.

2. Déterminer alors Q^n. En déduire l'expression des distributions pour tout entier naturel.

20 Soit une chaîne de Markov dont la matrice de transition est donnée par $Q = \begin{pmatrix} 0,2 & 0,6 & 0,2 \\ 0,3 & 0 & 0,7 \\ 0 & 0,8 & 0,2 \end{pmatrix}$.

Si l'on considère l'état initial $\pi_0 = (0,2 \quad 0,5 \quad 0,3)$, déterminer la distribution π_{20}.

→ Exercices 59 à 67 p. 223

● EXOS
Méthodes
Lienmini.fr/maths-e07-03

Les rendez-vous
Sésamath

Exercices résolus

Méthode 8 : Étudier le comportement d'une chaîne de Markov

↳ Cours **2** p. 206, **3** p. 208,
5 p. 212 et **6** p. 214

Énoncé

Un robot aspirateur doit nettoyer la surface d'un appartement de trois pièces alignées. À l'instant 0, le robot se trouve dans la pièce 0 ; à l'instant n, il se déplace au hasard dans l'une des pièces communicantes de manière équiprobable. On désigne par X_n la variable aléatoire donnant le numéro de la pièce à l'instant n.

1. Justifier que (X_n) forme une chaîne de Markov dont on précisera le nombre d'états.

2. Donner sa matrice de transition Q.

3. Calculer la probabilité qu'à l'instant $n = 2$, le robot travaille dans la pièce 2.

4. Justifier l'existence d'une distribution invariante pour la chaîne (X_n), on la notera $\pi = (x \quad y \quad z)$, et la déterminer.

Solution

1. Pour tout entier n, l'ensemble image de X_n est $\{0 ; 1 ; 2\}$, chaque numéro étant attribué à l'une des pièces, de gauche à droite par exemple. La position du robot dans le futur ne dépend que de sa position précédente. La suite (X_n) forme donc une chaîne de Markov. Précisons qu'il s'agit d'une chaîne homogène, les probabilités ne dépendant pas de l'instant n.

2. On donne les probabilités conditionnelles : soit $n \in \mathbb{N}^*$, pour $i, j \in \{0 ; 1 ; 2\}$,

avec $i \neq j$, $P_{(X_n=i)}(X_{n+1} = i) = 0$ et $P_{(X_n=i)}(X_{n+1} = j) = 0{,}5$. D'où $Q = \begin{pmatrix} 0 & 0{,}5 & 0{,}5 \\ 0{,}5 & 0 & 0{,}5 \\ 0{,}5 & 0{,}5 & 0 \end{pmatrix}$.

Conseils & Méthodes

1 On vérifie si la matrice contient des 0 hors de sa diagonale principale pour appliquer la propriété du cours.

2 Ne pas oublier que la matrice ligne est une distribution ; il y a quatre équations pour trois inconnues.

3. Soit $n \in \mathbb{N}$, on note π_n la distribution en deux étapes de la chaîne de Markov. Ces distributions sont définies par la relation de récurrence : $\pi_0 = (1 \quad 0 \quad 0)$ et $\pi_{n+1} = \pi_n Q$ pour $n \in \mathbb{N}$.

On a la formule $\pi_n = \pi_0 Q^n$ pour $n \in \mathbb{N}$; d'où $\pi_2 = (1 \quad 0 \quad 0)Q^2$. On calcule $Q^2 = \begin{pmatrix} 0{,}5 & 0{,}25 & 0{,}25 \\ 0{,}25 & 0{,}5 & 0{,}25 \\ 0{,}25 & 0{,}25 & 0{,}5 \end{pmatrix}$.

Finalement, $\pi_2 = (1 \quad 0 \quad 0)\begin{pmatrix} 0{,}5 & 0{,}25 & 0{,}25 \\ 0{,}25 & 0{,}5 & 0{,}25 \\ 0{,}25 & 0{,}25 & 0{,}5 \end{pmatrix} = (0{,}5 \quad 0{,}25 \quad 0{,}25)$. La probabilité qu'à l'instant $n = 2$, le robot travaille dans la pièce 2 est donnée par le troisième coefficient de la matrice ligne π_2, soit $0{,}25$.

4. À l'exception de sa diagonale principale, la matrice de transition Q ne possède aucun coefficient non nul. **1**
Ainsi, la chaîne de Markov admet une distribution invariante. Si l'on note $\pi = (x \quad y \quad z)$ une telle distribution, alors

$\pi = \pi Q \Leftrightarrow \begin{cases} -2x + y + z = 0 \\ x - 2y + z = 0 \\ x + y - 2z = 0 \end{cases}$ Rajoutons de plus la condition propre aux distributions de $x + y + z = 1$, **2** nous obtenons,

après injection de cette dernière dans les différentes lignes : $\begin{cases} 3x - 1 = 0 \\ 3y - 1 = 0 \\ 3z - 1 = 0 \end{cases}$. Finalement, on peut écrire $= \left(\dfrac{1}{3} \quad \dfrac{1}{3} \quad \dfrac{1}{3} \right)$.

À vous de jouer !

21 Deux lycées P et V se partagent les élèves d'une agglomération. Année après année, la population évolue selon une chaîne de Markov de matrice de transition, dans l'ordre des états P, V : $Q = \begin{pmatrix} 0{,}7 & 0{,}3 \\ 0{,}2 & 0{,}8 \end{pmatrix}$.

Que peut-on dire de l'évolution de la population dans ces deux lycées après un certain nombre d'années ?

22 A. A. Markov analysa la succession des voyelles et des consonnes dans les 20 000 lettres de l'œuvre de Pushkin, *Eugene Onekin*. Il établit que la probabilité qu'une voyelle suive une voyelle est de 0,13 et que celle d'une voyelle suivant une consonne est de 0,66.
Quelle répartition des voyelles et des consonnes peut-on établir pour l'ouvrage en entier ?

↳ Exercices 68 à 74 p. 225

▶ **VIDÉO**
Démonstration
lienmini.fr/maths-e07-04

La propriété à démontrer   Distribution de transition en m étapes

(X_n) est une chaîne de Markov homogène de matrice de transition Q et avec $E = \{e_i ; 1 \leqslant i \leqslant N\}$. Soit $m \in \mathbb{N}^*$. La probabilité que la chaîne de Markov passe de l'état e_i à l'état e_j en m étapes est égale à la probabilité de passer de l'état e_i à un état e_k en une étape puis de passer de e_k à e_j en $m-1$ étapes.

Pour tout $n \in \mathbb{N}$, $P_{(X_n = e_i)}(X_{n+m} = e_j) = \sum_{k=1}^{N} Q(i,k)P_{(X_n = e_k)}(X_{n+m-1} = e_j)$.

◐ On utilise un raisonnement par récurrence portant sur le nombre de transitions.

▶ Comprendre avant de rédiger

La propriété contient deux éléments : la probabilité $P_{(X_n = e_i)}(X_{n+m} = e_j)$ ne dépend pas de n et une formule de calcul.

▶ Rédiger

Étape ❶

$m \in \mathbb{N}^*$ donc l'initialisation se fait pour $m = 1$.

Étape ❷

On utilise la formule de la probabilité totale. | Expliciter le système complet d'événements |

Étape ❸

Par définition de la matrice de transition, le terme $Q(i, k)$ correspond à la probabilité de passer de l'état e_i à l'état e_k en une étape ; soit donc

$$Q(i,k) = P_{(X_n = e_i)}(X_{n+1} = e_k)$$

Étape ❹

L'hypothèse de récurrence affirme que la probabilité de passer d'un état à un état suivant en m étapes ne dépend pas de n.

Étape ❺

On peut alors conclure, les deux points à démontrer étant héréditaires pour tout entier naturel non nul.

La démonstration rédigée

Initialisation : si $m = 1$ la probabilité de passer de l'état e_i à l'état e_j en une étape ne dépend pas de n par définition d'une chaine de Markov homogène.

Hérédité : supposons qu'il existe $m \geqslant 1$ telle que la propriété soit vraie pour m transitions.

La famille $\left((X_{n+1} = e_k)\right)_{1 \leqslant k \leqslant N}$ forme un système complet d'événements.

Ainsi, d'après la formule de la probabilité totale, on a

$$P_{(X_n = e_i)}(X_{n+m+1} = e_j) = \sum_{k=1}^{N} P_{(X_n = e_i)}\left((X_{n+m+1} = e_j) \cap (X_{n+1} = e_k)\right)$$

$$= \sum_{k=1}^{N} P_{(X_n = e_i)}(X_{n+1} = e_k)P_{(X_{n+1} = e_k)}(X_{n+m+1} = e_j)$$

Finalement $P_{(X_n = e_i)}(X_{n+1+m} = e_j) = \sum_{k=1}^{N} Q(i,k)P_{(X_{n+1} = e_k)}(X_{n+1+m} = e_j)$.

Par hypothèse de récurrence $P_{(X_{n+1} = e_k)}(X_{n+1+m} = e_j)$

ne dépend que de k, j et m, et ainsi :

$$P_{(X_{n+1} = e_k)}(X_{(n+1)+m} = e_j) = P_{(X_n = e_k)}(X_{n+m} = e_j).$$

D'où $P_{(X_n = e_i)}(X_{n+m+1} = e_j) = \sum_{k=1}^{N} Q(i,k)P_{(X_n = e_k)}(X_{n+m} = e_j)$.

Aucun des termes de la somme ne dépend de n, la propriété est donc vraie au rang $m + 1$.

Conclusion : la propriété est vraie au premier rang $m = 1$ et héréditaire pour tous les rangs suivants. Ainsi, la propriété est vraie quel que soit le nombre m de transitions considérées.

▶ Pour s'entraîner

Soit $m \in \mathbb{N}^*$, montrer que pour tout $n \in \mathbb{N}$ et tous états e_i, e_j, la probabilité $P_{(X_n = e_i)}(X_{n+m} = e_j)$ est le cœfficient (i, j) de la matrice Q^m.

⊙ DIAPORAMA
Calculs et automatismes
lienmini.fr/maths-e07-05

Exercices calculs et automatismes

23 Représenter à l'aide d'un graphe

Représenter la situation suivante à l'aide d'un graphe.
On considère trois événements A, B et C ; $P_A(A) = P_B(A) = \dfrac{1}{3}$,

$P_A(C) = P_C(C) = \dfrac{1}{2}$ et $P_B(C) = P_C(B) = \dfrac{1}{4}$.

24 Lire un graphe

On considère le graphe probabiliste suivant.

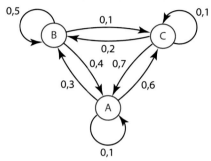

Choisir la(les) bonne(s) réponse(s).

1. $P_A(B)$ est égal à :

a 0,1 **b** 0,6 **c** 0,3 **d** nécessite des calculs

2. $P(A)$ est égal à :

a 0,1 **b** 0,6 **c** 0,3 **d** nécessite des calculs

3. $P_B(B)$ est égal à :

a 0,5 **b** 0,4 **c** 0,1 **d** nécessite des calculs

4. $P(A \cap C)$ est égal à :

a 0,7 **b** 0,6 **c** 0,1 **d** nécessite des calculs

5. $P_C(A)$ est égal à :

a 0,7 **b** 0,6 **c** 0,1 **d** nécessite des calculs

25 Matrice de transition (1)

On considère une chaîne de Markov admettant la matrice de transition suivante (dans l'ordre A, B, C).

$$M = \begin{pmatrix} 0 & \dfrac{1}{2} & \dfrac{1}{2} \\ \dfrac{2}{5} & 0 & \dfrac{3}{5} \\ \dfrac{3}{7} & \dfrac{2}{7} & \dfrac{2}{7} \end{pmatrix}$$

Choisir la(les) bonne(s) réponse(s).

1. $P_C(B)$ est égal à :

a $\dfrac{1}{2}$ **b** $\dfrac{2}{5}$ **c** $\dfrac{2}{7}$ **d** nécessite des calculs

2. $P_C(C)$ est égal à :

a $\dfrac{1}{2}$ **b** $\dfrac{2}{5}$ **c** $\dfrac{2}{7}$ **d** nécessite des calculs

3. $P_B(A)$ est égal à :

a $\dfrac{3}{5}$ **b** $\dfrac{2}{5}$ **c** 0 **d** nécessite des calculs

4. $P(A \cap C)$ est égal à :

a $\dfrac{3}{5}$ **b** $\dfrac{2}{7}$ **c** 0 **d** nécessite des calculs

26 Matrice de transition (2)

Construire la matrice de transition associée au graphe suivant.

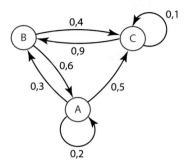

27 Matrice de transition (3)

Méthode Comment faire pour construire le graphe associé à la matrice de transition suivante ?

$$M = \begin{pmatrix} 0,2 & 0 & 0 & 0,8 \\ 0 & 0,7 & 0,1 & 0,2 \\ 0,5 & 0,4 & 0,1 & 0 \\ 0,2 & 0,2 & 0,3 & 0,3 \end{pmatrix}.$$

28 Évolution des distributions

On considère une chaîne de Markov (X_n) de distribution initiale $\pi_0 = (1 \quad 0 \quad 0)$ et de matrice de transition

$$M = \begin{pmatrix} 0,1 & 0 & 0,9 \\ 0,3 & 0,3 & 0,4 \\ 0 & 1 & 0 \end{pmatrix}.$$

Les affirmations suivantes sont-elles vraies ou fausses ?

	V	F
a) $\pi_1 = (0,1 \quad 0 \quad 0,9)$	☐	☐
b) $\pi_2 = (0,3 \quad 0,3 \quad 0,4)$	☐	☐
c) La distribution $(0 \quad 1 \quad 0)$ est invariante.	☐	☐

29 Distribution invariante

On considère une chaîne de Markov dont la matrice de transition est $M = \begin{pmatrix} \dfrac{13}{30} & \dfrac{11}{30} & \dfrac{1}{5} \\ \dfrac{3}{5} & \dfrac{1}{5} & \dfrac{1}{5} \\ \dfrac{1}{2} & \dfrac{1}{2} & 0 \end{pmatrix}.$

Les affirmations suivantes sont-elles vraies ou fausses ?

	V	F
a) La distribution $(1 \quad 0 \quad 0)$ est invariante.	☐	☐
b) La chaîne de Markov admet une unique distribution invariante.	☐	☐
c) La distribution $\left(\dfrac{1}{2} \quad \dfrac{1}{3} \quad \dfrac{1}{6} \right)$ est invariante.	☐	☐

Exercices d'application

Déterminer un plus court chemin

Méthode **1** p. 205

30 On considère le graphe pondéré suivant.

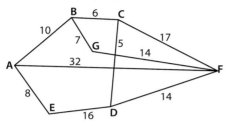

Déterminer la chaîne de poids minimal reliant A à F avec un algorithme à préciser.

31 On considère le graphe pondéré suivant.

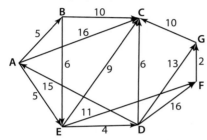

Déterminer le chemin de poids minimal reliant A à F avec un algorithme à préciser.

32 Déterminer la chaîne de poids minimal reliant G à D.

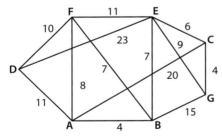

Justifier le caractère markovien

Méthode **2** p. 207

33 On considère une chaîne de Markov (X_n) à deux états A et B. On a :

$$P(X_0 = A) = \frac{1}{2},$$

$$P_{(X_n = A)}(X_{n+1} = A) = \frac{1}{5}$$

et $P_{(X_n = B)}(X_{n+1} = A) = \frac{2}{3}$ pour tout entier n.

1. Déterminer $P(X_0 = B)$, $P_{(X_n = A)}(X_{n+1} = B)$ et $P_{(X_n = B)}(X_{n+1} = B)$.

2. En déduire $P(X_1 = A)$ et $P(X_1 = B)$.

3. Calculer $P(X_2 = A)$ et $P(X_2 = B)$.

34 Déterminer dans chaque cas si la suite (X_n) est une chaîne de Markov.
On dispose de deux urnes A et B, A contenant au départ dix boules numérotées de 1 à 10.
X_n désigne le nombre de boules dans A après l'étape n.
a) À chaque étape, on tire un numéro au hasard entre 1 et 10 et on change d'urne la boule choisie.
b) À chaque étape, on tire un numéro au hasard entre 1 et 10 et on change d'urne la boule choisie si son numéro est plus grand que la précédente boule tirée.
c) À chaque étape, on tire un numéro au hasard et on change d'urne la boule si son numéro est le plus grand parmi toutes les boules de l'urne A.
d) À chaque étape, on tire un numéro au hasard et change d'urne la boule si son numéro est pair

35 On considère une urne contenant 10 boules numérotées de 1 à 10. À chaque étape on tire un numéro au hasard entre 1 et 10 et on suit une certaine règle pour enlever ou remettre la boule dans l'urne.
on note X_n le nombre de boule dans l'urne après l'étape n. Donner un exemple de règle faisant de (X_n) une chaîne de Markov et un exemple de règle ne faisant pas de (X_n) une chaîne de Markov.

Déterminer une matrice de transition

Méthode **3** p. 209

36 Compléter les matrices suivantes afin qu'elles soient des matrices stochastiques.

a) $M_1 = \begin{pmatrix} 0,2 & \dots \\ \dots & 0,6 \end{pmatrix}$

b) $M_2 = \begin{pmatrix} \dots & 1 \\ \dots & 0 \end{pmatrix}$

c) $M_3 = \begin{pmatrix} 0,1 & \dots & 0,7 \\ \dots & 0,5 & 0,5 \\ 0,2 & 0,3 & \dots \end{pmatrix}$

d) $M_4 = \begin{pmatrix} \dots & 0,1 & 0,3 \\ 0,2 & \dots & 0,2 \\ 0,2 & 0,6 & \dots \end{pmatrix}$

37 Vérifier que les matrices suivantes sont des matrices stochastiques.

$$Q_1 = \begin{pmatrix} 0,3 & 0,7 \\ 0,8 & 0,2 \end{pmatrix} \qquad Q_2 = \begin{pmatrix} 1-a^2 & a^2 \\ a^2 & 1-a^2 \end{pmatrix};$$

$$Q_3 = \begin{pmatrix} \frac{5}{9} & \frac{1}{3} & \frac{1}{9} \\ \frac{2}{7} & \frac{1}{5} & \frac{18}{35} \\ \frac{1}{2} & \frac{1}{3} & \frac{1}{6} \end{pmatrix} \qquad Q_4 = \begin{pmatrix} \frac{1}{4} & \frac{1}{2} & \frac{1}{4} \\ \frac{2}{3} & \frac{1}{6} & \frac{1}{6} \\ \frac{1}{6} & \frac{7}{12} & \frac{1}{4} \end{pmatrix}.$$

38 On considère une chaîne de Markov (X_n) à deux états A et B. On donne les probabilités $P_{(X_n = A)}(X_{n+1} = B) = 0,15$ et $P_{(X_n = B)}(X_{n+1} = A) = 0,33$ pour tout entier n. Déterminer la matrice de transition de (X_n), dans l'ordre A, B.

39 On considère une chaîne de Markov (X_n) à trois états A, B et C, dont la matrice de transition est donnée par

$$M = \begin{pmatrix} 0{,}3 & 0{,}3 & 0{,}4 \\ 0 & 0{,}3 & 0{,}7 \\ 0{,}9 & 0 & 0{,}1 \end{pmatrix}$$ et la distribution initiale est

$\pi_0 = (0{,}2 \quad 0{,}3 \quad 0{,}5)$ toutes deux dans l'ordre A, B, C.
Déterminer les probabilités suivantes.
a) $P_{X_0 = A}(X_1 = B)$ **b)** $P_{X_1 = B}(X_2 = C)$
c) $P\big((X_0 = A) \cap (X_1 = B)\big)$ **d)** $P\big((X_0 = B) \cap (X_1 = B)\big)$

40 On considère une chaîne de Markov (X_n) à trois états A, B et C. On donne les probabilités suivantes :
$P_{(X_n = A)}(X_{n+1} = B) = 0{,}1$, $P_{(X_n = A)}(X_{n+1} = C) = 0{,}7$,
$P_{(X_n = B)}(X_{n+1} = A) = 0{,}3$, $P_{(X_n = B)}(X_{n+1} = B) = 0{,}3$
et $P_{(X_n = C)}(X_{n+1} = C) = 1$ pour tout entier n.

Déterminer la matrice de transition de (X_n), dans l'ordre A, B, C.

41 La météo varie entre beau et mauvais temps. Après un jour de beau temps, il y a une chance sur deux que le temps change le jour suivant et le mauvais temps a trois fois plus de chance de durer d'un jour au jour suivant.

Pourquoi peut-on dire que la situation peut être modélisée par une chaîne de Markov ? Donner sa matrice de transition.

42 Dans le cadre d'une épidémie, on distingue trois types d'individus : les individus sains, malades et immunisés.
Sachant que chaque semaine :
• un individu malade a deux chances sur trois d'être guéri et ainsi être immunisé à la maladie ;
• un individu sain a une chance sur deux de tomber malade et une chance sur trois de développer une immunité à la maladie ;
• un individu immunisé ne peut pas tomber malade mais a une chance sur quatre de perdre son immunité (et donc de devenir un individu sain).
On considère (X_n) la chaîne de Markov correspondant à la proportion d'individu des trois types la n-ième semaine.
La semaine 0, il y avait 1 000 individus sains, 3 000 individus malades et 500 individus immunisés.
Donner la matrice de transition M ainsi que la distribution initiale π_0 associée à (X_n).

Manipuler un graphe probabiliste

Méthode **4** p. 211

43 Compléter les graphes suivants pour obtenir des graphes probabilistes.

a)
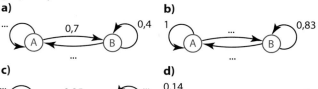

b)

c)
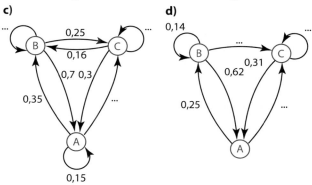

d)

44 On considère une chaîne de Markov (X_n) admettant le graphe probabiliste suivant.

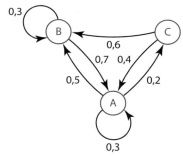

1. On a $P(X_0 = A) = 0{,}2$ et $P(X_0 = B) = 0{,}5$.
Déterminer les probabilités suivantes.
a) $P(X_1 = A)$ **b)** $P(X_1 = B)$
c) $P(X_1 = C)$ **d)** $P(X_2 = B)$
2. Déterminer la matrice de transition M associée à cette chaîne de Markov.

45 Sur une population donnée abonnée à un des deux opérateur Internet (A ou B), on considère que chaque année 30 % des abonnés de A le quittent pour aller en B et que 20 % des abonnés de B le quittent pour aller en A.
Tracer le graphe probabiliste associé à cette situation.

46 On considère une chaîne de Markov (X_n) a quatre états admettant la matrice de transition suivante (dans l'ordre A,

B, C, D) : $M = \begin{pmatrix} 0{,}5 & 0 & 0{,}5 & 0 \\ 0{,}1 & 0{,}2 & 0{,}4 & 0{,}3 \\ 0 & 1 & 0 & 0 \\ 0{,}2 & 0{,}3 & 0{,}5 & 0 \end{pmatrix}$.

Tracer un graphe probabiliste associé à cette chaîne de Markov.

Calculer des probabilités 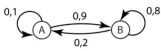 p. 213

47 On considère une chaîne de Markov à trois états et dont la matrice de transition (dans l'ordre A, B, C) est :

$$Q = \begin{pmatrix} 0,2 & 0 & 0,8 \\ 0,1 & 0,3 & 0,6 \\ 0,5 & 0,5 & 0 \end{pmatrix}$$ et la distribution initiale est :

$\pi_0 = (0,5 \quad 0,5 \quad 0)$.

1. Donner les valeurs de $P(X_0 = A)$, $P(X_0 = B)$ et $P(X_0 = C)$.
2. a) Calculer π_1 et π_2.
b) En déduire $P(X_1 = A)$ et $P(X_2 = C)$.
3. Exprimer π_n en fonction de π_0 et Q.
4. En déduire π_{10} et π_{20}. Comment évolue la distribution ?

48 On considère une chaîne de Markov à deux états dont la matrice de transition dans l'ordre A, B est $M = \begin{pmatrix} 0,4 & 0,6 \\ 0,7 & 0,3 \end{pmatrix}$ et telle que $\pi_1 = (0,5 \quad 0,5)$.
1. a) Calculer π_2 et π_3.
b) En déduire $P(X_2 = B)$ et $P(X_3 = A)$.
2. Exprimer π_n en fonction de π_1 et M.
3. En déduire π_{10} et π_{20}.
Comment évolue la distribution ?
4. Montrer que $\pi_0 = \pi_1 M^{-1}$. En déduire la valeur de π_0.

49 Dans un lycée les enseignants participent à un mouvement de grève. Le premier jour, 20 % des enseignants faisaient grève. On note X_n la variable aléatoire qui indique si une personne désignée au hasard parmi les enseignants fait grève ou non au jour n. On admet que la suite (X_n) est une chaîne de Markov dont la matrice de transition est donnée par $Q = \begin{pmatrix} 0,7 & 0,3 \\ 0,33 & 0,67 \end{pmatrix}$ dans l'ordre gréviste, non gréviste.
On note π_n la distribution de cette chaîne.
1. Donner π_0 puis calculer π_1, π_2 et π_3.
2. En déduire la probabilité qu'au troisième jour l'enseignant désigné fait grève.

Déterminer une distribution invariante p. 215

50 M est la matrice de transition d'une chaîne de Markov. Déterminer la distribution invariante.

a) $M = \begin{pmatrix} 0,3 & 0,7 \\ 0,4 & 0,6 \end{pmatrix}$ **b)** $M = \begin{pmatrix} 0,1 & 0,9 \\ 0,7 & 0,3 \end{pmatrix}$

51 Soit $M = \begin{pmatrix} 0 & 0,5 & 0,5 \\ 0,2 & 0 & 0,8 \\ 0,28 & 0,4 & 0,32 \end{pmatrix}$ la matrice de transition

d'une chaîne de Markov.
$\pi = (0,2 \quad 0,3 \quad 0,5)$ est-elle une distribution invariante pour cette chaîne ? Justifier. Même question pour $\pi = (0,1 \quad 0,5 \quad 0,4)$.

52 On considère une chaîne de Markov (X_n) admettant le graphe ci-dessous et de distribution initiale $\pi_0 = (1 \quad 0)$.

1. Déterminer la matrice de transition M associée à (X_n).
2. Calculer π_5 et π_{10}. Que peut-on conjecturer ?
3. Montrer que (X_n) admet une distribution invariante π_l et déterminer sa valeur.

53 Soit une chaîne de Markov admettant $Q = \begin{pmatrix} 0,6 & 0,4 \\ 0,1 & 0,9 \end{pmatrix}$ pour matrice de transition.
1. Montrer que $\pi = (0,2 \quad 0,8)$ est une distribution invariante pour cette chaîne.
2. Montrer que π en est l'unique distribution invariante.

54 $M = \begin{pmatrix} 0,4 & 0 & 0,6 \\ 0,1 & 0,2 & 0,7 \\ 0,3 & 0,3 & 0,4 \end{pmatrix}$ est la matrice de transition d'une

chaîne de Markov. Cette chaîne admet-elle une distribution invariante ?

55 Lors de ses repas, Kellia boit soit de l'eau plate (P), soit de l'eau gazeuse (G). Si elle a bu de l'eau plate, alors elle en boira au repas suivant avec probabilité de 0,65 ; si elle a bu de l'eau gazeuse, elle en boira au prochain repas avec probabilité de 0,3. On considère (X_n) la chaîne de Markov d'espaces d'états (P ; G).
1. Justifier que la matrice de transtion de cette chaîne de Markov est donnée par $Q = \begin{pmatrix} 0,65 & 0,35 \\ 0,7 & 0,3 \end{pmatrix}$.
2. On suppose que hier midi, Kellia a bu de l'eau plate. On note π_m la distribution de cette chaîne en m étapes ; $m = 0$ correspond à hier midi.
Donner la distribution initiale π_0. Calculer π_1 et π_2.
3. a) Déterminer la distribution invariante de la chaîne de Markov.
b) Peut-on dire que sur le long terme, Kellia boira tout autant d'eau plate que d'eau gazeuse?

56 On considère, pour $p \in]0 ; 1]$, la matrice de transition d'une chaîne de Markov suivante $Q = \begin{pmatrix} p(2-p) & (1-p)^2 \\ p & 1-p \end{pmatrix}$;
on note π_m la distribution de cette chaîne en m étapes.
1. Vérifier que Q est stochastique.
2. Donner le graphe de cette matrice.
3. Dans cette question, on considère $p = 0,9$.
a) Si $\pi_0 = (1 \quad 0)$, calculer π_1, π_2, ... et π_{10}.
b) Comment semble évoluer la distribution ?
4. Reprendre la question précédente avec $p = 0,6$.
5. Déterminer, dans les cas où $p = 0,9$ et $p = 0,6$, la distribution invariante de la chaîne de Markov. Les comparer aux valeurs trouvées pour les distributions des questions précédentes.
6. Déterminer, pour $p \in]0 ; 1]$, la distribution invariante de la chaîne de Markov.

Algorithme de Dijkstra-Moore

57 Le graphe pondéré ci-dessous représente les différents lieux A, B, C, D, E, F, G et H dans lesquels Louis est susceptible de se rendre chaque jour. Le lieu A désigne son domicile et G le lieu de son site de travail.
Le poids de chaque arête représente la distance, en km, entre les deux lieux reliés par l'arête.

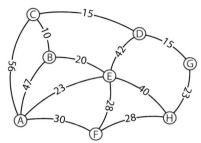

Déterminer le chemin le plus court qui permet à Louis de relier son domicile à son travail. Préciser la distance, en km, de ce chemin.

D'après Bac ES Pondichery 2018

58 Dans le graphe ci-dessous, on fait figurer les distances, exprimées en km, entre certaines grandes villes de la région Auvergne-Rhône-Alpes.

A : Aurillac
B : Bourg-En-Bresse
C : Clermont-Ferrand
E : Saint Etienne

G : Grenoble
L : Lyon
P : Le Puy-en-Velay
V : Valence

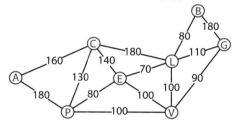

Ayant terminé sa semaine de travail à Bourg-En-Bresse, un technicien souhaite retourner chez lui à Aurillac en faisant le moins de kilomètres possibles.
1. Déterminer le plus court chemin entre les villes de Bourg-En-Bresse et Aurillac en empruntant le réseau routier.
2. La route entre Le Puy-en-Vélay et Aurillac est fermée à la circulation. Quel chemin doit-il alors emprunter ?

Modéliser par une chaîne de Markov
Méthode **7** p. 216

59 Une grenouille saute d'un sommet d'un triangle équilatéral à un autre sommet de ce triangle. La marche aléatoire est donnée par le graphe ci-dessous.

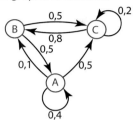

Soit (P_n) la position de la grenouille après n sauts.
1. Justifier que (P_n) est une chaîne de Markov et préciser sa matrice de transition M
2. La grenouille part du sommet B. Quelle est la probabilité qu'elle y revienne au bout de quatre sauts ? Au bout de six sauts ?

60 Dans chaque situation, dire si l'on peut construire une chaîne de Markov. Si c'est le cas, donner l'ensemble des états, les probabilités conditionnelles et préciser s'il s'agit d'une chaîne homogène ou non.
a) Détentrice d'une carte de bibliothèque, Léa se rend dans le rayon science-fiction et alterne jour après jour bande dessinée et roman. En début de semaine, elle préfère lire un roman et choisit cette catégorie avec une probabilité de 0,8 si elle a lu un roman le jour précédent. En fin de semaine, si elle a lu une bande dessinée un jour donné, elle en reprend une le jour suivant avec une probabilité de 0,6.
b) Un étudiant qui passe le BAC le lendemain hésite toutes les heures entre un chocolat chaud ou un café. S'il prend un chocolat une heure donnée, l'heure suivante, un peu endormi, il y a sept chances sur dix qu'il prenne un café. Plus la fin de journée approche, plus le besoin de café se fait sentir et les chances qu'il en prenne augmentent d'heure en heure : passé 18 h, il a fois neuf chances sur dix de prendre un café s'il a pris un chocolat l'heure d'avant.
c) Toutes les nuits, un renard se nourrit soit d'une poule, soit d'une oie. Il aime varier et ne peut enchaîner quatre fois de suite le même type de repas.

61 Lors d'un conseil de classe, un professeur principal peu attentif à l'avis de ses collègues met les mentions à ses élèves de la manière suivante : lorsqu'il met une mention, la fois d'après, il garde la même mention avec une probabilité de 0,2 ; s'il met la mention « compliments », il mettra à l'élève suivant la mention « encouragements » avec une probabilité de 0,5 ; s'il met la mention « félicitations », il mettra ensuite la mention « encouragements » avec une probabilité de 0,6 et s'il met la mention « encouragement », il mettra la mention « compliments » avec une probabilité de 0,2.
1. Justifier que la situation peut être modélisée avec une chaîne de Markov dont on précisera l'ensemble des états.
2. Donner la matrice de transition de cette chaîne de Markov ainsi que son graphe.

62 Toutes les semaines, un lycée organise un concours de mathématiques. L'une des meilleures élèves, Évane, est toutes les semaines sur le podium. Si elle est à la première place une semaine donnée, elle est à la deuxième la semaine suivante avec une probabilité de 0,4 et à la troisième avec une probabilité de 0,1. Si elle est à la deuxième, elle le reste la semaine suivante avec une probabilité de 0,5 et elle passe à la troisième avec une probabilité de 0,1. Finalement, si elle est une semaine donnée à la troisième place, elle remonte à la deuxième avec une probabilité de 0,3 et à la première avec une probabilité de 0,6.
1. Justifier que la situation peut être modélisée avec une chaîne de Markov dont on précisera l'ensemble des états.
2. Donner la matrice de transition de cette chaîne de Markov ainsi que son graphe.

63 Le panoramique des Dômes permet de monter au sommet du Puy de Dôme en 15 minutes.

En raison de glissements de terrain ou de déraillement, il n'est pas toujours en service. À partir du jour $n = 0$, on regarde jour après jour si le panoramique est en état de marche : si au jour n il est en panne, alors il le restera le jour suivant avec une probabilité de 0,3 ; si en revanche il fonctionne au jour n, alors il continuera à fonctionner au jour suivant avec une probabilité de 0,9.
Montrer que le problème peut se modéliser par une chaîne de Markov. On en donnera sa matrice de transition ainsi que son graphe.

64 Dans *La lettre volée,* Dupin explique le jeu de pair ou impair : « Ce jeu est simple, on y joue avec des billes. L'un des joueurs tient dans sa main un certain nombre de ses billes, et demande à l'autre : "pair ou non?" Si celui-ci devine juste, il gagne une bille ; s'il se trompe, il en perd une. »
E. A. Poe, *La lettre volée.*
Un joueur qui doit deviner la parité du nombre de billes est confronté à deux situations.
a) « Supposons que son adversaire soit un parfait nigaud. » Dans ce cas, cet adversaire change la parité de ses billes d'une fois sur l'autre avec probabilité de 0,9.
b) « Maintenant avec un adversaire un peu moins simple. » Cette fois, il change la parité d'une fois sur l'autre avec probabilité de 0,1.
1. Justifier le caractère markovien de chacune de ces deux situations. Expliciter la chaîne de Markov et préciser l'ensemble des états.
2. Donner les matrices de transition dans chacune des situations. En déduire les deux graphes associés.

65 Une particule se trouve soit dans un état A [Algo] soit dans un état B. À chaque microseconde elle peut soit rester dans le même état soit en changer avec des probabilités données par le graphe ci-dessous.

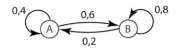

L'état de la particule au bout de n microsecondes est consigné dans une suite (X_n). Au départ la particule est dans l'état B.
1. Justifier que (X_n) est une chaîne de Markov et donner sa matrice de transition M ainsi que sa distribution initiale π_0.
2. Quelle est la probabilité que la particule se retrouve dans l'état A au bout de 1 microseconde ? Au bout de 2 microsecondes ?
3. Soit les suites (a_n) et (b_n) représentant respectivement la probabilité que la particule se retrouve dans l'état A et dans l'état B au bout de n microsecondes.
a) Exprimer π_{n+1} en fonction de M et π_n.
b) En déduire l'expression de a_{n+1}, puis de b_{n+1}, en fonction de a_n et b_n.
4. On considère l'algorithme ci-dessous.
a) À quoi correspondent les valeurs affichées en fin d'algorithme ?
b) En utilisant cet algorithme, déterminer si l'affirmation suivante est vraie ou fausse :

```
Lire n
a←0
b←1
Pour k allant de 1 à n :
  a←0,4 a+0,2b
  b←1-a
Fin Pour
Afficher a et b
```

« Au bout de 6 microsecondes, la particule a moins d'une chance sur 4 d'être à l'état A ».

66 Dans une ville il peut venter, neiger ou grêler. Le vent et la grêle ne restent jamais deux jours de suite. S'il vente un jour donné, le lendemain il neige ou il grêle de manière équiprobable. S'il neige, il y a une chance sur trois qu'il vente le jour d'après et une chance sur deux qu'il continue à neiger le lendemain. Après un jour de grêle, il y a deux fois plus de chance d'avoir de la neige que du vent.
1. Justifier que l'on peut modéliser la météo dans cette ville par une chaîne de Markov.
2. Donner la matrice de transition et le graphe de cette chaîne de Markov.
3. Quel est le temps le plus probable après un jour de grêle ?
4. Quelle est la probabilité qu'après deux jours de neige le vent tombe ?

67 Une personne achète un samedi deux disques ; l'un de Mozart, l'autre de Mendelssohn. Tous les soirs, elle alterne les écoutes de la manière suivante : si elle avait mis le disque de Mozart, elle le réécoute le soir suivant avec une probabilité de 0,6 ; si c'était le disque de Mendelssohn, le disque a deux chances sur cinq d'être réécouté le soir suivant.
Quel disque sera probablement écouté le vendredi suivant l'achat selon celui écouté le samedi de l'achat ?

Étudier le comportement d'une chaîne de Markov

 Méthode 8 p. 217

68 Pour son orientation future, Flavie hésite entre mathématiques et philosophie. Elle change d'avis tous les jours avec une probabilité de 0,2. Le 1er mai, elle a décidé de faire des mathématiques. Elle doit s'inscrire le premier juillet. Quelle est la probabilité qu'elle s'inscrive sur son choix du 1er mai ?

69 Deux amies, Noémie et Mayna, travaillent ensemble leurs mathématiques tous les jours. Si un jour donné, Noémie aide Mayna, alors cette dernière aura progressé et aura une chance sur trois d'aider à son tour son amie le jour suivant. Si Mayna aide Noémie, alors elle n'aura plus qu'une chance sur cinq de l'aider le jour d'après.
Noémie aide Mayna le lundi. Quelle est la probabilité que, le vendredi, ce soit Mayna qui aide Noémie ?

70 Une société de nettoyage s'occupe tous les jours du nettoyage de trois grandes salles qui sont utilisées de manière aléatoire : chaque soir, une salle a une probabilité $p = 0,25$ d'avoir été utilisée et d'avoir besoin d'être nettoyée. La société ne peut nettoyer qu'une seule salle par nuit. Montrer que l'on peut ainsi définir une chaîne de Markov dont on donnera la matrice de transition, le graphe ainsi que les éventuelles distributions invariantes.

71 Sur l'île de Ré, Alceste, un loueur de bicyclettes à la journée propose des vélos classiques ainsi que des vélos électriques. Alceste a remarqué que lorsqu'un client avait loué un vélo classique, le jour suivant la

probabilité qu'il ne change pas était de 0,8 et que lorsqu'un client louait un vélo électrique, il décide de changer le jour suivant avec probabilité 0,6.
On s'intéresse à un certain nombre constant de clients qui louent un vélo tous les jours lors de leurs vacances. Le premier jour, seuls 5 % de ses clients choisissent un vélo électrique.
1. Montrer que la situation peut se modéliser par une chaîne de Markov dont on donnera le graphe et la matrice de transition.
2. Déterminer les éventuelles distributions invariantes de la chaîne de Markov et interpréter le résultat dans le contexte.

72 Un professeur demande à des élèves d'écrire une suite aléatoire de 0 et de 1.
1. Un premier élève, qui comprend le sens du mot aléatoire, sort une pièce et effectue une suite de tirages en écrivant 0 lorsqu'il tombe sur face et 1 s'il tombe sur pile. Il écrit cent chiffres. Quel est l'effectif le plus probable pour le nombre 0 ?
2. Un deuxième élève, qui croit comprendre le sens du mot aléatoire se dit qu'il est mieux de changer assez souvent le chiffre d'une fois sur l'autre. Ainsi il choisit de le changer avec une probabilité de 0,8.
Comment le professeur pourra-t-il reconnaître a quel élève appartient chacune des suites de cent chiffres ?

73 Un garagiste contrôle tous les mois l'état d'une pièce de moteur. Elle peut se trouver dans les états suivants : fonctionnelle (F), usée (U) ou défaillante (D).
On considère que la situation peut se modéliser avec une chaîne de Markov dont la matrice de transition est donnée par $Q = \begin{pmatrix} 0,9 & 0,1 & 0 \\ 0 & 0,6 & 0,4 \\ 0 & 0 & 1 \end{pmatrix}$ dans l'ordre F, U, D.

1. D'un mois au mois suivant, quelles sont les différentes probabilités de changement d'états?
2. Dresser le graphe correspondant à cette chaîne.
3. On suppose qu'au début des contrôles, la pièce vient d'être changée pour une pièce neuve. Quelle est la probabilité pour qu'au bout de 4 mois, la pièce soit défaillante?

74 Dans une certaine ville, trois quotidiens sont proposés en abonnement. Chaque année 15 % des abonnés au journal A et 20 % des abonnés au journal C changent pour le journal B. 5 % des abonnés au journal A et 15 % des abonnés au journal B changent pour le journal C. 20 % des abonnés au journal B et 30 % des abonnés au journal C changent pour le journal A. Le nombre total d'abonnements reste constant. Au premier janvier 2018, les trois quotidiens avaient le même nombre d'abonnements.
On prend un abonné au hasard, soit X_n le quotidien auquel il est abonné l'année $2018 + n$.
1. a) Justifier que (X_n) est une chaîne de Markov pour $n \in \mathbb{N}$ et tracer le graphe probabiliste associé.
b) Donner la matrice de transition M ainsi que la distribution initiale π_0 associées à cette chaîne.
2. Calculer π_1 et π_2. Quelle est la probabilité que l'individu soit abonné à A en 2020 ?
3. Pour $n \in \mathbb{N}$, exprimer π_n en fonction de π_0 et M. En déduire π_{10} et π_{20}. La suite (π_n) semble-t-elle convergente ?
4. Justifier que (X_n) admet une unique distribution invariante π_I et la déterminer.
5. On admet que (π_n) converge, détermine la limite de cette suite et l'interpréter dans le contexte de l'exercice.

Travailler l'oral

75 Faire des recherches et un exposé oral sur le problème du voyageur de commerce.

76 Faire des recherches et un exposé oral sur la marche aléatoire discrète à une et deux dimensions.

Exercices (bilan)

77 Savoir perdre

Un simulateur est programmé pour proposer des situations de jeu difficiles.

Il offre, lors de la première utilisation, 15 % de chance de réussite. Puis, à chaque jeu suivant :
• si la personne a gagné, elle a une chance sur quatre de gagner le jeu suivant ;
• si la personne a perdu, elle a deux chances sur cinq de gagner le jeu suivant.

On note X_n la variable aléatoire correspondant à la réussite du joueur au n-ième jeu. On considère les suites (a_n) et (b_n) désignant respectivement la probabilité de gagner au n-ième jeu et celle de perdre.

1. Justifier que la suite de variables aléatoires (X_n) est une chaîne de Markov dont on précisera l'espace d'états.

2. On note $\pi_n = (a_n \quad b_n)$.
a) Préciser π_0.
b) Établir une relation de récurrence entre les suites (a_n) et (b_n).
c) En déduire la matrice Q telle que $\pi_{n+1} = \pi_n Q$, pour tout entier naturel n.

3. a) Exprimer π_n en fonction de Q, n et π_0.
b) En déduire la probabilité qu'un joueur gagne le cinquième jeu.

4. a) Déterminer, si elle existe, la distribution invariante de cette chaîne de Markov.
b) Comment programmer les chances de réussite initiales afin qu'un joueur ait les mêmes chances quel que soit le nombre de parties qu'il fait dans ce simulateur ?
c) Comment évoluent les chances de gagner si l'on pratique un grand nombre de fois le simulateur ?

78 Demande en mariage

Un couple se rend au stade Marcel Michelin pour assister à un match de rugby. Avant d'entrer, la personne A demande en mariage la personne B mais ils sont séparés dans la foule par m individus (I_1 ; I_2 ; … ; I_m) avant que B ne donne sa réponse. B transmet alors sa réponse à l'individu I_1 sous la forme d'un « oui » ou d'un « non » qui la transmet à I_2 et ainsi de suite jusqu'à ce que I_m délivre la réponse à A. Malheureusement, ces m individus manquent d'honnêteté : I_{n+1} délivre le contraire de ce qu'a dit I_n avec probabilité de $\dfrac{2}{5}$.

1. Justifier que l'on peut modéliser la situation avec une chaîne de Markov pour laquelle on donnera le graphe et sa matrice de transition dans l'ordre « oui », « non ».

2. On note π_n la distribution de cette chaîne de Markov.
a) Préciser en fonction de la réponse de B la valeur de la distribution initiale π_0.
b) Si $m = 3$, quelle est la probabilité que A obtienne la réponse de B ?
c) Même question si $m = 9$.

4. a) Déterminer l'état stable de cette distribution.
b) En déduire les probabilités que A obtienne la réponse de B si m devient très grand.

79 Le bon fromage

Un auvergnat exilé réside dans la ville de Fontainebleau. Quatre fois par mois, il décide de rentrer chez lui à Clermont-Ferrand. Il est établi que le trajet avec sa voiture coûte, en carburant, 0,10 euro au kilomètre.

Impatient de rentrer chez lui et désireux de dépenser le moins d'argent possible, il consulte une carte routière pour optimiser ses trajets.

Le graphe ci-dessous indique les distances entre différentes villes : Fontainebleau, Troyes, Orléans, Dijon, Nevers, Montluçon, Roanne, Clermont-Ferrand. Chaque ville est désignée par son initiale.

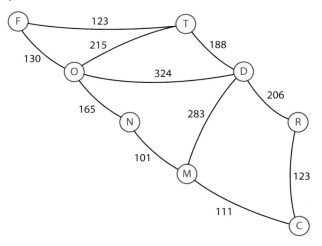

Les deux parties sont indépendantes.

A ▶ Étude du trajet

1. Déterminer le plus court trajet entre Fontainebleau et Clermont-Ferrand. On indiquera les villes parcourues et l'ordre du parcours.
2. Déterminer le budget carburant nécessaire aux quatre voyages aller-retour du mois, à l'euro près.
3. Reprendre les questions précédentes en prenant en compte que lors d'un aller retour sur les quatre, il doit passer obligatoirement par Dijon.

B ▶ Étude d'une chaîne de Markov

À chaque retour de Clermont-Ferrand, l'auvergnat ramène un fromage : soit du saint-nectaire (S), soit du cantal (C), soit de la fourme d'Ambert (F). Il choisit de la manière suivante.
• S'il a choisi S lors d'un précédent retour, il a deux chances sur cinq pour changer au retour suivant pour l'un des deux autres de manière équiprobable.
• S'il a choisi C ou F, il change pour un autre de manière équiprobable.

1. Montrer que la situation peut être modélisée par une chaîne de Markov à trois états que l'on précisera.
2. Déterminer la matrice de transition ainsi que le graphe de cette chaîne de Markov.
3. Lors du premier retour, il a ramené un saint nectaire. Quelle est la probabilité qu'au quatrième retour, il ramène un autre fromage ?

CONTRÔLE CONTINU

On s'intéresse à un système pouvant prendre plusieurs états e_1, e_2, ..., e_N selon l'instant donné.
On note X_n l'état du système à l'instant n.

Chaîne de Markov

La suite (X_n) est une chaîne de Markov si
la probabilité de l'état du système à l'instant futur
ne dépend que de son état à l'instant présent.

Ensemble des probabilités de changements d'état

Graphe probabiliste

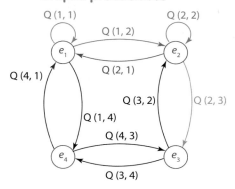

Matrice Q

$$\begin{pmatrix} Q(1,1) & Q(1,2) & Q(1,3) & Q(1,4) \\ Q(2,1) & Q(2,2) & Q(2,3) & Q(2,4) \\ Q(3,1) & Q(3,2) & 0 & Q(3,4) \\ Q(4,1) & Q(4,2) & Q(4,3) & 0 \end{pmatrix}$$

$Q(1,1)$: probabilité de rester à l'état e_1.

$Q(1,2)$: probabilité de passer de l'état e_1 à l'état e_2.

$Q(2,1)$: probabilité de passer de l'état e_2 à l'état e_1.

$Q(2,3)$: probabilité de passer de l'état e_2 à l'état e_3.

$Q(e_i, e_j)$: probabilité de passer de l'état e_i à l'état e_j.

Évolution du système

La suite des distributions (π_n) donne
les probabilités pour le système
de se trouver dans chacun des états étudiés.

- $\pi_n = \begin{pmatrix} P(X_n = e_1) & P(X_n = e_2) & \ldots & P(X_n = e_N) \end{pmatrix}$
- $\pi_{k+1} = \pi_k Q$, pour $k \in \mathbb{N}$
- $\pi_m = \pi_0 Q^m$

Probabilités initiales de l'état du système à l'instant 0.

Les coefficients de Q^m correspondent aux probabilités de passer d'un état à un autre en m étapes

Distribution invariante

- Stabilisation des probabilités : suite de distributions convergente vers $\pi = \pi Q$.
- Aucun 0 sur les coefficients non diagonaux de Q la matrice → existence d'une distribution invariante.
- **Si la chaîne a deux états et admet une unique distribution invariante π, alors, la suite des distributions (π_n) converge vers π.**

<table>
<tr><td colspan="2">**Je dois être capable de...**</td><td>**Parcours d'exercices**</td></tr>
</table>

Je dois être capable de...		Parcours d'exercices
▶ Appliquer l'algorithme de Dijskstra-Moore	Méthode **1**	1, 2, 30, 32, 57
▶ Justifier le caractère markovien	Méthode **2**	3, 4, 33, 34
▶ Déterminer une matrice de transition	Méthode **3**	7, 8, 36, 42
▶ Manipuler un graphe probabiliste	Méthode **4**	10, 11, 43, 44
▶ Déterminer une probabilité	Méthode **5**	13, 14, 47, 48
▶ Déterminer une distribution invariante	Méthode **6**	17, 18, 50, 51
▶ Étudier une chaîne de Markov	Méthode **7** Méthode **8**	19, 20, 59, 60, 21, 22, 68, 69

❯ EXOS
QCM interactifs
lienmini.fr/maths-e07-06

QCM   Pour les exercices suivants, choisir la (les) bonnes réponse(s).

Pour les exercices 80 à 83 on considère le graphe probabiliste ci-contre.
On considère une chaîne de Markov (X_n) associé à ce graphe.
On suppose que $P(X_0 = A) = 0,3$ et $P(X_0 = B) = 0,4$.

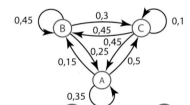

	A	B	C	D
80 L'arc reliant $\overrightarrow{AB}$ a pour poids :	0,15	0,25	0,35	0,45
81 $P\big((X_0 = A) \cap (X_1 = B)\big)$ est égale à :	0,12	0,045	0,15	0,45
82 La matrice de transition associé à cette chaîne (dans l'ordre alphabétique) est :	$\begin{pmatrix} 0,35 & 0,15 & 0,5 \\ 0,25 & 0,45 & 0,3 \\ 0,45 & 0,45 & 0,1 \end{pmatrix}$	$\begin{pmatrix} 0,35 & 0,25 & 0,45 \\ 0,15 & 0,45 & 0,45 \\ 0,5 & 0,3 & 0,1 \end{pmatrix}$	$\begin{pmatrix} 0,15 & 0,25 \\ 0,3 & 0,45 \\ 0,45 & 0,5 \end{pmatrix}$	$\begin{pmatrix} 0,1 & 0,9 \\ 0,35 & 0,65 \\ 0,45 & 0,45 \end{pmatrix}$
83 La distribution initiale π_0 associée à cette matrice est égale à :	$(0,3 \quad 0,3 \quad 0,4)$	$(0,3 \quad 0,4 \quad 0,3)$	$(0,4 \quad 0,3 \quad 0,3)$	$(0,3 \quad 0,4)$

Pour les exercices 84 et 85 on considère une chaîne de Markov (X_n) à deux états (A et B) dont la matrice de transition est (dans l'ordre alphabétique) $M = \begin{pmatrix} 0,3 & 0,7 \\ 0,6 & 0,4 \end{pmatrix}$ et $\pi_0 = (1 \quad 0)$.

84 $P(X_1 = A)$ est égale à	0,3	0,7	0,6	0,4
85 Une distribution invariante pour cette chaîne est :	$\pi_1 = \left(\dfrac{6}{13} \quad \dfrac{7}{13} \right)$	$\pi_1 = \left(\dfrac{7}{13} \quad \dfrac{6}{13} \right)$	$\pi_1 = (6 \quad 7)$	$\pi_1 = (7 \quad 6)$

86 Optimiser un réseau d'irrigation

Le graphe orienté ci-dessous représente un réseau d'irrigation.

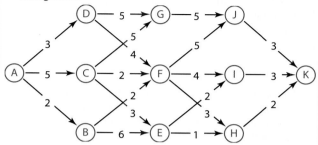

Le sommet A correspond au départ d'eau, le sommet K au bassin d'infiltration et les autres sommets représentent les stations de régulation.

Les arcs représentent les canaux d'irrigation ainsi que le sens du ruissellement.

La pondération donne, en km, les distances entre les différentes stations du réseau.

Déterminer un chemin de longueur minimale entre le départ d'eau A et le bassin d'infiltration en K et donner sa longueur.

D'après Bac ES Asie 2016

Méthode 1 p. 205

87 Évolution d'un marché

Dans un pays, deux opérateurs se partagent le marché de télécommunications mobiles. Une étude révèle que chaque année :

• parmi les clients de l'opérateur EfficaceRéseau, 70 % se réabonnent à ce même opérateur, les autres souscrivent un contrat avec l'opérateur GénialPhone ;

• parmi les clients de l'opérateur GénialPhone, 45 % souscrivent un contrat avec l'opérateur EfficaceRéseau, les autres se réabonne à GénialPhone.

Au 1er janvier 2020, on suppose que 10 % des clients possèdent un contrat chez EfficaceRéseau.

À partir de 2020, on choisit au hasard un client de l'un des deux opérateurs.

Pour $n \in \mathbb{N}$, soit (X_n) la suite représentant l'opérateur E ou G auquel le client est abonné à l'année 2020 + n.

1. a) Justifier que (X_n) est une chaîne de Markov dont on tracera le graphe associé.

b) Justifier que la distribution initiale (dans l'ordre E, G) est $\pi_0 = (0{,}1 \quad 0{,}9)$.

c) Donner la matrice de transition M associée à (X_n).

2. Vérifier qu'au 1er janvier 2022 environ 57 % des clients ont un contrat avec EfficaceRéseau.

Soit $\pi_n = (e_n \quad g_n)$ la distribution associée à X_n.

3. a) Quelle est la relation entre e_n et g_n ?

b) Exprimer e_{n+1} en fonction de e_n et g_n.

c) En déduire que $e_{n+1} = 0{,}25\,e_n + 0{,}45$.

D'après Bac ES Liban 2018

Méthode 2 p. 207 **Méthode 3** p. 209 **Méthode 5** p. 213

88 Changement d'états d'une particule

Sciences

Un atome d'hydrogène peut se trouver dans deux états différents, l'état stable (S) et l'état excité (E). À chaque nanoseconde, l'atome peut changer d'état.

A ▶ Étude d'un premier milieu

Dans cette partie, on se place dans un premier milieu (milieu 1) où, à chaque nanoseconde, la probabilité qu'un atome passe de l'état stable à l'état excité est 0,005 et la probabilité qu'il passe de l'état excité à l'état stable est 0,6. On observe un atome d'hydrogène initialement à l'état stable. Soit, pour tout entier n, X_n l'état de l'atome après n nanosecondes.

1. a) Justifier que (X_n) est une chaîne de Markov dont on tracera le graphe associé.

b) Justifier que la distribution initiale (dans l'ordre S, E) est $\pi_0 = (1 \quad 0)$.

c) Donner la matrice de transition A associée à (X_n).

2. Exprimer π_n en fonction de π_0 et A.

On souhaite déterminer la valeur de π_n.

On définit la matrice P par $P = \begin{pmatrix} 1 & -1 \\ 1 & 120 \end{pmatrix}$.

3. a) Montrer que P est inversible et que $P^{-1} = \dfrac{1}{121}\begin{pmatrix} 120 & 1 \\ -1 & 1 \end{pmatrix}$.

b) Déterminer la matrice D telle que $D = P^{-1}AP$.

4. Démontrer que, pour tout entier naturel $n : A^n = PD^nP^{-1}$.

5. En déduire que :

$$A^n = \frac{1}{120}\begin{pmatrix} 120 + 0{,}395^n & 1 - 0{,}395^n \\ 120(1 - 0{,}395^n) & 1 + 120 \times 0{,}395^n \end{pmatrix}.$$

Puis en déduire la valeur de π_n.

6. Déterminer $\displaystyle\lim_{n \to +\infty} \pi_n$. Que peut-on en conclure concernant l'atome ?

B ▶ Étude d'un second milieu

Dans cette partie, on se place dans un second milieu (milieu 2) dans lequel on ne connaît pas la probabilité que l'atome passe de l'état excité à l'état stable. On note a cette probabilité supposée constante. On sait, en revanche, qu'à chaque nanoseconde, la probabilité qu'un atome passe de l'état stable à l'état excité est 0,01. On reprend la chaîne de Markov (X_n) décrivant les états de l'atome.

1. Donner, en fonction de a, la matrice de transition associée à (X_n) (dans l'ordre S, E).

2. Après un temps très long, dans le milieu 2, la proportion d'atomes excités se stabilise autour de 2 %. On admet que (X_n) admet une unique distribution invariante (ou stationnaire) $\pi_i = (0{,}98 \quad 0{,}02)$. Déterminer la valeur de a.

D'après Bac S Polynésie 2018

Méthode 8 p. 217

89 Tirages consécutif de pile ou face   TICE

On lance 40 fois une pièce bien équilibrée. On se demande quelle est la probabilité d'obtenir au moins 5 lancers consécutifs identiques.
On notera cette probabilité recherchée p.

A ▶ Estimation et simulation

1. a) À votre avis, a-t-on plutôt $p < \dfrac{1}{3}$, $\dfrac{1}{3} \leqslant p < \dfrac{2}{3}$ ou $p \geqslant \dfrac{2}{3}$?

b) À l'aide de votre calculatrice, d'un logiciel de programmation ou d'un tableur, simuler le lancer de 40 pièces. Est-ce que cela abouti à une série d'au moins 5 lancers identiques ?
c) Refaire une dizaine de fois cette simulation. Peut-on maintenir la conjecture faite en **a)** ?

B ▶ Modélisation et calcul

Soit (X_n) la suite représentant le nombre de lancers identiques consécutifs en cours au bout de n lancers.
Par exemple : au bout de 7 lancers, on peut obtenir P-P-F-P-P-F-F, auquel cas la série en cours est de 2 faces donc dans ce cas $X_7 = 2$.
De plus si $X_n = 5$, alors $X_k = 5$ pour tout $k \geqslant n$.
1. a) Justifier que (X_n) est une chaîne de Markov à cinq états (1, 2, 3, 4 et 5) et expliquer pourquoi on a posé cette dernière condition ($X_n = 5$…) dans le cadre de l'exercice.
b) Donner le graphe probabiliste associé à cette chaîne et en déduire la matrice de transition M.
c) Justifier que l'état initial de cette chaîne est $\pi_1 = (1 \quad 0 \quad 0 \quad 0 \quad 0)$.
2. a) Exprimer π_n en fonction de M et π_1.
b) En déduire π_{40} puis une valeur approchée de p à 10^{-4} près. Quelle conjecture était correcte ?
3. Adapter la méthode précédente pour connaître la probabilité d'avoir :
a) au moins 5 lancers identiques sur 50 lancers.
b) au moins 6 lancers identiques sur 100 lancers.

90 Contrat d'assurance

Une compagnie d'assurance de voiture propose trois niveaux dans les bonifications de contrats :
• le niveau 0 sans bonification,
• le niveau 1 avec une réduction de 20 %,
• le niveau 2 avec une réduction de 35 %.
Pour un assuré, la probabilité de ne pas avoir de sinistre durant une année est de 0,8.
L'assuré diminue d'un niveau s'il déclare un sinistre lors de l'année ; il monte d'un niveau si ce n'est pas le cas.
1. Démontrer que l'on peut modéliser la situation par une chaîne de Markov dont on précisera la matrice de transition.
2. Supposons à présent que lorsqu'au moins un sinistre est déclaré, on baisse d'un niveau si l'année précédente aucune déclaration de sinistre n'était faite et de deux niveaux si au moins une avait été faite.
Justifier qu'en gardant le même espace d'états, on ne retrouve plus une chaîne de Markov.
Comment modifier l'espace des états afin de construire une chaîne de Markov ?

91 Marche aléatoire en dimension 1   Algo

On considère un automate sur un parcours en cases ne pouvant aller que dans deux directions : à chaque étape il peut soit avancer soit reculer d'une case de façon équiprobable.

A ▶ Non bloqué aux extrémités

Pour cette partie l'automate ne peut se déplacer que sur cinq cases :

-2	-1	0	1	2

La case 0 correspondant à sa position initiale.
Lorsque l'automate arrive à la case 2, à l'étape suivante il peut soit aller en case 1 soit rester en casse 2 de façon équiprobable.
Le même principe s'applique pour la case – 2.
Soit A_n la position de l'automate à l'instant n.
1. a) Justifier que (A_n) est une chaîne de Markov à cinq états ($-2, -1, 0, 1$ et 2) et tracer le graphe probabiliste associé.
b) Donner la matrice de transition M (dans l'ordre croissant des états) ainsi que l'état initial π_0 associés à cette chaîne.
2. Quelle est la probabilité que l'automate soit en case 2 à la 5e étape ? et en case 0 ?
3. En calculant π_{10}, π_{20} puis π_{30} émettre une conjecture sur les positions possibles de l'automate au bout d'un très grand nombre d'étapes.
4. Montrer qu'il existe une unique distribution invariante π_I pour cette chaîne et la déterminer.

B ▶ Bloqué aux extrémités

On considère le même parcours qu'en **A** mais cette fois-ci, une fois arrivé aux cases – 2 ou 2 l'automate reste sur ces cases indéfiniment.
Soit B_n la position de l'automate à l'instant n.
Reprendre les questions **1** et **3.** de la partie **A** avec cette situation.

C ▶ Simulation d'une marche aléatoire

Cette fois ci l'automate se déplace sur un parcours sans extrémités :

…	-3	-2	-1	0	1	2	3	…

Compléter le programme **Python** ci-dessous afin qu'il renvoie la liste des différentes positions de l'automate après n étapes.

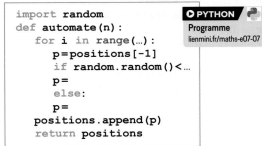

```python
import random
def automate(n):
    for i in range(…):
        p=positions[-1]
        if random.random()<…
        p=
        else:
            p=
    positions.append(p)
    return positions
```

> PYTHON
> Programme
> lienmini.fr/maths-e07-07

Exécuter le pour différentes valeurs de n.
Finit-on toujours par revenir à la case 0 ?

92 Séances d'accompagnement personnalisé `Algo`

Au cours de l'année, les séances d'accompagnement personnalisé (AP) de mathématiques proposent aux élèves de se mettre dans trois groupes : Confirmé (C), Moyen (M) et en Besoin (B). Chaque semaine, un élève peut changer de groupe.

Les études statistiques sur les premières semaines de l'année ont permis de dégager les tendances suivantes :
- un élève du groupe C y reste la semaine suivante avec probabilité de 0,6 ; il rentre dans le groupe M avec une probabilité de 0,15 ;
- un élève du groupe M y reste la semaine suivante avec une probabilité de 0,6 ; sinon, il passe dans l'un des autres groupes avec une probabilité identique ;
- un élève du groupe B a une chance sur 7 de rester dans son groupe sinon, il a trois fois plus de chance de rejoindre le groupe M que le groupe C.

On suppose que lors du premier jour, le professeur considère toute sa classe en besoin.

1. Justifier que l'on peut modéliser la situation par une chaîne de Markov. On en donnera un graphe ainsi que sa matrice de transition M.

2. Si l'on note π_n la matrice distribution de cette chaîne de Markov pour $n \in \mathbb{N}$, donner π_0 et exprimer pour tout entier naturel n, π_n en fonction de M et de π_0.

3. On considère la matrice $\pi = (300 \quad 405 \quad 182)$.
a) Calculer le produit πM. Que constate-t-on ?
b) En déduire un état stable.

4. On propose le programme **Python** 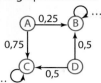 suivant.

```python
import numpy as np
u=np.array(…)
M=np.array(…)
for k in range(1,8):
    u=u.dot(M)
print (u[1])
```

a) Compléter les valeurs manquantes.
b) Quelle valeur renvoie le programme après exécution ? Interpréter cette valeur dans le contexte.
b) Modifier ce programme pour qu'il affiche la fréquence d'élèves en besoin au bout de trois mois d'AP. L'AP est-il efficace ?

93 Jeu de société

Dans un jeu de plateau, un pion peut se trouver sur trois cases distinctes numérotées 1, 2 et 3.
Si le pion se trouve sur la case i, il peut jeter i fois le dé.
Si la somme est congrue à 1 modulo 6, le pion va en case 3, si elle est congrue à 2 modulo 6 ou 4 modulo 6 le pion va en case 2 et sinon le pion va en case 1.
On note X_n la position du pion après n tours.

1. Justifier le caractère markovien de la suite (X_n). Pourquoi est-elle homogène ?
2. Déterminer sa matrice de transition ainsi que son graphe.
3. Le joueur gagne s'il reste deux fois de suite sur la même case. Quelle est la probabilité que le joueur gagne au bout de deux tours ? Trois tours ? On pourra distinguer les états initiaux au début de jeu.

94 Seulement le graphe

Donner toutes les informations concernant la chaîne de Markov donnée par le graphe suivant.

95 Marche sur un triangle

Un lapin se déplace sur un triangle ABC à chaque instant en sautant d'un sommet à un sommet voisin avec une probabilité proportionnelle aux longueurs des cotés du triangle.
On note X_n sa position à l'instant n.

1. Démontrer que l'on peut alors construire une chaîne de Markov.
2. Déterminer la matrice de transition ainsi que le graphe de cette chaîne de Markov :
a) si l'on suppose que le triangle est équilatéral ;
b) si l'on suppose que le triangle est isocèle de sommet A avec AB = 2BC ;
c) si l'on suppose que le triangle est rectangle en A, avec $AB = \dfrac{3}{4}AC$.

96 Dans une salle de jeu

Une société de maintenance prend en charge les réparations d'une salle de jeu qui ouvre tous les soirs de la semaine. Dans cette salle, deux simulateurs virtuels sont très utilisés et peuvent tomber en panne au cours de la soirée avec une probabilité de 0,2. Un réparateur de la société vient tous les matins mais il ne peut réparer qu'une machine en une matinée.
Pour $n \in \mathbb{N}$, on note X_n le nombre de simulateurs en panne au début de la n-ième soirée.

1. a) Montrer que la suite (X_n) est une suite de variables aléatoires définissant une chaîne de Markov. On en donnera sa matrice de transition ainsi que son graphe.
b) Déterminer la distribution invariante de cette chaîne.
2. Suite à une compression de personnels, la société ne peut plus envoyer un réparateur qu'un jour sur deux. Reprendre la question précédente avec cette nouvelle hypothèse.
3. Les réparateurs compétents ayant trouvé un meilleur contrat dans une autre société, il ne reste plus qu'un réparateur qui a besoin de deux matinées afin de réparer un simulateur.
Justifier pourquoi, en gardant le même espace d'états que dans les questions précédentes, on ne peut plus parler de chaîne de Markov.
Montrer que l'on peut modéliser la situation de manière différente afin de retrouver une chaîne de Markov avec un espace de 5 états. Déterminer alors la probabilité que les deux simulateurs fonctionnent au bout de trois soirées si elles fonctionnent la première soirée.

97 Mouton d'hier, mouton d'aujourd'hui

Chez les moutons, un caractère spécifique est donné par deux gènes : le gène M dominant et le gène m récessif. Deux éleveurs de moutons adoptent des stratégies d'accouplement différentes.

Stratégie 1 : un mouton de la n-ième génération est accouplé avec un mouton présentant Mm ;
Stratégie 2 : un mouton de la n-ième génération est accouplé avec un mouton présentant MM.

1. Modéliser chacune des situations par une chaîne de Markov.
2. Que dire de l'évolution du caractère chez les moutons des différents élevages ?

98 Chaîne à quatre états   Sciences

A ▶ Étude de probabilités
On considère une chaîne de Markov (X_n) à quatre états, $E = \{1 ; 2 ; 3 ; 4\}$, dont la matrice de transition est donnée par $Q = \begin{pmatrix} 0 & 0,75 & 0,25 & 0 \\ 0,6 & 0 & 0 & 0,4 \\ 0 & 0 & 1 & 0 \\ 0 & 0 & 0 & 1 \end{pmatrix}$.

1. Comment interpréter les deux dernières lignes de la matrice Q ?
2. Tracer le graphe associé à cette chaîne de Markov.
3. Déterminer la probabilité des événements suivants :
$\big((X_0 = 1) \cap (X_1 = 3)\big)$
$\big((X_0 = 1) \cap (X_2 = 4)\big)$
$\big((X_0 = 2) \cap (X_1 = 1) \cap (X_2 = 2)\big)$
$\big((X_0 = 1) \cap (X_1 = 2) \cap (X_2 = 3)\big)$
$\big((X_0 = 1) \cap (X_1 = 2) \cap (X_2 = 3) \cap (X_3 = 4)\big)$
$\big((X_0 = 1) \cap (X_1 = 2) \cap (X_2 = 3) \cap (X_3 = 3)\big)$.

4. Montrer qu'une distribution π de cette chaîne est invariante si, et seulement si, il existe x et y avec $x + y = 1$, tels que $\pi = (0 \quad 0 \quad x \quad y)$.

B ▶ Modélisation
Un biologiste s'intéresse à l'impact et au traitement d'une maladie sur une culture botanique. Une plante peut se retrouver, jours après jours, dans les états suivants : saine ; impactée ; stérile ; morte.
Lorsqu'une plante est morte ou stérile, il n'y a plus rien à faire.
Lorsque la plante est saine, elle a trois chances sur quatre d'être impactée ; sinon elle devient stérile directement.
Une fois impactée, une plante a trois chances sur cinq d'être saine de nouveau après le traitement, sinon elle meurt.
1. Quelle est la probabilité pour une plante saine de mourir au bout de deux jours ?
2. Si l'on suppose qu'après un grand nombre de jour les états des plantes se stabilisent, vers quels états se stabilisent-elles ?

99 Chaînes à deux états   MPSI   PCSI   Démo

On considère une chaîne de Markov à deux états.
1. Justifier qu'il existe deux réels p et q dans $[0 ; 1]$ tels que la matrice de transition de cette chaîne soit de la forme
$Q = \begin{pmatrix} 1-p & p \\ q & 1-q \end{pmatrix}$.

2. Déterminer toutes les distributions invariantes de cette chaîne de Markov.
3. a) Par récurrence, démontrer que, pour tout entier naturel n non nul, on a :
$Q^n = \dfrac{1}{p+q}\begin{pmatrix} q & p \\ q & p \end{pmatrix} + \dfrac{(1-p-q)^n}{p+q}\begin{pmatrix} p & -p \\ -q & q \end{pmatrix}$.

b) Que peut-on dire de la matrice Q^n lorsque n tend vers $+\infty$?

100 Rebâtir sur les cendres   Sciences

En 2020, des incendies ont ravagé une grande partie de l'Australie. Il est établi que presqu'un tiers des koalas ont été exterminé. La faune et la flore vont se rétablir mais de plus en plus d'incendies sont prévus dans les années à venir.

A ▶ L'intervention de l'homme et la persistance de certaines graines permettent à la forêt d'évoluer après ces catastrophes : on s'intéresse à une portion de forêt qui peut être, année après année, soit à dominante eucalyptus (E), soit à dominante banale (B) soit décimée par les flammes (D). On suppose que l'évolution de la forêt suit une chaîne de Markov (X_n) dont la matrice de transition, dans l'ordre E, B, D, est donnée par $Q = \begin{pmatrix} 0,5 & 0,3 & 0,2 \\ 0,3 & 0,2 & 0,5 \\ 0,1 & 0,2 & 0,7 \end{pmatrix}$.

1. Quelle est la probabilité qu'en 2025, la forêt soit à dominante eucalyptus ?
2. a) Soit n un entier naturel. Formuler l'événement $(X_n = E) \cap (X_{n+1} = E) \cap (X_{n+2} = E)$.
b) On ne peut réintroduire des koalas dans le milieu que si la forêt a été trois années de suite à dominante eucalyptus. Quelle est la probabilité que cela se produise à un moment donné ?

B ▶ D'une année sur l'autre, on suppose que la fréquence des grands incendies évolue selon la chaîne de Markov (Y_n) dont la matrice de transition est donnée par $M = \begin{pmatrix} 0,3 & 0,7 \\ 0,4 & 0,6 \end{pmatrix}$ dans l'ordre des états 0, 1, où l'événement ($Y_n = 0$) signifie qu'un incendie a eu lieu après n années. Quelle est la probabilité qu'en 2025, la forêt subisse un incendie ?

101 Dresser une araignée — Sciences

On tente de dresser une araignée afin qu'elle puisse obéir à un ordre simple : couché. On effectue une série d'essais consécutifs et après chacun d'eux, si l'araignée a obéi à l'ordre, elle reçoit une récompense. Cette araignée peut être dans différents états d'esprit.

État 1 : elle ne sait pas si elle reçoit une récompense et n'obéit donc pas à l'ordre.

État 2 : elle se rappelle qu'elle reçoit une récompense et obéit donc à l'ordre, mais elle pourra oublier par la suite.

État 3 : elle obéit directement à l'ordre.

On suppose qu'après chaque essai, elle change d'état d'esprit selon la matrice de transition $Q = \begin{pmatrix} \frac{1}{2} & \frac{1}{2} & 0 \\ \frac{1}{2} & \frac{1}{12} & \frac{5}{12} \\ 0 & 0 & 1 \end{pmatrix}$.

On note (X_n) la chaîne de Markov construite à partir de l'état d'esprit de l'araignée, avec X_n son état d'esprit au n-ième essai. On suppose que $P(X_0 = 1) = 1$.

1. Donner le graphe de cette chaîne de Markov.

2. Déterminer la distribution :
$\pi_1 = \begin{pmatrix} P(X_1 = 1) & P(X_1 = 2) & P(X_1 = 3) \end{pmatrix}$.

3. Exprimer $P(X_{n+1} = 1)$ en fonction de $P(X_n = 1)$ et $P(X_n = 2)$.

4. Exprimer $P(X_{n+1} = 2)$ en fonction de $P(X_n = 1)$ et $P(X_n = 2)$.

5. Démontrer par récurrence sur n que les matrices $v_n = \begin{pmatrix} P(X_n = 1) & P(X_n = 2) \end{pmatrix}$ sont définies par la relation :

$v_n = v_0 \begin{pmatrix} \frac{1}{2} & \frac{1}{2} \\ \frac{1}{2} & \frac{1}{12} \end{pmatrix}^n$.

6. On admet qu'il existe une matrice inversible P telle que
$\begin{pmatrix} \frac{1}{2} & \frac{1}{2} \\ \frac{1}{2} & \frac{1}{12} \end{pmatrix} = P \begin{pmatrix} \frac{5}{6} & 0 \\ 0 & -\frac{1}{4} \end{pmatrix} P^{-1}$. On ne cherchera pas à déterminer P. Montrer qu'il existe deux réels a et b tels que

$P(X_n = 1) = a\left(\frac{5}{6}\right)^n + b\left(-\frac{1}{4}\right)^n$, pour tout entier naturel n.

7. Avec quelle probabilité l'araignée va-t-elle alors obéir à l'ordre lorsque le nombre d'essais devient très grand ?

102 Chaînes et congruences — MPSI

On considère une suite $(Y_n)_{n \geq 1}$ de variables aléatoires indépendantes de même loi donnée par $P(Y_n = 2) = \frac{1}{3}$ et $P(Y_n = -1) = \frac{2}{3}$, pour $n \in \mathbb{N}^*$. Pour $n \geq 1$, on note

$X_n = Y_1 + \ldots + Y_n$.

1. Montrer que $(X_n)_{n \geq 1}$ forme une chaîne de Markov.

2. Montrer que pour tout entier naturel $n \geq 1$, $P(X_n = 0) = 0$ si n n'est pas un multiple de 3.

103 Trajectoires

Maëva doit voir ses amis dans les villes de Vannes, Brest et Rennes. Elle peut passer plusieurs jours au même endroit et ses trajets sont modélisés par une chaîne de Markov (X_n) où X_n désigne la ville où elle se trouve au jour n.

Cette chaîne admet pour espace d'états E = {V ; B ; R} et sa matrice de transition est donnée par $Q = \begin{pmatrix} 0{,}2 & 0{,}6 & 0{,}2 \\ 0{,}15 & 0{,}4 & 0{,}45 \\ 0{,}1 & 0{,}8 & 0{,}1 \end{pmatrix}$.

On appelle trajectoire la suite de lettres de son itinéraire ; par exemple la trajectoire BBRV signifie que Maëva a passé les deux premiers jours à Brest, puis qu'elle s'est rendue à Rennes puis le quatrième jour à Vannes.

1. Exprimer la trajectoire VRR en termes d'événement.

2. Justifier pourquoi $P_{(X_0 = V) \cap (X_1 = R)}(X_2 = B) = P_{(X_1 = R)}(X_2 = B)$.

3. En déduire la probabilité de la trajectoire VRB.

4. Des deux trajectoires suivantes, BRB, RBV, laquelle est la plus probable ?

5. Calculer Q^2 et Q^3. Quelle est la probabilité que Maëva revienne dans une ville un jour après l'avoir quittée ? Deux jours après l'avoir quittée ?

104 Matrices stochastiques — MPSI — Démo

Pour un entier naturel $n > 1$, on note S_n l'ensemble des matrices stochastiques d'ordre n.

A ▶ On note X la matrice colonne d'ordre n constituée uniquement de 1. Soit $A = (a_{ij}) \in \mathcal{M}_n(\mathbb{R})$.

1. Démontrer que $AX = X$ si, et seulement si, $\sum_{j=1}^n a_{ij} = 1$ pour tout $1 \leq i \leq n$.

2. En déduire que S_n est stable par produit matriciel, c'est-à-dire que si A et B sont deux matrices de S_n, alors $AB \in S_n$.

B ▶ On dit qu'une suite de matrices (A_n) converge vers une matrice L si toutes les suites de termes généraux les coefficients de A_n convergent respectivement vers les coefficients de L.

1. On s'intéresse dans cette question au cas $n = 2$.

a) Justifier qu'une matrice $A \in S_2$ s'écrit toujours de la forme

$A = \begin{pmatrix} p & 1-p \\ 1-q & q \end{pmatrix}$ pour $p, q \in [0 ; 1]$.

b) Si $(p ; q) = (0 ; 0)$ ou $(1 ; 1)$, calculer A^n pour $n \in \mathbb{N}$.

2. On suppose cette fois que le couple $(p ; q)$ est différent de $(0 ; 0)$ et de $(1 ; 1)$.

a) Déterminer deux réels a et b tels que l'on ait l'égalité polynômiale en X suivante :
$X^n = (X - 1)(X - (p + q - 1))P(X) + aX + b$, où $P(X)$ est une expression polynômiale en X que l'on ne demande pas de déterminer.

b) En évaluant l'expression polynômiale pour $X = A$, déduire A^n en fonction de p, de q et de n.

c) Montrer alors que la suite (A^n) converge et vérifier que sa limite est une matrice stochastique.

3. Revenons au cas général et considérons $A \in S_n$. Démontrer que si la suite (A^n) converge vers une matrice B, alors $B \in S_n$ et $B^2 = B$.

Travaux pratiques

1 Algorithme *PageRank*

Internet est composé d'une multitude de pages HTML liées entre elles par des liens hypertexte.

Lors d'une recherche sur Internet, le moteur de recherche doit pouvoir classer la multitude des pages Internet correspondant à la recherche.

C'est à cet effet qu'à été créé l'algorithme *PageRank*.

A ▶ Un premier exemple

On considère un «micro-web» composé de quatre pages Internet, les liens hypertexte de ces pages sont présentés dans le graphe ci-dessous.

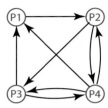

Chaque arc représente un lien hypertexte, par exemple la page 3 contient un lien vers la page 1 mais la page 2 ne contient pas de lien vers la page 1.

1. Déterminer le nombre de lien de chaque page.

Si une page contient n liens, alors chaque lien de cette page aura pour poids $\dfrac{1}{n}$.

2. Recopier le graphe et pondérer chaque arc en utilisant la règle ci-dessus.

Pour classer les quatre pages, on leur attribue un score : s_1 pour P1, s_2 pour P2, ...

PageRank attribue les scores en suivant cette règle :

Soit $P_1, P_2, ..., P_n$ l'ensemble des pages ayant un lien vers une page P_k, soit $c_1, c_2, ..., c_n$ les poids respectifs de ces liens, alors le score de P_k est $s_k = c_1 s_1 + c_2 s_2 + ... + c_n s_n$.

3. Montrer que les scores s_1, s_2, s_3 et s_4 de nos pages vérifient le système
$$\begin{cases} 6s_1 - 3s_3 - 2s_4 = 0 \\ -3s_1 + 3s_2 - s_4 = 0 \\ -3s_2 + 6s_3 - 2s_4 = 0 \\ -s_2 - s_3 + 2s_4 = 0 \end{cases}$$

On peut remarquer que ce système admet plusieurs solutions, c'est pourquoi nous allons ajouter une contrainte : $s_1 + s_2 + s_3 + s_4 = 1$.

4. Résoudre ce système et donner les valeurs de s_1, s_2, s_3 et s_4. Quelle page a le plus haut score ?

B ▶ Deuxième exemple

Appliquer l'algorithme *PageRank* vu précédemment sur ce «micro-web» pour déterminer la page avec le plus haut score.

Le système à résoudre ayant 13 équations, on pourra utiliser un solveur en ligne pour le résoudre (Exemple de solveur en ligne : matrixcalc.org/fr.)

2 Urnes d'Ehrenfest

En 1907, les époux Ehrenfest introduisent un modèle pour illustrer le comportement de certains phénomènes mécaniques comme le mouvement d'un grand nombre de particules dans des espaces confinés.

Le modèle étudié est le suivant : on dispose de deux urnes (A et B), l'urne A contenant N boules numérotées de 1 à N à l'instant $n = 0$.

À chaque instant, on tire au hasard un nombre entre 1 et N et on change la boule portant le numéro choisi d'urne. On s'intéresse au nombre de boules contenu dans l'urne A à l'instant n, que l'on consigne dans une variable aléatoire (X_n).

A ▶ Simulation du modèle

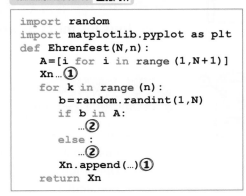

Le programme ci-contre est écrit en langage **Python** 🐍 .

La fonction **Ehrenfest** simule le contenu de l'urne A et renvoie une liste X_n correspondant aux différentes valeurs prises par X_k pour les étapes 0 à n

1. Compléter les pointillés :

①: A est une liste contenant les numéros des boules contenues dans l'urne.

Comment calculer **Xn** à partir de A ?

②: b est le nombre choisi au hasard.

Quelle fonction **Python** 🐍 permet d'ajouter ou enlever un élément d'une liste ?

2. La fonction **courbeEhrenfest** trace la courbe représentant X_n en fonction de n.

a) Exécutez le programme et entrer **courbeEhrenfest(500,1000)** pour observer l'évolution de (X_n).

b) Étudier l'évolution de l'urne pour différentes valeurs de N.

Comment semble se comporter (X_n) lorsque n tend vers l'infini ?

B ▶ Étude du modèle

1. Justifier que (X_n) est une chaîne de Markov, on admettra qu'elle est homogène.

2. Donner la distribution initiale π_0 associée.

Le modèle d'Ehrenfest peut être représenté partiellement par le graphe suivant.

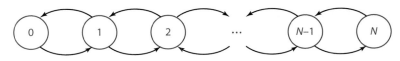

3. Expliquer pourquoi, dans ce graphe, seuls les sommets consécutifs sont adjacents.

4. Soit i et $j \in \{1, 2, …, N\}$, on souhaite calculer $Q(i,j) = P_{(X_n = i)}(X_{n+1}) = j$.

a) Déterminer, en justifiant, les valeurs de $Q(0,1)$ et $Q(N-1, N)$.

b) Que vaut $Q(i, j)$ si i et j ne sont pas consécutifs ?

c) Calculer $Q(i, i+1)$ et $Q(i, i-1)$ en fonction de i et N.

5. En déduire le poids de chaque arc ainsi que le matrice de transition M associée à (X_n).

6. On prend le cas particulier $N = 4$. À l'aide du calculatrice ou d'un logiciel de calcul matriciel, étudier le comportement de π_n lorsque n tend vers l'infini.

Comment se comporte π_n pour n pair ? Pour n impair ?

Dicomaths

Lexique   p.237

Tous les mots de vocabulaire utilisés en Maths expertes.

Formulaire de Terminale   p.242

Lexique

A-B

Adjacence (Matrice d')   **p. 176**

Adjacent (sommet)   **p. 174**

Adleman (Leonard) (né en 1945)

Chercheur américain, spécialisé en informatique. Il est l'un des concepteurs du chiffrement RSA ce qui lui valut le prix Turing en 2002.

Algébrique (forme)   **p. 14**

Algorithme

Une séquence finie d'instructions qui permet de résoudre un problème.

Arc   **p. 174**

Arête   **p. 174**

Argand (Jean-Robert) (1768-1822)

Libraire féru de mathématiques, il donne une interprétation géométrique des nombres complexes et une démonstration rigoureuse du théorème de d'Alembert-Gauss.

Arrêt (Critère d')   **p. 136**

Bachet de Méziriac (Claude-Gaspard) (1581-1638)

Mathématicien et poète français, ses travaux portent sur les fractions continues et sur la théorie des nombres. Il démontre pour la première fois le théorème de Bachet-Bézout.

Bernoulli (Jacques) (1654-1705)

Mathématicien et physicien suisse, grand frère de Jean. Il définit la notion de probabilité et introduit les notations encore utilisées au XXIe siècle. Ses neveux Nicolas et Daniel poursuivent par la suite son œuvre.

Bézout (Étienne) (1730-1783)

Mathématicien français, il publie en 1779 sa *Théorie générale des équations algébriques* où il étudie le côté symétrique des racines d'une équation algébrique. Il généralise la démonstration de Bachet concernant le théorème de Bachet-Bézout.

Bombelli (Raphaël) (1526-1572)

Mathématicien italien, auteur de *L'Algebra* (1572) et connu pour ses méthodes de calcul concernant les racines carrées.

Bon ordre (principe du)   **p. 82**

Brahmagupta (598-670)

Mathématicien et astronome indien. Il définit le zéro et les règles des signes sur les entiers relatifs. Il utilise l'algèbre pour résoudre des problèmes astronomiques.

C-D

Cardan (Jérôme) (1501-1576)

Mathématicien, philosophe, astrologue et médecin italien, il est en désaccord avec Tartaglia concernant la paternité de la découverte des solutions des équations du 3e degré.

Carmichaël (nombre de)   **p. 157**

Carmichaël (Robert Daniel) (1879-1967)

Mathématicien, physicien et philosophe américain, ses travaux en théorie des nombres concernent en particulier les nombres premiers. Un nombre de Carmichael est un nombre pseudo-premier de Fermat (par exemple $561 = 3 \times 11 \times 17$), il passe le test de primalité de Fermat alors qu'il est composé.

Cayley (Arthur) (1821-1895)

Mathématicien anglais, il est le premier à multiplier des matrices. Avec Hamilton, ils sont à l'origine du théorème de Cayley-Hamilton portant sur les polynômes caractéristiques en algèbre linéaire. Ce théorème sera démontré par Frobenius en 1878.

Chaîne (de longueur n)   **p. 174**

Chaîne de Markov   **p. 206**

Chaîne homogène   **p. 208**

Chemin (de longueur n)   **p. 174**

Chiffrement affine   **p. 125**

Circuit   **p. 174.**

Dijkstra (Edsger) (1930-2002)

Mathématicien et informaticien néerlandais à l'origine de l'algorithme qui porte son nom. L'algorithme de Dijkstra permet de calculer le plus court chemin sur un graphe pondéré.

Diophante d'Alexandrie (IIe ou IIIe s)

Mathématicien grec qui a vécu à Alexandrie. Son ouvrage le plus important, *Les disquisitions arithmétiques*, porte en partie sur l'étude des équations dont les solutions sont cherchées parmi les nombres entiers, voire rationnels.

Soit a et b deux nombres entiers. S'il existe un nombre entier k tel que $a = b$k, on dit que b divise a ou que b est un diviseur de a.

E-F

Ehrenfest (Paul) (1880-1993)

Physicien théoricien, élève de Klein et de Hilbert, il est à l'origine avec son épouse Tatiana du modèle stochastique des urnes.

Entier (nombre)

Peut désigner un nombre entier naturel (0, 1, 2, 3, …) comme un nombre entier relatif (…,– 2, – 1, 0, 1, 2, …).

Équations diophantienne   **p. 114**

Équations de la forme $ax + by = c$ avec a, b, c, x et y des entiers relatifs.

Ératosthène (vers 200 s. av. J.-C.)

Astronome, géographe, philosophe et mathématicien grec. Il est connu pour avoir calculé la mesure de la circonférence de la Terre. En mathématiques, il a établi une méthode pour établir une liste des nombres premiers : le crible.

Euclide (vers 300 av. J.-C.)

Mathématicien grec, il démontre dans ses *Éléments* de nombreux résultats en géométrie ou en arithmétique, d'où les notions de géométrie euclidienne, de division euclidienne ou encore d'algorithme d'Euclide.

Euler (Leonhard) (1707-1783)

Mathématicien et physicien suisse. Il introduit une grande partie des notations des mathématiques modernes. Lorsqu'il étudie le problème des ponts de Königsberg, il pose les bases de la théorie des graphes.

Fermat (Pierre de) (1607-1665)

Magistrat, poète et mathématicien français. Il appliqua l'algèbre à la géométrie et est l'auteur de plusieurs théorèmes ou conjectures en théorie des nombres. La plus connus fut démontrée 300 ans plus tard par Andrew Wiles.

Fibonacci (Leonardo) (1175-1250)

Mathématicien italien qui a étudié les travaux d'algèbre d'Al-Khwarizmi, les chiffres arabes et la notation algébrique puis les a introduit en Occident. Il est aujourd'hui connu pour la suite qui porte son nom, tirée d'un problème d'un de ses livres *Liber abaci* publié en 1202, qui décrit la croissance d'une population de lapins.

Frobenius (Ferdinand) (1849-1917)

Mathématicien allemand, ses travaux portent sur la théorie des groupes et l'algèbre linéaire. Il démontre le théorème de Cayley-Hamilton en 1878.

G-H

Gauss (Carl Friedrich) (1707-1783)

Mathématicien, physicien et astronome allemand, il est surnommé « le prince des mathématiciens ». En 1801, il publie ses *Disquisitiones arithmeticae* où il définit la notion de congruence et les premières propriétés modulaires associées.

Germain (Sophie) (1776-1831)

Mathématicienne, physicienne et philosophe française, elle est connue pour sa correspondance avec Gauss et pour ses travaux en théorie des nombres. Elle est à l'origine du théorème de Sophie Germain et des nombres premiers de Sophie Germain.

Hamilton (William Rowan) (1805-1865)

Mathématicien, physicien et astronome irlandais, il est à l'origine des quaternions. Ses travaux portent autant sur la géométrie (optique, vectorielle) que sur l'algèbre (résolution d'équations polynomiales).

Hill (Lester S.) (1891-1961)

Mathématicien et cryptologue américain, il est à l'origine d'un sytème de chiffrement qui porte son nom : le chiffrement de Hill.

Homothétie

Transformation géométrique associée à un agrandissement ou à une réduction.

Hypatie d'Alexandrie (env. 360-415)

Mathématicienne, astronome et philosophe grecque, elle est également conseillère de plusieurs notables de la ville d'Alexandrie. Elle est connue pour ses commentaires scientifiques notamment celui sur le livre III de l'Almageste de Ptolémée.

I-J-K-L

Impair (nombre)

Nombre de la forme 2k+1 avec k entier relatif.

Klein (Félix) (1849-1925)

Mathématicien allemand, il est célèbre pour ses travaux en théorie des groupes. Il est l'auteur du Programme d'Erlangen dans lequel il compare différentes géométries pour mettre en avant leurs similitudes.

Lagrange (Joseph-Louis) (1736-1813)

Mathématicien et astronome italien naturalisé français, il élabore le système métrique avec Lavoisier pendant la Révolution. Il démontre le théorème de Wilson.

M-N

Mandelbrot (Benoît) (1924-2010)

Mathématicien franco-américain, il étudie les fractales (pou de Mandelbrot, flocon de Koch, tapis de Sierpinski ou encore éponge de Menger) et décrit leurs applications notamment en économie et en sciences.

Markov (Andreï) (1856-1922)

Mathématicien russe, il soutient sa thèse en théorie des nombres sur les formes quadratiques binaires avec déterminant positif. En théorie des probabilités, ses chaînes de Markov marquent le début du calcul stochastique.

Mersenne (Marin) (1588-1648)

Ecclésiastique passionné de sciences, il correspond avec des scientifiques dans toute l'Europe. L'étude de la primalité éventuelle de certains nombres de Mersenne est encore d'actualité.

Moivre (Abraham de) (1667-1754)

Mathématicien français, précurseur du développement de la théorie des probabilités. Il présente dans ses ouvrages la notion de probabilité conditionnelle.

Newton (Isaac) (1642-1727)

Philosophe, mathématicien et physicien britannique. Il est l'un des fondateurs du calcul infinitésimal avec Leibniz et la formule du binôme.

O – P

Pair (nombre)
Nombre divisible par 2.

Parfait (nombre)
Nombre égal à la somme de ses diviseurs stricts. Par exemple $6 = 1 + 2 + 3$.

Pell (John) (1611-1685)

Mathématicien anglais, élève de Briggs, ses travaux portent sur les équations diophantiennes. Bien que son nom y soit associé (grâce à Euler), il n'a jamais travaillé sur l'équation de Pell-Fermat

Plus grand nombre de l'ensemble des diviseurs communs à deux nombres donnés.

Poulet (Paul) (1887-1946)

Mathématicien belge, il est connu pour ses travaux sur les nombres parfaits et amiables.

Pythagore de Samos (569-475 av. J.-C.)

Astronome, philosophe et mathématicien grec. Disciple de Thalès, il ne laisse aucun écrit mais est connu par ses disciples et successeurs. On lui attribue l'origine du mot « mathématiques » : celui qui veut apprendre. Il donne son nom aux « triplets pythagoriciens » dont un exemple est (3 ; 4 ; 5).

Q – R

Racine (d'un polynôme)
Soit un polynôme P de degré n, n un entier naturel non nul, l'ensemble des nombres z vérifiant $P(z)=0$ sont appelés racines du polynôme.

Réel (nombre)
Nombre représenté par sa partie entière et une liste (finie ou non) de décimales.

Rivest (Ronald) (né en 1947)

Cryptologue américain, chercheur au MIT, il est à l'origine de plusieurs algorithmes à clé secrète et de différentes fonctions de hachage. Il est l'un des concepteurs du chiffrement RSA ce qui lui valut le prix Turing en 2002.

Rotation — **p. 172**

Transformation géométrique associée au fait de « tourner » un objet d'un certain angle par rapport à un point.

RSA (système de cryptage) — **p. 132**

S-T

Schrödinger (Erwin)

Physicien et philosophe autrichien, célèbre pour son équation d'ondes et son expérience de pensée dite du « chat de Schrödinger ».

Shamir (Adi) (né en 1952)

Mathématicien et cryptologue israélien, ses travaux sont précurseurs de nombreux domaines en cryptographie : différentielle, visuelle, etc. Il est l'un des concepteurs du chiffrement RSA ce qui lui valut le prix Turing en 2002.

Sommet (d'un graphe) — **p. 174**

Sylvester (James Joseph) (1814-1897)

Mathématicien anglais, il introduit en 1850 le terme « matrice » et étudie notamment les formes quadratiques (et leurs invariants) ainsi que la théorie des déterminants.

Symétrie (propriété de) — **p. 86**

Tartaglia (Niccolo Fontana) (1499-1557)

Mathématicien italien, il sort vainqueur d'un défi l'opposant à Antonio Del Fiore (élève de Scipione del Ferro) où il résout 30 équations du type $x^3 + px = q$. Il garde la méthode de résolution secrète jusqu'au jour où, sous promesse de silence, il la dévoile à Cardan. Ce dernier, convaincu que Scipione Del Ferro en est le véritable auteur, décide de publier ce résultat dans son *Ars Magna*.

Théorème fondamental de l'arithmétique — **p. 138**

Tiroirs (principe des) — **p. 82**

Transitivité (propriété de) — **p. 86**

Translation — **p. 172**

Transformation géométrique associée au «glissement» d'un objet.

Transposée (d'une matrice) — **p. 166.**

Turing (Alan Mathison) (1912-1954)

Mathématicien et informaticien anglais, considéré comme l'inventeur de l'ordinateur. Durant la Seconde Guerre mondiale, il joue un rôle majeur dans le décryptage de code de la machine Enigma utilisée par les armées allemandes.

V-W-Z

Vecteur invariant — **p. 214**

Viète (François) (1540-1603)

Déchiffreurs de deux rois et mathématicien français. Il est le premier à introduire des lettres et des symboles en algèbre.

Wessel (Caspar) (1745-1818)

Mathématicien et cartographe danois et norvégien, il commence à utiliser la représentation par des nombres imaginaires. Ses travaux, écrits en danois, ne seront redécouverts qu'à la fin du XIXe siècle.

Wiles (Andrew) (né en 1953)

Mathématicien anglais, lauréat du prix Abel en 2016, célèbre pour avoir démontré en 1994 le théorème de Fermat-Wiles (ou grand théorème de Fermat).

Wilson (théorème de) — **p. 156**

Wilson (John) (1741-1793)

Mathématicien anglais, il a énoncé (sans démonstration) le théorème de Wilson sur les nombres premiers.

Formulaire de Terminale

Ensemble des nombres complexes

- **Définition de $\mathbb{C}$**
- $\mathbb{R} \subset \mathbb{C}$
- $i^2 = -1$
- L'addition et la multiplication ont les mêmes propriétés que dans $\mathbb{R}$.

- **Forme algébrique**
$z = a + ib$ avec a et b deux réels.
$a = \text{Re}(z)$ (partie réelle de z)
$b = \text{Im}(z)$ (partie imaginaire de z)
- **Égalité dans $\mathbb{C}$**
$$z = z' \Leftrightarrow \begin{cases} \text{Re}(z) = \text{Re}(z') \\ \text{Im}(z) = \text{Im}(z') \end{cases}$$

Opérations dans $\mathbb{C}$

Soit $z = a + ib$ et $z' = a' + ib'$ avec a, b, a' et b' des réels tels que $z \neq 0$.

- **Addition**
$$z + z' = (a + ib) + (a' + ib')$$
$$= (a + a') + i(b + b')$$
- **Multiplication**
$$z \times z' = (a + ib) \times (a' + ib')$$
$$= aa' + iab' + iba' + i^2bb'$$
$$= (aa' - bb') + i(ab' + a'b)$$
- **Opposé**
$$-z = -(a + ib)$$
$$= -a - ib$$

- **Inverse**
$$\frac{1}{z} = \frac{1}{a + ib}$$
$$= \frac{1 \times (a - ib)}{(a + ib)(a - ib)}$$
$$= \frac{a - ib}{a^2 - (ib)^2}$$
$$= \frac{a}{a^2 + b^2} - i\frac{b}{a^2 + b^2}$$

- **Quotient**
$$\frac{z'}{z} = \frac{a' + ib'}{a + ib}$$
$$= \frac{(a' + ib')(a - ib)}{(a + ib)(a - ib)}$$
$$= \frac{a'a - iba' + ib'a + bb'}{a^2 + b^2}$$
$$= \frac{aa' + bb'}{a^2 + b^2} + i\frac{ab' - a'b}{a^2 + b^2}$$

Conjugué

Soit $z = a + ib$ avec a et b deux réels.

- **Définition**   Le conjugué de z, noté $\overline{z}$, est défini par $\overline{z} = a - ib$.
- **Propriétés**

- $z + \overline{z} = 2\,\text{Re}(z)$
- $z - \overline{z} = 2i\,\text{Im}(z)$
- $z \in \mathbb{R} \Leftrightarrow z = \overline{z}$
- $z \in i\mathbb{R} \Leftrightarrow z = -\overline{z}$

- $\overline{\overline{z}} = z$
- $\overline{-z} = -\overline{z}$
- $\overline{z + z'} = \overline{z} + \overline{z'}$
- $\overline{z \times z'} = \overline{z} \times \overline{z'}$

- pour tout $n \in \mathbb{N}$, $\overline{z^n} = (\overline{z})^n$
- Si $z \neq 0$, $\overline{\left(\dfrac{1}{z}\right)} = \dfrac{1}{\overline{z}}$
- Si $z \neq 0$, $\overline{\left(\dfrac{z'}{z}\right)} = \dfrac{\overline{z'}}{\overline{z}}$

Formule du binôme de Newton

Soit $a \in \mathbb{C}$ et $b \in \mathbb{C}$. Pour tout $n \in \mathbb{N}$

$$(a + b)^n = \sum_{k=0}^{n} \binom{n}{k} a^k b^{n-k}$$

Équations du second degré

- $z^2 = a$
- Si $a > 0$, alors $S = \left\{ -\sqrt{a} \; ; \sqrt{a} \right\}$
- Si $a < 0$, alors $S = \left\{ -i\sqrt{|a|} \; ; i\sqrt{|a|} \right\}$
- Si $a = 0$, alors $S = \{0\}$

- $az^2 + bz + c = 0$ avec $a \neq 0$

On pose $\Delta = b^2 - 4ac$

- Si $\Delta > 0$, alors

$$S = \left\{ \frac{-b - \sqrt{\Delta}}{2a} \; ; \frac{-b + \sqrt{\Delta}}{2a} \right\}$$

- Si $\Delta = 0$, alors $S = \left\{ -\dfrac{b}{2a} \right\}$

- $\Delta < 0$, alors

$$S = \left\{ \frac{-b - i\sqrt{-\Delta}}{2a} \; ; \frac{-b + i\sqrt{-\Delta}}{2a} \right\}$$

- Si $\Delta \neq 0$, alors :
$az^2 + bz + c = a(z - z_1)(z - z_2)$ avec z_1 et z_2 les deux solutions de $az^2 + bz + c = 0$

Polynômes

- **Factorisation de $z^n - a^n$**

Soit $a \in \mathbb{C}$ et $n \in \mathbb{N}^*$

Pour tout $z \in \mathbb{C}$, $z^n - a^n = (z - a) \times Q(z)$ avec Q un polynôme de degré au plus $n - 1$.

- **Factorisation d'un polynôme**

Soit P un polynôme de degré n et $a \in \mathbb{C}$ tel que $P(a) = 0$.

Pour tout $z \in \mathbb{C}$, $P(z) = (z - a) \times Q(z)$ avec Q un polynôme de degré au plus $n - 1$.

- **Racines de polynôme**

Un polynôme non nul de degré n admet au plus n racines.

Le nombre de solutions d'une équation polynômiale est inférieur ou égal à son degré.

Affixe

- **Affixe d'un point, d'un vecteur**
- $M(a \; ; b) \leftrightarrow$ Affixe $z = a + ib$
- $\vec{u} \begin{pmatrix} a \\ b \end{pmatrix} \leftrightarrow$ Affixe $z = a + ib$

- **Milieu et vecteur**
- $\overrightarrow{AB}$ a pour affixe $z_B - z_A$
- Le milieu de $[AB]$ a pour affixe $\dfrac{z_A + z_B}{2}$

Module

- **Définition et expression**

$$|z| = OM = \sqrt{a^2 + b^2}$$

- **Module et distance**

$AB = |z_B - z_A|$

$\mathbb{U}$: ensemble des nombres complexe de module 1

- **Propriétés**

- $z \times \overline{z} = |z|^2$

- $|z \times z'| = |z| \times |z'|$

- $|z^n| = |z|^n$

- $\left|\dfrac{1}{z}\right| = \dfrac{1}{|z|}$

- $\left|\dfrac{z'}{z}\right| = \dfrac{|z'|}{|z|}$

Argument

- **Définition et expression**

Si M(z) avec $z \neq 0$, un argument de z est une mesure en radians de $(\vec{u}, \overrightarrow{OM})$.

$\arg(z) = \theta[2\pi]$ avec $\theta \in \mathbb{R}$ tel que :

$$\begin{cases} \cos\theta = \dfrac{a}{|z|} \\ \sin\theta = \dfrac{b}{|z|} \end{cases}$$

- **Propriétés**

$\arg(z \times z') = \arg(z) + \arg(z')[2\pi]$.

$\arg(z^n) = n \times \arg(z)[2\pi]$.

$\arg\left(\dfrac{1}{z}\right) = -\arg(z)[2\pi]$

$\arg\left(\dfrac{z'}{z}\right) = \arg(z') - \arg(z)[2\pi]$

- **Argument et angle**

$(\overrightarrow{AB}, \overrightarrow{AC}) = \arg\left(\dfrac{z_C - z_A}{z_B - z_A}\right)[2\pi]$

$(\overrightarrow{AB}, \overrightarrow{CD}) = \arg\left(\dfrac{z_D - z_C}{z_B - z_A}\right)[2\pi]$

Forme trigonométrique, forme exponentielle

- **Forme trigonométrique**

$z = r(\cos\theta + i\sin\theta)$ avec $r = |z|$ et $\theta = \arg(z)[2\pi]$

- **Notation exponentielle**

$e^{i\theta} = \cos(\theta) + i\sin(\theta)$

- **Forme exponentielle**

$z = re^{i\theta}$ avec $r = |z|$ et $\theta = \arg(z)[2\pi]$

- **Propriétés**

$e^{i\theta} \times e^{i\theta'} = e^{i(\theta+\theta')}$

$(e^{i\theta})^n = e^{in\theta}$

$\dfrac{e^{i\theta'}}{e^{i\theta}} = e^{i(\theta'-\theta)}$

$e^{i(\theta+2k\pi)} = e^{i\theta}$ avec $k \in \mathbb{Z}$

- **Racines n-ièmes de l'unité**

$z^n = 1$

$$\mathbb{U}_n = \left\{e^{\frac{2ik\pi}{n}}, k \in \{0\,;1\,;2\ldots;(n-1)\}\right\}$$

$\rightarrow$ Sommets d'un polygone régulier à n côtés inscrit dans le cercle trigonométrique.

Formules de Moivre et d'Euler

- **Formule de Moivre**

$\cos(n\theta) + i\sin(n\theta) = (\cos(\theta) + i\sin(\theta)^n)$

- **Formules d'Euler**

$\cos(\theta) = \dfrac{1}{2}(e^{i\theta} + e^{-i\theta})$ et $\sin(\theta) = \dfrac{1}{2i}(e^{i\theta} - e^{-i\theta})$

Formules d'addition et de duplication

- **Formules d'addition**

$\cos(a - b) = \cos(a)\cos(b) + \sin(a)\sin(b)$

$\cos(a + b) = \cos(a)\cos(b) - \sin(a)\sin(b)$

$\sin(a - b) = \sin(a)\cos(b) - \cos(a)\sin(b)$

$\sin(a + b) = \sin(a)\cos(b) + \cos(a)\sin(b)$

- **Formules de duplication**

$\cos(2a) = \cos^2(a) - \sin^2(a)$

$\qquad = 1 - 2\sin^2(a) = 2\cos^2(a) - 1$

$\sin(2a) = 2\sin(a)\cos(a)$.

Propriétés de $\mathbb{N}$

- **Principe du bon ordre**   Toute partie de $\mathbb{N}$ non vide admet un plus petit élément.
- **Principe de descente infinie**   Toute suite dans $\mathbb{N}$ strictement décroissante est finie.
- **Principe des tiroirs**   Si l'on range $(n + 1)$ chaussettes dans n tiroirs, alors un tiroir contiendra au moins 2 chaussettes.

Multiple, division, congruence

- **Divisibilité** $a|b \Leftrightarrow a$ divise b
- **Opération sur les multiples** $(a|b$ et $a|c) \Rightarrow (\alpha a + \beta b)$ avec $\alpha, \beta \in \mathbb{Z}$.
- **Division euclidienne de** $a \in \mathbb{Z}$ par $b \in \mathbb{N}^*$ $a = bq + r$ avec $0 \leqslant r < b$.
- **Congruence** $a \equiv b(n) \Leftrightarrow a$ et b ont même reste dans la division par n.
- La relation $\equiv$ est une relation d'équivalence.
- **Multiple** $a \equiv b\,(n) \Leftrightarrow a - b \equiv 0\,(n)$
- **Compatibilité**

$a \equiv b\,(n)$ et $c \equiv d\,(n) \Rightarrow a + c \equiv b + d\,(n)$.

$a \equiv b\,(n)$ et $c \equiv d\,(n) \Rightarrow ac \equiv bd\,(n)$

$a \equiv b\,(n)$ et $k \in \mathbb{N} \Rightarrow a^k \equiv b^k\,(n)$

PGCD, Théorèmes de Bézout et de Gauss

- **PGCD** plus grand commun diviseur
- a et b premiers entre eux $\Leftrightarrow$ PGCD $(a, b) = 1$.
- **Principe de l'algorithme d'Euclide**

$a = bq + r \Rightarrow$ PGCD$(a, b) =$ PGCD (b, r).

- **Linéarité**

$k \in \mathbb{N}^*$, PGCD $(ka, kb) = k$ PGCD (a, b).

- **Identité de Bézout**

PGCD $(a,b) = D \Rightarrow u,v \in \mathbb{Z}, au + bv = D$.

- **Théorème de Bézout**

PGCD $(a,b) = 1 \Leftrightarrow u,v \in \mathbb{Z}, au + bv = 1$.

- **Corollaire de Bézout**

L'équation $ax + by = c$ admet des solutions entières $\Leftrightarrow$ c est un multiple de PGCD(a, b).

- **Théorème de Gauss**

$a|bc$ et PGCD $(a,b) = 1 \Rightarrow a|c$.

- **Corollaire de Gauss**

$b|a$, $c|a$ et PGCD $(b, c) = 1 \Rightarrow bc|a$.

Nombres premiers

- **Définition**

$p \geqslant 2$, p est premier $\Leftrightarrow p$ admet exactement deux diviseurs positifs.

- **Décomposition en facteurs premiers**

$n \geqslant 2 : n = p_1^{\alpha_1} \times p_2^{\alpha_2} \times \ldots \times p_m^{\alpha_m}$.

- **Gauss et nombres premiers**

$p|(a\,b) \Rightarrow p|a$ ou $p|b$.

- **Test de primalité**

n non premier $\Rightarrow 2 \leqslant p \leqslant \sqrt{n}$ divise n.

- **Nombre de diviseurs de** n

$N = (\alpha_1 + 1)(\alpha_2 + 1) \ldots (\alpha_m + 1)$.

- **Petit théorème de Fermat**

p premier, a non multiple de $p \Rightarrow a^{p-1} \equiv 1\,(p)$.

- **Matrice transposée** Si $A = (a_{ij})$ est de dimension $n \times p$, sa matrice transposée est $A^t = (a_{ji})$ de dimension $p \times n$.
- **Matrices particulières**

Matrice ligne : $\begin{pmatrix} a_1 & a_2 & \dots & a_n \end{pmatrix}$

Matrice diagonale : $\begin{pmatrix} a_{11} & 0 & \dots & & 0 \\ 0 & a_{22} & \ddots & & \vdots \\ \vdots & & \ddots & \ddots & 0 \\ 0 & & \dots & 0 & a_{nn} \end{pmatrix}$

Matrice colonne : $\begin{pmatrix} a_1 \\ a_2 \\ \vdots \\ a_n \end{pmatrix}$

Matrice identité : $\begin{pmatrix} 1 & 0 & \dots & & 0 \\ 0 & 1 & \ddots & & \vdots \\ \vdots & & \ddots & \ddots & 0 \\ 0 & & \dots & 0 & 1 \end{pmatrix}$

Si $A = (a_{ij})$ et $B = (b_{ij})$ alors :

- **Somme** Le coefficient (i, j) de $A + B$ est $a_{ij} + b_{ij}$
- **Produit** Le coefficient (i, j) de AB est $\displaystyle\sum_{k=1}^{p} a_{ik} b_{kj}$
- **Déterminant** Si $A = \begin{pmatrix} a & b \\ c & d \end{pmatrix}$ alors $det(A) = ad - bc$.
- **Inverse** Si $A = \begin{pmatrix} a & b \\ c & d \end{pmatrix}$ alors $A^{-1} = \dfrac{1}{det(A)} \begin{pmatrix} d & -b \\ -c & a \end{pmatrix}$.

- **Résolution de système**

Si A est inversible, alors le système matricielle $AX = B$ admet pour unique solution $X = A^{-1}B$.

- **Transformation du plan**

Si un point B est l'image d'un point A par translation de vecteur $\vec{u}$, alors $\begin{pmatrix} x_B \\ y_B \end{pmatrix} = \begin{pmatrix} x_A \\ y_A \end{pmatrix} + \begin{pmatrix} x_{\vec{u}} \\ y_{\vec{u}} \end{pmatrix}$.

Si B est l'image de A par rotation d'angle θ, alors $\begin{pmatrix} x_B \\ y_B \end{pmatrix} = \begin{pmatrix} \cos\theta & -\sin\theta \\ \sin\theta & \cos\theta \end{pmatrix} \times \begin{pmatrix} x_A \\ y_A \end{pmatrix}$

- **Matrice en tableur**

On rentre $A = \begin{pmatrix} 1 & 2 & 3 \\ 3 & 2 & 1 \\ 2 & 1 & 3 \end{pmatrix}$ et $B = \begin{pmatrix} 4 & 5 & 6 \\ 6 & 5 & 4 \\ 5 & 4 & 6 \end{pmatrix}$

	A	B	C	D	E	F	G	H
1	1	2	3		4	5	6	
2	3	2	1		6	5	4	
3	2	1	3		5	4	6	
4								
5								
6								
7								
8								

Produit : le produit AB est une matrice 3×3 on sélectionne un bloc de 9 cellules (par ex : de C5 à E7) et on écrit la formule «=PRODUITMAT(A1:C3;E1:G3)» puis on valide cette formule en appuyant sur les touches Ctrl+Maj+Entrée.

Somme : la somme $A+B$ est une matrice 3×3. On sélectionne un bloc de 9 cellules (par ex : de C5 à E7) et on écrit la formule «=A1:C3+ E1:G3» puis on valide cette formule en appuyant sur les touches Ctrl+Maj+Entrée.

Graphes

La somme des degrés de tous les sommets d'un graphe est égale au double du nombre total d'arêtes.

Soit M la matrice d'adjacence d'un graphe Γ de sommets $S_1, S_2, \ldots, S_n$, donnés dans l'ordre de la matrice.
- Le coefficient (i, j) de M donne le nombre d'arêtes/arcs reliant les sommets S_i à S_j.
- Le coefficient (i, j) de M^p donne le nombre de chemins/chaînes de longueur p reliant les sommets S_i à S_j.

Chaînes de Markov

- **Probabilité conditionnelle**
Soit A et B deux événements de l'univers : $P_B(A) = \dfrac{P(A \cap B)}{P(B)}$

- **Formule de la probabilité totale**
Soit B un événement de l'univers. Si la famille $(A_i)_{1 \leqslant i \leqslant n}$ forme un système complet d'événements, on a :
$$P(B) = \sum_{i=1}^{n} P(B \cap A_i) = P(B \cap A_1) + P(B \cap A_2) + \ldots + P(B \cap A_n)$$

- **Chaîne de Markov**
Si (X_n) est une chaîne de Markov, alors
$$P_{(X_n = e_n) \cap \ldots \cap (X_0 = e_0)}(X_{n+1} = e_{n+1}) = P_{(X_n = e_n)}(X_{n+1} = e_{n+1})$$

- **Transition en m étapes**
Soit $m \in \mathbb{N}^*$ et (X_n) une chaîne de Markov de matrice de transition Q. Le calcul de probabilité pour passer d'un état e_i à un état e_j en m étapes est :
$$P_{(X_n = e_i)}(X_{n+m} = e_j) = \sum_{l=1}^{N-1} Q(i, l) P_{(X_n = e_i)}(X_{n+m-1} = e_j)$$
C'est le coefficient sur la i-ième ligne et j-ième colonne de la matrice Q^m.

- **Distribution**
Si (X_n) est une chaîne de Markov de matrice de transition Q on note pour tout $n \in \mathbb{N}$:
$$\pi_n = \left(P(X_n = e_0) \quad P(X_n = e_1) \quad \ldots \quad P(X_n = e_{N-1}) \right).$$
Alors $\pi_n = \pi_0 Q^n$ pour tout entier naturel n.

- **Convergence des distributions**
Si la suite (π_n) converge, alors sa limite π vérifie $\pi = \pi Q$.

Corrigés

1 Nombres complexes : point de vue algébrique et polynômes

À vous de jouer !

1 a) $z = -2$　　　b) $z = 0$

3 $x = 3$ et $y = -4$.

5 a) $z_1 - z_2 = 1 + i$　　b) $-3z_1 = 6 - 9i$
c) $2z_1^2 = -10 - 24i$

7 a) $z_1 = \dfrac{3}{10} - \dfrac{1}{10}i$　　b) $z_2 = -i$

9 Pour tout nombre complexe z non nul, notons $Z = \dfrac{1}{z} - \dfrac{1}{\overline{z}}$.

$\overline{Z} = \overline{\left(\dfrac{1}{z} - \dfrac{1}{\overline{z}}\right)} = \overline{\left(\dfrac{1}{z}\right)} - \overline{\left(\dfrac{1}{\overline{z}}\right)}$

$= \dfrac{1}{\overline{z}} - \dfrac{1}{\overline{\overline{z}}} = \dfrac{1}{\overline{z}} - \dfrac{1}{z} = -\left(\dfrac{1}{z} - \dfrac{1}{\overline{z}}\right) = -Z$

Donc Z est un nombre imaginaire pur.

11 a) $2\overline{z} = 4 + i \Leftrightarrow \overline{z} = 2 + \dfrac{1}{2}i$

$\Leftrightarrow z = 2 - \dfrac{1}{2}i$. Donc $S = \left\{2 - \dfrac{1}{2}i\right\}$.

b) $-3\overline{z} = -2 - i \Leftrightarrow \overline{z} = \dfrac{2}{3} + \dfrac{1}{3}i$

$\Leftrightarrow z = \dfrac{2}{3} - \dfrac{1}{3}i$. Donc $S = \left\{\dfrac{2}{3} - \dfrac{1}{3}i\right\}$.

13 $(1-i)^5 = \sum_{k=0}^{5}\binom{5}{k}1^k(-i)^{5-k} = -4 + 4i$

15 a) $z^2 - 5 = 0 \Leftrightarrow z^2 = 5$.
Donc dans $\mathbb{R}$ et $\mathbb{C}$, $S = \left\{-\sqrt{5} \; ; \sqrt{5}\right\}$.

b) $z^2 + 5 = 0 \Leftrightarrow z^2 = -5$.
Donc dans $\mathbb{R}$, $S = \varnothing$ et dans $\mathbb{C}$, $S = \left\{-i\sqrt{5} \; ; i\sqrt{5}\right\}$.
c) Dans $\mathbb{R}$, $S = \varnothing$ et donc dans $\mathbb{C}$, $S = \left\{-3i \; ; 3i\right\}$.

17 $z^3 - 2^3 = (z - 2)(az^2 + bz + c)$
Or $(z - 2)(az^2 + bz + c) =$
$az^3 + (b - 2a)z^2 + (c - 2b)z - 2c$

Par identification $\begin{cases} a = 1 \\ b - 2a = 0 \\ c - 2b = 0 \\ -2c = -2^3 \end{cases} \Leftrightarrow \begin{cases} a = 1 \\ b = 2 \\ c = 4 \\ c = 4 \end{cases}$

Donc $z^3 - 2^3 = (z - 2)(z^2 + 2z + 4)$.

19 1. $(-3)^3 + 3 \times (-3)^2 + (-3) + 3 = 0$
Donc -3 est une solution de l'équation.

2. $z^3 + 3z^2 + z + 3 = (z + 3)(az^2 + bz + c)$
Or $(z + 3)(az^2 + bz + c) = az^3 + (b + 3a)z^2 + (c + 3b)z + 3c$

Par identification $\begin{cases} a = 1 \\ b + 3a = 3 \\ c + 3b = 1 \\ 3c = 3 \end{cases} \Leftrightarrow \begin{cases} a = 1 \\ b = 0 \\ c = 1 \\ c = 1 \end{cases}$

Donc $z^3 + 3z^2 + z + 3 = (z + 3)(z^2 + 1)$
$z^3 + 3z^2 + z + 3 = 0 \Leftrightarrow (z + 3)(z^2 + 1) = 0$
$\Leftrightarrow z + 3 = 0$ ou $z^2 + 1 = 0$
$\Leftrightarrow z = -3$ ou $z^2 = -1$
$\Leftrightarrow z = -3$ ou $z = -i$ ou $z = i$
Donc $S = \{-3 \; ; -i \; ; i\}$.

21 a) $3z - 4 = iz + 5i - 1 \Leftrightarrow z \times (3 - i) = 3 + 5i$

$\Leftrightarrow z = \dfrac{3 + 5i}{3 - i} \Leftrightarrow z = \dfrac{(3 + 5i)(3 + i)}{(3 - i)(3 + i)}$

$\Leftrightarrow z = \dfrac{4}{10} + \dfrac{18}{10}i$. Donc $S = \left\{\dfrac{2}{5} + \dfrac{9}{5}i\right\}$.

b) $z = -\dfrac{2}{z} + 1 \Leftrightarrow z^2 = -2 + z$

$\Leftrightarrow z^2 - z + 2 = 0$. $\Delta = (-1)^2 - 4 \times 1 \times 2 = -7 < 0$

$z_1 = \dfrac{1 - i\sqrt{7}}{2}$ et $z_2 = \dfrac{1 + i\sqrt{7}}{2}$

Donc $S = \left\{\dfrac{1 - i\sqrt{7}}{2} \; ; \dfrac{1 + i\sqrt{7}}{2}\right\}$.

23 1. $z_1 = i \times 0 + 2i = 2i$
$z_2 = i \times 2i + 2i = -2 + 2i$
2. a) Pour tout $n \in \mathbb{N}$,
$u_{n+1} = z_{n+1} - z_A = i \times z_n + 2i - (-1 + i)$
$\qquad = i \times z_n + 1 + i$
Or $u_n = z_n - z_A$, donc $z_n = u_n + z_A = u_n - 1 + i$.
Donc $u_{n+1} = i \times (u_n - 1 + i) + 1 + i$
$\qquad = i \times u_n - i + i^2 + 1 + i = i \times u_n$
b) Pour tout $n \in \mathbb{N}$, on considère la propriété $P(n)$: « $u_n = (1 - i) \times i^n$ »
Initialisation : pour $n = 0$, $u_0 = z_0 - z_A = 1 - i$ et
$(1 - i) \times i^0 = 1 - i$. Donc $u_0 = (1 - i) \times i^0$.
Donc la propriété est vraie pour $n = 0$.
Hérédité : soit $n \in \mathbb{N}$. Supposons que $P(n)$ est vraie, et montrons que $P(n + 1)$ est vraie.
$u_{n+1} = i \times u_n = i \times (1 - i) \times i^n = (1 - i) \times i^{n+1}$
Donc $P(n + 1)$ est vraie.
Conclusion : pour tout $n \in \mathbb{N}$, $P(n)$ est vraie.
Donc pour tout $n \in \mathbb{N}$, $u_n = (1 - i) \times i^n$.
c) Pour tout $n \in \mathbb{N}$, $u_n = z_n - z_A$, donc $z_n = u_n + z_A = u_n - 1 + i$.
Donc $z_n = (1 - i) \times i^n - 1 + i$.
d) $z_{62} = (1 - i) \times i^{62} - 1 + i = (1 - i) \times (i^2)^{31} - 1 + i$
$= (1 - i) \times (-1)^{31} - 1 + i = (1 - i)(-1) - 1 + i$
$= -2 + 2i$

Exercices d'application

37 a) $\text{Re}(z_1) = 5$ et $\text{Im}(z_1) = -2$
b) $\text{Re}(z_2) = 0$ et $\text{Im}(z_2) = \sqrt{3}$
c) $\text{Re}(z_3) = 4 + \sqrt{2}$ et $\text{Im}(z_3) = 0$
d) $\text{Re}(z_4) = -3$ et $\text{Im}(z_4) = 2$

42 $\begin{cases} 1 + 2x = 5 \\ 1 - 2y = 4 \end{cases} \Leftrightarrow \begin{cases} x = 2 \\ y = -\dfrac{3}{2} \end{cases}$.

Donc $x = 2$ et $y = -\dfrac{3}{2}$.

45 a) $4 - 7i$　　　b) $3 - 4i$

c) $4 + 2i$　　　d) $-1 + \dfrac{5}{3}i$

54 a) $z_1 = -\dfrac{1}{2}i$　　b) $z_2 = \dfrac{2}{13} - \dfrac{3}{13}i$

c) $z_3 = \dfrac{5}{29} + \dfrac{2}{29}i$　　d) $z_4 = -\dfrac{5}{29} - \dfrac{2}{29}i$

62 a) $9 - i$　　　b) $13 + 24i$

c) $-2 - 5i$　　　d) $\dfrac{3}{7} + i\dfrac{\sqrt{7}}{7}$

74 1. a) $(2 + i)^4 = \sum_{k=0}^{4}\binom{4}{k}2^k i^{4-k} = -7 + 24i$

b) $(1 - 2i)^5 = \sum_{k=0}^{5}\binom{5}{k}1^k(-2i)^{5-k} = 41 + 38i$

2. $(x + 3)^8 = \sum_{k=0}^{8}x^k 3^{8-k}\binom{8}{k}$

Donc le coefficient de x^6 est $3^{8-6}\binom{8}{6}$, soit 252.

79 a) Dans $\mathbb{R}$, $S = \varnothing$. Dans $\mathbb{C}$, $S = \{-8i \; ; 8i\}$.

b) Dans $\mathbb{R}$, $S = \left\{-\sqrt{3} \; ; \sqrt{3}\right\}$.
Dans $\mathbb{C}$, $S = \left\{-\sqrt{3} \; ; \sqrt{3}\right\}$.

c) Dans $\mathbb{R}$, $S = \left\{-\sqrt{6} \; ; \sqrt{6}\right\}$.
Dans $\mathbb{C}$, $S = \left\{-\sqrt{6} \; ; \sqrt{6}\right\}$.

d) Dans $\mathbb{R}$, $S = \varnothing$. Dans $\mathbb{C}$, $S = \left\{-i\sqrt{13} \; ; i\sqrt{13}\right\}$.

83 a) $z^2 - 2^2 = (z - 2)(z + 2)$
b) $z^3 - 3^3 = (z - 3)(z^2 + 3z + 9)$

89 1. $P(3) = 3^3 - 5 \times 3^2 + 9 \times 3 - 9 = 0$
Donc 3 est une racine de P.
2. $P(z) = (z - 3)(az^2 + bz + c)$
$\qquad = az^3 + (b - 3a)z^2 + (c - 3b)z - 3c$

Par identification $\begin{cases} a = 1 \\ b - 3a = -5 \\ c - 3b = 9 \\ -3c = -9 \end{cases} \Leftrightarrow \begin{cases} a = 1 \\ b = -2 \\ c = 3 \\ c = 3 \end{cases}$

Donc $P(z) = (z - 3)(z^2 - 2z + 3)$
$P(z) = 0 \Leftrightarrow (z - 3)(z^2 - 2z + 3) = 0$
$\qquad \Leftrightarrow z - 3 = 0$ ou $z^2 - 2z + 3 = 0$
Résolvons $z^2 - 2z + 3 = 0$
$\Delta = (-2)^2 - 4 \times 1 \times 3 = -8 < 0$.
Donc $z_1 = \dfrac{2 - i\sqrt{8}}{2} = 1 - i\sqrt{2}$ et

$z_2 = \dfrac{2 + i\sqrt{8}}{2} = 1 + i\sqrt{2}$

Donc les racines de P sont 3 ; $1 - i\sqrt{2}$; $1 + i\sqrt{2}$.
3. $P(z) = (z - 3)\left(z - (1 - i\sqrt{2})\right)\left(z - (1 + i\sqrt{2})\right)$
$P(z) = (z - 3)\left(z - 1 + i\sqrt{2}\right)\left(z - 1 - i\sqrt{2}\right)$

Exercices d'entraînement

107 1. $z^3 - 1 = (z - 1)(z^2 + z + 1)$

2. $S = \left\{1 \; ; \dfrac{-1 - i\sqrt{3}}{2} \; ; \dfrac{-1 + i\sqrt{3}}{2}\right\}$

3. $j = -\dfrac{1}{2} + i\dfrac{\sqrt{3}}{2}$

4. a) $j^3 - 1 = 0$, donc $j^3 = 1$
b) $(j - 1)(j^2 + j + 1) = 0$,
Or $j \neq 1$, donc $j^2 + j + 1 = 0$

c) $j^2 = \left(\dfrac{-1+i\sqrt{3}}{2}\right)^2 = \dfrac{1-2i\sqrt{3}+i^2\times 3}{4}$

Donc $j^2 = \dfrac{-1-i\sqrt{3}}{2} = \overline{j}$

d) $\dfrac{1}{j} = \dfrac{2}{-1+i\sqrt{3}} = \dfrac{2\times\left(-1-i\sqrt{3}\right)}{\left(-1+i\sqrt{3}\right)\left(-1-i\sqrt{3}\right)}$

Donc $\dfrac{1}{j} = \dfrac{-1-i\sqrt{3}}{2} = \overline{j}$

126 1. Pour tout $n \in \mathbb{N}$,

$u_{n+1} = z_{n+1} - i = \dfrac{1}{3}z_n + \dfrac{2}{3}i - i$

$= \dfrac{1}{3}(z_n - i) = \dfrac{1}{3}u_n$

2. Pour tout $n \in \mathbb{N}$, on considère la propriété

$P(n)$: « $u_n = \left(\dfrac{1}{3}\right)^n (1-i)$ ».

Initialisation : pour $n = 0$, $u_0 = z_0 - i = 1 - i$ et

$\left(\dfrac{1}{3}\right)^0 (1-i) = 1 - i$. Donc $u_0 = \left(\dfrac{1}{3}\right)^0 (1-i)$, et donc la propriété est vraie pour $n = 0$.

Hérédité : soit $n \in \mathbb{N}$. Supposons que $P(n)$ est vraie, et montrons que $P(n+1)$ est vraie.

$u_{n+1} = \dfrac{1}{3} \times u_n = \dfrac{1}{3} \times \left(\dfrac{1}{3}\right)^n (1-i)$

$= \left(\dfrac{1}{3}\right)^{n+1} (1-i)$. Donc $P(n+1)$ est vraie.

Conclusion : pour tout $n \in \mathbb{N}$, $P(n)$ est vraie,

donc $u_n = \left(\dfrac{1}{3}\right)^n (1-i)$.

3. Pour tout $n \in \mathbb{N}$, $u_n = z_n - i$. Donc $z_n = u_n + i$

$z_n = \left(\dfrac{1}{3}\right)^n (1-i) + i$

Préparer le BAC

139 C **140** C **141** B

142 D **143** A et C **144** C

145 D **146** B **147** A

148 1. $\mathrm{Re}(z) = -5$ et $\mathrm{Im}(z) = 2$

2. $x = 0$ et $y = 1$

149 a) $z+z' = 2 + 12i$ b) $z-z' = 6 + 2i$

c) $z\times z' = -43 + 6i$ d) $z^2 = -33 + 56i$

e) $\dfrac{1}{z'} = -\dfrac{2}{29} - \dfrac{5}{29}i$ f) $\dfrac{z}{z'} = \dfrac{27}{29} - \dfrac{34}{29}i$

150 1. $\overline{z_1} = -2 - i$

2. $\overline{Z} = \overline{(z - \overline{z} + i)} = \overline{z} - z - i = -Z$

Donc Z est un nombre imaginaire pur.

3. a) $z' = \dfrac{9}{5} + \dfrac{23}{5}i$

b) $z' + \overline{z'} = 2\mathrm{Re}(z) = \dfrac{18}{5}$

$z' - \overline{z'} = 2i\mathrm{Im}(z) = \dfrac{46}{5}i$

151 a) $S = \left\{\dfrac{1}{5} + \dfrac{7}{5}i\right\}$. b) $S = \left\{-\dfrac{7}{5} - \dfrac{1}{5}i\right\}$.

c) $S = \left\{\dfrac{4}{3} - i\right\}$. d) $S = \left\{\dfrac{3 - i\sqrt{71}}{4} ; \dfrac{3 + i\sqrt{71}}{4}\right\}$.

e) $S = \left\{-i\sqrt{11} ; i\sqrt{11} ; -\sqrt{11} ; \sqrt{11}\right\}$.

152 1. $(2 + 3i)^4 = -119 - 120i$

2. $\displaystyle\sum_{k=0}^{n} 2^k \binom{n}{k} = \sum_{k=0}^{n} 2^k 1^{n-k}\binom{n}{k} = (2+1)^n = 3^n$

3. $(x + 2)^{10} = \displaystyle\sum_{k=0}^{10} x^k 2^{10-k}\binom{10}{k}$

Donc le coefficient de x^7 est $2^{10-7}\binom{10}{7}$, soit 960.

153 a) $x^4 - 1 = (x - 1)(x^3 + x^2 + x + 1)$

b) $x^3 - 8 = x^3 - 2^3 = (x - 2)(x^2 + 2x + 4)$

154 1. a) 0 est une solution évidente.

b) $2x^3 - 2x^2 - 24x = 0 \Leftrightarrow x(2x^2 - 2x - 24) = 0$

$\Leftrightarrow x = 0$ ou $2x^2 - 2x - 24 = 0$

$\Delta = 196 > 0$ donc $x_1 = \dfrac{2 - \sqrt{196}}{4} = -3$ et

$x_2 = \dfrac{2 + \sqrt{196}}{4} = 4$

Donc $S = \{-3 ; 0 ; 4\}$.

2. a) $(-1)^3 - 3(-1)^2 + 25(-1) + 29 = 0$.

Donc -1 est solution de l'équation.

b) $x^3 - 3x^2 + 25x + 29 = (x + 1)(x^2 - 4x + 29)$

c) $S = \{-1 ; 2 - 5i ; 2 + 5i\}$

155 1. $z_1 = 2$ et $z_2 = 2 + 2i$.

2. Posons $z = a + ib$ avec a et b deux réels.

$z \times \overline{z} = (a + ib)(a - ib) = a^2 - (ib)^2 = a^2 + b^2$

Donc $z \times \overline{z}$ est un nombre réel.

3. a) $u_0 = 2$; $u_1 = 4$ et $u_2 = 8$.

b) Pour tout nombre complexe z, $z \times \overline{z}$ est un nombre réel.

Donc $z_n \times \overline{z_n}$ est un nombre réel.

Donc pour tout $n \in \mathbb{N}, u_n \in \mathbb{R}$.

c) Pour tout $n \in \mathbb{N}$,

$u_{n+1} = z_{n+1} \times \overline{z_{n+1}} = (1+i)z_n \times \overline{(1+i)z_n}$

$= (1+i)z_n \times (1-i)\overline{z_n}$

$= 2u_n$

Donc (u_n) est une suite géométrique de raison 2.

d) Pour tout $n \in \mathbb{N}, u_n = u_0 \times 2^n = 2 \times 2^n = 2^{n+1}$.

e) $2 > 1$. Donc $\displaystyle\lim_{n\to+\infty} 2^n = +\infty$. Donc $\displaystyle\lim_{n\to+\infty} u_n = +\infty$.

4. a)
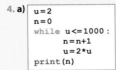
```
u=2
n=0
while u<=1000 :
    n=n+1
    u=2*u
print(n)
```

b) L'entier est 9.

156 1. a) $f(3) = -\dfrac{1}{5}$. L'image de 3 est $-\dfrac{1}{5}$.

b) $f(i) = -\dfrac{7}{5} + \dfrac{6}{5}i$. L'image de i est $-\dfrac{7}{5} + \dfrac{6}{5}i$.

2. a) $f(z) = 3 \Leftrightarrow z = -5$. L'antécédent de 3 est -5.

b) $f(z) = i \Leftrightarrow z = 1 + 3i$. L'antécédent de i est $1+3i$.

3. $f(z) = -z \Leftrightarrow z = -4$ ou $z = 1$

Donc $S = \{-4 ; 1\}$.

2 Nombres complexes : point de vue géométrique et applications

À vous de jouer !

1 1. $z_0 = 0$; $z_U = 1$ et $z_V = i$.

2.
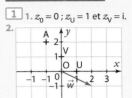

5 a) $|z_1| = \sqrt{(-3)^2 + 9^2} = \sqrt{90}$

b) $|z_2| = \sqrt{(-4)^2 + 2^2} = \sqrt{20}$

9 a) $\arg(z_1) = -\dfrac{\pi}{6}[2\pi]$

b) $\arg(z_2) = \dfrac{\pi}{4}[2\pi]$

c) $\arg(z_3) = -\pi[2\pi]$

13 $\dfrac{\pi}{6} + \dfrac{\pi}{4} = \dfrac{5\pi}{12}$

$\cos\left(\dfrac{5\pi}{12}\right) = \cos\left(\dfrac{\pi}{6} + \dfrac{\pi}{4}\right)$

$= \cos\left(\dfrac{\pi}{6}\right)\cos\left(\dfrac{\pi}{4}\right) - \sin\left(\dfrac{\pi}{6}\right)\sin\left(\dfrac{\pi}{4}\right)$

$= \dfrac{\sqrt{6} - \sqrt{2}}{4}$

$\sin\left(\dfrac{5\pi}{12}\right) = \sin\left(\dfrac{\pi}{6} + \dfrac{\pi}{4}\right)$

$= \sin\left(\dfrac{\pi}{6}\right)\cos\left(\dfrac{\pi}{4}\right) + \cos\left(\dfrac{\pi}{6}\right)\sin\left(\dfrac{\pi}{4}\right) = \dfrac{\sqrt{2} + \sqrt{6}}{4}$

15 $\arg(z_1) = \dfrac{2\pi}{3}[2\pi]$; $\arg(z_2) = \dfrac{\pi}{4}[2\pi]$

Donc $\arg\left(\dfrac{z_1}{z_2}\right) = \arg(z_1) - \arg(z_2)[2\pi]$

$\arg\left(\dfrac{z_1}{z_2}\right) = \dfrac{5\pi}{12}[2\pi]$

17 a) $z_1 = 3e^{-i\frac{\pi}{3}}$

b) $z_2 = e^{i\frac{\pi}{3}}\left(3e^{-i\frac{\pi}{3}}\right)^2 = e^{i\frac{\pi}{3}} \times 9 \times e^{-\frac{2i\pi}{3}} = 9e^{-i\frac{\pi}{3}}$

21 $\mathbb{U}_3 = \left\{1 ; e^{\frac{2i\pi}{3}} ; e^{\frac{4i\pi}{3}}\right\}$.

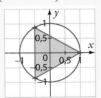

$P = 3 \times \left|e^{\frac{2i\pi}{3}} - 1\right| = 3 \times \left|\cos\left(\dfrac{2\pi}{3}\right) - 1 + i\sin\left(\dfrac{2\pi}{3}\right)\right|$

$= 3 \times \sqrt{\left(\cos\left(\dfrac{2\pi}{3}\right) - 1\right)^2 + \sin\left(\dfrac{2\pi}{3}\right)^2} = 3 \times \sqrt{3}$

23 $(\overrightarrow{AB}, \overrightarrow{AC}) = \arg\left(\dfrac{z_C - z_A}{z_B - z_A}\right)[2\pi]$

$= \arg\left(\dfrac{4 + 4i - (1 - 2i)}{2 - (1 - 2i)}\right)[2\pi] = \arg\left(\dfrac{3 + 6i}{1 + 2i}\right)[2\pi]$

$= \arg\left(\dfrac{(3 + 6i)(1 - 2i)}{(1 + 2i)(1 - 2i)}\right)[2\pi] = \arg(3)\,[2\pi] = 0\,[2\pi]$

Donc A, B et C sont alignés.

25 $z_1 \times z_2 = (3 + 3i)(2\sqrt{3} + 2i)$
$= 6\sqrt{3} - 6 + i(6\sqrt{3} + 6)$

Or $z_1 = 3\sqrt{2}e^{i\frac{\pi}{4}}$ et $z_2 = 4e^{i\frac{\pi}{6}}$.

Donc $z_1 z_2 = 12\sqrt{2}e^{i\frac{5\pi}{12}}$.

Donc $12\sqrt{2}\cos\left(\dfrac{5\pi}{12}\right) = 6\sqrt{3} - 6$.

$\cos\left(\dfrac{5\pi}{12}\right) = \dfrac{6\sqrt{3} - 6}{12\sqrt{2}} = \dfrac{\sqrt{6} - \sqrt{2}}{4}$

27 **1.** ABC semble rectangle et isocèle en B.

$\dfrac{z_C - z_B}{z_A - z_B} = \dfrac{4 + 2i - (2 - i)}{-1 + i - (2 - i)} = \dfrac{2 + 3i}{-3 + 2i}$

$= \dfrac{(2 + 3i)(-3 - 2i)}{(-3 + 2i)(-3 - 2i)} = -i$

$(\overrightarrow{BA}, \overrightarrow{BC}) = \arg\left(\dfrac{z_C - z_B}{z_A - z_B}\right)[2\pi] = -\dfrac{\pi}{2}[2\pi]$

Et $\left|\dfrac{z_C - z_B}{z_A - z_B}\right| = 1$, donc $|z_C - z_B| = |z_A - z_B|$, soit
BC = BA.
Donc ABC est rectangle et isocèle en B.

2. ABCD est un parallélogramme $\Leftrightarrow \overrightarrow{AB} = \overrightarrow{DC} \Leftrightarrow$
$z_B - z_A = z_C - z_D \Leftrightarrow z_D = z_C - z_B + z_A \Leftrightarrow z_D = 1 + 4i$
Donc l'affixe de D est $z_D = 1 + 4i$.
3. ABCD est un parallélogramme. Et ABC est un triangle rectangle et isocèle en B.
Donc ABCD est un carré.

Exercices *d'application*

38 **1.** $z_A = 1 + 3i$; $z_B = 3 + 2i$
$z_C = -2$; $z_D = -3i$
2. $z_{\overrightarrow{AB}} = 2 - i$; $z_{\overrightarrow{CD}} = -2 - 3i$

50 **a)** $|z_1| = \sqrt{3^2 + (-2)^2} = \sqrt{13}$.

b) $|z_2| = \sqrt{\left(\sqrt{2}\right)^2 + 1^2} = \sqrt{3}$

c) $|z_3| = \sqrt{\left(\dfrac{1}{2}\right)^2 + \left(\sqrt{3}\right)^2} = \sqrt{\dfrac{13}{4}} = \dfrac{\sqrt{13}}{2}$.

d) $|z_4| = \sqrt{0^2 + \left(\dfrac{5}{7}\right)^2} = \dfrac{5}{7}$

56 **a)** $\arg(z_1) = 0[2\pi]$. **b)** $\arg(z_2) = \dfrac{\pi}{2}[2\pi]$

c) $\arg(z_3) = \dfrac{3\pi}{4}[2\pi]$ **d)** $\arg(z_4) = \dfrac{\pi}{6}[2\pi]$

65 **1.** $\dfrac{\pi}{4} + \dfrac{\pi}{3} = \dfrac{7\pi}{12}$

2. $\cos\left(\dfrac{7\pi}{12}\right) = \cos\left(\dfrac{\pi}{4} + \dfrac{\pi}{3}\right)$

$= \cos\left(\dfrac{\pi}{4}\right)\cos\left(\dfrac{\pi}{3}\right) - \sin\left(\dfrac{\pi}{4}\right)\sin\left(\dfrac{\pi}{3}\right) = \dfrac{\sqrt{2} - \sqrt{6}}{4}$

$\sin\left(\dfrac{7\pi}{12}\right) = \sin\left(\dfrac{\pi}{4} + \dfrac{\pi}{3}\right)$

$= \sin\left(\dfrac{\pi}{4}\right)\cos\left(\dfrac{\pi}{3}\right) + \cos\left(\dfrac{\pi}{4}\right)\sin\left(\dfrac{\pi}{3}\right) = \dfrac{\sqrt{2} + \sqrt{6}}{4}$

68 **1.** $\arg(z_1) = -\dfrac{\pi}{6}[2\pi]$ et $\arg(z_2) = -\dfrac{3\pi}{4}[2\pi]$

2. $\arg(z_1 \times z_2) = \arg(z_1) + \arg(z_2)[2\pi]$
$$= -\dfrac{11\pi}{12}[2\pi]$$

$\arg\left(\dfrac{z_1}{z_2}\right) = \arg(z_1) - \arg(z_2)[2\pi] = \dfrac{7\pi}{12}[2\pi]$

$\arg(z_1^5) = 5\arg(z_1)[2\pi] = -\dfrac{5\pi}{6}[2\pi]$

71 **a)** $z_1 = \sqrt{3}e^{i\frac{2\pi}{3}}$ **b)** $z_2 = 20e^{i\frac{\pi}{2}}$

c) $z_3 = \dfrac{1}{2}e^{-i\frac{\pi}{2}}$

78 **1.** $\mathbb{U}_6 = \left\{1\,;\,e^{i\frac{\pi}{3}}\,;\,e^{i\frac{2\pi}{3}}\,;\,-1\,;\,e^{i\frac{4\pi}{3}}\,;\,e^{i\frac{5\pi}{3}}\right\}$

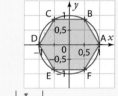

2. $P = 6 \times \left|e^{i\frac{\pi}{3}} - 1\right|$

$P = 6 \times \left|\cos\left(\dfrac{\pi}{3}\right) + i\sin\left(\dfrac{\pi}{3}\right) - 1\right|$

$P = 6 \times \left|\dfrac{1}{2} + i\dfrac{\sqrt{3}}{2} - 1\right|$

$P = 6 \times \sqrt{\left(-\dfrac{1}{2}\right)^2 + \left(\dfrac{\sqrt{3}}{2}\right)^2}$

$P = 6$

80 **1.** $\dfrac{z_C - z_A}{z_B - z_A} = \dfrac{-1 - 3i - (9 + 2i)}{3 - i - (9 + 2i)}$

$= \dfrac{-10 - 5i}{-6 - 3i} = \dfrac{(-10 - 5i)(-6 + 3i)}{(-6 - 3i)(-6 + 3i)} = \dfrac{75}{45}$

Donc $k = \dfrac{5}{3}$.

2. $\arg(k) = 0[2\pi]$

3. $(\overrightarrow{AB}, \overrightarrow{AC}) = \arg\left(\dfrac{z_C - z_A}{z_B - z_A}\right)[2\pi]$

Donc $(\overrightarrow{AB}, \overrightarrow{AC}) = 0[2\pi]$.
Donc A, B et C sont alignés.

Exercices *d'entraînement*

88 **a)** $|1 + 2i| = \sqrt{1^2 + 2^2} = \sqrt{5}$

On cherche $\theta \in \left[0\,;\dfrac{\pi}{2}\right]$ tel que $\begin{cases}\cos(\theta) = \dfrac{1}{\sqrt{5}} \\ \sin(\theta) = \dfrac{2}{\sqrt{5}}\end{cases}$

Donc un argument de $1 + 2i$ est environ 1,11.

b) $|-2 + i| = \sqrt{(-2)^2 + 1^2} = \sqrt{5}$

On cherche $\theta \in \left[\dfrac{\pi}{2}\,;\pi\right]$ tel que $\begin{cases}\cos(\theta) = \dfrac{-2}{\sqrt{5}} \\ \sin(\theta) = \dfrac{1}{\sqrt{5}}\end{cases}$

Donc un argument de $-2 + i$ est environ 2,68.

c) $|4 - 3i| = \sqrt{4^2 + (-3)^2} = 5$

On cherche $\theta \in \left[-\dfrac{\pi}{2}\,;0\right]$ tel que $\begin{cases}\cos(\theta) = \dfrac{4}{5} \\ \sin(\theta) = -\dfrac{3}{5}\end{cases}$

Donc un argument de $4 - 3i$ est environ $-0,64$

d) $|-3 - i| = \sqrt{(-3)^2 + (-1)^2} = \sqrt{10}$

On cherche $\theta \in \left[-\pi\,;-\dfrac{\pi}{2}\right]$ tel que $\begin{cases}\cos(\theta) = \dfrac{-3}{\sqrt{10}} \\ \sin(\theta) = \dfrac{-1}{\sqrt{10}}\end{cases}$

Donc un argument de $-3 - i$ est environ $-2,82$.

100 **1.** $(\overrightarrow{OM}, \overrightarrow{ON}) = \arg\left(\dfrac{z_N - z_O}{z_M - z_O}\right)[2\pi]$. Or

$\dfrac{z_N - z_O}{z_M - z_O} = \dfrac{\left(\dfrac{3 + i}{3}\right)}{-3 - i} = \dfrac{3 + i}{-9 - 3i} = \dfrac{(3 + i)(-9 + 3i)}{(-9 - 3i)(-9 + 3i)}$

$= \dfrac{-30}{90} = -\dfrac{1}{3}$

Donc $(\overrightarrow{OM}, \overrightarrow{ON}) = \arg\left(-\dfrac{1}{3}\right)[2\pi]$.

Donc $(\overrightarrow{OM}, \overrightarrow{ON}) = \pi[2\pi]$.
Donc les points O, M et N sont alignés.
2. MNQP est un parallélogramme
$\Leftrightarrow \overrightarrow{MN} = \overrightarrow{PQ} \Leftrightarrow z_N - z_M = z_Q - z_P$
$\Leftrightarrow z_Q = z_N - z_M + z_P \Leftrightarrow z_Q = \dfrac{3 + i}{3} - (-3 - i) + 3i$
$\Leftrightarrow z_Q = 4 + \dfrac{13}{3}i$

Donc pour que MNQP soit un parallélogramme,
l'affixe du point Q est $4 + \dfrac{13}{3}i$.

Préparer le BAC

124 B **125** C **126** C

127 D **128** C **129** C

130 C

131 **a)** $z_A = 3 + i$

b) $|z_B| = \sqrt{8}$ et $\arg(z_B) = \dfrac{\pi}{4}[2\pi]$.

$|z_C| = 2$ et $\arg(z_C) = -\dfrac{2\pi}{3}[2\pi]$. **c)** $z_D = 2e^{i\frac{5\pi}{6}}$

132 **1.** $|z_1| = 4$ et $\arg(z_1) = -\dfrac{5\pi}{6}[2\pi]$

$|z_2| = \sqrt{5}$ et $\arg(z_2) = \dfrac{3\pi}{4}[2\pi]$

2. $z_1 = 4 \times \left(\cos\left(-\dfrac{5\pi}{6}\right) + i\sin\left(-\dfrac{5\pi}{6}\right)\right)$

$z_1 = 4 \times e^{-i\frac{5\pi}{6}}$

3. $z_2 = -\dfrac{\sqrt{10}}{2} + i\dfrac{\sqrt{10}}{2}$

133 **1.**

$\cos\left(x - \dfrac{\pi}{3}\right) = \cos(x)\cos\left(\dfrac{\pi}{3}\right) + \sin(x)\sin\left(\dfrac{\pi}{3}\right)$

$= \dfrac{1}{2}\cos(x) + \dfrac{\sqrt{3}}{2}\sin(x)$

$\sin\left(x + \dfrac{5\pi}{4}\right) = \sin(x)\cos\left(\dfrac{5\pi}{4}\right) + \cos(x)\sin\left(\dfrac{5\pi}{4}\right)$

$= -\dfrac{\sqrt{2}}{2}\sin(x) - \dfrac{\sqrt{2}}{2}\cos(x)$

2. $\cos\left(2 \times \dfrac{\pi}{5}\right) = 2\cos^2\left(\dfrac{\pi}{5}\right) - 1$

$= 2 \times \left(\dfrac{1+\sqrt{5}}{4}\right)^2 - 1 = 2 \times \dfrac{6+2\sqrt{5}}{16} - 1$

$= \dfrac{-1+\sqrt{5}}{4}$

134 **1. a)** $z_1 = 8\sqrt{2}\,\mathrm{e}^{\mathrm{i}\frac{5\pi}{4}}$

$z_1^6 = \left(8\sqrt{2}\right)^6 \left(\mathrm{e}^{\mathrm{i}\frac{5\pi}{4}}\right)^6 = 8^6 \times \sqrt{2}^6 \times \mathrm{e}^{\mathrm{i}\frac{30\pi}{4}}$

$= 2097152 \times \mathrm{e}^{\mathrm{i}\frac{15\pi}{2}} = 2097152 \times \mathrm{e}^{-\mathrm{i}\frac{\pi}{2}}$

$= -2097152\,\mathrm{i}$

b) $\arg(z_1) = \dfrac{5\pi}{4}\,[2\pi]$

$\arg\left(z_1^{1500}\right) = 1500 \times \arg(z_1)[2\pi]$

$= 1500 \times \dfrac{5\pi}{4}[2\pi] = 1875\pi[2\pi] = \pi[2\pi]$

Donc z_1^{500} est un nombre reel.

2. $\mathrm{Im}(z_1) = -8$

$z_2 = 8\left(\cos\left(-\dfrac{\pi}{4}\right) + \mathrm{i}\sin\left(-\dfrac{\pi}{4}\right)\right) = \dfrac{8\sqrt{2}}{2} - \mathrm{i}\dfrac{8\sqrt{2}}{2}$

Donc $\mathrm{Im}(z_2) = -4\sqrt{2}$

$\mathrm{Im}(z_1) \neq \mathrm{Im}(z_2)$. Donc (AB) n'est pas parallèle à l'axe des abscisses.

135 **1.** $\sin^4(x) = \left(\dfrac{1}{2\mathrm{i}}\left(\mathrm{e}^{\mathrm{i}x} - \mathrm{e}^{-\mathrm{i}x}\right)\right)^4$

$= \dfrac{1}{16\mathrm{i}^4} \times \left(\sum_{k=0}^{4}\binom{4}{k}\left(\mathrm{e}^{\mathrm{i}x}\right)^k\left(-\mathrm{e}^{-\mathrm{i}x}\right)^{4-k}\right)$

$= \dfrac{1}{16} \times \left(\mathrm{e}^{4\mathrm{i}x} - 4\mathrm{e}^{-\mathrm{i}2x} + 6 - 4\mathrm{e}^{\mathrm{i}2x} + \mathrm{e}^{-4\mathrm{i}x}\right)$

$= \dfrac{1}{16}(2\cos(4x) - 4 \times 2\cos(2x) + 6)$

$= \dfrac{\cos(4x) - 4\cos(2x) + 3}{8}$

2. $\cos(4x) + \mathrm{i}\sin(4x) = (\cos(x) + \mathrm{i}\sin(x))^4$
Après calcul, on a
$\sin(4x) = -4\cos(x)\sin^3(x) + 4\cos^3(x)\sin(x)$

136 **1.** $\mathrm{OA} = |z_A - z_O| = 2$

$\mathrm{OB} = |z_B - z_O| = 2$; $\mathrm{OC} = |z_C - z_O| = 2$

Donc A, B et C appartiennent au cercle de centre O et de rayon 2.
2. ABCD est un parallélogramme
$\Leftrightarrow \overrightarrow{AB} = \overrightarrow{DC} \Leftrightarrow z_B - z_A = z_C - z_D$
$\Leftrightarrow z_D = z_C - z_B + z_A \Leftrightarrow z_D = -4\mathrm{i}$
Donc les coordonnées de D sont $(0\,;-4)$.
3. Soit I le centre du parallélogramme. I est le milieu de [AC].

Donc $z_I = \dfrac{z_A + z_C}{2} = \dfrac{\sqrt{3} - 3\mathrm{i}}{2}$

4. a) $\dfrac{z_E - z_A}{z_B - z_A} = \dfrac{-2\sqrt{3} + 2\mathrm{i}}{\sqrt{3} + \mathrm{i} + 2\mathrm{i}} = \mathrm{i} \times \dfrac{2\sqrt{3}}{3}$

Donc $\arg\left(\dfrac{z_E - z_A}{z_B - z_A}\right) = \dfrac{\pi}{2}[2\pi]$.

b) $(\overrightarrow{AB}, \overrightarrow{AE}) = \dfrac{\pi}{2}[2\pi]$.

Donc les droites (AB) et (AE) sont perpendiculaires.

---

137 **a)** L'ensemble des points M est le cercle de centre A d'affixe 3i et de rayon $\sqrt{5}$.
b) L'ensemble des points M est la médiatrice de B d'affixe $3 + 2\mathrm{i}$ et C d'affixe $-4\mathrm{i}$.
c) L'ensemble des points M est la demi-droite [OD], privé de O, avec D d'affixe $-\mathrm{i}$.
d) L'ensemble des points M est le cercle de diamètre [EF] privé des points E et F, avec E d'affixe $3 + 2\mathrm{i}$ et F d'affixe $-3 - 8\mathrm{i}$.

138 **1.** $\mathbb{U}_7 = \left\{\mathrm{e}^{\frac{2k\mathrm{i}\pi}{7}}\,;\, k \in \{0\,;1\,;\ldots;6\}\right\}$

2. $L = \left|\mathrm{e}^{\frac{2\mathrm{i}\pi}{7}} - 1\right| \approx 0{,}87$. La longueur des côtés est environ 0,87.
$P = 7 \times L \approx 6{,}07$. Le périmètre est environ 6,07.

139 **1.** $\left(\overrightarrow{OM_n}, \overrightarrow{OM_{n+2}}\right) = \arg\left(\dfrac{z_{n+2}}{z_n}\right)[2\pi]$.

Or $z_{n+2} = \dfrac{\mathrm{i}}{2}z_{n+1} = \dfrac{\mathrm{i}}{2} \times \dfrac{\mathrm{i}}{2}z_n = -\dfrac{1}{2}z_n$.

Donc $\left(\overrightarrow{OM_n}, \overrightarrow{OM_{n+2}}\right) = \arg\left(-\dfrac{1}{2}\right)[2\pi]$.

$\left(\overrightarrow{OM_n}, \overrightarrow{OM_{n+2}}\right) = -\pi[2\pi]$.

Donc O, M_n et M_{n+2} sont alignés.

2. $|z_0| = 50$; $|z_1| = \left|\dfrac{\mathrm{i}}{2} \times 50\right| = 25$ et

$|z_3| = \left|\dfrac{\mathrm{i}}{2} \times \dfrac{\mathrm{i}}{2} \times 50\right| = \dfrac{25}{2}$

3. On conjecture que $|z_n| = 50 \times \left(\dfrac{1}{2}\right)^n$.

4. Pour tout $n \in \mathbb{N}$, on considère la propriété

$P(n)$: « $|z_n| = 50 \times \left(\dfrac{1}{2}\right)^n$. »

Initialisation : pour $n = 0$, $|z_0| = 50$ et

$50 \times \left(\dfrac{1}{2}\right)^0 = 50$. Donc $|z_0| = 50 \times \left(\dfrac{1}{2}\right)^0$.

Donc la propriété est vraie pour $n = 0$.
Hérédité : soit $n \in \mathbb{N}$. Supposons que $P(n)$ est vraie, et montrons que $P(n+1)$ est vraie.

$|z_{n+1}| = \left|\dfrac{\mathrm{i}}{2}z_n\right| = \left|\dfrac{\mathrm{i}}{2}\right| \times |z_n|$

$= \dfrac{1}{2} \times 50 \times \left(\dfrac{1}{2}\right)^n = 50 \times \left(\dfrac{1}{2}\right)^{n+1}$

Donc $P(n+1)$ est vraie.
Conclusion : pour tout $n \in \mathbb{N}$, $P(n)$ est vraie.

Donc pour tout $n \in \mathbb{N}$, $|z_n| = 50 \times \left(\dfrac{1}{2}\right)^n$.

5. a) M_n appartient au disque de centre 0 et de rayon 0,5 si et seulement si $|z_n| \leqslant 0{,}5$.

```
n=0
u=0
while u>0.5
    n=n+1
    u=1/2*u
print(n)
```

b) Cet entier est 7.

Divisibilité, division euclidienne, congruence

À vous de jouer !

1 **1. a)** $(x - y)(x + y) = 21$
Solutions : $(11\,;10)$ et $(5\,;2)$
b) $x(x - 7y) = 17$. Pas de solution.

3 **a)** $n \in \{-10\,;-4\,;-2\,;4\}$.
b) $n \in \{-8\,;-2\,;0\,;6\}$.

5 $n \in \{0\,;5\,;10\,;15\}$

10 $5^{4n} = (5^2)^{2n} \equiv (-1)^{2n} \equiv 1\,(13)$
$5^{4n} - 1$ divisible par 13.

12 On dresse un tableau de congruence

$n \equiv \ldots$ (8)	0	1	2	3	4	5	6	7
$n^2 \equiv \ldots$ (8)	0	1	4	1	0	1	4	1

L'équation est vérifiée pour les valeurs pairs de n.

14 **1.**

$n \equiv \ldots$ (6)	0	1	2	3	4	5
$2^n \equiv \ldots$ (9)	1	2	4	8	7	5

2. $2^n - 1$ divisible par 9 si n multiple de 6.

18 **1.** $100a \equiv 0\,(25)$, on a $n \equiv b\,(25)$
n divisible par 25 $\Leftrightarrow b$ divisible par 25.
2. Un entier est divisible par 25 si, et seulement si, ce nombre se termine par : 00, 25, 50, 75.

Exercices d'application

36 **1.** Diviseurs de 220

1	2	4	5	10	11
220	110	55	44	22	20

2. $S_{220} = 1 + 2 + 4 + \ldots + 55 + 110 = 284$
3. Les diviseurs de 284

1	2	4
284	142	71

$S_{284} = 1 + 2 + 4 + 71 + 142 = 220$
4. $S_{220} = 284$ et $S_{284} = 220$

53 **1.** $-1\,208 = -24 \times 51 + 16$
Donc $q = -24$ et $r = 16$
2. $1\,208 = 52 \times 23 + 12$
Donc $q = 52$ et $r = 12$

62 $5^3 = 125 \equiv 6\,(17)$ donc $5^{3n} - 6^n \equiv 0\,(17)$
donc le reste est nul.

75 1.

$n \equiv \ldots$ (4)	0	1	2	3
$2^n \equiv \ldots$ (5)	1	2	4	3

2. $1\,357 \equiv 2$ (5) et $2\,017 \equiv 1$ (4) donc
$1\,357^{2\,017} \equiv 2$ (5).

80 1. Par double implication :
$$n \equiv 0 \ (17) \overset{\times 5}{\Rightarrow} 10a + b \equiv 0 \ (17) \Rightarrow 50a + 5b \equiv 0 \ (17)$$
$$\Rightarrow -a + 5b \equiv 0 \ (17) \Rightarrow a - 5b \equiv 0 \ (17)$$
$$a - 5b \equiv 0 \ (17) \overset{\times 10}{\Rightarrow} 10a - 50b \equiv 0 \ (17)$$
$$\Rightarrow 10a + b \equiv 0 \ (17) \Rightarrow n \equiv 0 \ (17)$$

2. $816 : 81 - 30 = 51 : 5 - 5 = 0$ donc divisible par 17.
$16\,983 : 1\,698 - 15 = 1\,683 : 168 - 15 = 153 : 15 - 15 = 0$ divisible par 17.

Préparer le BAC

95 B	**96** A	**97** A
98 A	**99** A	**100** B
101 D	**102** D	**103** C
104 A	**105** A	**106** B

107 1. 700 a 18 diviseurs : 1 ; 2 ; 4 ; 5 ; 7 ; 10 ; 14 ; 20 ; 25 ; 28 ; 35 ; 50 ; 70 ; 100 ; 140 ; 175 ; 350 ; 700.
2. $n \in \{-2, -1, 0, 1\}$

108 a) Les couples de la forme $(0 ; y)$ et $(x ; 13)$ avec $x, y \in \mathbb{N}$
b) (6 ; 4)   c) (3 ; 1)   d) Pas de solution

109 $n \in \{3, 9\}$

110 1. Opération sur les multiples :
d divise $5(3k + 2) - 3(5k - 7) = 31$.
2. $d \in \{-31 ; -1 ; 1 ; 31\}$.

111 d divise $5a - 9b = 7$ donc $d \in \{-7, -1, 1, 7\}$

112 1. $A = 4k(k + 1)$
2. k et $(k + 1)$ sont des entiers consécutifs donc l'un d'eux est pair. 8 divise alors A.

113 1. Vrai $n = 66q + 5 = 11(6q) + 5$
2. Faux. contre-exemple $n = 16$
le reste de n par 11 est 5 et par 66 est 16.

114 1. $\begin{cases} a + b = 1\,400 \\ a = bq + 16 \end{cases}$ avec $b > 16$

2. $b(q + 1) = 1\,384$
3. $1\,384 = 2^3 \times 173$
$(a ; b) \in \{(1227 ; 173) ; (1054 ; 346) ; (708 ; 692) ; (16 ; 1384)\}$

115 $\dfrac{524}{16} < b \leqslant \dfrac{524}{15} \Leftrightarrow 33 \leqslant b \leqslant 34$
$b \in \{33, 34\}$ les restes possibles sont 29 et 14.

116 Les entiers cherchés sont 0, 65, 136 et 219

117 → **Apprendre à démontrer** p. 90

118 1. $27 = 28 - 1 \Leftrightarrow 3^3 \equiv -1$ (7)
2. $1\,515^{2004} \equiv (3^3)^{668} \equiv (-1)^{668} \equiv 1$ (7)
Donc $1\,515^{2004} - 1$ est divisible par 7.
$3^{2\,018} \equiv 3^{3 \times 672 + 2} \equiv (3^3)^{672} \times 9 \equiv (-1)^{672} \times 2 \equiv 2$ (7)
Donc le reste de 3^{2018} par 7 est 2.

---

119 1. Elle a raison :
$$\begin{cases} n \equiv 3 \ (5) \Rightarrow 2n - 11 \equiv 6 - 11 \equiv -5 \equiv 0 \ (5) \\ n \equiv 2 \ (7) \Rightarrow 2n - 11 \equiv 4 - 11 \equiv -7 \equiv 0 \ (7) \\ n \equiv 1 (9) \Rightarrow 2n - 11 \equiv 2 - 11 \equiv -9 \equiv 0 \ (9) \\ n \equiv 0 (11) \Rightarrow 2n - 11 \equiv -11 \equiv 0 \ (11) \end{cases}$$
2. Le puzzle contient 1 738 pièces.

120 a) $x \equiv 2$ (3)
b) Avec un tableau de congruence, on trouve $x \equiv 1$ (5) ou $x \equiv 3$ (5).

121 1.

$x \equiv \ldots$ (6)	0	1	2	3	4	5
$x^2 \equiv \ldots$ (6)	0	1	4	3	4	1
$-x + 4 \equiv \ldots$ (6)	4	3	2	1	0	5
$x^2 - x + 4 \equiv \ldots$ (6)	4	4	0	4	4	0

2. Les solutions sont $x \equiv 2$ (6) ou $x \equiv 5$ (6).

122 1. Le cycle des restes de 4^n par 7 est 3.

$n \equiv \ldots$ (3)	0	1	2
$4^n \equiv \ldots$ (7)	1	4	2

2. $2\,020 \equiv 4$ (7) et $2\,019 \equiv 0$ (3) donc
$2\,020^{2019} \equiv 4^0 \equiv 1$ (7) le reste est donc 1.

4 PGCD, théorèmes de Bézout et de Gauss

À vous de jouer !

01 1. $n = 54k$ avec $k \neq 0$ (7).
2. $n \in \{54 ; 108 ; 162 ; 216 ; 270 ; 324 ; 432 ; 486\}$.

03 Les solutions sont (18 ; 432), (54 ; 144), (144 ; 54), (432 ; 18).

05 a) PGCD(144 , 840) = 24
b) PGCD(202 , 138) = 2

11 1. $87 = 31 \times 2 + 25$; $31 = 25 \times 1 + 6$; $25 = 6 \times 4 + 1$
2. On trouve le couple (5 ; – 14).

17 1. On trouve les solutions
$$\begin{cases} x = 45k \\ y = 33k \end{cases}, k \in \mathbb{Z}$$
2. L'équation est équivalente à :
$33(x + 1) = 45(-y + 1)$
On trouve alors les solutions :
$$\begin{cases} x = -1 + 45k \\ y = 1 - 33k \end{cases}, k \in \mathbb{Z}$$

19 3 et 5 divise x or PGCD(3,5) = 1 donc 15 divise x. 15 et 7 divise x or PGCD(15,7) = 1 donc 105 divise x.

21 1. PGCD(4 , 3) = 1 et 2 est un multiple du PGCD(4 , 3) donc l'équation admet des solutions.
2. (2 , – 2)
3. L'ensemble des solutions :
$$\begin{cases} x = 2 + 3k \\ y = -2 - 4k \end{cases}, k \in \mathbb{Z}$$

25 1. On pose $\alpha = \dfrac{p}{q}$ avec PGCD(p , q) = 1.
On a : $p^3 = q(-ap^2 - bpq - cq^2)$
q divise p donc $q = 1$ et donc α entier.
2. On prend $a = 0$, $b = 0$ et $c = n$.
D'après 1. $\sqrt[3]{n}$ est soit entier soit non rationnel.

---

42 On obtient les couples suivants et leurs symétriques :
{(18 ; 342), (54 ; 306), (126 ; 234), (162 ; 198)}.

49 À l'aide de l'algorithme d'Euclide :
a) PGCD (4 935 , 517) = 47
b) PGCD (2 012 , 7 545) = 503
c) PGCD (18 480 , 8 745) = 165

54 On trouve $\begin{cases} x = -7 + 40k \\ y = -3 + 17k \end{cases}, k \in \mathbb{Z}$

68 1. On trouve $\begin{cases} a = 13k \\ b = 29k \end{cases}, k \in \mathbb{Z}$

2. On trouve $\begin{cases} x = 11 + 13k \\ y = 24 + 29k \end{cases}, k \in \mathbb{Z}$

71 1. (2 , 0)
2. On obtient : $\begin{cases} x = 2 + 4k \\ y = 3k \end{cases}, k \in \mathbb{Z}$

86 1. On a : $\begin{cases} p(2p^2 + 5pq + 5q^2) = -3q^3 \\ 2p^3 = q(-5p^2 - 5pq - 3q^2) \end{cases}$

p divise $3q^3$ et PGCD(p,q) = 1 donc p divise 3.
q divise $2p^3$ et PGCD(p,q) = 1 donc q divise 2.
2. $p \in \{-3 ; -1 ; 1 ; 3\}$ et $q \in \{1 ; 2\}$
On teste les 8 choix possibles et seuls $-\dfrac{3}{2}$ et $-\dfrac{1}{2}$ sont solutions

Préparer le BAC

96 C	**97** B	**98** A
99 A	**100** D	**101** A
102 B	**103** C	**104** B
105 B		

106 b divise 1800 et 2 720 avec $b > 9$.
b divise PGCD(1800 , 2720) = 360
$b \in \{10 ; 12 ; 15 ; 18 ; 20 ; 24,30 ; 36 ; 40 ; 45 ; 60 ; 72 ; 90 ; 120 ; 180 ; 360\}$

107 b divise 1 545 et 3 375 avec $b > 10$.
B divise PGCD(1 545 , 3 375) = 15 donc $b = 15$.

108 a) PGCD (901 , 1505) = 1
b) PGCD(2 012 , 7 545) = 503

109 1.

A	12	2	10	8	2	6	4	2	2
B	14	12	2	10	8	2	6	4	2
D	2	10	8	2	6	4	2	2	0

2. Cet algorithme calcule le PGCD(A ,B)
Il est basé sur PGCD(A , B) = PGCD(B – A , A) que l'on démontre par double inégalité.

110 1. $-2a + 7b = 1$ donc PGCD(a , b) = 1.
2. $-7a + 4b = 1$ donc PGCD(a , b) = 1.

111 a) Fausse, contre-exemple : $a = 2$ et $b = 3$; on a PGCD(2 , 3) = 1. Mais $6 \times 2 + (-3) \times 3 = 3$.
b) Fausse car PGCD(51 , 9) = 3 et 2 n'est pas multiple de 3.
c) Vraie car $5a - 14b = 1$.

112 1. Oui car PGCD(221 ,338) = 13 et 26 est un multiple de 13.
2. On divise par 13 : $17x + 26y = 2$. Une solution est $(-3 ; 2)$.

113 1. On a les solutions : $\begin{cases} a = 5k \\ b = 21k \end{cases}, k \in \mathbb{Z}$

2. PGCD(5 , 11) = 1, d'après le corollaire du théorème de Gauss $5 \times 11 = 55$ divise $(n - 9)$.

114 1. $n \equiv 1\ (5) \Rightarrow n - 11 \equiv -10 \equiv 0\ (5)$
$n \equiv 3\ (4) \Rightarrow n - 11 \equiv -8 \equiv 0\ (4)$
donc $(n - 11)$ est divisible par 5 et 4.
2. 5 et 4 divise $(n - 11)$ et PGCD(5 , 4) = 1 donc 20 divise$(n - 11)$, on a alors $n \equiv 11\ (20)$
Réciproquement, on vérifie que $n \equiv 11\ (20)$est bien solution de (S).

115 1. Soit $D = $ PGCD(a , b) et $d = $ PGCD$(a , 9)$, D divise a et b donc d divise $-(n + 3)a + b = 9$ donc $D \leqslant d$. d divise a et 9 donc d divise $(n + 3)$ $a + 9 = b$ donc $d \leqslant D$.
2. $(n - 2)$ est un diviseur de 9.
$n \in \{-7, -1, 1, 3, 5, 11\}$

116 1. Solution car PGCD(25 , 7) = 1.
2. $(2, -7)$
3. Les solutions sont : $\begin{cases} x = 2 + 7k \\ y = -7 - 25k \end{cases}, k \in \mathbb{Z}$

117 a) $(4 ; 1)$
b) Les solutions sont : $\begin{cases} x = 4 + 3k \\ y = 1 + 2k \end{cases}, k \in \mathbb{Z}$

118 1. On a les relations :
$p(3p^2 + 4pq + 2q^2) = 4q^3$
$3p^3 = q(-4p^2 - 2pq + 4q^2)$
p divise $4q^3$ comme PGCD$(p , q) = 1$, p divise 4.
q divise $3p^3$ comme PGCD$(p , q) = 1$, q divise 3.
2. On teste les solutions avec $p \in \{-4, -2, -1, 1, 2, 4\}$ et $q \in \{1 ; 3\}$. La seule solution est $x = \dfrac{2}{3}$.

Nombres premiers

5

À vous de jouer !

1 $\sqrt{317} \approx 17,8$. On teste tous les nombres premiers jusqu'à 17 : 2 ; 3 ; 5 ; 7 ; 11 ; 13 ; 17 qui ne divisent pas 317 donc 317 est premier.

3 1. Restes possibles : 1 ; 5 ; 7 ; 11.
2. $p^2 + 11$ est divisible par 12 :

$p \equiv ...\ (12)$	1	5	7	11
$p^2 + 11 \equiv ...\ (12)$	0	0	0	0

5 1. $6\ 468 = 2^2 \times 3 \times 7^2 \times 11$
$16\ 380 = 2^2 \times 3^2 \times 5 \times 7 \times 13$
2. PGCD(6468 , 16380) = $2^2 \times 3 \times 7 = 84$

10 1. $2\ 025 = 3^4 \times 5^2$. Nombre de diviseurs :15.
2. Diviseurs de 2 025 :

	3^0	3^1	3^2	3^3	3^4
5^0	1	3	9	27	81
5^1	5	15	45	135	405
5^2	25	75	225	675	2025

12 Théorème de Fermat : $3^p \equiv 3\ (p)$ donc $3^{n+p} \equiv 3^n \times 3^p \equiv 3^n \times 3 \equiv 3^{n+1}\ (p)$.
$3^{n+p} - 3^{n+1}$ est divisible par p.

14 1. $(2\alpha + 1)(2\beta + 1) = 3(\alpha + 1)(\beta + 1)$
$\Leftrightarrow \alpha\beta - \alpha - \beta + 1 = 3 \Leftrightarrow \alpha(\beta - 1) - (\beta - 1) = 3$
$\Leftrightarrow (\alpha - 1)(\beta - 1) = 3$.
2. $n = 2^4 \times 3^2 = 144$ ou $n = 2^2 \times 3^4 = 324$.

21 1. a est pair donc $a^2 + 1$est impair et donc p est impair donc de la forme $4n + 1$ ou $4n + 3$
2. On a $a^2 + 1 \equiv 0\ (p)$donc $a^2 \equiv -1\ (p)$et donc $a^4 \equiv 1\ (p)$.
a) p ne divise pas a car sinon on aurait $a^2 \equiv 0\ (p)$.
b) Supposons que $p = 4n + 3$. Comme p ne divise pas a d'après le théorème de Fermat : $a^{p-1} = (a^4)^n a^2 \equiv 1\ (p)$.
c) Or $(a^4)^n a^2 \equiv 1^n \times (-1) \equiv -1\ (p)$.
On a donc $1 \equiv -1\ (p)$ ce qui entraine p pair. Contradiction.
3. p est de la forme $4n + 1$.

Exercices d'application

39 $\sqrt{419} \approx 20,5$. On teste tous les nombres premiers jusqu'à 19 : 2 ; 3 ; 5 ; 7 ; 11 ; 13 ; 17 ; 19 qui ne divisent pas 419 donc 419 est premier.

47 p divise a et $a^2 + b^2$donc p divise $(-a)a + 1(a^2 + b^2) = b^2$. Comme p est premier d'après le théorème de Gauss p divise b.

51 $960 = 2^6 \times 3 \times 5$. $221\ 222 = 2 \times 53 \times 2087$

60 1. $792 = 2^3 \times 3^2 \times 11$. 792 a 24 diviseurs.
2. Diviseurs de 792 :

	2^0	2^1	2^2	2^3
$3^0 \times 11^0$	1	2	4	8
$3^1 \times 11^0$	3	6	12	24
$3^2 \times 11^0$	9	18	36	72
$3^0 \times 11^1$	11	22	44	88
$3^1 \times 11^1$	33	66	132	264
$3^2 \times 11^1$	99	198	396	792

66 1. 29 est premier et ne divise pas 4, donc $4^{28} \equiv 1\ (29)$ et donc $4^{28} - 1$ est divisible par 29.
2. $4 \equiv 1\ (3) \Rightarrow 4^n \equiv 1^n \equiv 1\ (3)$donc pour tout $n \in \mathbb{N}$, $4^n - 1$est divisible par 3.
3. $4^2 \equiv 1\ (5) \Rightarrow (4^2)^{2k} \equiv 1^{2k} \equiv 1\ (5)$ donc pour tout $k \in \mathbb{N}$, $4^{4k} - 1$ est divisible par 5.
$4^2 \equiv -1\ (17) \Rightarrow (4^2)^{2k} \equiv (-1)^{2k} \equiv 1\ (17)$donc pour tout $k \in \mathbb{N}$, $4^{4k} - 1$est divisible par 17.
4. $28 = 4 \times 7$, donc $4^{28}-1$ est divisible par 3, 5, 17 et 29.

Exercices d'entraînement

73 n a 6 diviseurs donc n est de la forme $n = p^2 q$ avec p et q premiers. La somme de ses diviseurs est 28 : $1 + p + p^2 + q + pq + p^2 q = 28$
$\Leftrightarrow (1 + p + p^2)(1 + q) = 28$
$1 + q \geqslant 3$ et $1 + p + p^2 \geqslant 7$ donc $1 + p + p^2 = 7$ et $1 + q = 4$. $p = 2$ et $q = 3$ donc $n = 2^2 \times 3 = 12$.

80 1. $\begin{cases} 3x + 4y \equiv 5\ (13) & E_1 \\ 2x + 5y \equiv 7\ (13) & E_2 \end{cases}$
$-2E1 + 3E2 \Rightarrow 7y \equiv 11\ (13)\ E_3$
2. $k_1 = 2$ et $k_2 = 9$

3. $2E_3 \Rightarrow y \equiv 9\ (13)$. On remplace dans E_1 :
$3x \equiv 8\ (13)E_4$.
$9E4 \Rightarrow x \equiv 7\ (13)$

105 C   **106** A   **107** C
108 C   **109** B   **110** A
111 B   **112** A

113 a) 157 premier   b) 243 divisible par 3
c) 427 divisible par 7   d) 509 premier
e) 671 divisible par 11

114 $5\ 940 = 2^2 \times 3^3 \times 5 \times 11$; 5940 a 48 diviseurs.
$27\ 720 = 2^3 \times 3^2 \times 5 \times 7 \times 11$; 27 720 a 96 diviseurs.

115 $2\ 016 = 2^5 \times 3^2 \times 7$. k^6 contient nécessairement les facteurs de 2 016 et les puissances de ses facteurs sont des multiples de 6 d'où $k^6 = 2^6 \times 3^6 \times 7^6$. Donc $k = 2 \times 3 \times 7 = 42$.

116 Soit $a \in [2, p - 1]$ et $d = $ PGCD(a , p). d divise p donc $d = 1$ ou $d = p$. Si $d = p$ alors p divise a or $2 \leqslant a \leqslant p - 1$. Contradiction. Donc $d = 1$.

117 $(\alpha + 3)(\beta + 3) = 3(\alpha + 1)(\beta + 1) \Leftrightarrow \alpha\beta = 3$ donc $n = 24$ ou $n = 54$.

118 1. $2268 = 2^2 \times 3^4 \times 7$
2 268 possède 30 diviseurs.
2. $a = 2 \times 3^2 \times 7 = 126$ et $b = 2 \times 3^2 = 18$ ou le couple symétrique.

119 1 : Fausse. 4 divise 6^2 mais 4 ne divise par 6. La réciproque est vraie : si n divise a alors n divise a^2.
2 : Fausse. 2 est premier et pair. La réciproque est fausse : si n est impair alors n est premier. (9 n'est pas premier)
3 : Vraie. Comme p et q sont premiers distincts, leur seul diviseur commun est 1. La réciproque est fausse : si p et q premiers entre eux alors p et q sont premiers distincts (15 et 8 premiers entre eux et non premiers).
4 : Vraie. C'est le théorème de Gauss avec les nombres premiers. La réciproque est vraie : si p divise a ou b alors p divise ab (immédiat).
5 : Fausse. a est un multiple de p mais pas nécessairement égal à p. La réciproque est fausse : si a est premier alors $a \equiv p\ (p)$. Si a est premier et si $a \neq p$ alors $a \not\equiv p\ (p)$.

120 1. a) p est premier et ne divise pas 2 donc :$2^{p-1} \equiv 1\ (p)$.
b) $2^n = 2^{kd} = (2^k)^d \equiv 1^d \equiv 1\ (p)$.
c) $n = bq + r$ avec $0 \leqslant r < b$
$2^n = 2^{bq+r} = (2^b)^q \times 2^r \equiv 1^q \times 2^r \equiv 2^r \equiv 1\ (p) \cdot r = 0$ car sinon b ne serait pas le plus petit entier vérifiant la propriété. b divise n.
2. a) A multiple de p : $2^q - 1 \equiv 0\ (p) \Leftrightarrow 2^q \equiv 1\ (p)$.
b) Si $p = 2$ alors $2^q \equiv 0\ (p)$ donc p est impair.
c) D'après 1. c) b divise q comme q est premier $b = q$.
d) D'après 1. a) $2^{p-1} \equiv 1\ (p)$ donc $q = b$ divise $(p - 1)$. Comme p impair, $p - 1$ est pair. 2 et q divise $(p - 1)$, PGCD$(2, q) = 1$, d'après le corollaire de Gauss $2q$ divise $(p - 1)$ donc $p \equiv 1\ (2q)$.
3. Soit p un facteur premier de A_1. D'après la question 2. d) p est de la forme $34m + 1$.
$A_1 = 131071$ et $\sqrt{A_1} \approx 362$
131, 137, 239 et 307 ne divise pas A_1, d'après le critère d'arrêt et 2. d) A_1 est premier.

121 1. $(x\,;y) = (6\,;5)$

2. $(x\,;y) = \left(\dfrac{p+1}{2}\,;\dfrac{p-1}{2}\right)$

122 1. **a)** $p + 10 \equiv p + 1$ (3) et $p + 20 \equiv p + 2$ (3). Donc seulement 1 parmi p, $p + 10$, $p + 20$ est divisible par 3.
b) Comme l'un des trois termes est multiple de 3 et qu'ils sont premier alors $a = 3$, $b = 13$, $c = 23$.
2. **a)** $13 \equiv 1$ (3) et $23 \equiv 2 \equiv -1$ (3). L'égalité modulo 3 donne $v - w \equiv 0$ (3) $\Leftrightarrow v \equiv w$ (3).
b) En remplaçant v et w dans l'égalité :
$3u = -3(13k) - 3(23k') - 3(12r)$
$\Leftrightarrow u = -13k - 23k' - 12r$

6 Introduction au calcul matriciel et aux graphes

À vous de jouer !

1 1. $A = \begin{pmatrix} 2 & 4 & 6 & 8 \\ 4 & 8 & 12 & 16 \end{pmatrix}$ 2. $A^t = \begin{pmatrix} 2 & 4 \\ 4 & 8 \\ 6 & 12 \\ 8 & 16 \end{pmatrix}$

3 $AB = \begin{pmatrix} 3 & 2 & 4 \\ -1 & 0 & 3 \end{pmatrix}\begin{pmatrix} 2 & -3 \\ 4 & 5 \\ -6 & 1 \end{pmatrix} = \begin{pmatrix} -10 & 5 \\ -20 & 6 \end{pmatrix}$.

5 1. $M^2 = \begin{pmatrix} -1 & 1 \\ -5 & 5 \end{pmatrix}^2 = \begin{pmatrix} -4 & 4 \\ -20 & 20 \end{pmatrix} = 4M$.

2. $M^3 = 4M^2 = 16M = \begin{pmatrix} -16 & 16 \\ -80 & 80 \end{pmatrix}$.

7 $\det(A) = -3 \neq 0$ donc A est inversible.
$A^{-1} = -\dfrac{1}{3}\begin{pmatrix} 3 & 0 \\ -2 & -1 \end{pmatrix}$.

9 1. $AB = I_3 = BA$ 2. $X = \begin{pmatrix} 1 & -1 & -2 \\ -2 & 5 & 14 \end{pmatrix}$.

11 1. $\begin{pmatrix} 1 & -1 & 1 \\ 1 & 1 & -1 \\ -1 & 1 & 1 \end{pmatrix}\begin{pmatrix} x \\ y \\ z \end{pmatrix} = \begin{pmatrix} 3 \\ -1 \\ 5 \end{pmatrix}$.

2. $\begin{pmatrix} x \\ y \\ z \end{pmatrix} = \begin{pmatrix} 1 \\ 2 \\ 4 \end{pmatrix}$

15 1. Le graphe est d'ordre 7.

Sommet	A	B	C	D	E	F	G
Degré	6	5	3	5	3	5	3

2. Le graphe compte 15 arcs.
3. G-A-E-D-D-C.   4. A-E-D-A.

21 1. $M = \begin{pmatrix} 0 & 0 & 0 & 0 & 1 & 1 & 0 \\ 1 & 1 & 0 & 0 & 0 & 0 & 1 \\ 1 & 1 & 0 & 0 & 0 & 0 & 0 \\ 1 & 0 & 1 & 1 & 0 & 0 & 0 \\ 0 & 0 & 0 & 1 & 0 & 0 & 0 \\ 0 & 0 & 0 & 0 & 1 & 1 & 0 \\ 1 & 0 & 0 & 0 & 0 & 1 & 0 \end{pmatrix}$

2. Il y a 10 chemins de longueur 6 reliant D à B.

23 1. $X = \begin{pmatrix} 1 \\ 15 \end{pmatrix}$.

2. $V_{n+1} = U_{n+1} - X = AU_n + B - X = A(U_n - A) = AV_n$.

3. $V_n = A^n\begin{pmatrix} 2 \\ 3 \end{pmatrix}$ et $U_n = A^n\begin{pmatrix} 2 \\ 3 \end{pmatrix} + \begin{pmatrix} 1 \\ 15 \end{pmatrix}$.

25 1. $B\left(-4\,;\dfrac{13}{3}\right)$

2. $C\left(\dfrac{-3-\sqrt{3}}{6}\,;\dfrac{3\sqrt{3}-1}{6}\right)$

Exercices d'application

34 1. A est de dimension 2×4.
2. $a_{11} = 1$; $a_{21} = 10$; $a_{13} = -1$.

39 **a)** $A + B = \begin{pmatrix} 4 & -6 \\ 6 & 5 \end{pmatrix}$

b) $2A - B = \begin{pmatrix} -1 & 0 \\ 6 & 10 \end{pmatrix}$

c) $-\dfrac{1}{2}A + \dfrac{2}{3}B = \begin{pmatrix} \dfrac{3}{2} & -\dfrac{5}{3} \\ -\dfrac{2}{3} & -\dfrac{5}{2} \end{pmatrix}$.

43 **a)** $AB = \begin{pmatrix} 27 & -1 \\ 32 & -18 \end{pmatrix}$ **b)** $A^2 = \begin{pmatrix} -5 & 15 \\ -10 & 10 \end{pmatrix}$

c) $A^5 = \begin{pmatrix} -275 & 75 \\ 50 & -350 \end{pmatrix}$ **d)** $B^2 = \begin{pmatrix} 49 & 5 \\ 8 & 44 \end{pmatrix}$

e) $B^5 = \begin{pmatrix} 11043 & 11275 \\ 18040 & -232 \end{pmatrix}$.

48 **a)** $\det(A) = 0$ donc A n'est pas inversible.

b) $\det(A) = 2$ et $A^{-1} = \dfrac{1}{2}\begin{pmatrix} 3 & -5 \\ -2 & 4 \end{pmatrix}$.

c) $\det(A) = 8$ et $A^{-1} = \dfrac{1}{8}\begin{pmatrix} 4 & -2 \\ 2 & 1 \end{pmatrix}$

d) $\det(A) = -2$ et $A^{-1} = -\dfrac{1}{2}\begin{pmatrix} 2 & -4 \\ -0,25 & -0,5 \end{pmatrix}$.

59 **a)** $\begin{pmatrix} 1 & 2 \\ 1 & -3 \end{pmatrix}\begin{pmatrix} x \\ y \end{pmatrix} = \begin{pmatrix} 3 \\ 2 \end{pmatrix}$

b) $\begin{pmatrix} -2 & 1 \\ 3 & 0 \end{pmatrix}\begin{pmatrix} x \\ y \end{pmatrix} = \begin{pmatrix} 1 \\ 5 \end{pmatrix}$

62 **a)** Le graphe est d'ordre 8.

sommet	A	B	C	D	E	F	G	H
degré	4	2	3	4	5	3	3	2

Le graphe compte 13 arêtes.
b) Le graphe est d'ordre 9.

sommet	A	B	C	D	E	F	G	H	I
degré	2	3	2	3	6	4	1	3	2

Le graphe compte 13 arêtes.

c) Le graphe est d'ordre 6.

sommet	A	B	C	D	E	F
degré	3	4	3	2	5	3

Le graphe compte 10 arcs.
d) Le graphe est d'ordre 6.

sommet	A	B	C	D	E	F
degré	5	5	3	6	3	2

Le graphe compte 12 arcs.

70 **a)** $M = \begin{pmatrix} 0 & 1 & 1 & 1 & 1 \\ 1 & 0 & 1 & 1 & 0 \\ 1 & 1 & 0 & 1 & 0 \\ 1 & 1 & 1 & 0 & 0 \\ 1 & 0 & 0 & 0 & 0 \end{pmatrix}$

b) $M = \begin{pmatrix} 0 & 1 & 0 & 0 & 1 \\ 0 & 0 & 1 & 0 & 0 \\ 1 & 0 & 0 & 0 & 0 \\ 1 & 0 & 1 & 0 & 1 \\ 0 & 0 & 0 & 0 & 0 \end{pmatrix}$

c) $M = \begin{pmatrix} 0 & 0 & 1 & 0 & 1 \\ 0 & 0 & 0 & 0 & 1 \\ 1 & 0 & 0 & 1 & 1 \\ 1 & 1 & 1 & 0 & 1 \\ 1 & 1 & 1 & 1 & 0 \end{pmatrix}$

Exercices d'entraînement

99 1. $\begin{pmatrix} a_{n+1} \\ b_{n+1} \end{pmatrix} = \begin{pmatrix} 2 & -3 \\ 1 & 5 \end{pmatrix}\begin{pmatrix} a_n \\ b_n \end{pmatrix}$.

2. $U_1 = \begin{pmatrix} -4 \\ 11 \end{pmatrix} = \begin{pmatrix} a_1 \\ b_1 \end{pmatrix}$ et $U_2 = \begin{pmatrix} -41 \\ 51 \end{pmatrix} = \begin{pmatrix} a_2 \\ b_2 \end{pmatrix}$.

102 **a)** $A' = (5\,;4)$ **b)** $B' = \left(\dfrac{1}{10}\,;0\right)$

c) $C' = \left(-1\,;\sqrt{3}\right)$ **d)** $D' = \left(\dfrac{1+\sqrt{3}}{2}\,;\dfrac{1-\sqrt{3}}{2}\right)$

Préparer le BAC

115 D   **116** B   **117** D
118 C   **119** B

120 1. A est de dimension 2×3. 2. $a_{12} = 2$.

3. $A^t = \begin{pmatrix} 3 & -2 \\ 2 & 4 \\ -1 & 6 \end{pmatrix}$

121 **a)** Produit non défini.   **b)** $\begin{pmatrix} 3 \\ 3 \end{pmatrix}$

c) $\begin{pmatrix} 8 \\ 4 \\ 0 \end{pmatrix}$ **d)** $\begin{pmatrix} -2 & 5 & 2 \\ 3 & 3 & -3 \\ 1 & 4 & -1 \end{pmatrix}$

122 1. **C**

2. **a)** $\begin{pmatrix} -5 & 16 & 10 \\ 6 & -18 & -11 \\ 1 & -3 & -2 \end{pmatrix}$ **b)** $\begin{pmatrix} \dfrac{1}{12} & \dfrac{1}{2} & -\dfrac{1}{12} \\ \dfrac{1}{2} & -3 & \dfrac{1}{2} \\ -\dfrac{1}{12} & \dfrac{1}{2} & \dfrac{1}{12} \end{pmatrix}$

3.

4. a) $\det(A) = -13$; $A^{-1} = \begin{pmatrix} \dfrac{5}{13} & \dfrac{-2}{13} \\ \dfrac{-4}{13} & \dfrac{-1}{13} \end{pmatrix}$

b) $\det(A) = 0$ **c)** $\det(A) = 11$; $A^{-1} = \begin{pmatrix} \dfrac{5}{11} & \dfrac{-2}{11} \\ \dfrac{3}{11} & \dfrac{1}{11} \end{pmatrix}$

d) $\det(A) = -9$; $A^{-1} = \begin{pmatrix} \dfrac{-2}{9} & \dfrac{-1}{9} \\ \dfrac{1}{9} & \dfrac{5}{9} \end{pmatrix}$.

123 **1. b)** **2.** $\begin{pmatrix} x \\ y \end{pmatrix} = \begin{pmatrix} 4 \\ 5 \end{pmatrix}$.

124 **1.** a **2.** b

125 **1.** $A = \begin{pmatrix} 2 & 4 \\ -3 & 5 \end{pmatrix}$ **2.** $a_1 = 16$.

126 **1.** $(-2\ ;-4)$ **2.** $\left(-\dfrac{5\sqrt{2}}{2}\ ;\dfrac{\sqrt{2}}{2} \right)$

---

7 Chaînes de Markov

À vous de jouer !

1 Le chemin le plus court est donné par A-F-E-B-C, de longueur 23.

3 Notons A, B et C les trois amis et X_n l'ami à qui Noé envoie un message au jour n. Pour tout entier n, l'ensemble image de X_n est {A ; B ; C}. Les probabilités d'envoi à un ami ne dépendent que de l'envoi du jour précédent avec la probabilité $P_{(X_n = e_i)}(X_{n+1} = e_j) = 0{,}5$ pour $e_i \neq e_j \in \{A\ ;B\ ;C\}$. (X_n) est une chaîne de Markov.

7 L'espace d'états est E = {0 ; 1 ; 2} et la matrice de transition est $Q = \begin{pmatrix} \dfrac{4}{9} & \dfrac{4}{9} & \dfrac{1}{9} \\ 0 & \dfrac{2}{3} & \dfrac{1}{3} \\ 0 & 0 & 1 \end{pmatrix}$.

10 $Q = \begin{pmatrix} 0 & 1 & 0 \\ 0{,}35 & 0 & 0{,}65 \\ 0 & 1 & 0 \end{pmatrix}$.

13 $\pi_{n+1} = \pi_n Q = (0{,}1P(X_n = A) + 0{,}5P(X_n = B)$
$0{,}9P(X_n = A) + 0{,}5P(X_n = B))$

17 $\pi = \begin{pmatrix} \dfrac{4}{9} & \dfrac{5}{9} \end{pmatrix}$

19 **1.** $P^{-1} = \dfrac{1}{2} \begin{pmatrix} 1 & 1 \\ 1 & -1 \end{pmatrix}$.

2. Un raisonnement par récurrence nous donne

$Q^n = P \begin{pmatrix} 1 & 0 \\ 0 & (2a-1)^n \end{pmatrix} P^{-1}$

$= \dfrac{1}{2} \begin{pmatrix} 1+(2a-1)^n & 1-(2a-1)^n \\ 1-(2a-1)^n & 1+(2a-1)^n \end{pmatrix}$.

D'où $\pi_n = (a_n\ \ b_n)$
$a_n = (1 + (2a-1)^n)P(X_0 = A)$
$\qquad + (1 - (2a-1)^n)P(X_0 = B)$

$b_n = (1 - (2a-1)^n)P(X_0 = A)$
$\qquad + (1 + (2a-1)^n)P(X_0 = B))$.

21 L'état du système dans l'année future dépend uniquement de celui de l'année présente. La chaîne de Markov a pour ensemble d'états {P ; V}. L'état invariant est unique $\begin{pmatrix} \dfrac{2}{5} & \dfrac{3}{5} \end{pmatrix}$; la chaîne de Markov converge vers cet état. La répartition est alors répartie en 40 % des élèves dans le lycée P et 60 % dans le lycée V.

Exercices d'application

30 Le plus court chemin est A-B-G-F, de longueur 31.

33 **1.** $P(X_0 = \text{B}) = \dfrac{1}{2}$; $P_{(X_n = \text{A})}(X_{n+1} = \text{B}) = \dfrac{4}{5}$;
$P_{(X_n = \text{B})}(X_{n+1} = \text{B}) = \dfrac{1}{3}$.

2. $P(X_1 = \text{A}) = \dfrac{13}{30}$ et $P(X_1 = \text{B}) = \dfrac{17}{30}$.

3. $P(X_2 = \text{A}) = \dfrac{209}{450}$ et $P(X_2 = \text{B}) = \dfrac{241}{450}$.

36 **a)** $M_1 = \begin{pmatrix} 0{,}2 & 0{,}8 \\ 0{,}4 & 0{,}6 \end{pmatrix}$ **b)** $M_2 = \begin{pmatrix} 0 & 1 \\ 1 & 1 \end{pmatrix}$

b) $M_3 = \begin{pmatrix} 0{,}1 & 0{,}2 & 0{,}7 \\ 0 & 0{,}5 & 0{,}5 \\ 0{,}2 & 0{,}3 & 0{,}5 \end{pmatrix}$

d) $M_4 = \begin{pmatrix} 0{,}6 & 0{,}1 & 0{,}3 \\ 0{,}2 & 0{,}6 & 0{,}2 \\ 0{,}2 & 0{,}6 & 0{,}2 \end{pmatrix}$

43
a)
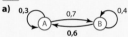

b)
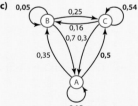

c)
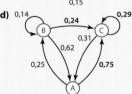

d)

47 **1.** $P(X_0 = \text{A}) = 0{,}5$; $P(X_0 = \text{B}) = 0{,}5$; $P(X_0 = \text{C}) = 0$.
2. a) $\pi_1 = (0{,}15\quad 0{,}15\quad 0{,}7)$ et $\pi_2 = (0{,}395\quad 0{,}395\quad 0{,}21)$.
b) $P(X_1 = \text{A}) = 0{,}15$ et $P(X_2 = \text{C}) = 0{,}21$.
3. $\pi_n = \pi_0 Q^n$.
4. $\pi_{10} = \pi_0 Q^{10} \approx (0{,}3\quad 0{,}3\quad 0{,}4))$ et $\pi_{20} = \pi_0 Q^{20} \approx (0{,}3\quad 0{,}3\quad 0{,}4)$. On peut calculer la distribution pour des entiers de plus en plus grands pour conjecturer qu'elle converge.

50 **a)** $\pi = \begin{pmatrix} \dfrac{4}{11} & \dfrac{7}{11} \end{pmatrix}$ **b)** $\pi = \begin{pmatrix} \dfrac{7}{16} & \dfrac{9}{16} \end{pmatrix}$.

Exercices d'entraînement

59 **1.** La marche aléatoire donnée par le graphe décrit un mouvement futur qui ne dépend que de la position présente de la grenouille. (P_n) est une chaîne de Markov d'espace d'états {A ; B ; C} et de matrice de transition

$M = \begin{pmatrix} 0{,}4 & 0{,}1 & 0{,}5 \\ 0{,}5 & 0 & 0{,}5 \\ 0 & 0{,}8 & 0{,}2 \end{pmatrix}$.

2. $\pi_n = \pi_0 M^n = (0\quad 1\quad 0) \begin{pmatrix} 0{,}4 & 0{,}1 & 0{,}5 \\ 0{,}5 & 0 & 0{,}5 \\ 0 & 0{,}8 & 0{,}2 \end{pmatrix}^n$.

$\pi_4 = (0{,}272\quad 0{,}3465\quad 0{,}384335)$
et $\pi_6 = (0{,}27902\quad 0{,}336645\quad 0{,}384335)$. La probabilité qu'elle revienne en B en quatre sauts est 0,3465 et en six sauts 0,336645.

68 $\pi_n = (1\ 0) \begin{pmatrix} 0{,}8 & 0{,}2 \\ 0{,}2 & 0{,}8 \end{pmatrix}$ et $\pi_{61} = (0{,}5\quad 0{,}5))$.

Préparer le BAC

80 A **81** B **82** A
83 B **84** A **85** A

86 Le chemin de longueur minimale est le chemin A-B-F-H-K de longueur 9 km.

87 **1. a)** Les probabilités de changer d'opérateur à l'instant futur ne dépendent que de l'opérateur choisi à l'instant présent.
b) En 2020, la probabilité qu'une personne ait choisi E est 0,1. D'où $\pi_0 = (0{,}1\ 0{,}9)$.

c) $M \begin{pmatrix} 0{,}7 & 0{,}3 \\ 0{,}45 & 0{,}55 \end{pmatrix}$.

2. $\pi_n = \pi_0 M^n$ et $\pi_2 = (0{,}56875\quad 0{,}43125)$.
3. a) $e_n + g_n = 1$. **b)** $e_{n+1} = 0{,}7e_n + 0{,}45g_n$.
c) $e_{n+1} = 0{,}7e_n + 0{,}45(1 - e_n)$.

88 A ▶ **1. a)** Les probabilités de passer d'un état à l'autre dans l'instant futur ne dépendent que de l'état à l'instant présent.
b) On suppose qu'en l'instant initial l'atome est en état stable.

c) $A = \begin{pmatrix} 0{,}995 & 0{,}005 \\ 0{,}6 & 0{,}4 \end{pmatrix}$.

2. $\pi_n = \pi_0 A^n$.

3. a) $\det(P) = 121 \neq 0$. **b)** $D = \dfrac{1}{121} \begin{pmatrix} 1 & 0 \\ 0 & \dfrac{79}{200} \end{pmatrix}$.

4. Un raisonnement par récurrence nous permet de montrer que $A^n = PD^n P^{-1}$ pour tout entier naturel. L'hérédité utilise l'égalité $A^{n+1} = A^n A = PD^n P^{-1} A$ par hypothèse de récurrence.

5. $\pi_n = \dfrac{1}{121}(120 + 0{,}395^n\quad 1 - 0{,}395^n)$.

6. $\lim\limits_{n \to +\infty} \pi_n = \begin{pmatrix} \dfrac{120}{121} & \dfrac{1}{121} \end{pmatrix}$.

B ▶ **1.** $A = \begin{pmatrix} 0{,}99 & 0{,}01 \\ a & 1-a \end{pmatrix}$.

2. $\pi_1 = (0{,}98\quad 0{,}02))$ et $a = 0{,}49$.

Crédits

Couverture : © Mauricios Ramos/Canvas Images/Alamy/Photo 12

p. 8 : Photo12/Alamy/Science History Images ; Photo12/Alamy/Historic Images - **p. 9** : A. Wittmann - **p. 10** : batuhan toker - **p. 39** : ©Irina Burakova - stock.adobe.com - **p. 42** : ©Bao - stock.adobe.com - **p. 66** : ©phonlamaiphoto - stock.adobe.com - **p. 73** : Shutterstock - **p. 76** : Photo12/Alamy/History and Art Collection - **p. 77** : Aurimages_P12/The Granger Coll NY - **p. 78** : alexialex/Getty - **p. 81** : Chaccard/Franck Séguin - **p. 93** : ©Nicolas - stock.adobe.com - **p. 101** : DR/FranceTV - **p. 104** : Photo12/Alamy/Marek Uliasz - **p. 120** : ESO/VISTA - **p. 121** : ©L.A Photo - stock.adobe.com - **p. 123** : ESO - **p. 129** : ©fergregory - stock.adobe.com - **p. 130** : DR - **p. 132** : Shutterstock - **p. 134** : Photo12/Alamy - **p. 157** : WWW.SHOCK.CO.BA - **p. 162** : Shutterstock - **p. 164** : ©Kondor83 - stock.adobe.com - **p. 165** : Shutterstock - **p. 184** : ©thomathzac23 - stock.adobe.com - **p. 186** : ©PhotoSG - stock.adobe.com - **p. 189** : Jeu Andor ; Shutterstock - **p. 190** : ©alexbrylovhk - stock.adobe.com - **p. 198** : ©Xaver Klaussner - stock.adobe.com - **p. 200** : imaginima - **p. 224** : ©reservoircom - stock.adobe.com - **p. 225** : ©zzzz17 - stock.adobe.com

Autres photos : Adobestock.com

Responsable éditorial : Adrien FUCHS

Coordination éditoriale : Aurore BALDUZZI, Julie DRAPPIER, Stéphanie HERBAUT, Marilyn MAISONGROSSE.

Maquette de couverture : Primo & Primo

Maquette intérieure : Primo & Primo et Delphine d'INGUIMBERT

Mise en pages et schémas : Nord Compo

Iconographie : Franck SEGUIN et Candice RENAULT

Numérique : Dominique GARRIGUES et Audrey BILLARD

ISBN : 978-2-210-11408-1

© MAGNARD 2020, 5 allée de la 2ᵉ D.B. 75015 Paris

Nº éditeur MAGSI20200814 • Dépôt legal: avril 2020 • Imprimé en Espagne par Gráficas Estella en septembre 2020